Arletty

Denis Demonpion

Arletty

Flammarion

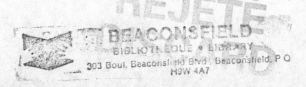

RR20,594 X

À ma mère

Avertissement

«Tu devrais appeler Arletty», me dit un jour un ami de Puteaux. J'étais jeune journaliste, échotier dans un grand hebdomadaire tout en couleur, en quête de potins plus ou moins mondains. Je compose le numéro de téléphone pêché dans l'annuaire. «C'est d'la part?» Au bout du combiné, la voix, singulière, me glace. J'expose l'objet de ma démarche. «Vous n'savez peut-être pas que ça fait dix ans que je suis aveugle!» Plates excuses. Je raccroche, lui adresse un échantillon de mes dernières parutions.

À quelque temps de là, une semaine, quinze jours, heureux hasard, je fais la connaissance d'un de ses proches à qui je raconte ma mésaventure. Il m'invite à aller le retrouver chez elle un jour donné. Je sonne. J'entre. Assise sur son divan, elle se balance, rose et blanche, flexible, le pied gauche posé par terre, les mains croisées sur le genou droit plié. Sa souplesse, sa jeunesse me soufflent. Derrière ses lunettes aux verres épais, ses yeux sombres et expressifs apparaissent grossis comme à travers une loupe. Elle a un teint d'églantine, frais et parfumé. Son vocabulaire, imagé, à l'emporte-pièce, me charme comme ses rires, en cascades ou en trilles, modulés, profonds, déchirés. Un rire de jeune fille pas bégueule, spontanée, intelligente, grave. Arletty n'a pas d'âge. Ce n'est pourtant plus un bébé. Vissé sur mon tabouret amarante, médusé, je reste aux anges, yeux écarquillés, bouche cousue. À l'heure de partir, elle me palpe la pomme d'Adam : «Alors, il a pas eu peur au moins. Y r'viendra m'voir?» Dès le lendemain, je rappelle. «Quand êtes-vous libre à déjeuner? propose-t-elle. J'vous invite. » Deux jours plus tard, nous étions attablés ensemble dans un grand restaurant parisien.

De ce jour, nous ne nous sommes plus quittés. De bavardages interminables en lectures quotidiennes, de découvertes de bonnes tables en balades idéales à Paris, Puteaux, Courbevoie, nous avons fait et refait le tour de sa vie. Directe, elle parlait de tout, de ses goûts comme de ses dégoûts, sans fausse pudeur, sans tabou. Le temps, auprès d'elle, s'était aboli. Je n'avais plus d'heure. Je ne crois pas, en sa compagnie, avoir jamais connu l'ennui. Au fil des semaines, des mois, des années − plus d'une quinzaine au total −, elle s'est beaucoup confiée. J'ai beaucoup consigné. Ce sont ses propos que je livre aujourd'hui entre guillemets. Malgré la richesse et la constance de nos échanges, il est un fait que je n'ai certainement pas tout su d'elle.

D.D.

Ne proclamons heureux nul homme avant la mort *.

Sophocle

* Cette citation, et toutes celles mises en épigraphe en tête de chapitres, Arletty les a relevées au fil de ses lectures.

Léonie Bathiat
1898 – 1992

Arletty riait de tout. C'était sa façon de conjurer le sort. «Quand j'claquerai, tirez-moi les cheveux. Si j'fais aïe, c'est qu'c'est pas l'bon jour.» La mort, elle l'invoquait presque quotidiennement à la fin de sa vie. Elle en avait aussi très peur. L'humour, ou mieux l'esprit, toujours aigu, était son remède, en toutes circonstances. En cela elle était de la race des Rabelais et des Beaumarchais qu'elle aimait et citait volontiers. Comme l'un, elle était convaincue que le rire est le propre de l'homme, comme l'autre elle s'empressait de rire de tout de crainte d'être obligée d'en pleurer.

Ses obsèques, qu'elle voulait sans chichis ni tralalas, n'auraient pas manqué de lui inspirer quelques mots d'esprit frappés au coin du bon sens. Une trentaine de personnes – des proches et de rares parents éloignés – attendaient, au pied de son immeuble de la rue Rémusat à Paris, le fourgon mortuaire qui devait les transporter au funérarium de Suresnes pour la levée du corps. Surprise générale à l'arrivée du véhicule : la maison Borniol et ses croque-morts n'avaient rien trouvé de mieux que de dépêcher un autocar orange, bariolé de palmiers et de scènes de plage. Azzedire Alaïa ne disait mot. Marcel Carné était scandalisé. Arletty s'en serait amusée d'une formule bien à elle, du genre : «Y croyaient p't'être qu'on allait à Deauville!»

Au funérarium, Arletty reposait dans son linceul, apaisée, diaphane. Le visage, d'une étonnante jeunesse, avait perdu le sourire esquissé à son dernier soupir. Empreinte maladroite du thanatopracteur, qui lui avait grossièrement suturé les lèvres. Sur ses traits immobiles, seule trace perceptible de ses quatre-vingt-quatorze ans : des tempes légèrement creusées. Ses yeux, scellés, avaient repris leur mystère. Raymond Voinquel a admiré le profil, regrettant de ne pouvoir graver le masque mortuaire sur pellicule, lui qui avait si souvent photographié Arletty sur les plateaux de cinéma.

La main droite avait retrouvé le geste précis qu'on lui voit sur ses photos d'adolescente, où, longue, sérieuse et pensive, elle semble se caresser l'index avec le pouce. Avec le temps, et le poids de la solitude, ce mouvement lui était devenu quasi mécanique.

Nul doute que l'hommage qui lui a été rendu devant l'hôtel du Nord, quai de Jemmapes à Paris, lui aurait serré le cœur. Sur le pont ensoleillé tout proche du canal Saint-Martin, la foule silencieuse attendait. Les trottoirs et la chaussée étaient noirs de monde. Le corbillard se fraya un passage, avant de s'immobiliser devant la façade de l'immeuble au fronton aujourd'hui classé. Dernière halte sur le lieu qui avait consacré le début de sa gloire au cinéma : L'*Hôtel du Nord*. Des applaudissements éclatèrent, chargés de ferveur et de gravité. Seule touche de couleur dans le convoi funéraire : le drap rose évanoui par-dessus le cercueil. Drôle d'atmosphère en ce 29 juillet 1992…

Cinquante-quatre ans se sont écoulés depuis le film de Carné, où dans ce même décor reconstitué en studio Mme Raymonde-Arletty lance à M. Edmond-Jouvet la célèbre réplique que Jeanson lui avait écrite sur mesure : «Atmosphère, atmosphère, est-ce que j'ai une gueule d'atmosphère?»

La voiture est repartie, laissant le public à ses souvenirs, à sa tristesse, à ses affaires. Un peu comme dans *Les Enfants du paradis*, quand, dans un tourbillon populaire, la calèche emporte Garance, loin du boulevard du Crime et de ses amours impossibles avec Baptiste Deburau (Jean-Louis Barrault).

Direction le crématorium du Père-Lachaise, sans cérémonie religieuse préalable. Arletty voulait être «grillée». Elle y tenait, le disait, le répétait, parfois jusqu'à l'obsession. Peut-être considérait-elle cette dernière volonté comme le signe suprême de son détachement des choses d'ici-bas. Son indifférence aux vanités du monde, matérielles ou morales, était totale. Pour elle, la crémation permettait d'oublier, une fois pour toutes, les artifices sur lesquels s'était construit son personnage, l'Arletty que nous connaissons ou croyons connaître. À l'heure de retrouver sa terre de Courbevoie et ceux – père et mère – qui l'avaient aimée d'un amour absolu, lorsqu'elle n'était qu'une gosse à l'accent des faubourgs et à la repartie déjà facile, elle a voulu que son seul nom de baptême soit gravé dans le marbre : Léonie Bathiat.

Première partie

Chapitre I

J'ai redonné sa dignité au hasard,
le plus ancien dieu du monde.

NIETZSCHE

«Je suis née au bord de la Seine, à Courbevoie. Mon enfance heureusement, elle m'a marquée dans le bonheur. Pas à cause de la richesse, mais de la joie. Jusqu'à seize, dix-sept ans, j'ai eu une très jolie existence.»

Jusqu'au jour tragique de décembre 1916 où son père meurt dans un accident du travail, son enfance a été «heureuse» – un mot qu'Arletty finira par bannir de son vocabulaire, le réservant à ces seules années d'insouciance. Le reste n'est qu'arrachements, renoncements, coups durs, blessures secrètes. Et pour donner le change, des éclats de rire en cascades. Léonie a de la voix. Un tempérament bien trempé, qu'elle s'est forgé très tôt.

Léonie Maria Julia Bathiat naît le 15 mai 1898 à trois heures du matin. Avec de grands yeux, le front haut, le menton rond, de rares cheveux clairs. Sa mère a vingt-quatre ans. Accouchement à l'ancienne, c'est-à-dire dans la maison familiale, un petit rez-de-chaussée sombre, au fond de la cour du 33, rue de Paris à Courbevoie.

«Il était éclairé par le sourire de mes parents.»

Pour y accéder, il faut emprunter un porche étroit, juste à côté de la boutique d'un marchand de couleurs ornée d'un arc-en-ciel où elle apprendra à distinguer le rouge du vert. Rien n'a survécu au passage des démolisseurs et des promoteurs immobiliers vers la fin des années quatre-vingt.

Le lendemain de sa naissance, son père Michel, un ajusteur de vingt-cinq ans, se rend à la mairie pour la déclarer à l'état civil. Il est onze heures du matin. Le maire Léon Sulpice Boursier le reçoit, moins solennellement qu'il ne l'a fait sept mois plus tôt quand, endimanché et le ventre barré de son écharpe tricolore, il a consacré son union avec Marie Marguerite Philomène Dautreix. Léonie est le deuxième enfant du couple après un garçon, Pierre, surnommé Pierrot, à cause de son côté lunaire.

Pour des Auvergnats, convoler alors que le premier rejeton atteint déjà deux ans et que le second s'annonce, n'est pas, en cette fin de XIXᵉ siècle, vraiment orthodoxe. Surtout dans un milieu ouvrier et paysan.

Physiquement, Léonie est tout le portrait de sa mère, lingère : les traits, le regard, l'ovale du visage, jusqu'à la pâleur.

« J'avais aussi sa voix et ses bobards. La gueule était de mon père. »

D'après photos, sa ressemblance avec celui-ci est moins criante qu'elle ne l'affirme. Même s'il y a la même légère gravité perceptible à la commissure des lèvres, le même front haut, le même arrondi du menton.

Courbevoie est à l'image de la banlieue parisienne de l'époque, un mélange de campagne et d'usines. Sur les bords de la Seine fument de hautes cheminées de brique rouge, et, face à la communale, la fabrique d'eau de Mélisse distille ses parfums. Sur les quais, les maisons, à un étage, deux tout au plus, sont exiguës ; les gosses, coiffés de casquettes, jouent dans la rue. Ils ont interdiction de franchir la Rampe du Pont chère à Céline, né au numéro 12, quatre ans avant la petite Léonie.

Courbevoie… La Rampe… Deux vocables, mieux, deux mots de passe dans le déclic de leur amitié née des années plus tard, bien plus tard, sous l'Occupation, quand, au cours d'une soirée, on les présentera l'un à l'autre.

Le XIXᵉ siècle se meurt doucement, l'expansionnisme colonial flamboie, les anarchistes revendiquent des lois plus justes à coups d'explosif, le bonapartisme est en berne, le romantisme expire. Encore deux ans et c'est le XXᵉ siècle, celui de la vitesse, des illusions et de l'image. Une période de convulsions. La France vit à l'heure des premiers mouvements ouvriers et de l'affaire Dreyfus qui enflamme et divise la République. Le 13 janvier 1898 – «Ma mère me portait» (Marie Bathiat attend Léonie depuis quatre mois) –, Zola publie son retentissant *J'accuse*. Un coup de tonnerre. L'auteur des *Rougon-Macquart* réclame la révision du procès du capitaine Alfred Dreyfus, un officier d'origine juive, accusé à tort de trahison, et condamné à la déportation à vie. Sa lettre ouverte, adressée au président de la République, le brave et galant Félix Faure, est une supplique sans équivoque. Pour que justice soit faite. Dès lors, «l'affaire devient l'Affaire [1]».

«Ma pomme voit l'jour. J'gambille.»

Il y a d'un côté ceux qui veulent que Dreyfus soit rejugé pour que son innocence éclate au grand jour – les dreyfusards –, de l'autre ceux qui s'y opposent – les anti-dreyfusards. «Du palais à la soupente, toute la France prenait parti [2]», écrit Arletty dans son livre de mémoires, *La Défense*.

L'Affaire, «majoritairement bourgeoise [3]», occupe principalement l'élite politique et lettrée, guère les quartiers ouvriers. Marie Bathiat se montre pourtant «fervente anti-dreyfusarde». Enceinte, elle va manifester devant la Chambre. Était-elle antisémite?

«Difficile à dire. Y'avait l'goupillon. Ma mère n'avait pas d'opinions politiques.»

C'est une personne primaire, catholique par tradition plus que par conviction, bercée de prières et de prêches. D'une éducation sommaire, elle porte tout le poids de son Auvergne natale.

«Elle me faisait faire des grimaces devant la Sainte Vierge.»

Marie Bathiat a évolué dans un milieu modeste – son père était maréchal-ferrant –, pour ne pas dire arriéré. Sans éducation ni sou vaillant, quel moyen avait-elle de discuter l'ordre établi? Le clergé était tout-puissant. Les prêtres, fonctionnaires, et à ce titre salariés de l'État, n'avaient rien à envier aux gendarmes. Ils représentaient l'autorité.

«Un chapelet dans une poche, les tarots dans l'autre, elle avait la foi du charbonnier.»

À Courbevoie, ses promenades favorites sont les visites à l'église avec les enfants. Une fois l'an, elle fait une incursion au bois de Boulogne, allée des Acacias, le rendez-vous des gens huppé à l'élégance raffinée. Les dames sont en chapeau, les messieurs en habit.

Marie Bathiat lit *La Patrie*, un journal populaire et réactionnaire dans lequel le polémiste de droite Henri Rochefort — maître à penser de la rédaction — exalte le nationalisme.

« Tout le monde lisait ça parce que les gens les laissaient dans les tramways. »

Michel Bathiat, lui, est un taciturne, la casquette plate vissée sur le crâne, des moustaches de Gaulois, les yeux gris un peu plissés sous la visière. S'il lit les articles sur la politique, il n'en fait pas état.

« Mon père parlait très peu. »

« Libre-penseur », autrement dit laïc et républicain quoique n'ayant jamais appartenu à une des sociétés de la libre-pensée alors actives dans les milieux populaires, c'est surtout un travailleur manuel. Jeune encore, il a commencé comme mineur à Saint-Éloy-les-Mines, dans le Puy-de-Dôme, bien avant que soit octroyée la journée de huit heures. D'ouvrier, il est devenu chef de traction à la compagnie des Tramways de Paris et du département de la Seine (TPDS), l'ancêtre de la RATP. Une promotion qui doit beaucoup à son esprit pratique, lui qui est capable de réparer une locomotive défaillante.

« C'était l'genre inventeur. »

La vie des Bathiat comme des Dautreix est faite de labeur. Lorsqu'on naît en Auvergne, dans une famille sans fortune, sortir du rang est malaisé. Il est d'usage de se saigner aux quatre veines pour que l'aîné fasse des études. Céline, le bourgeois, le clame : « C'est capital l'instruction [4]. » Arletty approuve sans réserve.

« Ma mère méritait son brevet supérieur. C'était pas ma marraine qu'aurait dû être instruite. Mais c'était l'aînée… C'était l'époque qui voulait cela. Mon oncle, il avait des facilités en latin, alors, hop ! curé. Il aurait dû être médecin… »

De santé fragile, Léonie est sujette à des crises de nerfs. Jusqu'au jour où un accès la laisse prostrée. Le docteur Amat, médecin de famille à Courbevoie portant redingote et chapeau Cronstadt, diagnostique des convulsions et prescrit un changement d'air. Ce sera l'Auvergne. Ses parents l'envoient en pension chez le fameux oncle maternel devenu prêtre, l'abbé Dautreix, aumônier au couvent du Bon Pasteur à Montferrand, près de Clermont.

Léonie n'a pas cinq ans. Son trousseau sous le bras et le cœur gros, elle prend le train.

La plus jeune de toutes les pensionnaires, elle se conforme, sans broncher, à la rigueur monacale. Elle récite ses bénédicités, avale son huile de foie de morue, observe en silence. En classe enfantine, elle s'émerveille des illustrations qu'une jeune religieuse fait, au tableau noir, des *Fables* de La Fontaine – à jamais son livre de chevet. Ses prédispositions pour apprendre à lire sont indéniables. Pour écrire, c'est un peu plus dur.

Six mois plus tard, changement de régime, il lui faut de l'altitude. La diligence Clermont-Riom, puis une guimbarde de campagne la conduisent à Charbonnières-les-Vieilles chez sa grand-mère maternelle, Marie Dautreix, née Bathias (avec un «s» à la fin), dite Mariette.

« Une personne pittoresque. »

Figure de folklore, la tête sanglée dans un bonnet blanc, et, sous un châle de laine à grosses côtes, le corps compressé dans une longue robe noire, voilà une Auvergnate d'un autre temps. Mariette file ses chemises de lin sur un rouet, confectionne son pain et des tourtes de seigle, élève des poules et des chèvres – « ses bêtes ». Sa maison est en pierres de Volvic. Dans l'âtre, une marmite en fonte suspendue sert à cuire les pommes de terre et les rutabagas. Mariette, qui ne sait ni lire ni écrire, a le regard humide et limpide de ceux qui implorent le ciel en silence. C'est un cœur pur.

« Elle venait tout droit du Moyen Âge [5]. »

Un matin, le facteur apporte une lettre de Courbevoie dont il fait la lecture. Une surprise attend Léonie : ses parents viennent d'emménager dans un logement plus spacieux et plus clair, grâce à la récente promotion de son père, embauché comme chef d'équipe à la TPDS. Leur nouvelle adresse : 7, rue de Paris à Puteaux, de l'autre côté de la Rampe, un quartier situé en contrebas de la place de la Défense, qui lui devient vite familier.

Sur les pavés résonnent les sabots des chevaux et les roues cerclées des landaus. Le carrefour est ombragé par des allées d'arbres. Au centre du croisement trône la statue de Barrias, érigée en hommage aux héros de la guerre de 70. Dans une pose hiératique, une femme se dresse, en haillons mais le front haut, implacable, un glaive à la main. À ses pieds, un soldat gît en savates, la mèche rejetée sur le côté. Léonie, trop petite, n'en voit que le socle lorsqu'elle vient en vacances chez ses parents, mais elle aime se balancer sur les lourdes chaînes en feston qui entourent le monument.

Car, jusqu'en 1909, ses aller-retour Paris-Clermont seront fréquents. Sur les instances du médecin, elle doit passer six mois par an en Auvergne, au grand air, afin de guérir de ce qu'on redoute être le haut mal, comme om appelait alors l'épilepsie.

Reconstruire le puzzle de cette jeunesse tient, pour une part, du jeu de hasard tant les souvenirs et les dates de ces années lointaines se bousculent dans la mémoire d'Arletty. Puteaux est peut-être davantage associé à ses jeux d'enfant. Ce sont les voyages à Neuilly, les jours de fête, sur les épaules de son père. Magiciens, orgues de Barbarie, chevaux de bois, montagnes russes, femme à barbe, rien ne manque. Il y a même une dompteuse à l'accent rocailleux, Louise Weber, la célèbre Goulue de Toulouse-Lautrec, qui, depuis qu'elle a quitté le Moulin-Rouge, parade dans sa baraque, fouet en main. Ce sont aussi les expéditions au Mont-Valérien, «ce Puy-de-Dôme de banlieue [6]», les jeudis alors sans école. Ce sont encore les poux qu'elle «ramasse» dans le quartier et les coupes de cheveux qui en résultent, lui laissant le crâne aussi lisse qu'une «boule de rampe». Autrement, elle porte des couettes, tenues par un ruban blanc noué sur la tête.

L'Auvergne est plus directement liée à son éducation religieuse et scolaire.

«À Montferrand, on m'poussait pas. Les religieuses m'engueulaient pas. J'me laissais aller.»

En vérité, la petite Léonie se plie de bonne grâce à la discipline du couvent. Non par plaisir, mais parce qu'elle n'en sent pas le poids. L'obéissance lui est pour ainsi dire naturelle. Quelque chose pourtant la tracasse. Elle sent confusément qu'elle ne croit pas en Dieu. La lecture de l'Ancien et du Nouveau Testament la laisse de marbre. Des phrases comme «le Bon Dieu te punira» la révoltent intérieurement. Elle n'en laisse cependant rien paraître.

«Pour ne pas faire de peine.»

Pas étonnant dès lors qu'elle emploie un ton de petite fille modèle pour écrire à sa grand-mère et à sa tante à l'occasion de la nouvelle année 1909. Léonie a dix ans et demi et une orthographe hasardeuse :

«Me voici, j'accours car c'est le 30 décembre 1908 et je veux être la première à vous offrir mes vœux de 1909. Je les ais faits monter nombreux vers le ciel. Et ils tendent tous à votre plus grand bonheur. Mais ce que je demande surtout au Bon Dieu dans mes prières c'est de vous laisser encore lomptemps, bien lomptemps sur la terre pour que je puisse jouir de votre affection et de votre tendresse et pour vous rendre encore plus heureuses. Pour cela, je vous promets d'être toujours bien sage.

Adieu, chère grand-mère et chère tante, je me jette dans vos bras pour vous donnez mes meilleurs baisers et recevoir les vôtres.

Votre affectueuse et heureuse petite fille.

Nini. »

Nini, tel est le surnom infantile et tendre qu'on lui donne en Auvergne. Quatre-vingts ans plus tard, il n'y aura plus guère qu'Antoinette Chaissac, sa seule amie d'enfance survivante de Charbonnières-les-Vieilles, pour l'appeler encore par ce diminutif. Antoinette, son aînée de deux jours, est une femme singulière. Son humour involontaire amuse Arletty, qu'elle invite à déjeuner au restaurant à chacun de ses passages à Paris, alors qu'elles sont déjà toutes deux nonagénaires. Arletty ne pouvant plus lire la carte à cause de ses yeux malades, Antoinette s'y prête volontiers, lui détaillant le plus naturellement du monde le prix des plats : « Bouquet de crevettes... 58 francs, selle d'agneau aux épinards... 132 francs, etc. »

Nini, ce sera aussi un de ses premiers rôles au théâtre dans une comédie donnée en 1924 à Édouard-VII, *La Danseuse éperdue*, dont l'action, si ténue, s'est perdue dans la nuit des temps. Il y avait Betty Daussmond et Montel en vedettes.

« Montel, mon cher grand Montel. Il tuait tous les acteurs quand il entrait en scène. Pour lui, on mettait des nègres [7]. Il n'avait plus de mémoire, il était vérolé. C'était une grâce qu'on faisait à ces acteurs-là. »

1909. La France ronronne. Pour contrer les ardeurs révolutionnaires qui perdurent en Russie, elle devient le bailleur de fonds des tsars. Persuadés de faire affaire, les rentiers souscrivent à l'emprunt russe. Les esprits les plus éclairés, eux, se pressent aux Ballets russes de Diaghilev, et admirent *La Danse* de Matisse dont les tonalités hardies annoncent une nouvelle ère picturale.

Les relations diplomatiques entre Paris et le Vatican s'améliorent bien que le pape Pie X ait failli avoir un coup de sang quatre ans plus tôt, lors du vote de la loi sur la séparation de l'Église et de l'État. Le député socialiste Aristide Briand a défendu le projet. Sa fougue, son talent, son autorité ont fait merveille. Jusque dans le Massif central, l'écho de sa voix a retenti, sans toutefois ébranler les traditions. Le péril impie a été évité. La première communion des enfants a toujours bien lieu chaque année. Léonie fait la sienne le 12 mai 1909. Ses parents se sont mis en frais. Elle reçoit un missel relié et gravé de ses initiales en lettres d'or, ainsi qu'une timbale en argent incrustée de son nom et de la date du sacrement. Des photos sont prises : gants blancs, rosaire au poignet, couronne d'œillets blancs pour tenir le voile.

« Visage pâle et grave, bandeaux noirs, les yeux baissés sur un missel. Rien ne laisse deviner mon incrédulité. Je suis athée, Dieu merci [8] ! »

Au couvent, que Léonie s'apprête à quitter, un petit garçon est arrivé depuis peu, Jean Puyau, futur curé de Châtelguyon.

« Qui a créé Dieu ? », lance Léonie, mi-naïve mi-malicieuse, à la cantonade. Le garçonnet lui administre pour toute réponse une gifle magistrale, qu'elle évoquera soixante ans plus tard dans *La Défense*, livre dont elle lui envoie un exemplaire. « Je vous embrasse de tout cœur pour réparer », lui écrit-il en retour.

« Cette gifle reste entre lui et moi. »

Et scelle leur amitié, qui connaîtra, après une longue parenthèse, des années d'assiduité. Ils s'écriront des lettres affectueuses, se rencontreront régulièrement pour parler, avec nostalgie, de l'Auvergne et de l'oncle prêtre.

Le 15 juillet 1954, alors qu'une de ses connaissances lui a rapporté qu'Arletty se souvenait avec tendresse du petit garçon de Montferrand, Jean Puyau s'adresse à elle :

« J'ai pris la résolution de vous écrire – une des rares résolutions que j'ai tenues ! Sans doute parce qu'elle ne me coûte pas du tout !
Je serais enchanté de vous revoir – profitez d'une occasion… suscitez-en une – venez sans aucune raison – Nous irions faire une promenade à Sauxillanges et nous bavarderions et je suis sûr que nous serions "aussi d'accord qu'autrefois".
Vous verriez que j'ai… un peu changé !… depuis l'époque du cher père Dautreix !… Mais je suis sûr (ô lectrice d'Épictète) que les harmonies préétablies persistent en dépit des modifications contingentes de vies qui ne se ressemblent pas !
J'ai une maison charmante, une vue admirable, un pays enchanteur que vous connaissez puisqu'il est bien le vôtre.
Je voudrais bien voir votre tête en lisant cette épître inattendue… et le pire… c'est que je ne sais pas comment terminer : d'une part c'est un

chanoine (hélas!) qui écrit à Arletty et d'autre part c'est quand même encore un jeune garçon qui retrouve une grande amie…
Oh! problème angoissant!»

Retour définitif à Puteaux en 1909. Léonie rejoint ses parents qui ont emménagé quai National, d'abord au numéro 55 puis au 39, à hauteur de l'entrée principale du dépôt des tramways. Enfant vive, elle a l'œil à tout, l'esprit et la langue déliés, et saisit mieux que quiconque l'ordinaire, le ridicule ou le tragique de l'existence. Son père s'attarde de plus en plus au comptoir du coin. Léonie est au désespoir. Une boisson anisée a remplacé l'absinthe qui, prévient un slogan, «perd nos pères, perd nos fils».

«Ça a bien perdu la France, le Pernod. Qu'est-ce qu'y s'est tapé mon père!… Le Pernod et l'Amer Picon.»

L'Amer Picon, l'apéritif en vogue, pouvait foudroyer une souris en trois fois moins de temps que ne le faisait une même dose de Pernod, explique le comédien Saturnin Fabre dans ses Mémoires [9]. Il était bien placé pour en faire l'expérience : ses parents avaient passé un contrat avec le fabricant pour s'en assurer la vente à l'exportation.

Au dépôt, Léonie a sa «cour». Le hangar est si vaste que tous ses petits voisins, la plupart fils d'immigrés italiens venus travailler dans les usines, s'y donnent rendez-vous. Ils grimpent dans les tramways immobilisés, émerveillés par ces jouets grandeur nature. Léonie saute aussi à la corde, s'exerce au diabolo et surprend son monde avec un jeu ramené d'Auvergne et inconnu en banlieue, les osselets. Ses petits camarades, braillards et joyeux, sont sous le charme. Ils lui apprennent *O Sole Mio* qu'elle chante à tue-tête, et deux mots italiens : *Pace Salute*, qu'elle lancera plus tard presque aussi souvent qu'elle lèvera son verre pour trinquer.

Les enfants sont expansifs. La joie de vivre réelle. Une vraie période de prospérité, se souvient Arletty.

«Y avait pas de pauvres. Y avait pas de gens qui mendiaient. Y avait l'industrie. Tout le monde travaillait. Y avait beaucoup de gaieté. »

En bien des endroits de la banlieue, la Seine est encore une aire de loisirs, à l'image des tableaux de Seurat. Les gens viennent pique-niquer sur ses berges et se baigner dans ses eaux. Léonie, elle, se contente de bains de pieds.

«J'ai peut-être appris à nager − mal − à trente ans. Par contre, on apprenait à jacter. Y avait d'la jactance.»

Le soir, avant de s'endormir, elle ne veut pour rien au monde manquer le ballet des tramways qui se rangent en position de départ pour le lendemain matin, pas plus qu'elle ne veut rater l'ouverture de son lit.

« Quai National, j'dormais dans un lit-cage. On le dépliait tous les soirs. Y a rien qui m'amusait plus que ça. »

La banlieue, le dépôt, les tramways, la Seine, les péniches, les ouvriers, les mariniers, les usines, les bistrots, le bal musette et le lit-cage, Arletty a grandi dans ce décor. D'où le choc émerveillé que lui procurera *Voyage au bout de la nuit*, à sa publication en 1932. L'auteur, qu'elle ne connaît pas encore personnellement, c'est Louis-Ferdinand Céline.

« Y a un parallèle entre lui et moi. Y a une parenté. Nous avions le même paysage. »

Les paysages justement, Arletty en a une mémoire fidèle.

« Je ne pourrais pas répondre de paroles, de phrases prononcées, mais j'photographiais déjà la vie, les choses. J'en avais le don. Si j'avais su dessiner !… »

Elle n'a oublié ni l'allumeur des réverbères à acétylène qui passait devant chez elle, ni les barques qui flottaient quai National, ni le cadavre d'un cheval à la dérive, lors des inondations monstres de janvier 1910. Une catastrophe : la Seine s'est réveillée. Puteaux et les bas quartiers de Paris sont engloutis. Au théâtre, un jeune auteur, dans la veine des chansonniers, lance sa première revue, *Que d'eau, que d'eau*, sous un nom d'emprunt : Rip. Ses calembours feront fortune. Arletty sera, des années plus tard, une de ses interprètes de prédilection.

Autre compagnon de son enfance : Diogène. Un dimanche, une voiture de grand luxe – Daimler ou Rolls, peu importe – tombe en panne devant le dépôt. Un homme distingué, à l'accent anglais, en descend. À ses manières, ce pourrait être un ambassadeur. Le père de Léonie lui offre ses services et parvient, non sans efforts, à remettre le véhicule en route.

« Tu aimes les chiens ? demande le chauffeur à Léonie qui a suivi les réparations.

— Oh ! oui, monsieur.

— Tu en recevras un bientôt. »

Deux mois passent. La fillette n'y croyait plus, quand lui est livré un petit chien noir pas plus gros qu'un skye-terrier. Une lettre l'accompagne : « J'ai trois mois, je m'appelle Diogène et je loge dans un tonneau [10]. »

À Puteaux, le nom provoque la risée. On décide en famille de le rebaptiser Dick, diminutif anglais du nom de l'automobiliste, Richard.

À l'école, Léonie est de ces enfants qui ont des facilités. Lecture et géographie sont, pour elle, de simples formalités. Elle sait par cœur *Le Corbeau et le Renard*. En écriture et en grammaire, ses progrès sont plus lents. Une chose l'intrigue en sciences naturelles : les planches anatomiques que les religieuses montrent furtivement n'ont pas de sexe. Côté travaux manuels, son inaptitude est confondante : il lui faut quatre ans pour confectionner un mètre cinquante de dentelle du Puy. Avec ou sans les conseils de la grand-mère Mariette.

À Puteaux, ses parents la changent souvent d'établissement scolaire. Ils veulent – surtout sa mère – qu'elle reçoive de l'instruction, et la meilleure qui soit. À l'institution Collet de Neuilly, « un endroit pour gosses de riches » où elle voulait la mettre en pension, les prix sont tellement prohibitifs que Marie Bathiat repart en sanglotant. « Tu veux pas qu'j'aille chez des ordures », lui lance sa fille pour la consoler. Neuilly : « une nécropole pour nouveaux riches ». La formule est définitive.

Ce sera donc Puteaux, et successivement l'école communale rue de la République, les religieuses de Saint-Vincent de Paul où les sœurs en habit bleu, le trousseau de clés au côté, portent de grandes cornettes blanches qui leur font « comme des ailes d'oiseau » ; de nouveau la communale, et, surtout, l'institution Barbier, 18, rue Godefroy. Ah, Édith Barbier ! À en croire Arletty, Léonie lui doit tout.

Directrice et institutrice de l'établissement, elle accueille aussi bien des enfants du peuple que de la haute société.

« J'allais à l'école avec les filles du député Dubois. Il y avait aussi France Goulinet, la fille du bureau de tabac – un cerveau. C'est grâce à Mlle Barbier que j'ai eu mon certificat d'études et mon brevet élémentaire. »

De là, la reconnaissance éternelle qu'elle lui vouera.

Élève studieuse, Léonie ne sort jamais jouer sans avoir fait ses devoirs et appris ses leçons. De sorte que, lors des distributions de prix, elle n'est pas vraiment inquiète. Le 25 juillet 1911 lui sont décernés les premiers prix de devoirs, de dédaction, d'instruction religieuse, d'arithmétique et d'orthographe. Elle remporte également les deuxièmes prix d'histoire de France, de grammaire, d'analyse grammaticale et logique, et, à son étonnement, de couture. Marie Bathiat peut être satisfaite, ses efforts ont été couronnés de succès, d'autant que l'année précédente, à l'école paroissiale, sa fille avait décroché les premiers prix de calcul et de récitation, et le deuxième prix de devoirs écrits. Avec l'approbation de l'autorité ecclésiastique qui plus est! En récompense, Léonie avait reçu un gros ouvrage illustré des mains de M. de La Perche, le curé de Puteaux, qui affichait un air radieux en le lui remettant. Les personnes les mieux placées ont pu lire sur la couverture : *Balayeuse et comtesse ou la Providence a son heure*, par A. de Saint-Georges. Tout un programme, strictement dans la veine doctrinaire de l'Église.

Cette fois, le livre que lui offre la directrice de l'école, Mlle Barbier, est doré sur tranche. Il est relié d'une couverture rouge, comme les précieuses éditions de Jules Verne que feuillette parfois son père. Son titre : *La Châtelaine du Val doré*, d'Arnold Mahlinger.

Savoir lire et écrire, posséder le brevet élémentaire restent pour Léonie le bien le plus précieux.

«Mes parents s'privaient pour ça.»

Son père n'ayant pas eu cette chance, elle souffre de cette injustice. Sans être analphabète, il a du mal à s'exprimer. Longtemps du reste, elle gardera une lettre jaunie et parcheminée, qu'il avait expédiée le 5 juin 1892 à ses parents, de Satory, près de Versailles, où il faisait ses classes. L'écriture est fine, appliquée avec ses majuscules bien formées, mais l'orthographe désastreuse, le vocabulaire parfois incompréhensible.

«Chers Parents
Je vous écris ceux quelques lignes malgré que j'ai retardé un peut mais je vous direz que je n'est pas eu grand temps à perdre
Chers Parents. Je vous dirai que j'ai bien fait mon voyage je msé bien peause chez nous les jours que j'y suis resté est sa ma pas fait de mal. Cher Père est Chere Mère unsi que tous mais Frères. Sa ma bien fait plaisir de vous voir aprésent je suis plus tranquille qu avent sa me semble moin dure car aprésent je depenserai un peu moin je suis prit le dimanche jusquà la fin du tir. Chers Francis est Cher Jules. Sa ma plus fait de mal au cœur de vous quitté cette foi que la première mais enfin il vaut mieux ce quitté en bonne santé que sy je vous avais vu malade. Embrasse bien Mon Père est ma Mère pour moi unsi que mon Louis est

ma Petite Sœur, car sa me s'est mal dêtre prit à la fleur de mon age enfin je serais plus tot libre. Chere Mère ne te fait pas de mauvais sans. Le plus mauvais de mon temps est passé. Cher Pere est Chere Mère vous devais voir que j'ai prit un peut desprit car j'ai changé complétement.

Malgré toutes les peines que long à Cher Pere se tu peu lire le petit journal tu voira ce tir que nous avons monté pour les Officiers de la réserve nous y avons travaillé depuis jeudi matin comme des Civils pour recevoir monsieur le Ministre de la guerre. Si tu peu le voir tu me le dira dans la prochaine lettre. Chers Parents ne porté pas peine de moi je me suis bien un peut ennuyez pendant ceux quelques jours mais je me suis refait au Metier.

Chere Mère est bien soins de mon Père unsi que mais Frères. Car mon Pere en a besoin. Il a bien changé. Je vous est bien depensé pour aller en permission mais je vous le remettré plus tart car j'en avais besoin mais enfin. Cher Père ne porte pas peine de moi tu s'est ce que c'est un peut car j'ai vu que tu porté peine ne pense pas temps à moi je ferai comme je pourrai aprésent.

Rien autre chose à vous dire pour le moment. Votre fils qui vous aime est qui pense à vos misere car je s'est bien tout les affaire que long a mais long en sortira bien car plus tard long sera avec mes Frères pendant quelque temps. Est nous en sortiront bien ne porté pas peine. Ne te fait pas de mauvais sans.

Bathiat Michel.

Adieu mais Frères. Cher Jules écrimoi avec mon jeune Francis le plus tot possible car vous ete plus si resonnable que moi. »

Quel degré d'instruction a reçu Michel Bathiat ? A-t-il seulement connu les bancs vernis des salles de classe et les tableaux noirs ? La question mérite d'être posée étant donné ses barbarismes et ses fautes d'orthographe. La loi de Jules Ferry instaurant l'école primaire obligatoire et gratuite pour tous les petits Français datant de 1881, le père de Léonie, âgé de neuf ans, est passé à côté. Le patois est sa langue et le restera. À Puteaux, où, par entraide, il a fait venir ses anciens compagnons de Saint-Éloy-les-Mines, il continue à les appeler les « beû », ainsi qu'il le faisait au fond de la mine quand tous étaient attelés au même joug. Et ce n'est pas son engagement volontaire dans l'armée pour trois ans, le jour même de ses dix-neuf ans, qui lui fut d'un grand recours puisque les officiers l'ont dispensé d'écoles régimentaires, sous prétexte qu'il savait « lire et écrire ». C'est bien assez, pensent les gradés, pour apprendre à manier un fusil ou à faire son lit.

Michel Bathiat est né le 12 octobre 1872, à Ayat-sur-Sioule dans le Puy-de-Dôme, d'un père palefrenier aux mines — le transport du charbon se faisait alors à cheval — et d'une mère «sans emploi», stipule l'état civil. Elle est en fait femme au foyer. Ses tâches ménagères consistent à élever ses sept enfants (cinq garçons, deux filles), à faire chauffer la marmite et à cultiver un bout de jardin.

«Mon père était bien de cette terre aux buis millénaires [11].» Il en a la physionomie rugueuse, les manières frustes, mais ne ménage pas sa peine pour s'en arracher. Libéré de ses obligations militaires, il cherche un emploi près de Paris, devient ajusteur dans une usine de Courbevoie. Or, quitter la mine pour la mécanique représente au début du siècle une authentique promotion dans l'échelle sociale. Michel Bathiat rompt avec son milieu d'origine. À cet égard, Léonie tient de son père. Elle refuse le conformisme d'une vie «banale», sans pour autant renier ses attaches. Une de ses grandes vertus du reste : la fidélité.

Le quai National de Puteaux est, au début du siècle, «le plus industrieux des bords de Seine [12]». La plupart des bâtisses sont des entrepôts, des ateliers ou des usines. Il y a une distillerie d'où s'échappe une odeur âcre, une fabrique de tuyaux de canalisation et, sur la Seine, des marins en débardeurs à la peau bronzée qui viennent décharger leurs péniches. On les appelle les Bat'd'Af'(Bataillons d'Afrique). Comme Léonie aimerait connaître le secret de leurs tatouages! Il y a aussi les chevaux qui tirent des carrioles et les beaux percherons des moulins Charonat qui viennent livrer la farine à la coopérative locale. Un couple, cocasse tellement il est discordant, attire son attention : ce sont De Dion et Bouton, les cracks de l'automobile dont l'usine est tout près. Le premier, marquis de son état, est grand et gros, le second, l'ingénieur, petit et menu. Ils ont un chauffeur noir, très jeune, en livrée rose, à l'allure royale : Zélélé. Il est si souriant, qu'il a tout d'une caricature de ces réclames typiques de la France coloniale.

L'industrie automobile en est encore à l'ère des pionniers, malgré ses centaines de constructeurs. Pour les promeneurs, les teufs-teufs sont surtout des engins homicides. Il faudra attendre 1924 pour que, place de l'Opéra à Paris, ils supplantent complètement les fiacres.

Léonie, elle, prend le tramway. En première classe étant donné la position de son père dans la compagnie. Une prérogative qui lui permet de ramasser et feuilleter les journaux que les voyageurs abandonnent dans les wagons : *Le Gaulois*, *Le Matin*, *L'Action française*, *La Patrie*, *Le Journal*, *L'Humanité*. Son préféré : *L'Auto*. Les pages sportives la passionnent — avec le Tour de France cycliste récent et meurtrier — et plus encore les exploits des pilotes auto, moto ou avion. Latham, Legagneux, Wright, Farman, Védrines, elle les connaît tous. La prouesse de l'aviateur Santos-Dumont à Bagatelle la laisse ébahie. Il a non seulement réussi à faire décoller son engin mais en plus à parcourir deux cent vingt-cinq mètres dans les airs ! Quand, trois ans plus tard, le 25 juillet 1909, Louis Blériot traverse la Manche en trente-sept minutes, Léonie — alors âgée de onze ans — saute de joie. L'événement est considérable. Londres et Paris font un accueil délirant au nouveau conquérant du ciel. Aristide Briand, président du Conseil, un poste qu'il n'occupera pas moins de onze fois, se déplace en personne pour le féliciter. Nouveauté dans les stands de tir des fêtes foraines : de petits aéroplanes servent de cible. En hommage à Blériot, Léonie porte la casquette sens devant derrière. C'est entendu, elle sera pilote. Sa mère le lui a assez dit : « Tu es un garçon manqué. » « C'est plutôt la fille qui serait manquée », rétorque la gosse.

En attendant, elle se distrait beaucoup grâce à sa marraine. Léonie a été baptisée le 11 décembre 1898, à presque sept mois, en l'église paroissiale Saint-Pierre Saint-Paul à Courbevoie. Son parrain est le frère de son père, Jules ; sa marraine, la sœur aînée de sa mère, Léonie. C'est à elle qu'elle doit son prénom. Plus qu'un choix délibéré des parents, la tradition auvergnate de donner au dernier-né le nom de baptême des oncles et des tantes est respectée. Concierge au 124, rue de Turenne à Paris, sa marraine connaît du monde. C'est une de ses relations, ouvreuse à l'Alhambra, place de la République, qui lui donne des places. L'Alhambra est de ces music-halls comme on n'en voit plus. Il tient à la fois de la salle de spectacle avec ses tours de chant, et du cirque avec ses numéros de dressage et d'acrobaties en lever de rideau. Il y a aussi des clowns et un personnage qu'applaudissent à en faire craquer leurs gants le roi Édouard VII d'Angleterre, fils de la reine Victoria, et Lucien Guitry, père de Sacha : Little Tich. « C'est le premier à porter badine et grandes chaussures [13]. »

« Il avait aussi un galure. »

Dès son deuxième film, *Course d'autos pour gosses* réalisé en 1914, Charlie Chaplin aura le génie d'affubler son héros Charlot d'un melon similaire. Léonie s'enthousiasme pour Little Tich ainsi que pour les numéros des Adamov, une bande de rats noirs et de rats blancs aux commandes d'un train miniature. Mais la vedette qu'elle aime le plus est la tête d'affiche Fragson, champion de la goualante. Son chanteur préféré finira assassiné sous les coups de revolver de son père, jaloux de sa maîtresse Paulette Franck, une femme de revue qu'Arletty croisera plus tard.

Quand Arletty évoque des événements aussi lointains, les pistes parfois se confondent avec l'Histoire et les récits qu'elle en a lus ou qu'on lui en a faits. Les personnages se brouillent, le doute s'instaure, les impressions pourtant subsistent.

La petite Léonie a-t-elle, comme elle le prétend, aperçu Lénine réfugié à Paris ? Lui a-t-il réellement tapoté affectueusement la joue ? Ou a-t-elle simplement retenu les commentaires que pouvaient susciter ses visites chez un couple de juifs russes émigrés habitant dans le même immeuble que sa marraine ? Lui se disait électricien mais n'avait pas de clientèle, elle était sage-femme. Sa tante faisait un peu de ménage chez eux. La rencontre est plausible. Débarqué gare de Lyon en décembre 1910, Vladimir Ilitch Oulianov, alias Lénine, reste en France un an et demi, période durant laquelle il donne conférence sur conférence, principalement à Paris. Son thème favori : la lutte du mouvement ouvrier. Un monde que la petite Léonie connaît comme personne à travers son père.

« Un type à l'esprit syndical. »

La classe prolétaire s'organise. La répression des grèves se fait dans le sang, comme à Draveil et à Villeneuve-Saint-Georges où la troupe tire sur les ouvriers. On relève des morts et des blessés en pagaille. Vive émotion chez les Bathiat.

Ironie des temps, c'est la Belle Époque. Léonie grandit. Elle a mal aux pieds. « À la Belle Époque, on portait "pour tous les jours" les chaussures du dimanche de l'année précédente, alors que le pied avait pris deux pointures de plus [14]. » De là, sans doute, son penchant quasi maniaque pour les chaussures. Elle en aura toujours une collection. Une trentaine de paires qu'elle finira par offrir à un admirateur fétichiste. Les premiers talons hauts, elle les remarque aux pieds d'une pierreuse stationnée sous un bec de gaz, quai National, entre les ponts de Puteaux et de Neuilly. Un quartier qu'elle va bientôt quitter pour retourner à Courbevoie car, en 1911, son père devient chef de traction du nouveau dépôt, 42, avenue de la Défense. Ils quittent les bords de Seine pour emménager au 38, dans un pavillon Louis-Philippe avec jardinet, partie intégrante de l'ancien dépôt qui abrite la première locomotive à vapeur Paris-Saint-Germain, *la Bouillotte.*

Cette année-là, Léonie est subjuguée par ce qu'on raconte sur une bande d'anarchistes, qui, juste avant Noël, a dévalisé deux garçons payeurs de la Société Générale, avant de s'enfuir au volant d'une Delaunay-Belleville. Du jamais vu. *La Patrie* en fait sa manchette : « L'audace des brigands ». Du jour au lendemain, Jules Bonnot, chauffeur-mécanicien, et ses amis deviennent des héros du crime. Le gang écume Paris et sa banlieue avant d'être anéanti l'année suivante. Son chef, assiégé dans un pavillon de Choisy, se donne la mort, non sans avoir hurlé aux policiers armés d'explosifs : « Tas d'salauds ! »

> *« Ils ont fait de vilains tours, coin, coin,*
> *Mais l'auto filait toujours, coin, coin »,*

fredonne Léonie avec son oncle Francis, outilleur chez Darracq à Suresnes, une usine d'autos. Pour les paroles, il suffit de se procurer les « petits formats », ces partitions vendues un ou deux sous à la criée.

« Dès qu'une chanson sortait à l'Eldorado – genre *La Petite Tonkinoise, Sous les ponts de Paris* –, elle était éditée. Il y avait tout le répertoire de Fragson, Paulus, Dranem en petits formats. Devant l'école à Puteaux, on les vendait jusqu'à la guerre de 1914. Le soir, les gens chantaient en s'accompagnant à l'accordéon. C'était pittoresque. À l'usine, les ouvriers fredonnaient devant leur tour. »

Nouveau titre à la rubrique des faits divers en plein mois d'août 1911 : « On a volé la Joconde. » L'émoi est à son comble. Un critique d'art au visage en forme de poire, la trentaine, est arrêté le 8 septembre : Kostrowitsky. Depuis qu'il a failli avoir le prix Goncourt pour son recueil de nouvelles, *L'Hérésiarque*, il a un nom plus facile à retenir : Apollinaire. Un de ses amis, peintre à Montmartre, est soupçonné de lui avoir prêté main forte : Pablo Picasso. L'affaire est d'importance, et hélas pour l'artiste, le juge n'est pas poète. Apollinaire est jeté en prison. Dix jours de cachot le traumatiseront, d'autant que sa bien-aimée, Marie Laurencin, futur portraitiste d'Arletty, saisira l'occasion pour mettre fin à leur idylle. Deux ans plus tard, Monna Lisa est retrouvée à Florence. Apollinaire n'y était pour rien. À Courbevoie, un refrain est sur toutes les lèvres, qui ne quittera plus Léonie :

> « *On a retrouvé la Joconde*
> *Avec sa petite gorge ronde*
> *Elle était en Italie*
> *En train de faucher du macaroni.* »

Chanter pour Léonie est comme rire ou sourire pour Arletty : une thérapie.

«Vous savez, le sourire, ça en cache des choses.»

De tout temps, elle rira de tout. Sauf du macabre qui ne lui inspirera jamais qu'un franc dégoût, que ce soit enfant, adolescente ou adulte. Pour elle, il sera toujours associé aux guerres.

Un jour, au-delà du pont, côté Neuilly, une voiture sans freins tombe dans la Seine. Les deux enfants d'Isadora Duncan – la célèbre danseuse aux «formes informes», *dixit* Cocteau – se noient. Sur la berge, les badauds accourent tandis que Léonie, pourtant curieuse de nature, se garde d'approcher. Au fond d'elle-même, la mort est déjà une compagne. Elle l'invoque et la craint.

Pour le moment, elle a la fièvre. Diagnostic : la typhoïde. Une affection qui, dit-on, laisse des séquelles.

«En 1912, ça avait fait des progrès. On la soignait. Mais il m'en est sûrement resté quelque chose... On en reste idiot ou on en claque.»

Sa mère veille sur elle jour et nuit.

«C'que j'étais bien soignée!»

Mais un matin, Léonie la trouve assise dans son fauteuil de chevet, dans un état proche de la catalepsie : «les yeux ouverts, le regard fixe, la mâchoire serrée, une légère mousse à la commissure des lèvres. Je comprends : elle avait ce mal qu'on avait redouté pour moi. Je suis frappée pour toujours et j'aime ma mère de plus en plus [15].»

Léonie, convalescente, se remet doucement. Dans les Balkans, la tension monte. Une révolution s'est propagée à Paris. Dans la mode. Les femmes ont délacé leur corset pour enfiler la jupe-culotte. Le couturier Paul Poiret, qui en est le promoteur, devient instantanément le roi de la capitale. De Longchamp à La Villette, et jusqu'à

Courbevoie, un air salue ce coup de génie que Léonie, son mannequin à venir, chante de sa voix légèrement pointue :

> *« Elle me botte, la jup'culotte ;*
> *Les femmes n'ont plus peur qu'on les p'lote. »*

Le samedi soir, elle va au cinéma à Puteaux ou à Courbevoie.
Depuis qu'un fils de charcutier, Charles Pathé, s'est lancé dans la
production industrielle de films, les quartiers populaires ont leur
salle de projection. Léonie rit beaucoup aux Max Linder, s'ennuie
devant l'interminable première version de cinq heures des *Misérables*,
voit *Quo Vadis?*, découvre *Fantômas*, dont le visage masqué a recouvert les murs, un peu partout en France, au début de 1911. Les
affiches l'ont frappée. On le voit debout, les pieds arc-boutés sur
Paris, un poignard en main. Sa longue cape noire lui donne l'apparence d'un oiseau de proie. Les films, eux, ne lui ont pas laissé de souvenirs impérissables.

Les visites chez la cousine Louise, rue Montmartre, la marquent
davantage. Elle a quinze ans et note que son cousin éloigné Marius
Viple, qui en a vingt, affiche des convictions socialistes très tranchées. Quand il parle de la condition des ouvriers, ce natif du Puy-
de-Dôme s'enflamme. Rédacteur politique au *Rappel*, il deviendra
un proche collaborateur de Jaurès à *L'Humanité*, sera membre du
cabinet de Jules Guesde avant d'être nommé sous-directeur général
du Bureau international du Travail à Genève. Lorsqu'il meurt sénateur, fin octobre 1949, à l'âge de cinquante-sept ans, il est en froid
avec Arletty, à cause de l'Occupation.

1914. Photo de groupe. En famille. Léonie est fine, élancée, dans
sa longue robe sombre au décolleté rond, les manches relevées au-
dessus du coude. C'est déjà une jeune femme, avec ses cheveux
ramassés sur la tête, en manière de chignon. Comme sa mère. C'est
ainsi qu'elle les coiffe depuis que les poux n'y trouvent plus refuge.
Son regard incandescent est énigmatique, son port de tête si altier
qu'il lui donne un air conquérant que renforce son maintien de reine.
Elle ne sourit pas. Pas encore.

Pour Léonie, l'adolescence est, peut-être plus que pour quiconque, l'âge des tourments et des serments. Un gosse de la Défense
à l'accent des faubourgs accroche son regard. Il a presque son âge.
« Nous nous étions choisis en plein soleil, remettant à plus tard le
contrat d'amour. Le même accent, la même anarchie : la mienne,

véhémente, la sienne, supérieure. Ses yeux étaient si bleus que je l'appelais Ciel [16]. » Le seul auquel elle ait jamais cru.

Ils sont jeunes. Ils s'aiment. À quoi bon penser au lendemain ?

L'éclosion de leur idylle coïncide *grosso modo* avec l'entrée de Léonie chez Pigier, boulevard Bonne-Nouvelle, où elle suit des cours de sténodactylo. Son professeur est une femme de nationalité allemande, ravissante. Léonie griffonne, prend des notes pour acquérir de la vitesse, sans trop se leurrer sur son avenir dans la profession.

« Vous m'voyez secrétaire toute ma vie ? j'me s'rais tombé un PDG ! »

Pour s'entraîner, elle va au Palais Bourbon écouter Briand – « le Victor Boucher de la Chambre » –, l'homme politique, orateur exceptionnel, qu'elle admire et qu'elle admirera plus qu'aucun autre. Son verbe est si naturellement transcendant que, lorsqu'il prend la parole à la tribune, le silence s'impose sur les bancs de l'Assemblée. Nul ne veut rater sa traditionnelle petite phrase introductive : « J'vais vous dire "eu'n" chose. »

Sortie des cours, elle retrouve Ciel, sans aucun doute son plus tendre amour, parce que le premier. Hormis la couleur de ses yeux, on ne sait rien de lui. L'a-t-elle rencontré dans le tramway ? Était-ce un de ces fils d'immigrés italiens échoués à Courbevoie, « la patrie des blanchisseuses-repasseuses et des métallos », ou un fils de famille ? Arletty gardera le secret. Seule concession : il l'a invitée à Longchamp pour le Grand Prix au mois de juin 1914.

« Il m'a offert la pelouse. »

Elle s'en souvient, c'était l'année de la guerre.

Chapitre II

Tout ce qui ne nous anéantit pas nous rend plus fort.

NIETZSCHE

Dans les tribunes du champ de courses de Longchamp, les jumelles sont toutes braquées sur les pur-sang. Les parieurs, en queue-de-pie et haut-de-forme, n'ont d'yeux que pour les chevaux. Les femmes qui les accompagnent, en tournure sous leur ombrelle, exhibent leur toilette, ajustent leur face-à-main, devisent. Il fait beau. L'air est léger.

Léonie est près de Ciel. Ciel est tout près.

Départ de la course. Les encouragements fusent de toutes parts. On n'entend plus que le nom des favoris. Sardanapale, le premier, franchit la ligne d'arrivée, juste devant La Farina. La victoire du crack de l'écurie Rothschild galvanise les conversations en ce dimanche 28 juin 1914. Dans les journaux du lendemain, elle occupe une large place, reléguant aux faits divers l'attentat qui a eu lieu le même jour au-delà des Alpes, à Sarajevo. L'archiduc héritier de l'empire austro-hongrois, François-Ferdinand, a été assassiné par un jeune étudiant serbe, Gavrilo Princip. En France, le crime n'a pas soulevé une très grande émotion dans la population, ni une très vive indignation des hommes politiques. Qui pouvait prévoir qu'il mettrait en péril la paix en Europe et dans le monde ?

C'est l'été, juillet et la fête nationale avec sa revue militaire annuelle présidée par le chef de l'État Raymond Poincaré, et en soirée, les flonflons du bal. Léonie et Ciel se promènent, bras dessus, bras dessous. «Ce 14 juillet, nous avons vu s'éteindre le dernier lampion. Sur le pont des Arts, la lune prenait la relève ; nous marchons longtemps, longtemps, sans parler, en nous tenant la main. Ce sentiment de n'être qu'un [17] !»

Dans la presse, les commentaires abondent sur le congrès du parti socialiste et sur la motion de Jaurès qui appelle à la grève générale, en cas de conflit armé, dans tous les pays menacés. Mais l'événement majeur est le procès d'Henriette Caillaux. L'épouse du ministre des Finances a tué le directeur du *Figaro*, Gaston Calmette — à qui Proust a dédié un an plus tôt *Du côté de chez Swann*. Mobile du crime : le quotidien envisageait de publier des lettres intimes compromettant Joseph Caillaux pour ruiner sa carrière politique. Femme du monde, Mme Caillaux est émotive, plaident ses avocats, autrement, elle n'aurait pas tué. Après une syncope aux assises, elle sera acquittée.

Sur le front diplomatique, la France et l'Allemagne sont à couteaux tirés. Tout est prétexte à querelles, incidents, escarmouches. La rancœur, accumulée de ce côté-ci de la ligne bleue des Vosges depuis l'annexion de l'Alsace et de la Lorraine, est telle que les revanchards militent pour un coup de force. Il faut les croire, tout ira vite. Le ton monte, les provocations se multiplient, les mises en demeure succèdent aux ultimatums. Jaurès se démène pour sauver la paix. En pure perte. Ses démarches et ses appels à la raison resteront sans effet. Le 31 juillet, tandis que la Russie mobilise et qu'à Berlin Guillaume II passe à l'offensive verbale, le chef des socialistes français est assassiné rue Montmartre à Paris, au café du Croissant où, à son habitude, il dînait avec ses fidèles collaborateurs de *L'Humanité*. Viple, le cousin de Léonie, était à ses côtés. Avec Jaurès disparaît l'espoir de voir la sagesse et la paix triompher. Le lendemain, la mobilisation est décrétée.

« J'étais à Puteaux, raconte Arletty. C'était vers les quatre/cinq heures de l'après-midi. Il y avait des voisins rassemblés : Mme Gras, et un p'tit rentier avec sa femme, grand, assez raide, le père Médard. Il avait une pèlerine à collet de cocher, épatant. La mobilisation était immédiate. Appelés et réservistes devaient partir sur-le-champ. Le père Médard a dit : "Allez, allez les bonnes femmes." Et s'adressant à la sienne : "Va m'chercher mon lait. J'ai vu celle de 70…" »

À quatre-vingt-quatre ans, comme bien des gens de son âge, le père Médard croit de bonne foi que cette guerre ne sera qu'une simple formalité. Aux vendanges tout sera réglé, affirment les optimistes. À Noël, prédisent les pessimistes.

«À Berlin», scandent les pioupious de Saint-Germain-en-Laye qui passent sous les fenêtres de Léonie, avenue de la Défense, pour aller rejoindre la gare de l'Est ou la gare du Nord. Ils ont vingt ans, la fleur au fusil, un enthousiasme manifeste que Léonie, sceptique, ne partage pas.

Son père est mobilisé au dépôt de Courbevoie, au service des transports urbains. Son frère Pierrot, ajusteur chez Hispano-Suiza, l'est à l'arsenal de Puteaux. Encore quelques semaines et il s'engagera pour aller combattre.

Né le 20 décembre 1895 à Charbonnières-les-Vieilles, le pays de Mariette, presque deux ans avant le mariage de ses parents, Pierre Jean Baptiste Joseph Bathiat, dit Pierrot, est l'aîné. Dans la vie de Léonie, en dépit de leurs caractères diamétralement opposés, il est avec ses parents la personne qui compte le plus. Garçon calme, doux et ingénu, il croit en Dieu, comme sa mère. Avec son père, il ne s'est jamais très bien entendu, éprouvant à son égard une espèce de ressentiment. Il lui en veut de l'avoir reconnu très tard.

Le visage long, les yeux bruns, les cheveux noirs, les lèvres minces – surtout la supérieure –, Pierrot a fière allure dans son costume d'homme de troupe, tunique bleue et pantalon garance. Il ne lui manque que la flûte pour ressembler au Fifre de Manet. Léonie, elle, n'a plus le cœur à chanter.

«Je n'admire qu'un uniforme, celui des pompiers, qu'une armée, l'Armée du salut.»

Prémonition? Le 3 août, c'est la guerre; le 15, Ciel est tué au front. Il était de la classe 1914. «C'est décidé : je ne me marierai jamais; je n'aurai pas d'enfants. Ni veuve de guerre. Ni mère de soldat [18].» Une résolution que rien ni personne ne parviendra à lui faire renier.

Des deux côtés de la ligne de combats, des millions d'hommes en armes ont engagé les hostilités. L'état-major français, pléthorique, l'a assez proclamé : ce sera une guerre éclair. Prévision erronée. À la guerre de mouvement succède, au bout de quelques mois, la guerre d'enlisement. Les illusions s'effondrent, les morts se comptent par milliers.

Pendant quatre ans, poilus et casques à pointe restent face à face, embourbés dans les tranchées. Côté français, les soldats troquent le képi bleu et rouge contre le casque en fer et le masque à gaz. On connaît la ronde des actes d'héroïsme, des sacrifices inutiles, des batailles perdues ou gagnées, que ce soit à Mulhouse, au chemin des Dames, dans les Ardennes, dans la Marne, à Ypres, aux Éparges ou à Verdun.

Appelé de la classe 1915 du département de la Seine, Pierrot rejoint son bataillon, avec l'idée de venger un de ses copains tué à Toul. À l'instar de tous les soldats d'origine rurale que l'état-major expose comme « chair à canons », il est fantassin. Commentaire d'Arletty : « Trois semaines d'instruction à Saint-Malo, c'est peu pour apprendre à tuer. » Réflexion de certaines jeunes recrues : « C'est-y contre les Anglais qu'on va se battre [19] ? »

Le 20 août 1915, un obus explose dans le bois de la Grurie à l'Est. Pierre Bathiat est touché par des éclats. Blessé au pied et au bras droits, il est rapatrié dans sa famille le temps d'y être soigné. Une fois rétabli, il regagne son corps d'armée, le 25e régiment d'infanterie. Deux ans plus tard, nouvelle blessure. Plus grave cette fois puisqu'il est atteint à la tête.

Léonie, de son côté, trouve un emploi dans une annexe du ministère de la Justice, rue Cambon à Paris, sur l'intervention de sa marraine qui possède de solides relations, et en use. Diplômée de chez Pigier depuis le 22 septembre 1914, elle fait des travaux de secrétariat pour le directeur de cabinet du garde des Sceaux Aristide Briand. Un passage de courte durée, un armateur de la rue Blanche, spécialisé dans le frêt et l'anthracite, l'embauche bientôt. C'est l'époque où en allant à son travail, elle rencontre régulièrement le président Poincaré dans sa voiture, qui, d'un signe de tête, répond à son sourire. Visiblement, ils ont les mêmes horaires. Croiser le chef de l'État, le président du Conseil, des ministres dans la rue ou sur un trottoir est monnaie courante sous la IIIe République puisqu'ils se déplacent le plus souvent sans cortège ou escorte. Ils descendent au tabac du coin acheter eux-mêmes un Londrès, un cigare différent de ceux qu'elle connaît.

« J'allais choisir des Niñas avec mon père. »

En dépit de remaniements ministériels à répétition et de nominations de stratèges en cascade, la guerre, qui s'est propagée à l'Europe entière, ravage les armées — les troupes françaises en particulier. Une hécatombe. Les morts se comptent par centaines de mille. Ils seront bientôt des millions. Une génération est bel et bien en train d'être sacrifiée. Alain-Fournier et tant d'autres sont tués. Parmi eux aussi Charles Péguy.

« Il était pour la patrie. Tant pis pour lui ! »

1er décembre 1916 à Courbevoie. Vers neuf heures du soir, on frappe à la porte des Bathiat. Les coups sont précipités. On entend des voix. Léonie ouvre. Son père, ensanglanté, gît sur une civière. Il vient d'être écrasé par un tramway au pont de Neuilly. « De sa main déchirée, il caresse mon front, et, dans un ultime sourire : je suis foutu, mon p'tit gars [20]. » Michel Bathiat est transporté d'urgence à l'hôpital Beaujon, alors au 208 de la rue du Faubourg-Saint-Honoré à Paris. La gorge serrée, les yeux brûlants, brisée par le chagrin, Léonie se repasse les images du père qu'elle aime tant. Commence une interminable soirée de veille et d'attente, comme elle n'en vivra jamais de plus longue, ni de plus triste.

Son père meurt dans la nuit, le 2 décembre à une heure du matin. Il avait quarante-quatre ans. Léonie blinde son cœur. Par instinct de survie, pour ne pas sombrer dans l'anéantissement.

« Je vous prie de faire connaître *immédiatement* vos intentions relativement à la sépulture du corps qui doit être enlevé dans un délai maximum de quarante-huit heures après le décès, écrit sans tarder le directeur de l'hôpital à Marie Bathiat. La reconnaissance du corps a lieu de une à cinq heures. »

Le lendemain matin, Léonie accompagne sa mère dans l'amphithéâtre de la morgue pour voir son père une dernière fois. Il repose dans le bleu de chauffe qu'elle lui a toujours vu sur le dos. Une autopsie doit être pratiquée dans les quinze jours, qui retardera d'autant les obsèques.

L'enterrement a lieu le 25 décembre. Tous les anciens compagnons de la mine et des tramways sont réunis autour du cercueil en chêne. Sur le couvercle, une plaque d'identité en cuivre, sobrement gravée, a été vissée. Il y a aussi un Christ en croix, conformément aux vœux de Marie Bathiat. Car, bien qu'élevé dans la religion de ses parents, son défunt mari était athée, sans prosélytisme. Une attitude que Léonie a, en tout point, héritée de lui.

Les compagnons de Michel Bathiat connaissent les enfants, pour avoir partagé la farinade auvergnate que leur préparait la mère de Léonie, le soir à dîner, lorsqu'ils sont « montés » à Paris.

Durant la cérémonie religieuse à l'église de Courbevoie, un chœur chante des vêpres funèbres. Léonie écoute. Léonie regarde. Léonie pense à son père. Ses yeux se brouillent.

Dans le cimetière proche où se déroule l'inhumation, une concession a été louée pour dix ans renouvelables. C'était le jour de Noël 1916.

Trois mois et demi après la disparition accidentelle de Michel Bathiat, la Compagnie des tramways du département de la Seine est condamnée à verser à sa veuve une rente annuelle et viagère de 600 francs, payable par trimestre. Le montant en a été calculé sur le salaire de base du défunt, évalué à 4 800 francs par an, les parties ayant passé une convention devant le juge des conciliations du tribunal de Paris. Marie Bathiat n'a pas les moyens d'intenter un procès à la TPDS, d'autant que la maison Coste, pompes funèbres de la rue du Faubourg-Saint-Martin, lui réclame 1 225,10 francs de frais d'obsèques, soit plus de deux ans d'indemnités !

« Pot de terre contre pot de fer », pense Léonie.

Quand on sait qu'une pension à l'auberge coûte 75 francs par mois, Marie Bathiat a tout intérêt à s'accrocher à son logement de Courbevoie.

La succession n'est pas mirifique. Michel Bathiat ne laisse aucune fortune – ni rentes ni patrimoine. Sa retraite représente une misère, 327 francs exactement de capital, divisible entre sa femme et ses deux enfants. L'omnipotente Caisse des dépôts et consignations, qui en a la gestion, mettra près de quatre ans à les débloquer. Le règlement lui parviendra le 20 octobre 1920.

Sur le front de guerre, pas la moindre trêve. La perspective d'une victoire est toujours aussi improbable malgré le sang versé, les souffrances endurées, les morts accumulés. Sur les champs de bataille, l'infanterie n'est plus seule derrière les barbelés, avec ses fusils, ses grenades et ses gaz de combat, depuis qu'on l'a équipée d'un nouvel engin pétaradant et meurtrier : la mitrailleuse. Pour les fabriquer, des usines de Saint-Étienne et de Puteaux ont été transformées en manufactures d'armement. L'économie de guerre a été décrétée en France, afin de suppléer les hommes mobilisés. À la campagne, les femmes poussent la charrue; dans les villes, elles dirigent les entreprises ou travaillent dans les ateliers et les usines.

Sans ressources depuis son veuvage, et sans emploi depuis qu'elle a abandonné le lavoir, Marie Bathiat est entrée comme tourneuse d'obus chez Darracq Limited à Suresnes. L'industrie ayant besoin de main-d'œuvre, l'entreprise de ce constructeur automobile a été mise, comme tant d'autres, au service des fabrications de guerre. Léonie quitte la sténo pour rejoindre sa mère chez Darracq.

« J'y ai tourné des obus. Les miens y z'ont tué personne, vous pouvez êt'e sûr. J'étais au contrôle. J'accompagnais ma mère. C'était pas dur du tout… C'était pas la mécanique. »

La tâche assignée à Léonie consiste à vérifier, en fin de chaîne, que les rondins d'acier sont correctement cylindrés, qu'ils ne présentent pas de paille, qu'ils ont le calibrage recherché – du 75. Une besogne moins salissante que celle à laquelle est affectée sa mère, car n'occasionnant pas de jets d'huile.

« J'y suis restée trois mois. »

En tout et pour tout. Elle trouve une place plus lucrative dans une usine de produits chimiques de Saint-Denis, où elle renoue avec la sténo et Angelo, un Italien de Puteaux qui la fait entrer dans sa bande de copains anarchistes. Son directeur ayant eu la maladresse de lui faire une réflexion, elle claque la porte. Sa mère s'inquiète de son instabilité. Léonie trouve au contraire remarquable d'avoir une mobilité pareille.

Après trois ans de guerre, le moral des troupes commence à flancher. Des mutineries sont signalées. La population s'impatiente. Des grèves éclatent. Les pénuries sont généralisées, le gouvernement décrète le rationnement. En Russie, le tsar est débordé par les manifestations ouvrières. Saint-Pétersbourg vit des heures extraordinaires. Lénine et Trotsky appellent à l'insurrection générale.

La Compagnie des tramways a été bonne fille. Elle a autorisé la veuve de son employé et ses deux enfants à rester six mois de plus dans le local qu'ils occupent au dépôt. Une fois l'échéance passée, une mise en demeure est adressée à Marie Bathiat, la sommant d'évacuer les lieux.

« Nous vous avisons que, faute par vous d'avoir quitté les locaux en question dans le délai de huit jours, nous demanderons judiciairement l'autorisation de prendre contre vous toutes mesures nécessaires, sans préjudice de notre droit de vous réclamer le prix de la location due par vous depuis le 1er juillet 1917.

L'administrateur-directeur. »

Marie Bathiat refuse d'obtempérer. Le 1er septembre, le tribunal de la Seine la condamne à l'expulsion, la sentence étant exécutoire immédiatement.

La Compagnie des tramways ayant eu gain de cause, Marie déménage avec sa fille pour un entresol parisien au 124, rue de Turenne, dans l'immeuble de la marraine de Léonie qui s'est une fois de plus mise en quatre pour aider sa sœur cadette et sa filleule. L'appartement est étroit – une cuisine, une chambre – et manque de lumière.

À Paris, Léonie emprunte les transports en commun, ou elle va à pied. Dans tous les cas, étant sans préjugés et d'une nature avenante, elle se lie facilement. De plus, l'époque, très peu motorisée, veut que, dans la rue, les gens se parlent sans façon.

Cette année-là, en 1917, Léonie fait la connaissance d'un homme qui va transformer sa vie : Edelweiss. Elle lui donne ce surnom, moins en raison de sa pâle complexion que de son lieu de naissance, Bâle, à la porte des Alpes suisses allemandes où fleurit en abondance l'immortelle des neiges. Le récit de leur rencontre est sujet à interprétation. Qui tente de confronter les différentes versions rapportées ici et là constate rapidement des incohérences dans la chronologie des faits. Léonie a couru beaucoup trop d'emplois en peu de temps pour permettre de s'y retrouver. Se sont-ils aperçus une première fois alors qu'elle était sténodactylo chez un fabricant d'armement et lui un des pontes de la société ? ou se sont-ils connus, plus romantiquement, sur la plate-forme arrière d'un tramway, alors qu'elle était employée au ministère de la Justice ? Comment savoir…

Si cette confidence : « j'l'ai tombé quand j'travaillais chez lui » corrobore tant soit peu l'hypothèse numéro un, elle ne remet pour autant pas en cause l'hypothèse numéro deux. Ils ont pu échanger un regard une première fois chez le fabricant d'armement, puis faire plus ample connaissance, ultérieurement, dans le tramway. Une certitude : il l'a abordée sur le parcours Porte Maillot-Pont de Neuilly, en se présentant comme un armateur d'un pays non belligérant.

« Il m'a invitée à voir *La Petite Bonne d'Abraham*. »

Une pièce d'André Mouézy-Eon et Félix Gandéra, créée au théâtre Édouard-VII, près de l'Opéra, en novembre 1917, avec Marguerite Deval et Gaby Morlay. Deux comédiennes qu'Arletty retrouvera sur scène à ses débuts dans les années vingt.

Nom de l'armateur : Jacques-Georges Levy, descendant direct du fondateur de la Banque du Rhin. Élégant, il a de la prestance, parle un français impeccable teinté d'une pointe d'accent aisément reconnaissable, l'allemand, sa langue maternelle. Pour Léonie/Arletty, il est et reste Edelweiss.

Au diable la sténo! pense Léonie en son for intérieur, qui décide de répondre à une petite annonce : « Vieille dame demande jeune lectrice. » Rue Tronchet où elle se présente, un vieillard l'accueille dans le plus simple appareil. Elle prend ses jambes à son cou.

Faute de s'être recasée comme lectrice, Léonie se résigne, bon gré, mal gré, à reprendre la sténo chez Schneider du Creusot, le marchand de canons et de chars d'assaut plus prospère que jamais depuis le déclenchement des hostilités. Les bureaux sont rue d'Anjou à Paris. Il est possible qu'elle y ait aperçu Edelweiss pour la première fois, peu de temps avant les présentations dans l'autobus. Ils se sont connus à l'automne 1917. Quoi qu'il en soit, les retrouvailles avec le secrétariat sont éphémères.

« J'en avais mon fade. »

Léonie n'a pas l'âme d'une employée. Un certificat de travail en poche, elle plaque Schneider sans préavis, la machine à écrire Underwood, le système de sténographie Prévost-Delaunay et *tutti quanti*. Non, décidément, la vie de bureau l'ennuie.

Consternation rue de Turenne. Sa mère, épouvantée, tente de la raisonner, lui intime l'ordre de réfléchir, s'emporte, lance des invectives, sort le chapelet et les tarots. Léonie, exaspérée, se rebiffe, et, comme au poker, jette sa dernière carte : Edelweiss. Il lui propose une chambre dans sa maison de Garches. Le coup est rude. Sa mère suffoque, écume, menace.

« Si tu pars, c'est pour toujours. »

Paroles irréfléchies, ton comminatoire propre à provoquer l'irréparable.

Marie Bathiat ne comprend pas que Léonie n'est plus une enfant, qu'elle veut vivre selon son cœur. Sa stupéfaction est d'autant plus vive que jamais dans le passé, elle n'a eu à exercer son autorité. Léonie paraissait si docile. La langue bien pendue certes, mais insolente, jamais!

« Plus libre, ça n'existe pas. J'pouvais dire n'importe quoi, ma mère haussait les épaules. »

Cette fois, en revanche, l'audace relève de l'affront. Il s'agit de s'installer chez un homme. Et pas n'importe lequel. Marie Bathiat connaît Edelweiss et n'aime pas son accent. Il est juif et notoirement dreyfusard.

Marie Bathiat ne pardonne pas l'offense de sa fille. Sa colère, irrépressible, est terrible. Léonie lui tient tête et part. C'est la rupture… Orgueil? Défi? Destin? « Non, la vie; la vache de vie [21]. » La scène, d'une violence inouïe, hantera à jamais Arletty. À chacune des épreuves qu'elle endurera désormais, l'intensité en sera redoublée; âgée, elle la ressassera, au fil de ses nuits sans sommeil.

« Elle m'aurait tuée. »

La fracture est irrémédiable.

« C'est pas la phase la plus glorieuse de mon âme. C'est la vilaine partie. »

Automne 1917. Léonie se balade sur le pavé du Temple. Elle n'a pas vingt ans, mais du caractère, une totale disponibilité, et du charme à revendre. Elle est, de surcroît, sans *a priori.*

Quelle allure a-t-elle au juste, elle, si crâne et si peu sauvage quand elle déambule sur les boulevards? Est-elle d'une beauté provocante? Que porte-t-elle? Des toilettes à la mode d'Auvergne, plutôt ordinaires, ou déjà des tenues très chic parisien? A-t-elle un brin de fard?

« Juste ce qu'il faut… Mais habillée excentrique. Quand on n'est ni boiteuse ni abîmée… À vingt ans, même une tocarde a des amoureux… J'parlais à tout le monde dans la rue. C'est comme ça que j'ai rencontré des gens… que j'suis entrée chez Schneider. J'ai dit plus tard que j'connaissais Fournier, le directeur, mais c'était pour bluffer. »

Serait-ce Edelweiss qui l'a recommandée? Impossible d'en avoir la certitude. Quant au bluff, c'est une arme – une de plus – dont elle use, comme du rire et de la repartie, pour se protéger. L'attaque n'est pas dans sa stratégie; la provocation, oui.

Edelweiss, son amoureux de l'heure, habite 18, avenue Alphonse-de-Neuville à Garches, la villa Art nouveau située sur les hauteurs.

Les plans sont d'Hector Guimard, l'architecte des bouches de métro vert olive aux rambardes torsadées de plantes grimpantes. L'endroit est somptueux. Sur la terrasse, Léonie, en bottines à talons et pyjama rayé, un trait de rouge sur les lèvres, se prélasse le matin au saut du lit. Ses cheveux, volumineux et frisés comme un pékinois, forment une énorme masse. À ses pieds, Paris, le bois de Boulogne.

À l'intérieur, des meubles, modern style, signés de Majorelle, en acajou cerise ou en bois de rose. Ceux de la chambre à coucher, ornés de fleurs de lotus cuivrées, sont ouvragés de glycines. Le lit de ses vingt ans figurera à l'exposition «Le décor de la vie sous la IIIᵉ République, de 1870 à 1900», au musée des Arts décoratifs en 1933. Il fait aujourd'hui partie des collections permanentes du musée d'Orsay.

«J'entre vierge en ce lit et vais en sortir femme.»

Une nouvelle vie commence. De luxe et d'apprentissages.

Sans être homme du monde, Edelweiss a de la surface. Ses affaires sont florissantes, et il a ses entrées dans le milieu fermé de la Bourse.

«Ses copains, des types à fric.»

C'est aussi un homme raffiné.

«Beau gosse. Très beau juif. Les cheveux bruns mais des yeux bleus. Très cultivé, très lettré, maîtrisant bien l'anglais, l'allemand. Mais n'se marrant pas. Oh… pas tellement triste.»

Plutôt sérieux.

Sa bibliothèque contient tout ce que les XVIIIᵉ et XIXᵉ siècles comptent d'écrivains et de penseurs. Une aubaine pour Léonie qui s'initie à la philosophie avec Nietzsche (*Ainsi parlait Zarathoustra*) et à la littérature avec Proust (*Du côté de chez Swann*).

Pour occuper ses loisirs, elle a accepté l'offre d'un jeune professeur de piano, Suzanne Jardin, élève (et maîtresse) d'Alfred Cortot, de lui donner des leçons. Pas douée pour les gammes, elle choisit d'apprendre à connaître les musiciens — Bach, Mozart, Beethoven — en écoutant jouer leurs morceaux et en lisant leurs biographies.

Edelweiss est généreux, attentif, aimant. Lui qui a été séduit au premier coup d'œil par son naturel sauvage est maintenant très épris, et bien entendu ravi de jouer les Pygmalion.

«C'est lui qui me lisait Nietzsche, Goethe…»

Léonie, elle, est impressionnée par son érudition et l'absence d'ostentation qu'il met à la lui faire partager. Quant à l'aimer…

« Disons que j'avais de l'admiration. »

Ensemble, ils partent en voyage sur les routes de Bretagne, la patrie de Chateaubriand. Ils visitent Combourg, Dinard, Saint-Malo… Lui est au volant, elle à ses côtés. Ils roulent. De quoi parlent-ils ? De tout, de rien, d'eux-mêmes, de leurs qualités et de leurs défauts. Était-elle une jeune femme narcissique ?

« Je n'me suis jamais aimée… Sauf peut-être une fois en 1917-18 en me regardant dans un rétro de voiture. J'me suis dit : j'suis pas si toc que ça… Un rétro, ça adoucit. »

Un jour, pour fêter la conclusion d'une affaire juteuse, Edelweiss l'invite aux sports d'hiver. N'ayant jamais dépassé le Puy-de-Dôme et ne connaissant les Alpes françaises qu'à travers les livres de géographie, elle opte pour Chamonix. Trois semaines de séjour.

Son amant a quelques années de plus qu'elle, la mise d'un gentleman-farmer avec ses jambières de pantalon prises dans les bottes, et sa casquette de qualité surfine. Une photo le montre appuyé sur un bâton, les bras derrière le dos. Une cravate blanche ferme son col de lin assorti. Les pointes de sa moustache, légèrement relevées, soulignent son air radieux. À ses côtés, Léonie, un gros bonnet de laine enfoncé sur les oreilles, se tient comme un géomètre avec sa badine plantée dans la neige. Elle est habillée de pied en cap de jersey blanc.

La mer de Glace se visite à dos de mulet. Léonie enfourche l'animal, non sans ameuter le voisinage par ses cris de frayeur. À l'hôtel, elle note la présence de jeunes garçons et de jeunes filles malades, en convalescence. Les hôpitaux sont réservés aux militaires. Elle pense à Pierrot, son frère, toujours mobilisé sur le front. Un fait la choque : l'aisance du reste de la clientèle. Un mot lui revient, « les embusqués », lu dans *La Guerre sociale* de Gustave Hervé, cet agrégé d'histoire, professeur à Sens, qu'un antimilitarisme forcené a rendu populaire au point de la faire radier de l'Éducation nationale. Et cette phrase entendue à l'adresse d'un réformé : « L'arthrite est tellement stratégique qu'elle l'empêchera d'aller su'l'Front. » « Ces pauvres millionnaires semblaient ignorer la guerre [22] », songe Léonie.

En 1917 à Paris, les théâtres sont pleins. Au Châtelet, les Ballets russes ont fait scandale avec *Parade*, la frivolité de l'argument en période de guerre ayant divisé le public. Certains y ont vu une injure à l'époque. Ni la musique légère d'Erik Satie, ni le rideau de scène coloré de Picasso n'ont fait l'unanimité. Faute de trouver les mots pour définir le spectacle dont il apprécie la magie, Apollinaire en a inventé un nouveau : surréaliste.

Sur le boulevard, un auteur, destiné à prendre une place importante dans la vie d'Arletty, attire déjà les foules : Sacha Guitry. Quoique bon pour l'appel, il a été réformé à cause de ses rhumatismes.

« Un embusqué ! »

Sa dernière création, *L'Illusionniste,* jouée de fin août à fin novembre 1917, est une comédie sur l'amour, à la psychologie rudimentaire et aux répliques si bien troussées que les bourgeois de l'arrière lui réservent un joli succès. Sacha est bavard et brillant, Yvonne Printemps, sa partenaire appelée à devenir sa deuxième épouse, enchante par sa voix de rossignol.

« Elle tombait qui elle voulait. De très jolies jambes, de très jolis seins, très bien foutue. Le charme ! Le charme ! Elle l'a déculotté, disons-le. Elle l'a débraguetté. »

Madeleine Carlier, une comédienne célèbre pour sa beauté, interprète la femme entretenue. Arletty jouera à ses côtés à ses débuts, dans une revue de Rip, *Le Scandale à Deauville* (octobre 1920).

« Pas artiste du tout. Pas d'talent. Superbe. Elle avait un petit strabisme, comme dirait mon oculiste… Des p'tits chiens comme sur les peintures anglaises… des King Charles qui fondent dans la main. Une courtisane. J'ai été voir *L'Illusionniste.* J'allais partout. J'connaissais les grands types de la Bourse. Je n'le connaissais pas lui-même, Sacha. C'était surtout des boursiers, des fils d'agents de change que j'fréquentais. »

Edelweiss l'emmène voir Mounet-Sully, le grand tragédien romantique dont les poses empruntées aux marbres grecs la laissent si perplexe que l'idée de devenir comédienne ne l'effleure pas une seconde.

« Edelweiss adorait le théâtre, peut-être pas le lire, mais y aller. J'allais au spectacle à Dejazet, à Bataclan, à Pacra, à l'Alhambra, du côté de chez ma marraine. »

Autres découvertes du côté des Folies-Bergère ou rue des Rosiers, les restaurants casher. Edelweiss lui enseigne quelques mots yiddish qu'elle place à tort et à travers. À Saint-Cloud, elle prend des leçons de golf. Mais, aux « drive » et aux « shot » pour lesquels elle manifeste quelque aptitude, elle préfère les longues marches dans le parc avec Bougnat, le grœnendael à poil noir.

Seule ombre à l'idylle, les présentations à la famille. Quelle n'est pas en effet, le jour venu, la réticence des parents de voir leur fils en passe d'épouser une goy. Heureusement pour eux, Léonie a fait vœu de célibat et leur avoue, avec son franc-parler habituel : «Pas de bague au doigt.»

Ces mois de vie commune, d'un enrichissement de chaque instant, sont, pour Léonie, un tournant. Outre la littérature, Edelweiss l'initie à la musique, aux impressionnistes, aux premières, au golf, aux vacances, aux voyages.

L'hôtel d'Angleterre à Fontainebleau l'étonne par son luxe. Une escapade à Venise en Orient-Express lui laisse un souvenir ébloui. Au Royal Danieli, une splendeur de raffinement, tous deux logent dans la chambre d'angle du premier étage donnant sur la lagune, où George Sand et Alfred de Musset brûlèrent, dit-on, d'un amour orageux autant que de fièvre typhoïde.

«Un de mes plus beaux voyages.»

De Berlin, la capitale des plaisirs insolites et inavoués dont se repaît une clientèle cosmopolite et bigarrée, elle garde la mémoire d'une ville sensuelle. Jour et nuit, l'amour se donne au tout-venant, sur le trottoir, sous un porche, dans les cabarets.

«Y avait de la volupté… J'fais qu'citer Frédéric le Grand.»

Partout, Edelweiss se conduit en parfait chevalier servant, puisque pour plaire à Léonie, rien n'est trop beau. De cette époque date son leitmotiv : «*I was made for luxury*» («J'étais faite pour le luxe»), qu'elle ressortira pour rire, en forçant un peu son accent de Paris, lors des commandes de foie gras, de caviar, de langouste, de bordeaux des meilleurs crus, de champagne millésimé…

«Pour Edelweiss, la croûte ne comptait pas. Il aurait mangé un sandwich, mais il avait le sens de tout ce qui était première classe… Il avait aucun plaisir, mais savait ce qui faisait plaisir. Un goût pour le grand luxe… Déjà d'm'avoir choisie…»

Grâce à lui, toujours après la guerre, elle assiste à un concert du compositeur polonais Paderewski. Elle applaudit la danseuse russe Anna Pavlova dans *Le Lac des cygnes*, «aérienne et sublime», rapporte la critique.

À l'heure de la séparation définitive, eux qui ne vivent déjà plus ensemble, leur estime mutuelle est entière. D'ailleurs, ils ne se perdront jamais de vue.

«Nous sommes restés en très bonne camaraderie jusqu'à sa mort.»

Edelweiss se mariera. À l'une de ses trois filles née après la sortie des *Enfants du paradis*, il donne le prénom de Garance. Lorsque pour sa retraite de cadre il doit récapituler ses annuités, c'est évidemment de bonne grâce qu'Arletty accepte, à sa demande, d'attester sur l'honneur qu'il était directeur de la Société des automobiles «Le Zèbre» à Paris de 1921 à 1935. Une constance dans leurs relations jamais prise en défaut, que reflètent les termes de la lettre que Jacques-Georges Levy lui adresse au printemps 1971, au lendemain de ses quatre-vingts ans :

> «Ma grande chérie,
> Nous avons reçu ta carte et Martine nous avait offert *La Défense*. Tu as beaucoup écrit et pas mal de passages m'ont intéressé.
> J'avais l'intention de te demander un exemplaire dédicacé.
> J'espère que tu te portes bien.
> Je t'embrasse ton
>
> Edelweiss. »

Un mot de sa femme suit. Edelweiss ne veut plus alors quitter Bâle. C'est un homme âgé, fatigué, malade. Il y mourra deux ans plus tard au terme d'une longue agonie que sa fille Martine rapporte à Arletty.

> «[…] Pour nous c'est une immense perte. Je sais comment vous aviez compté pour lui et lui certainement pour vous et je pensais au nom de maman, de ma sœur et de moi-même à vous mettre au courant. Lundi, le 14 mai, était un jour plein de soleil et c'était les obsèques de mon papy. Le rabbin a bien dit dans son discours, chez J.-G. Levy, c'était la bonté qui dominait le tout.
> Je vous embrasse bien tristement. »

Sa liaison avec Edelweiss et le confort matériel et moral qu'il lui apporte ne sauraient lui masquer les difficultés engendrées par la guerre. Notamment lors de l'hiver 1917, particulièrement rude. Le charbon manque, le sucre est rationné. Sur le plan politique, l'union sacrée des premières années de guerre a volé en éclats. Le général Pétain a été nommé commandant en chef des armées françaises pour requinquer le moral des troupes et réprimer l'indiscipline de soldats révoltés par leurs conditions de vie déplorables. Ils l'ont bien vu lors de leurs permissions dans la capitale : les embusqués, entourés de jolies femmes, vivent sans se soucier des privations endurées au front, ni de la nourriture exécrable servie à la cantine.

Pierre Bathiat a-t-il été au nombre des mutins ? Aucun document ne l'atteste. Arletty l'affirme. Si son frère a eu la vie sauve ou a pu échapper à de simples sanctions – une cinquantaine de soldats ont été passés par les armes et des milliers d'autres condammés –, il le devrait à Edelweiss qui, sur les instances pressantes de Léonie, aurait fait jouer ses relations pour le tirer d'affaire.

À Paris, Poincaré s'est résigné à appeler Clemenceau, qu'il déteste, à la tête du gouvernement. Un impératif dicté par la situation catastrophique du pays. Malgré ses soixante-seize ans et ses cheveux blancs, l'ami de Claude Monet, le grand peintre impressionniste retiré à Giverny, a une poigne de fer et un programme qui n'est pas seulement un slogan : «Je fais la guerre.» Il l'appliquera à la lettre, jusqu'à la victoire, que Léonie célébrera, seule, à sa manière…

Chapitre III

Jamais nous ne goûtons de parfaite allégresse
Nos plus heureux succès sont mêlés de tristesse
Toujours quelques soucis en ces événements,
Troublent la pureté de nos contentements.

CORNEILLE

Malgré presque quatre ans d'un affrontement féroce et l'entrée en action d'armes aussi meurtrières que le char, nul n'entrevoit l'issue des combats. Chacun, pourtant, profite de ses avantages stratégiques ou tactiques pour conforter ses positions : l'arrivée des troupes américaines du côté français, la signature du traité de paix de Brest-Litovsk avec les Soviétiques du côté allemand. L'heure, néanmoins, presse. Les populations civiles sont à bout.

Paris a eu chaud. Défiant la supériorité numérique des blindés alliés, les Allemands ont enfoncé leurs lignes de défense arrière. Quelques échanges d'artillerie, une attaque surprise, puis deux, puis trois, l'ennemi est à soixante kilomètres de Notre-Dame. Pétain avait raison : il ne fallait pas découvrir Paris.

Les Parisiens s'inquiètent, depuis que dans le ciel, les escadrons de «Gotha» lâchent leurs bombes. De jour comme de nuit, les caves des grands hôtels et les stations de métro sont assiégées. Dans les rues, ce n'est qu'un cri : «Tous aux abris!» Un jour, un raid de bombardiers allemands surprend Léonie de passage à l'hôtel des Réservoirs à Versailles.

« J'étais avec Edelweiss. Je n'voulais pas descendre. J'y ai été obligée… Il m'a prise dans les bras fallait voir comme ! »

Néanmoins à Paris, les affaires sont les affaires. Les camelots écoulent leurs stocks de piles électriques et de pliants pour les nuits d'alerte. Les assureurs ont imaginé une police contre les risques de bombardement. Et les marchands de couleurs vendent des feuilles de papier censées protéger des bris de vitres que provoquent les déflagrations. Un comble : ils trouvent des clients !

En banlieue, les ouvriers de Puteaux et des usines alentour se réfugient dans le bois de Boulogne, où, bien vite, on les soupçonne – ou les envie – de s'adonner à des plaisirs furtifs. Dans tous les cas, les chansonniers s'en donnent à cœur joie, les cabarets ne désemplissent pas.

Léonie a manqué la procession du Vendredi saint à l'église Saint-Gervais. La célébration des fêtes religieuses l'exalte si peu qu'elle y a tout bonnement renoncé depuis qu'elle a quitté le couvent.

« Ça m'barbait. »

Elle peut remercier le ciel. Cette année-là, un obus est tombé sur l'église au moment où le vieux curé de la paroisse s'apprêtait à monter en chaire. Un drame national. Malgré la censure, on ne parle que de ça. Et du dernier fleuron des canons allemands de longue portée, la Grosse Bertha, à l'origine du sinistre. L'obus a été propulsé d'un fourré situé à près de cent kilomètres de l'Hôtel de Ville. Du jamais vu ! La nef de l'église s'est effondrée dans un fracas d'apocalypse. Des fidèles ont péri sous des blocs de pierre. L'odeur de la poudre, âcre et suffocante, a envahi les ruines. Par miracle, les choristes, tassés dans l'abside, ont été épargnés. Une centaine de cadavres sont retirés des décombres. Les Parisiens redoublent de panique. Dans les gares, c'est la ruée. Les uns partent avec pour tout bagage un baluchon noué à la hâte, les autres encombrés de malles en osier bourrées. Les trains sont bondés, la bousculade indescriptible.

Indifférente au danger qui se rapproche, Léonie choisit de rester. Elle préfère aller et venir entre Garches et Paris, quand elle n'est pas en voyage d'agrément avec Edelweiss. La Seine a été son premier miroir. Sa mère lavait son linge face à l'île de la Jatte. Elle y est attachée. À la vie, à la mort.

Modification des rapports de forces entre adversaires durant l'été 1918. Alors que dans les champs, femmes, enfants et vieillards commencent à rentrer la moisson, la Champagne est reconquise. La contre-offensive franco-britannique a été sanglante, mais efficace, en grande partie grâce aux raids d'une escadrille d'avions de combat. Une première dans l'histoire de la guerre. Les Allemands sont repoussés de l'autre côté de la Marne. Les Américains, fraîchement débarqués, étaient, il est vrai, engagés dans l'opération. L'Allemagne se retrouve dans un étau, coincée entre, d'un côté les armées alliées, de l'autre les mouvements révolutionnaires qui se propagent au-delà du Rhin. Le vent de la guerre tourne. De replis en revers, la défaite allemande paraît inéluctable, l'armistice imminent.

Lundi 11 novembre 1918, onze heures. «Les canons ferment leurs gueules [23]!»

Personne n'y croyait plus. En fin de matinée, le clairon retentit partout en France pour annoncer la victoire. Les cloches des églises sonnent à toute volée. Notre-Dame, la première, carillonne la bonne nouvelle, qui se répercute par un effet de ricochet spontané et joyeux, follement joyeux.

Paris est encore plus gai qu'à l'ordinaire. Paris a des ailes. La ville se sent légère, aérienne, comme dans un rêve, malgré l'aspect fantomatique que lui donnent les sacs de sable entassés devant ses monuments et les solides panneaux de bois qui servent de volets de protection aux vitraux de la cathédrale et de la Sainte-Chapelle. L'air est grisant, le soleil d'automne parfumé. Enfin, on respire!

Dans les rues, des cortèges se forment, des cris jaillissent. «La Madelon vient nous servir à boire…» Sur les boulevards, les fenêtres s'ouvrent. Des silhouettes se penchent. Les gens rient. Les gens pleurent. La liesse est générale. On s'étreint, on s'embrasse. Soulagé d'avoir échappé au casse-pipe, heureux d'être en vie.

Léonie, elle, est comme la nature l'a faite : joyeuse sans ivresse. Bien sûr, elle se réjouit de la fin des combats, bien sûr, elle avait hâte que la folie meurtrière s'arrête… mais un fond de tristesse subsiste. L'exubérance n'est pas dans son tempérament. Elle a du mal à éprouver une totale allégresse à la pensée de ceux qui sont morts au front.

«Je partage la joie universelle sans oublier les pères, fils et frères qui ne reviendront pas [24].»

En ces heures de fièvre et de paix retrouvée, elle songe à Pierrot, blessé par deux fois, deux fois miraculeusement sauvé, et surtout à Ciel – «mon premier flirt» – qui n'en est pas réchappé. Elle n'avait pas seize ans. Son père vivait encore, sa mère l'entourait de ses soins affectueux...

À la nuit tombée, Léonie est tout à ses pensées, quai National et place de la Défense où valse précisément l'ombre de ses seize ans. Elle revoit le grand mur de briques du dépôt, sa fenêtre de gosse là-haut à l'étage, les teintes passées de l'arc-en-ciel sur la vitrine du marchand de couleurs. C'est son premier pèlerinage. Il y en aura d'autres, toujours à Puteaux, à Courbevoie, en Auvergne. Elle seule sait quelle force, quelle émotion, quelle nostalgie secrètes lui procurent ces moments d'évasion qu'elle renouvellera, octogénaire et les yeux blessés, au bras d'un de ses «p'tits copains». Trois endroits gardent tout particulièrement sa préférence : le quai National, sa rue de Paris natale, la tombe de ses parents au cimetière de Courbevoie.

Léonie se promène. La nuit est trouée d'éclairs de feux d'artifice. Paris est en fête. De l'Arc de triomphe à la République, de l'Opéra à la Concorde, on chante à pleins poumons, on danse à perdre haleine. D'un quartier à l'autre, des couplets reviennent comme des rengaines, faciles à retenir : *La Marseillaise, Tipperary, Le Chant du départ*. Paris est «en délire», ainsi que le note Poincaré dans ses Mémoires.

Hommage soit rendu aux Gueules cassées, ces rescapés des champs de bataille qui ont bien mérité de la patrie. Ils sont des milliers, mutilés et amputés, à en porter les stigmates. Qu'ils aillent la manche de veste vide glissée dans la poche ou à cloche-pied, le corps arc-bouté sur des béquilles en bois, ils arborent la croix de guerre ou la médaille militaire au revers de leur uniforme d'un vert-de-gris pisseux. Quand Léonie les croise, ils lui renvoient les fantômes de son enfance — manchots, borgnes, unijambistes de la guerre de 70 qui se traînaient à pas comptés du côté de la Défense. Eux aussi faisaient partie de ses paysages. Sa mère lui recommandait toujours d'être gentille avec eux lorsqu'elles les rencontraient entre Puteaux et Courbevoie. «Ils sont invalides», disait Marie Bathiat. «J'ai longtemps cru que c'était une race [25].»

La boutade évidemment n'est qu'une parade. Le traumatisme, lui, est réel, aussi vivace que sera inébranlable sa conviction à proclamer :
«Je suis contre toutes les guerres. Comment peut-on parler de "guerre sainte"?»

La juxtaposition de ces deux mots, summum du plus imbécile paradoxe ou comble de la plus grimaçante absurdité, la hérisse :

« Une vraie connerie ! »

L'horreur, irrépressible et viscérale, de la guerre que Léonie éprouve au plus vif, tous les Français, soulagés et avides de vivre en paix, la ressentent et l'expriment, chacun à sa manière et selon sa sensibilité politique et idéologique. « S'il est un sentiment unanime dans la France des années vingt, un mot d'ordre catégorique, rendant toute autre préoccupation secondaire », c'est bien de "ne jamais revoir un conflit de cet ordre" [26] ».

Celui de Léonie tranche peut-être par sa véhémence.

La paix revenue, elle poursuit sa métamorphose amorcée auprès d'Edelweiss. 1919 est une année charnière. Elle opère, en quelques mois, une mue complète, saute des cagibis de maisons de couture aux coulisses de théâtre, et change de nom. Léonie fait décidément trop femme de chambre. Elle devient Arlette, puis Arletty, avec un « y », car l'anglais, très prisé depuis l'Entente cordiale de 1904 avec l'ex-perfide Albion, l'est plus encore, depuis la victoire. Il suffit, pour s'en rendre compte, d'écouter la chanson à la dernière mode : *It's a long way to Tipperary*… Léonie la sait par cœur.

Ces bouleversements, qui la propulsent du statut d'employée de bureau au rang de petite femme de revue, n'entament pas en profondeur son équanimité, tant sa personnalité est déjà entièrement modelée. Elle est désormais aux avant-postes d'où elle regarde, apprend, retient, se forme, non sans se distraire. C'est une affranchie. Elle peut « sortir sans sa bonne ». Une formule à elle.

Léonie vit seule. Que s'est-il passé avec Edelweiss ? La frayeur de ses parents, à qui il l'a présentée, n'a pas pu entacher leur relation. À aucun moment il n'a sérieusement été question de mariage entre eux. D'ailleurs, sont-ils véritablement séparés, même s'ils n'habitent plus sous le même toit ? Une chose est sûre : ils ne sont pas fâchés et partent même toujours en voyage ensemble bien que leurs rapports se soient distendus.

Léonie s'est trouvé un petit hôtel du côté de la Madeleine. Elle n'a pas dû y emménager de gaieté de cœur : « Décidément les victoires ne me réussissent pas (celle de 44 me retrouve en taule) [27]. »

Au fait, qui paie la note en fin de semaine puisque, sans emploi, elle n'a pas un sou ? Aurait-elle, prévoyante, mis de l'argent de poche de côté pour les jours moins fastes (elle en est capable), ou bien le généreux Edelweiss lui viendrait-il en aide ? Il est possible qu'on lui ait fait crédit quelques semaines.

Coiffée à la Jeanne d'Arc, avec des chiens qui lui cachent le front, Léonie a du bagout, une allure de jeune femme lancée à qui on donnerait le Bon Dieu sans confession. Son regard, impénétrable bien qu'étrangement perçant, jette des éclairs foudroyants. On dirait une fille bien née, d'un flegme pondéré, sûrement pas sans aplomb. Elle s'active « modérément », suffisamment toutefois car la voilà mannequin dans une maison de couture à la Madeleine, chez Tiburce. 1,70 mètre, 47 kilos. Taille idéale pour enfiler des robes à lacet et des manteaux à col de zibeline. Là, pas plus qu'ailleurs, elle ne tient en place.

« J'ai fait trois boîtes en huit mois. »

Paul Poiret, démobilisé après quatre années sous les drapeaux, veut reconquérir la place qu'il occupait sans partage avant guerre dans la mode ; lui l'amateur de fêtes dispendieuses et extravagantes, lui le précurseur des produits de beauté pour la toilette, lui le créateur de la jupe entravée qui empêche les femmes de courir quand elles sont suivies dans la rue, lui le chéri de ces dames, s'adjoint un nouveau modéliste et recrute des mannequins. Léonie pousse la porte de son hôtel particulier, rue du Faubourg-Saint-Honoré, au coin de la rue du Colisée. Deux corps de bâtiment avec un jardin de délices, l'Oasis. Poiret la jauge de son œil globuleux, lui fait essayer un tailleur, deux robes − une d'après-midi, une du soir − l'engage. Il est emballé par sa sveltesse. Son côté primesautier l'enchante. Une semaine ou deux passent, un défilé est annoncé.

« Impossible, lui dit Léonie, je vais à Deauville avec des amis.

— Restez-y. Inutile de remettre les pieds ici. »

Le 1er août 1919, Poiret fait sa rentrée officielle. Le gratin international se presse à son défilé. Pour la première fois depuis sa tournée triomphale en Europe cinq ans plus tôt, il présente ses nouveaux modèles aux étoffes chatoyantes. Sans Léonie. Ou plutôt sans Arlette.

« À ce moment-là, s'appeler Léonie, c'était plutôt à rigoler. Dans les maisons de couture, j'ai dit appelez-moi Arlette. C'était le nom d'une héroïne de *Mont-Oriol* de Maupassant qui m'avait beaucoup plu. »

Le choix du prénom, et surtout le personnage qui l'a inspiré, illustrent de façon éclatante sa complexité, car l'héroïne de Maupassant n'est qu'un nouveau-né, sans rôle de premier plan. L'Arlette du roman écrit en 1886 joue les utilités. Sa présence étant parfaitement accessoire, elle aurait pu tout aussi bien ne pas naître, rester à l'état de fœtus, sans gêner le dénouement de l'histoire.

Si Arletty s'est gardée de disserter sur les raisons l'ayant incitée à prendre ce pseudonyme plutôt qu'un autre, il faut l'imputer à sa propension naturelle à entretenir le halo de mystère qui, elle en est convaincue, entoure toute personne. De ce mystère, elle a su se parer adroitement en esquivant les interrogations importunes.

« Il n'y a pas de questions indiscrètes, il n'y a que les réponses qui le sont. »

Maupassant fait naître sa protagoniste juste avant l'épilogue du roman. Il n'en montre ni la physionomie ni le caractère. Nous ne savons rien de la couleur de ses yeux ou, si elle en a, de ses cheveux. Seule indication déduite du prénom : c'est une fille, nichée dans un berceau en forme de nacelle. Un rideau blanc le recouvre, « comme une voile ». Au milieu de cet océan d'incertitudes ne résonne que la voix de la mère disant tout bas à son enfant endormie : « Fais dodo, ma petite. Tu ne trouveras jamais personne qui t'aimera autant que moi. » Lestée de cet amour maternel, Arlette peut lever l'ancre et voguer plein cap au gré des flots, vers l'inconnu. Les coups de trafalgar viendront toujours assez tôt. L'enfant est illégitime. Sa mère, bourgeoise de haute volée, est mariée à un banquier juif de Paris, madré et dépourvu de scrupules en affaires, jusqu'à la caricature. C'est le cocu. Son géniteur est un doux rêveur, artiste, élégant, spirituel, cultivé, libre et lâche.

Sans faire à tout prix un parallèle entre les circonstances de la naissance de Léonie à Courbevoie et celle d'Arlette à Mont-Oriol, force est de constater que des similitudes existent. Léonie est « l'enfant de l'amour », Arlette aussi, comme se plaît à le démontrer Maupassant, sans l'écrire explicitement. Elles sont le fruit d'une passion aussi fulgurante que fugace. Propice à bien des soupçons, dans le cas de Léonie.

« Mes parents ? C'étaient des cousins qui moralement ne s'entendaient pas, seulement au lit. Le grand malheur de ma vie : ma mère était enceinte avant son mariage. Elle donnait à mon père des raisons de douter de sa paternité. »

Il est exact que les parents de Léonie, qui se marièrent deux mois avant sa naissance — son frère Pierrot allait avoir deux ans — étaient des cousins éloignés.

« Pas des cousins germains. »

Leurs ancêtres, au premier degré de parenté, étaient des Bathiat, avec un « t » du côté du père, avec un « s » du côté de la mère.

« J'suis une hérédo. Y avait une consanguinité. Ou ça donne des tordus ou des génies… comme moi… Ne riez pas ! »

Quant aux soupçons de Michel Bathiat concernant sa paternité, sont-ils vraiment fondés ? Son épouse, pétrie d'éducation religieuse, a été élevée dans la hantise du péché, comme toutes les femmes de Charbonnières-les-Vieilles, ainsi que l'atteste Gilbert Danton, officier de l'Instruction publique dans le Puy-de-Dôme, dans un opuscule qu'il a consacré, en 1954, à l'histoire de la commune. Sa morale, en forme de « Notre Père » et de « Je vous salue Marie », répondait à un code très strict, qui veut qu'une fois mariée, la femme jure fidélité à son mari et s'y tienne. Non pas que Marie Bathiat fût une sainte, mais il faut en convenir, la rigidité de ses principes confinait à l'étroitesse.

Une autre version court aujourd'hui encore à Charbonnières. Les Dautreix étaient si miséreux que Mariette aurait occasionnellement laissé ses filles — dont Marie, la mère de Léonie — céder aux avances des gens de passage, les « roulants », en échange de quelques pièces de monnaie sonnantes et trébuchantes. La buvette de la grand-mère aurait servi d'abri aux ébats furtifs. Rien d'incompatible avec une religiosité coutumière, mais on dit tant de choses dans les campagnes.

« Le catholicisme, c'est fait pour ça — pécher puis se signer et aller à confesse [28] », explique, philosophe, Renée Faure, l'institutrice du village aujourd'hui en retraite. Elle tient cette thèse de Joséphine, une des quatre filles de Mariette, dite « le Dédé ».

Quoiqu'il en soit, pour d'obscures raisons, probablement nées de la mésentente du couple, le doute avait été jeté dans l'esprit du père de Léonie qui, de dépit, s'était progressivement adonné à la boisson.

« Y s'noircissait. D'ailleurs, le jour où ils m'ont conçue, mon père devait être noir. Ma mère avait dû aller à la messe le matin. »

Outre cette analogie avec les troubles circonstances de la naissance d'Arlette, Léonie a dû longuement méditer les réflexions que Maupassant prête à Paul Brétigny, le héros de son roman :

« *L'idée d'un petit être né de lui, larve humaine agitée dans ce corps souillé par elle et enlaidi déjà, lui inspirait une répulsion presque invincible. La maternité faisait une bête de cette femme.* »

Et le sentiment d'abandon exprimé par la mère d'Arlette qui, une fois en couches, est délaissée par son amant :

« *Elle se jugea totalement abandonnée dans l'existence. Elle comprit que tous les hommes marchent côte à côte, à travers les événements, sans que jamais rien unisse vraiment deux êtres ensemble [...] Elle devina [...] l'effort infatigable des hommes pour déchirer la trame où se débat leur âme à tout jamais emprisonnée, à tout jamais solitaire, effort des bras, des lèvres, des yeux, des bouches, de la chair frémissante et nue, effort de l'amour qui s'épuise en baisers, pour arriver seulement à donner la vie à quelque autre abandonné !* »

Plus encore que par la virginité du caractère d'Arlette, et les affres de la maternité propres à la conforter dans son refus de procréer, Léonie a indéniablement été conquise, dès la lecture des premières pages de *Mont-Oriol*, par le cadre champêtre de l'histoire : l'Auvergne, et plus précisément le Cantal et le Puy-de-Dôme, deux repères intimes de son enfance, où l'auteur de *Boule-de-Suif* nous emmène. Royat, Châtelguyon, le Mont-Dore, La Bourboule, tous ces noms de villes d'eau tintaient à ses oreilles, quand Mariette, sa grand-mère maternelle, l'hébergeait. «C'est dans ces lieux mêmes que Guy de Maupassant venait chaque année chercher un peu de calme à son imagination surexcitée», témoigne notre officier de l'Instruction publique retraité, Gilbert Danton.

L'essor des stations thermales dans la région, au lendemain du second Empire, est du reste au cœur du roman. On assiste aux intrigues les plus noires des spéculateurs pour s'emparer des sources, aux ruses les plus inavouables des exploitants et des directeurs des établissements de cure pour se remplir les poches.

Dans ce décor montueux et verdoyant, un site a inévitablement retenu l'attention de Léonie : le lac de Tazenat, situé à un jet de pierre de Charbonnières-les-Vieilles. Dans le pays, on l'appelle «le gour de Tazenat». Les paysans vont y faire boire leurs bêtes.

Le terrain est accidenté. L'accès s'y fait par un raidillon. Formé d'un volcan millénaire dont le sommet aurait été tronqué, le gour ressemble à une cuvette aux bords évasés. C'est le dernier cratère de la chaîne des dômes auvergnats. Les landaus ne pouvant y accéder, les cochers sont tenus de déposer les curistes de Châtelguyon qui veulent s'y baigner en contrebas. Ils viennent de si loin, sont si cossus, et ont les traits si peu tirés, ou alors par l'ennui, que, dans la région, on les appelle les Niçois. Les femmes relèvent leur robe pour aller se détendre sur la rive en pente douce, le corsage dégrafé, les bottines délacées, le chapeau à leurs pieds. Les messieurs empressés qui les accompagnent ont l'œil cajoleur. Il s'en faut de peu que, dans ce décor bucolique et sensuel, *Le Déjeuner sur l'herbe* ne trouve son vrai relief. Il est trop tôt pour la baignade.

Les jours de beau temps, la grand-mère Mariette tient la fameuse buvette, point de halte obligé des «roulants». Dans une cabane en planches dressée au bord de l'eau, elle débite du vin, de la bière, de la limonade, du café et du lait de chèvre, tandis que Léonie taquine le goujon avec sa ligne bricolée d'un bout de ficelle attaché à un morceau de bois. Si elle avait pris une friture, Arletty s'en souviendrait.

Sur le chemin qui mène au gour, Léonie, sa gaule de fortune à l'épaule, demande à Mariette, son panier de boissons sous le bras, le nom des arbres. Elle fait vite la différence entre un tilleul, un noyer ou un chêne, cet arbre sous lequel Saint Louis rendait la justice, d'après une gravure de son livre d'histoire. «Le gour me laisse muette d'émotion. Dans *Mont-Oriol,* Maupassant décrit son pouvoir attractif et tragique [29]. »

Un roman que Léonie a vraisemblablement lu alors qu'il trônait dans les rayons de la bibliothèque d'Edelweiss. Quant au choix d'Arlette comme nom de mannequin, il résulte davantage d'un acte inconscient de sa part que d'un goût avoué pour l'euphonie du mot.

«Ça fait sage-femme au fond du corridor. »

Arletty est catégorique.

Léonie/Arlette a vingt et un ans. La majorité civile. À défaut de lui apporter la gloire, ses essayages chez les couturiers ont eu deux aspects positifs : ils lui ont permis de mettre de l'argent de côté et d'affirmer une indépendance que jamais elle n'abdiquera.

Elle a quitté son petit hôtel de la Madeleine pour un meublé du boulevard Berthier dans le XVIIe, un quartier particulièrement huppé. Elle y croise ses voisins de la rue Alphonse-de-Neuville : Sacha Guitry et sa nouvelle épouse Yvonne Printemps, pour laquelle il est aux petits soins. Quand il ne court pas les antiquaires, le couple accompagne la grande Sarah [Bernhardt] «coiffée d'un abat-jour», qui ne se déplace qu'en limousine.

Et cette femme là-bas? C'est «la grrrrrande Yvette» (Guilbert), la muse de Lautrec, célèbre par sa voix rauque.

«Une femme grosse avec une tête garnie. Une raisonneuse. Sans Lautrec, elle n'aurait été qu'une diseuse...»

C'est le rôle qu'elle tenait dans les beuglants de la Butte où, en robe jaune et gants noirs, elle brocardait le vice.

· Toujours dans le voisinage se trouvent le peintre Boldini, portraitiste des gens titrés ou bien en vue, Maurice Magre, poète oublié des anthologies et auteur dramatique à ses heures, et, beaucoup plus connu, Georges Courteline, dont elle tournera une adaptation de *Messieurs les ronds-de-cuir* en 1936.

«Boulevard Berthier, j'habitais à côté de chez lui.»

Le petit appartement d'Arlette donne sur les fortifications. C'est sa «garçonnière». Au mur, l'ancienne locataire, qui avait fait un peu de théâtre, a laissé un portrait d'une comédienne entrée en religion, Ève Lavallière.

«De grands yeux tristes. Un regard étrange. Ma préférée. Personne au-dessus.»

Il y a aussi des photos de Damia, la chanteuse réaliste par excellence, prodigue en trémolos déchirants et en regards implorants. Une artiste d'un si grand renom qu'Arletty, chanteuse débutante au cabaret, se produira en lever de rideau dans son spectacle. Plus tard, elle parodiera son immense succès, *Les Goélands* :

> *« C'est moi la môme Damia*
> *Venez me voir à l'Olympia. »*

Lorsque Arletty admire, elle ne lésine ni sur les louanges ni sur les dépenses. C'est ainsi qu'elle acquiert un portrait d'Ève Lavallière par Jean-Gabriel Domergue. Puis, soit désaffection pour l'actrice convertie, soit baisse de ses finances, elle tente de s'en défaire en salle des ventes. En vain. En 1958, elle en fait don au musée de Belle-Île-en-Mer, à la grande perplexité du conservateur. Il redoute – pour rire? – que les visiteurs, croyant à une erreur d'étiquetage, prennent le portrait de la «célèbre artiste» pour celui de la favorite de Louis XIV! En raison de la similitude de leur destinée – l'une ayant pris le voile de franciscaine, l'autre de carmélite? Toujours est-il que, lors du transfert du musée dans la citadelle Vauban, quatorze ans plus tard, Arletty est priée de reprendre son pastel. Elle le met en dépôt chez une amie [30].

Boulevard Berthier, le mobilier est quelconque. Arlette s'en moque mais un meuble phonographe attire son attention. Elle l'ouvre, tombe sur un coffret en cuir : la parfaite panoplie du fumeur d'opium avec sa pipette, son petit plateau en laiton jaune, son calumet en bois précieux aux embouts d'ivoire, son cure-pipe. Une trouvaille qui lui permet vite de se faire des relations. « D'élégants visiteurs et visiteuses viennent la nuit, ignorant le départ de la précédente locataire, me demander de "tirer sur le bambou" [31]. »

Arlette s'initie à ce « sport de riche » au point d'y devenir experte.

« J'ai fumé de l'opium plusieurs fois. Quand j'ai débuté, j'aurais été riche, j'aurais fumé de l'opium tous les jours. Pas en excès, mais en grand plaisir.

— Qu'est-ce que ça vous apportait ?

— Le bien-être, l'évasion… J'aurais été fortunée, ah oui, j'aurais pris de l'opium !… Regardez Cocteau, il fumait ses huit pipes par jour et c'est pas ça qui l'a tué. »

Étant désormais installée, elle s'adonne à son autre péché mignon, les chaussures. Une trentaine de paires (déjà) pour deux de draps.

Arlette/Arletty restera dix ans boulevard Berthier, presque jour pour jour, soit durant toute la période de relative prospérité de l'après-guerre marquée par l'apparition des nouveaux riches ; une époque foisonnante de création artistique et intellectuelle avec le mouvement dada et le surréalisme ; des années d'effervescence politique et sociale avec l'émergence du parti communiste français et la multiplication des syndicats. La révolution russe a montré la voie. On rêve et on s'enflamme à gauche ; on spécule et on frémit à droite.

Disponible comme personne, Arlette est partout. Au théâtre, à Deauville, à Puteaux.

« J'étais curieuse. Je voulais tout voir. »

Sans souscrire à la moindre cause, ni adhérer à un quelconque courant de pensée. Les modes, n'est-ce pas, se démodent. Arlette butine de-ci de-là car, individualiste dans l'âme, elle est plutôt de nature à s'embraser. Pour les gens toujours, pour les idées jamais.

Le clairon a sonné. Tout le monde a regagné son domicile. La vie est chère, les ouvriers sont exploités. Qui s'en préoccupe ? Il y a la paix. Place à l'insouciance, à l'optimisme, et, pour ceux qui veulent y croire, au bonheur.

Paris donne le ton. Les bars du dernier chic, les salons plus mondains que littéraires, les magasins de luxe, les théâtres de boulevard sont pleins à craquer.

Le rideau peut se lever sur les Années folles. Dix ans d'apothéose et de mirage. Une épopée, en deux actes, qui s'ouvre sur un divertissement d'une gaieté cocardière – le défilé de la Victoire du 14 juillet 1919 sur les Champs-Élysées –, pour se clore sur un drame effroyable – le krach de Wall Street du 24 octobre 1929 à New York. Le fameux jeudi noir.

« La guerre, c'est toujours une rupture. On dit "avant guerre" et "après guerre". »

Désormais, c'est l'après-guerre. En place pour la revue.

Chapitre IV

Pouvons-nous étouffer le vieux, le long remords ?

BAUDELAIRE

La France mange son pain blanc. Arlette est sur les boulevards, flâne, le nez au vent, entre Madeleine et Opéra ; s'attarde ici, là, regarde les vitrines.

« J'me promenais. Y avait les magasins. Y avait surtout les vieux beaux... »

À l'angle de la rue Scribe, la boutique Old England, plus courue que jamais, exhibe ses tartans, ses pet-en-l'air mastic, ses costumes marins et ses guêtres doublées de flanelle rouge. Devant la sévère façade, un monsieur jovial, la trentaine, bonhomme, l'aborde.

« Je ne devais pas avoir l'air très sauvage. »

Ses yeux pétillent d'astuce. Il se présente :

« Paul Guillaume, amateur d'art. »

Le nom ne lui dit rien.

C'est sur les conseils du peintre André Derain que cet ancien vendeur d'objets d'art s'est établi marchand de tableaux. Il a un goût hardi. Pour essuyer les plâtres de sa galerie en 1914, il a exposé le couple Larionov-Gontcharova, des coloristes russes abstraits alors parfaitement inconnus à Paris. Puis, Matisse, Picasso, Modigliani, Vlaminck, Utrillo, encore peu familiers du public. Son flair doublé d'un formidable sens des affaires vont lui réussir. Il suffit, pour en juger, d'aller voir sa collection au musée de l'Orangerie, léguée par sa veuve à l'État. En cet été 1919, il continue de passer des annonces dans la *Nouvelle Revue française*, revue littéraire d'avant-garde à laquelle tous les écrivains ambitionnent de collaborer depuis sa reparution en juin : «Je suis actuellement acheteur de tableaux de Van Gogh…» Ses pavés de publicité ont invariablement le même libellé ; seul, le nom de l'artiste change d'un mois sur l'autre : un jour Renoir, un autre Gauguin, à présent Van Gogh. L'audace sera payante. Les cotes grimperont.

On peut être le chantre de l'art moderne et être ficelé comme l'as de pique, avec une cravate sportive sur une chemise de soie de qualité, c'est son cas. Son accoutrement est si étrange qu'au lieu d'estomper sa corpulence, il la met en valeur. Rien n'échappe à Arlette. Il porte des souliers vernis et de grosses chaussettes de laine. En plein été !

Paul Guillaume a ses entrées dans les milieux artistes. Ils se sont ouverts à lui lorsqu'il tenait boutique chez le décorateur à la mode André Groult, beau-frère du couturier Paul Poiret. Depuis, il lui arrive de se dépenser pour promouvoir de nouveaux talents. Doué d'une âme d'esthète, c'est aussi un cœur tendre. Les jeunes femmes l'émoustillent. De son œil bleu, à la fois incisif et câlin, il lorgne Arlette. Cambrure des reins, taille déliée, souplesse du port de tête, blancheur du cou qui émerge d'une robe légère au col évasé, regard d'une vivacité spirituelle, il est sous le charme.

«Et si vous posiez comme modèle ?»

Elle le regarde, impassible. Son rire s'égrène.

«Et le théâtre ?»

Même réaction.

Il insiste, lui griffonne deux cartes de visite de recommandation, l'une pour Armand Berthez, directeur du théâtre des Capucines, l'autre pour Paul Gavault, directeur de l'Odéon.

Ils se séparent.

«À bientôt, Pygmalion.»

Ils auront plus tard une liaison éphémère et, au-delà, une estime mutuelle sans bornes.

«On se vouvoyait en public, on n's'tutoyait pas. Dans l'intimité… là, oui, peut-être… Ça a été mon amant quelque temps…»

Août 1919, dans ce même quartier de l'Opéra. Arlette musarde boulevard des Capucines, sur le trottoir opposé à Old England. Au 39, entre le Bouillon Duval, un de ces célèbres restaurants à bas prix comme il y en a tant dans Paris, et le magasin de chocolats et bonbons Marquis, l'entrée du théâtre accroche son regard. Elle fouille dans son sac, en tire la carte de recommandation de Paul Guillaume, et s'engouffre dans le passage débouchant sur la petite cour carrée du théâtre à ciel ouvert. Un groupe de jolies femmes y prend l'air. Parmi elles, Davia, une jeune comédienne aux joues pleines, en passe de connaître son heure de gloire dans l'opérette. Elle aura aussi un succès durable avec la chanson de Mireille : *Couchés dans le foin* (avec le soleil pour témoin…). À quatre-vingt-quinze ans, elle est le dernier témoin vivant des premiers pas d'Arletty sur une scène de théâtre.

« Nous avions trois mois de différence. Elle me disait toujours : t'es mon aînée. Je suis du mois de février. Elle était du mois de mai. »

Un homme, tout droit sorti d'une pièce de Feydeau avec ses moustaches retroussées, ses cheveux gominés et la raie au milieu, leur tient compagnie. Il a la quarantaine bien sonnée, de petits yeux rieurs, un col empesé maintenu par une ascot.

« Je désirerais remettre une carte à Monsieur Berthez.

— C'est moi. »

Arlette le trouve sémillant. Elle lui tend le carton…

« Vous avez de la chance, nous répétons une revue. »

Il l'entraîne vers la scène pour une audition. Un pianiste, Esteban Marty – « un type à la Goya, de l'armée espagnole en déroute » – s'installe devant le clavier. Pour marquer la cadence, Arlette esquisse comme un léger mouvement de balancement avec le bras droit plié à hauteur des côtes, un geste bien à elle qu'elle reproduira – avec la réussite qu'on sait – sur la passerelle du canal Saint-Martin dans *Hôtel du Nord*. La voix fraîche et acidulée, elle attaque :

« *It's a long way to Tipperary,*
It's a long way to go… »

Berthez l'interrompt :

« Je vous engage. Vous aurez deux figurations intelligentes. »

Et un duo avec une Anglaise.

« J'ai commencé en octobre 1919 dans une revue : *C.G.T. Roi.* Je chantais *Les P'tites Bourrelles*, en femme de bourreau, avec un costume rouge. Rouge sang. »

« *C'est nous les p'tites bourrelles,*
Des tortures corporelles.

Pour une bagatelle,
On coupe, on écartèle,
On tenaille les mamelles,
On retourne les prunelles,
On pince les parties naturelles.
C'est nous les p'tites bourrelles. »

Davia se souvient de sa voix fluette : « Je l'ai connue quand elle est venue auditionner aux Capucines. Elle habitait boulevard Berthier. Je lui donnais le "la" dans *Les P'tites Bourrelles*. Elle avait pas l'tempo. Elle était assez maladroite. Il fallait un peu d'oreille pour avoir la mesure. J'en avais plus qu'elle, j'avais appris l'chant ! Elle avait une voix pointue qu'elle a perdue quand elle a joué Garance. Elle parlait oseille, voyez, la voix un peu acide. On n'faisait pas des choses très compliquées [32]... »

Une ritournelle suffit, Arletty est née.

Son nom de scène, elle le doit à Armand Berthez, le directeur des Capucines. Quelques jours avant la première, il lui demande comment elle veut s'appeler.

« Victoire de la Marne... »

Berthez est estomaqué. Le soir de la générale, Arlette découvre qu'il a tout simplement anglicisé son nom, en y ajoutant un « y ». La voilà lancée.

« Ce fut mon premier contact avec l'art [33]. »

C'est exact, abstraction faite de deux expériences passagères en Auvergne, si anodines qu'elles ne sont dignes d'être mentionnées qu'à titre indicatif.

La première à Montferrand, au couvent. Tous les ans, pour le spectacle de fin d'année scolaire, des élèves jouaient la comédie pour les parents. Un jour arriva le tour de Léonie, qui se vit chargée d'un rôle (masculin) dans *Les Enfants d'Édouard,* LA tragédie de Casimir Delavigne, un monument de grandiloquence.

Elle mit une telle fougue à clamer : « La veuve d'Édouard ! la reine ! Chapeau bas, messieurs, chapeau bas », que ses camarades la traitèrent d'orgueilleuse. Elle n'en retint pas plus. À la fin de la journée, Léonie écrivit à ses parents : « On a bu du café. »

Deuxième contact, inopiné celui-là, quelque temps après, à Sauxillanges, dans le Puy-de-Dôme, où elle passait parfois ses vacances chez son oncle, l'abbé Pierre Dautreix, promu doyen de la paroisse. Les binocles coincées en haut de son nez busqué, il avait vraiment une tête de théoricien marxisant.

« Non pas un saint homme, mais un brave homme. »

Plus que de prière, son activité intellectuelle était faite de réflexion et de lecture.

« J'entendais discuter sur *Chantecler*; tous les curés en disaient des tirades. »

Les accents déclamatoires d'Edmond Rostand horripilent tellement Arletty que, lorsqu'elle se débarrassera de son exemplaire de *L'Aiglon*, elle y inscrira la phrase suivante : « À ne jamais me rendre. <u>Sous aucun prétexte</u>. »

Le « style Odéon », de toute façon, est moribond à la fin 1919. Sarah Bernhardt, qui en est la vibrante incarnation avec son jeu d'artifice exacerbé et d'absence de spontanéité, va tirer sa révérence. Le théâtre évolue. Arletty emprunte la voie légère du rire et de la comédie.

« Ma carrière tient à un trottoir. Passant devant l'Odéon, je chaussais cothurnes. Phèdre et Andromaque l'ont échappé belle! »

Aux Capucines, son nouvel emploi, c'est « p'tite femme de revue ».

La revue, genre particulièrement ardu s'il en est pour les interprètes, fait florès dans les années vingt. Plus qu'une comédie structurée avec des entrées, des sorties, une trame, elle regroupe des tableaux en forme de sketches émaillés de mots d'esprit, parfois assaisonnés au gros sel. Son succès dépend plus souvent du tempérament de l'acteur que des traits de génie de l'auteur. Le but recherché est de faire rire, de susciter la faveur du public en un temps record, de déployer des trésors d'originalité. Les spectacles sont montés avec munificence, des musiciens, des décors somptueux, des costumes tous plus chatoyants les uns que les autres, signés des plus grands couturiers.

Avec ses deux cents places sans balcon, le théâtre des Capucines, véritable bonbonnière dotée de loges et d'un minuscule promenoir, tient le haut du pavé. Il donne deux représentations par soirée, la dernière à minuit. Son directeur-acteur – « une sorte de chef du protocole » – ne lésine pas sur la pourpre, et sa femme, Mme Berthez, sait recevoir. Le couple est très parisien. On passe aux Capucines comme dans un salon littéraire et mondain, en habitué. Le Tout-Paris des lettres, de la mode, de l'industrie, de la politique, de la presse, les héritiers décavés et les têtes couronnées de l'Europe entière, jusqu'à la reine mère d'Italie, y défilent, ravis. L'élégance est de mise, le débraillé banni.

Arletty partage le « bain à quat'sous », la loge des figurantes qui attendent d'entrer en scène. Quand arrive son tour, elle promène son regard dans le public. Soir après soir, elle reconnaît Colette et sa jumelle noire, le comte Boni de Castellane et son œillet incarnat à la boutonnière, Antoine, le fondateur du Théâtre-Libre éternellement désargenté, Anna de Noailles et son mari Mathieu, Albert Willemetz et sa moustache en brosse taillée de frais, enfin, Rip, le dieu du genre.

« Il avait un p'tit nez en l'air, épaté. »

À le bien regarder, toute l'expression mutine de son visage réside dans ce nez légèrement retroussé, qu'une calvitie précoce et un front fuyant mettent en évidence. Les yeux à fleur de tête, Rip a le regard embué d'un notable qui sortirait d'un banquet d'affaires copieusement arrosé. De son expérience dans la banque, il a gardé les costumes rayés. Quant à son esprit, il est redouté. Ses mots sont imagés, percutants, féroces. À le voir ainsi, sous ses dehors de bon vivant, l'air désabusé, qui pourrait soupçonner sa rosserie ? Les traits acérés qu'il décoche contre les célébrités font la fortune des dîners en ville. Tel celui-ci à propos d'une vedette de la chanson aux jambes en arc de triomphe : « Oui, mais son poilu n'est pas inconnu. »

Le verbe de Rip érafle comme une pointe sèche. Bref, concis, incisif, il est comparable aux coups de crayon d'un Sem ou d'un Forain, les maîtres de la caricature. Rip est de la race des félins, moins à cause de ses larges oreilles et de sa fine moustache que de son visage en saillie et de sa prestesse à saisir sa proie. On le croit endormi. Il est tapi. Aux aguets. Tel un lynx.

Ce qui l'étonne d'emblée chez Arletty, c'est qu'elle parvienne à être comique sans recourir au maquillage, sans tirer sur le grotesque. Un humour à froid. Elle est sans fard. Ni au physique, ni au moral. Dès lors, il la retient pour ses revues à venir. Arletty n'en sait encore rien. Elle est sans projets, mais sûre d'une chose : le chapitre de la sténo est définitivement tourné. Faire carrière au théâtre ? Il est trop tôt pour l'envisager.

« J'entrais au théâtre pour y passer, par curiosité. »

L'examen d'entrée réussi, elle éprouve le besoin de se ressourcer. À la Défense, bien sûr. Non que la tête risque de lui tourner, la fatuité est trop bête. Elle n'aspire à rien d'autre qu'à se perdre dans ses pensées, à suivre du regard les courbes de la Seine, à respirer les parfums vieillis des pavés, à refaire à l'envers le chemin parcouru depuis ce soir terrible de décembre où son père a trouvé la mort. Que de bouleversements se sont produits dans l'intervalle.

« La revue dans laquelle j'ai débuté aux Capucines était parfaitement idiote. »

C.G.T. Roi d'André Barde et Michel Carré. Le titre-jeu de mots est un modèle de l'esprit de l'époque. L'argument développé est de la même eau : indigence et légèreté mêlées. Le parterre est choisi. On va aux Capucines pour rire, non pour réfléchir aux aléas de la politique et de la diplomatie.

Les plaies de la guerre sont encore vives, le traité de paix, signé sous les ors du château de Versailles, impuissant à les panser. Les Français, eux, vivent dans le rêve d'une France au lustre d'antan, puissante, prospère, paisible. Le monde serait-il en train de changer ? La classe ouvrière est en ébullition. La CGT [34] est à un tournant. Syndicat unique avant guerre, la centrale, qui a conseillé le gouvernement pour les affaires sociales durant le conflit, devient une force politique de poids avec plus de deux millions d'adhérents. Seulement voilà, le syndicalisme révolutionnaire auquel aspirent certains de ses dirigeants, et tel qu'il est vécu à Moscou depuis le triomphe des bolcheviks, effraie la haute société française. Le gouvernement réprime les grèves. Des organisations plus modérées se constituent. La CGT est tiraillée. La fin de son règne absolutiste est proche.

La revue donne la charge. Aimablement. À la plus grande joie des spectateurs. Il y aura cent vingt-six représentations, un beau succès. C'est un spectacle typiquement parisien, truffé d'allusions grivoises. Gisèle de Ryeux, une blonde décolorée très maquillée, surnommée la croqueuse de diamants, est tête d'affiche. Elle joue « La Poule sans emploi », un rôle sur mesure. À ses côtés, Arletty, tour à tour premier danseur, deuxième baigneuse, première aide bourrelle, passe la rampe avec brio. Elle est d'une drôlerie piquante avec sa voix aigrelette, ses deux dents de devant écartées et sa façon de jouer au débotté.

Plus de soixante-dix ans sont passés, Davia, sa partenaire au final du premier acte de *C.G.T. Roi*, la revoit : « Elle faisait petite ouvrière. Elle avait pas le physique d'une fille du monde. Elle était simplinette. Elle est devenue très bien quand elle a fait ses films. C'est dans *Hôtel du Nord* qu'elle était le plus elle-même, l'Arletty du commencement.

Son esprit, c'était le truc un peu gavroche… titi parisien. Car elle est née dans un quartier un peu excentrique, il faut bien le dire!…»

Davia, Henriette Ravenel pour l'état civil, est d'une famille d'enseignants, notables républicains type de la IIIe République.

«J'aimais la vie pot-au-feu», explique-t-elle, attendrie d'être aussi popote.

Ce que n'est assurément pas Arletty, déjà hors du commun, quoique tout juste sortie de sa chrysalide. Un agent la remarque, lui propose sur-le-champ un engagement pour une autre revue au théâtre de la Potinière, en janvier 1920.

«À partir de ce moment-là, j'ai enchaîné revues, pièces, opérettes.»

Arletty a vingt et un ans, et tout à apprendre. Comme il n'est plus question d'entrer au Conservatoire, elle fait ses classes en découvrant les grands critiques : Colette, Antoine, Fernand Nozière, Adolphe Brisson.

«Mon école.»

Autre exercice auquel elle s'astreint, la lecture à haute voix. Elle apprend par cœur des monologues de Racine, Beaumarchais, Chateaubriand, et, pour enrichir son anglais, se penche sur le *New York Herald*. Longtemps, son vocabulaire s'est limité à un mot : «ouess-in-gaousse», alias Westinghouse, la marque des locomotives du dépôt de son père. Pour le chant, elle suit les conseils de Davia qui lui recommande son professeur. Arletty fait des vocalises, prend des cuillerées de miel, s'achète un «crapaud» Gaveau à tempérament. En pure perte. Pour le piano, comme plus tard pour la danse, elle manque des dispositions élémentaires. Peu importe, sa nature sera son triomphe.

Arletty vit d'instincts. Au théâtre comme ailleurs, elle «pige les choses» — une situation, un caractère, un partenaire — en un éclair. Avec elle, toute explication de texte verbeuse est superflue.

Cette faculté de perception, Arletty en use en toutes circonstances. Pour extraire le suc d'un mot, d'une phrase auxquels elle donne du relief par son intonation, ou pour brosser des portraits acides, concis et colorés. À la manière d'un caricaturiste, elle croque les gens avec vigueur, humour, pertinence, sans ménagement. Son style, tonique et rafraîchissant, donne la sensation de mordre dans une pomme verte acidulée.

Consciencieuse sans être un bourreau de travail, elle s'accorde du bon temps. Au Magic City, le dancing en vogue de la rue Cognacq-Jay, voué à être remplacé par des studios de télévision, et au Luna Park, le parc d'attractions de la porte Maillot auquel sera substitué le Palais des Congrès. Deux endroits fréquentés par une clientèle aisée et oisive. Davia l'accompagne : « On allait danser l'après-midi. Tout ceux qu'avaient d'l'argent ne travaillaient pas. Ils allaient s'balader. »

Les soirs de relâche, Arletty en profite pour aller admirer les grands acteurs. En évitant de les copier, faut-il le souligner.

« La copie n'est que le prolongement du modèle. »

À part Davia qui va la chercher régulièrement boulevard Berthier avant de gagner les Capucines, Arletty a une autre « bonne camarade » appelée Lilas, comme elle figurante du « bain à quat'sous », comme elle toujours prête après les représentations à filer en métro direction l'Étoile. But de l'expédition : s'inviter chez les riches, anciens ou nouveaux, pour grappiller quelques canapés. Quoi de plus simple en effet lorsqu'on a des fins de mois difficiles que de jouer les hirondelles à Paris.

L'estomac dans les talons, mais le pas alerte, elles descendent les Champs-Élysées. Des deux côtés de l'avenue, les hôtels particuliers reçoivent royalement. Les réceptions sont somptueuses, les buffets abondamment garnis, le décorum complet avec domestiques, valets de pied, chauffeurs de maître. Faute d'un bristol à présenter à l'entrée, il faut du savoir-faire et du culot pour se glisser jusqu'aux tables. « Devant l'étage le plus illuminé, un chauffeur de maître nous indique nom et qualité des amphitryons. Nous montons. Un regard vers le buffet. Discrète, Lilas danse et je panoramique. Jamais personne ne s'est avisé de nous demander qui nous étions. Nous nous sommes ainsi fait de nombreux amis — en tout bien tout honneur — auxquels j'ai, à l'occasion, révélé la supercherie [35]. »

Deux ans plus tard, Lilas abandonne le métier. Elle renonce aux amuse-gueule, aux petits fours, à la carrière, un lord lui ayant offert le mariage.

Le rideau tombé sur *C.G.T Roi*, Arletty continue sur sa lancée théâtrale. Cinq spectacles en 1920. Des revues et des comédies à l'humour frivole, à l'intrigue ténue, et aux titres toujours aussi édifiants : *Mazout alors*, *Le Danseur de Madame*, *La Course à l'amour*, *L'École des cocottes*, *Le Scandale de Deauville*.

Dès le deuxième spectacle, Nozière, le critique, relève : « Mlle Arletty a les dons les plus heureux. »

Une certaine prédisposition, peut-être, mais pas la vocation. Jamais, enfant, elle n'a enfilé les vêtements de sa mère pour jouer à l'actrice.

« Je n'ai pas su c'que c'était de me déguiser. J'mettais pas d'drap... J'mettais pas d'robes de la grand-mère... Si à quatorze ans, j'avais vu une môme le faire, j'aurais dit : c'est une cinglée celle-là. »

« Pas chipée par ce métier », Arletty se prend cependant assez vite au jeu, se laisse séduire par le contact des gloires du moment : Raimu, Spinelly, Max Dearly, Madeleine Carlier, Maud Loty, ses partenaires des premiers spectacles. Elle admire le talent hors pair des uns, l'audace effrontée des autres et l'absolue liberté du théâtre.

D'abord Raimu, qui joue à merveille de son accent puissant, et qu'on ne présente plus.

« Le plus grand. Il pouvait tout jouer. Il y a Raimu et les autres. »

Spinelly, sa compagne d'un temps, à la bouche en cœur, les pommettes hautes, ondoyante comme une liane, d'une grâce parfaite.

« Pour l'élégance, la reine des boulevards. »

Max Dearly, un fantaisiste né, possédant un don d'improvisation si poussé qu'à la centième représentation, il pouvait signer la pièce qu'il interprétait.

« Un aristocrate. Il s'est conduit avec moi merveilleusement jusqu'à la fin. D'une loyauté... Prenant de mes nouvelles. Un immense comédien... Grande classe... Avec chevaux de course et écuries. »

Madeleine Carlier, une copie (presque) conforme de Mme Récamier avec ses robes Directoire et ses colliers de perles. La femme entretenue par excellence.

« Entretenue... Y a plus de mot [pour définir le personnage]. Vivant dans le grand luxe. Super Rolls... Voisin [36], son amant, lui avait offert un coupé. Une carrosserie... attention ! »

Maud Loty, une figure. Menton en galoche, coupe au carré, la frange ornée d'un gros nœud de taffetas. L'espièglerie incarnée. Adorée du public.

« Une voix irrésistible, un phénomène. »

Un soir, accompagnée d'un riche protecteur, l'envie lui prend d'inviter Arletty à leur table. « Cache le nom des plats et prend c'qu'y a d'plus cher », lui lâche Maud Loty, voyant qu'elle hésitait à faire son choix. Arletty retient le conseil dont elle saura, à son tour, faire profiter les jeunes gens fauchés qui lui rendent visite. Sans jamais manquer, au passage, d'honorer la mémoire de sa vieille camarade.

Pendant l'été, comme tous les étés dans la capitale, les théâtres font relâche, à l'exception de rares salles. La saison est à la plage, au sable fin, aux baignades. Loin de l'air vicié des fumoirs, les noctambules se délassent, misent à la roulette, se prélassent au soleil. Deauville et Biarritz sont les stations prisées. Costumes de bain à rayures beige et bleu, toilettes de mousseline tombant à la cheville, ensembles clairs cintrés et mocassins blancs, le défilé est permanent. Comtesses et duchesses portent des chapeaux cloche, le bord abaissé en guise d'ombrelle. De jeunes actrices font sensation. La tête enturbannée, surmontée d'aigrettes, elles s'exhibent, gainées d'un maillot rose, sous l'œil câlin de leur «p'tit homme» — fils de famille, rentiers, c'est selon. Sous les parasols, les mondanités se donnent libre cours. On se salue d'un signe de tête. On respire l'air iodé à pleins poumons. On rit des mots d'auteurs de la saison écoulée. Le bord de mer fait salon. Bien des années passeront avant la ruée démocratique.

Arletty est à Paris. Le soir, elle joue à la Cigale, boulevard Rochechouart, *La Course à l'amour* — une revue «fantaisiste», le jour elle se promène sur les boulevards. Elle croise Paul Guillaume, dont les affaires dans le commerce de l'art moderne sont encourageantes. Égal à lui-même, autrement dit jovial et chaussé de souliers vernis, il s'étonne :

«Comment, vous n'êtes pas à Deauville?

— Non, je joue à la Cigale.

— Vous êtes la plus grande déception de ma vie.»

«Je réalise qu'il m'avait mis le pied à l'étrier pour une carrière plus lucrative [37].»

Arletty fera aussi le désespoir de l'Agha Khan. Tout prince héritier qu'il est, ses avances n'auront pas l'accueil escompté. Ayant repéré Arletty au théâtre, il fait livrer dans sa loge une débauche de fleurs exotiques. La fleuriste de la rue Scribe, Mme Ruffier — «une fort belle femme» —, lui remet une composition florale exubérante, une lettre et... un écrin venu du plus grand joaillier de la rue de la Paix, Cartier. À l'intérieur, un bracelet souple serti de diamants bleus. Arletty en reste sans voix. Remue-ménage dans les coulisses. Ses camarades se précipitent : «Oh!... Rip te porte bonheur, Titi...» La lettre est de l'Agha Khan. Arletty lui fait remettre son numéro de téléphone. « Je ne m'attendais pas à trouver un Antinoüs ; les caricatures de Sem, sur ce point, étaient claires. Rendez-vous est pris chez Voisin, dans la salle, pas en cabinet particulier. Il comprend tout de suite que je ne suis pas négociable, et me propose un cousinage [38]. » Sur une banquette de velours rouge du célèbre restaurant de la rue Saint-Honoré, le pacte est conclu. Elle sera sa cousine. Il sera son cousin.

« Il m'appelait ma p'tite cousine. Mais, pas question qu'j'aie été dans sa vie physique. La courtisanerie, ce n'était pas mon genre. »

L'Agha Khan est grand seigneur. De Bombay, il lui envoie des turbans en soie aux reflets argentés.

« Le plant de mes cheveux appelait la perruque. »

Ce sera le turban. Pour la simple raison qu'un beau matin, elle retrouve la boule noire de ses cheveux sur l'oreiller. La teinture de la veille les avait brûlés à la racine.

« Je changeais fréquemment de couleur de cheveux. Un après-midi, la fantaisie m'a pris de passer de l'albinos à l'aile de corbeau. »

Pour s'épargner d'éventuels commentaires intempestifs, elle coud des boucles blondes au turban. Adorables, paraît-il. Lors de ses passages à Paris, l'Agha Khan la convie à déjeuner, lui faisant découvrir les meilleures tables. L'entente, parfaite, en restera aux mondanités, ne suscitant ni la complicité ni les confidences. Arletty ne s'en sent pas moins flattée d'être courtisée par un maharadjah. D'abord parce qu'elle débute. Ensuite, parce que les titres l'impressionnent, même si elle se targue du contraire. Qu'elle soit en compagnie d'une femme de chambre, d'un fort des Halles, d'un homme de lettres ou d'un chef d'État, son aisance est réelle. Seulement, lorsqu'elle reçoit, elle ne mélange pas les genres. Par souci d'éviter des impairs, par discrétion, pour préserver sa souveraineté.

« La vie m'a détachée du peloton, mais je n'oublie pas que je viens de ce peloton. »

L'Agha Khan s'est trompé sur son pouvoir de séduction et sur l'efficacité de ses largesses.

« J'regardais pas les bijoux. Je n'en portais jamais, sinon pour des photos. Je n'en ai pas le goût. »

Par délicatesse, Arletty conserve le bracelet souple. Par philosophie aussi.

« Une femme a toujours besoin d'un million [39]. »

Ainsi, les fins de mois un peu serrées, met-elle le bijou en gage, une pratique observée dans sa famille qui permet de s'offrir un semblant de répit dans l'attente de jours meilleurs. Le bracelet, à force d'être mis au clou, a fini par y rester accroché.

À côté, que la vie des femmes entretenues paraît (matériellement) facile dans les Années folles, leur âge d'or! Jeunes, affranchies, jolies, «bandantes», elles se pavanent, s'habillent à la dernière mode, roulent en limousine. Elles ont leur chinchilla et plusieurs visons, des rivières de diamants, un hôtel particulier avec l'électricité à tous les étages, une ou plusieurs femmes de chambre, des courtisans efféminés — de préférence — et, le fin du fin, un théâtre. Peu importe qu'elles aient du talent ou de la gloire. On peut être comédienne en herbe, lorsqu'on a du chien, les sollicitations galantes affluent. Arletty n'aurait eu qu'un geste à faire, qu'un mot à dire. Mais, tel n'est pas son tempérament. Elle choisit donc une voie médiane, consistant à accepter les présents qu'on veut bien lui faire, tout en préservant son autonomie.

«Choisir, mais ne pas se laisser choisir.»

C'est son credo en amour. Par curiosité, une curiosité à hauts risques, elle est toutefois toujours partante pour de nouvelles rencontres.

L'ayant instantanément prise en amitié, Davia, qui rêve de la voir à l'abri du besoin, la présente au fils du chausseur André, bon parti s'il en est. «Il ne l'a pas trouvée assez bien, regrette-t-elle, déconcertée par cette faute de goût. Il m'a dit : non, elle ne m'plaît pas.»

Arletty s'en moque. Les rôles de cocottes, de demi-mondaines, de femmes entretenues, elle en aura sa part. Au théâtre et au cinéma, s'entend.

Et dans le privé?

«J'pouvais m'balader dans un dîner où y avait du monde. Personne ne m'pinçait les fesses, j'aime autant vous l'dire. Métier ou pas métier. Pas question d'se faire de l'œil, pas de familiarité, même à mes débuts. Si quelqu'un venait à s'y risquer, ça durait une seconde.»

Elle le rembarrait.

Observation de Davia : «Dans sa garçonnière, boulevard Berthier, elle n'avait rien à elle. C'était à un monsieur.» Edelweiss, le compagnon de ses vingt ans, assez riche et généreux pour payer son loyer, ou plus simplement son propriétaire qui louait meublé?

Davia ne sait plus. Tant d'années ont passé... Oui ou non, selon elle, Arletty a-t-elle été une femme entretenue?

« Non, pas tellement. Elle n'était pas très intéressée par l'argent. »

Du reste, Arletty gagne passablement bien sa vie. Elle a démarré aux Capucines avec 300 francs par mois. Une fortune, quand elle pense que son père en touchait 400 l'année de sa mort, trois ans plus tôt, au terme de dix ans de service dans les tramways. La comparaison souffre d'être faite. Depuis Napoléon, le franc-or jouit d'une stabilité à désespérer le plus farouche spéculateur. Du moins en apparence. La France, euphorique, dépense sans compter les centaines de millions que l'Allemagne, saignée à blanc, est incapable de lui verser au titre des dommages et réparations de guerre.

Automne 1920. À la faveur de la reprise d'une comédie triomphale aux Variétés – «le plus parisien des théâtres» –, Arletty prend une décision ferme : elle sera comédienne.

« J'ai été accrochée quand j'ai joué *L'École des cocottes*. Une distribution magistrale : Raimu, Spinelly, Max Dearly. Ils ont été tellement bien avec moi. Je n'avais que des amis. R'marquez, je n'pouvais pas leur faire de tort, j'étais pas encore sûre de rester. Ce sont eux qui m'ont appris le métier et appris à l'aimer. »

La comédie, de Paul Armont et Marcel Gerbidon, fera les beaux soirs du boulevard.

« Est-ce qu'on peut même le croire, le mot "cocottes" avait empêché son entrée au Français. »

Rôle de troisième plan pour Arletty, elle joue une «dinde», une petite théâtreuse à l'école de la galanterie.

« Je devais faire une sorte de battement d'ailes avec mes bras. »

Et pour accompagner le geste, lâcher cette réplique bouffonne : « C'est comme qui dirait des ailes, n'est-ce pas ? C'est difficile. On a essayé cinq femmes avant d'en trouver une qui puisse. »

La boutade est à cent lieues de l'esprit dada, le mouvement lancé par Tristan Tzara à Zurich, dont s'est entiché Paris. Dada, pour les artistes comme Marcel Duchamp, Francis Picabia ou Man Ray, est un manifeste, un mot d'ordre de contestation culturelle. Un art de bric et de broc, truculent, iconoclaste, anticonformiste. Comme cette Joconde que Duchamp a gratifiée d'une paire de moustaches. Absurde, disent les bien-pensants d'un haussement d'épaules. Tant mieux, rétorquent les artistes, plus c'est absurde, plus c'est dada.

Arletty n'a nul besoin de souscrire au courant. L'absurdité, elle l'a discernée très tôt, en voyant ses parents – «de braves gens simples et honnêtes » — trimer sans relâche pour de maigres compensations, comme le fait encore son frère Pierrot. Elle, préfère les fous rires, partagés avec Rip.

Ils en ont échangé dès qu'ils ont travaillé ensemble, en octobre 1920, dans *Le Scandale de Deauville*, une satire sur le snobisme des gens qui se font un point d'honneur de ne pas voir la mer lorsqu'ils sont en villégiature dans la cité balnéaire de la côte normande. Les vedettes en étaient Madeleine Carlier, l'héroïne du *Bœuf sur le toit* de Cocteau, en femme entretenue, et Marguerite Deval, en maîtresse de maison bourgeoise. Arletty jouait la femme de chambre, Élise.

« J'incarnais une soubrette chez les repus. »

Plus que son emploi, secondaire, son trou de mémoire d'un soir l'a marquée :

« J'étais jeune. J'débutais, alors j'étais sérieuse. J'allais me reposer entre la matinée et la soirée. Un jour, Rip m'a charriée pour que j'accepte de dîner avec eux entre les représentations. Je n'me suis pas dégonflée. J'ai fait des mélanges… »

De retour sur scène, Marguerite Deval appelle sa domestique Élise, qui est en coulisses.

« J'lui ai répondu : "Qu'est-ce que tu m'veux… ? Qu'est-ce que tu m'veux… ? [face au public :] Elle m'emmerde cette vieille noix!" La Deval a tout de suite compris c'qui s'passait. Elle m'a poussée vers la sortie. J'pouvais plus arquer. On a dû baisser le rideau et me remplacer. Rip m'en a pas voulu puisque c'était d'sa faute. J'ai jamais rebu de Marie Brizard. »

Une mésaventure sans conséquence sérieuse sur la fréquentation de la pièce, qui connaît quatre mois de succès ininterrompu, jusqu'au 13 février 1921.

Environ trois semaines avant la dernière, un homme se présente au théâtre des Capucines, demande à parler à Arletty. Il vient de la part de sa mère, souffrante, qui la réclame. Trois ans se sont écoulés depuis leur terrible dispute. Trois ans durant lesquels elles ne se sont pas revues. Toutes deux ont un caractère si inflexible que ni l'une ni l'autre n'a daigné faire le premier pas de la réconciliation. Il faut que Marie Bathiat soit très malade. Dès la fin de la représentation, Arletty se précipite rue de Turenne. Sa camarade de loge, Germaine Semerie, mise dans le secret de la brouille familiale, l'accompagne.

« Je retrouve ma mère dans l'humble chambre où je l'ai laissée.

Son regard fixe ne me quittera pas, comme si elle voulait emporter mon image dans l'éternité ; et, dans un souffle : "Je n'ai pas cessé de t'aimer. Sois heureuse, je te pardonne." »

Respiration caverneuse, souffle rauque, Marie Bathiat est au plus mal. La moindre parole articulée l'épuise. Le diagnostic des médecins est formel : phtisie galopante. Une maladie sans rémission à une époque où la streptomycine curative est ignorée de la faculté. Malgré la gravité de son état de santé, l'hospitalisation a été jugée inutile. Sa sœur aînée Léonie, la marraine d'Arletty qui loge au rez-de-chaussée de l'immeuble, la veille jour et nuit. Pierrot aussi est près de sa mère. Il a repris le chemin de l'usine depuis qu'il a été rendu à la vie civile avec le grade de simple soldat. Il est « dans la réserve de l'active », des fois que l'envie viendrait aux Allemands de réarmer.

Ce brutal retour au foyer familial laisse Arletty désemparée. Sa mère est à l'agonie. Il lui reste quelques heures à vivre, qu'Arletty passe à son chevet. Dans le silence de la nuit, Marie Bathiat succombe dans un dernier râle, le 19 janvier 1921 à quatre heures du matin.

« Elle est morte d'usure. Elle avait quarante-six ans. »

Arletty blinde une nouvelle fois son cœur. Moralement, elle ne s'en remettra jamais. Sa mère s'est éteinte sans qu'elle soit parvenue à lui parler, sans qu'elle ait réussi à trouver les mots aptes à vider leur ancienne querelle. Leur incompréhension et leur emportement mutuels font que les torts étaient probablement partagés. Arletty, dans la fleur de l'âge, voulait vivre libre, ne plus être la petite fille obéissante, vouée à une vie de bureau, monotone et plate.

« J'étais faite pour la grande vie. »

Marie Bathiat n'y a pas cru ou ne l'a pas entendu. Ce qui revient au même.

« Les mères n'entendent jamais, l'amour les empêche de voir. La mienne, je suis sûre qu'elle ne me comprenait pas. Elle ne me voyait pas. Elle ne me devinait pas. Par contre, elle m'a laissé ma liberté. »

Avait-elle seulement les moyens de faire autrement ? La rupture consommée, Arletty s'est culpabilisée d'avoir failli dans son amour filial.

« Je l'avais abandonnée, oui, je l'avais abandonnée. Mon père, je n'ai pas eu le temps de lui faire de peine. »

Plus un jour ne passera désormais sans qu'elle ne pense à sa « chère petite maman », si bonne, si généreuse, qui se privait pour donner aux petits camarades de sa fille, à Puteaux et à Courbevoie, l'orange de Noël ou les fondants sucrés aux couleurs pastel qu'ils ne pouvaient s'offrir.

Ce sentiment de culpabilité qu'Arletty nourrira, persuadée de son «ingratitude», a une double origine : familiale, car l'entraide est un devoir sacré chez les Bathiat-Dautreix, qu'elle s'accuse d'avoir bafoué en délaissant sa mère ; chrétienne, en raison du poids de son éducation religieuse. Avec les années, il ira croissant, atteignant des paroxysmes qu'elle interprétera, au gré de ses infortunes, comme autant de châtiments.

Les paroles de sa mère, appuyées d'un regard affectueux, valaient tous les pardons de la terre, unissant à la fois bonté, tendresse, amour maternels.

«Ça m'a marqué pour toujours. Après ça, rien ne pouvait plus m'atteindre. Ma mère est le seul être qui m'ait aimée. Le seul dont je sois sûre.»

Le premier en tout cas qu'elle ait eu conscience de faire terriblement souffrir. Marie Bathiat a été inhumée à Courbevoie une semaine après son décès, dans le caveau de famille, auprès de son mari.

«Il y a des enfants qui, sans renier leurs parents, auraient souhaité qu'ils soient différents. Pas moi. J'ai eu des parents merveilleux. J'en aurais pas voulu d'autres.»

«D'une vie de labeur honnête, il me reste une grosse montre, héritage de mon père [40].» Elle est en argent, à chiffres romains, semblable à celles qu'autrefois on désignait sous le nom d'oignon. Le cadran en ivoire a subi un choc, il y a un petit éclat en un point donné. Elle rythme les jours d'Arletty, qui y est attachée plus qu'à n'importe quel objet de son patrimoine. Un signe : toutes les autres pièces d'horlogerie sont des «tocantes». Pas la sienne.

«Je n'ai eu comme fétiches que la montre de mon père et ma timbale de communiante.»

Pour ses parents, la montre était le joyau de la maison. On la recevait en cadeau à la première communion ou aux noces, et la mort venue, on la léguait aux enfants. Le prêteur sur gages, lui, l'acceptait toujours de bonne grâce.

Pierrot, son frère, demeure à présent son seul proche parent. Dans six mois, il sera marié. Il garde le logement rue de Turenne en location, où ils resteront, sa femme et lui, treize ans et deux mois, jusqu'à leur départ pour Courbevoie en 1934. Depuis que leur mère est morte, Arletty s'est rapprochée de lui.

« Restez bien d'accord tous, c'est ce que je vous demande. » Marie Bathiat a formulé ce vœu sur son lit de mort. Elle sera exaucée. À la lettre.

Chapitre V

Vivre assez longtemps pour avoir tout vu
et le contraire de tout.

CÉLINE

Les Années folles. Dix ans d'extravagance et d'exubérance. Pour s'étourdir dans le gai Paris, ville des plaisirs voluptueux et inavouables, les lords anglais indolents, les hidalgos désœuvrés, les boyards en exil n'ont que l'embarras du choix. Cosmopolite, la capitale est le temple de l'hédonisme avec ses restaurants stylés, ses cabarets enfumés, ses dancings affolés, ses maisons de plaisir. Les nouveaux riches, parvenus hissés financièrement au rang de la grande bourgeoisie, ne sont pas les derniers à flamber l'argent gagné grâce à la guerre, à coups de spéculations en Bourse ou d'innovations industrielles dans l'automobile ou le textile. Nul ne trouve à redire à leur insolent étalage de luxe. Chacun, à son niveau, en bénéficie. Le chômage, provoqué par la démobilisation des appelés, s'est peu à peu résorbé. La croissance profite à tous. La société de consommation, importée tout droit des États-Unis dans les paquetages bourrés des soldats américains, est en route. L'ère des gadgets se lève. Mastiquer du chewing-gum devient à la mode dans certains milieux. La pâte de guimauve, décidément, colle trop aux dents. Les ouvriers peuvent s'offrir un poste de TSF à galène avec leurs économies. À condition d'avoir sué sang et eau derrière les chaînes de montage. Le machinisme, en pleine expansion, crée une nouvelle spécialisation dans les usines : le manœuvre spécialisé ou OS. En sa qualité de tourneur mécanicien, Pierrot, le frère d'Arletty, entre directement dans cette catégorie. Lui aussi peut aller se divertir. Au bal musette de la rue de Lappe, près de la Bastille, où des riches viennent s'encanailler, se frotter aux gouapes des quartiers populaires en casquette cassée, pantalon à pont et foulard rouge noué autour du cou. Sur une musique langoureuse ou brutale, filles et garçons du peuple, d'une adresse renversante, dansent la valse chaloupée. Le charleston et le shimmy, débarqués d'outre-Atlantique, vont bientôt la détrôner sur un rythme noir, frénétique et swing : le jazz.

Face au déferlement de ces exotiques nouveautés, l'élite est partagée. Les bonnes vieilles traditions françaises ont leurs tenants. D'un côté, il y a ceux qui n'admirent que Cocteau, toujours à l'avant-garde, Picabia, Picasso, le jazz, la NRF, l'art nègre, Matisse, le cirque, le bal musette. De l'autre, ceux qui ne jurent que par Anatole France, l'académicien Robert de Flers, Sacha Guitry, Reynaldo Hahn, l'art pompier, le five o'clock au Claridge, les chevauchées à la campagne. La seule à faire l'unanimité : Mistinguett.

« Elle avait la santé. Les jaloux disaient qu'elle avait trente-quatre dents. »

Arletty va des uns aux autres, sans exclusive. Parmi ses fréquentations, elle compte aussi des métallos – des « aristos ». Aucun club, aucune chapelle ne recueille pleinement ses suffrages. Arletty n'appartient qu'à elle-même.

Dans les revues, elle prend du grade. Rip lui confie un couplet dans *Si que je s'rais roi*, en février 1921 aux Capucines, où elle incarne une vedette de cinéma. Un rôle prophétique. Le septième art est en pleine évolution technique. Aux images en accéléré, aux histoires sans paroles accompagnées de morceaux de piano, des procédés expérimentaux ont été ajoutés. On tâtonne pour améliorer les bruitages, on cherche à introduire la couleur, on s'ingénie à remédier au muet… Des progrès qui vont tuer le théâtre! déplorent les esprits chagrins.

Sur scène, Arletty apparaît enveloppée de la tête aux pieds dans une robe cagoule de duvetine noire, avec capuche et traîne.

« J'étais comme une souris d'hôtel. »

Elle chante au roi, joué par le gros Pauley :

« J'connais la célébrité
Depuis que j'ai débuté
Dans un film américain

Tourné à Pantin
C'est l'histoire d'une jeune personne
Qu'est chez elle, mais v'la qu'on sonne
Elle reçut d'un air vainqueur
Une flèche en plein cœur.
Soudain le lendemain matin... »

Pauley, un des dix-huit comédiens du spectacle, la suit du regard jusqu'aux coulisses, se frotte les mains, s'exclame :

« Je vais avoir un cinéma,
Ça m'a toujours passionné ;
Y avait l'homme qui assassina :
Je s'rai l'homm'qui a son ciné. »

Les costumes sont signés Poiret. À l'issue de la première, commentaire du couturier : « Spinelly, le passé, Maud Loty, le présent, Arletty, l'avenir. » Le triomphe est total. Rip a vu juste. Arletty possède la grâce, la fantaisie, la spiritualité, quelque chose d'indéfinissable. Enfin adoptée, elle fait désormais partie du groupe d'habitués qui se retrouve régulièrement après le théâtre au bar des Capucines autour de Rip. Il y a les Berthez, Christiane d'Or, Paul Poiret, le ministre des Beaux-Arts Albert Dalimier, Spinelly, et de temps à autre, Mistinguett et son protégé, Maurice Chevalier. Avec son abattage, la « Miss » fait un tabac au Casino de Paris dans la revue *En douce*, une chanson qu'Arletty inscrira à son répertoire en 1956. Guindé ou ordinaire, le public adore son dernier succès, *Moi, j'en ai marre*. Autre titre qu'Arletty enregistrera. « Elle faisait tenir en équilibre sur sa tête des kilos de ferraille, de plumes et de diamants, sans perdre le sourire [41]. » Il faut, dit la sagesse populaire, souffrir pour être artiste. Du Concert Mayol aux Bouffes-Parisiens, Chevalier, le canotier de guingois, la lèvre offerte, déplace les foules, depuis son dernier succès, *Dédé*, une opérette de Willemetz et Christiné, inspirée de la réussite commerciale du chausseur André.

Passage d'Arletty chez les chansonniers, au Perchoir, une salle minuscule de la rue du Faubourg-Montmartre, juste avant d'arriver rue de Provence. Titre de la revue d'une grivoiserie inoffensive : *Bo Ko Mo Fo Li* (écriture phonétique de « Beau comme aux Folies [Bergère] »). En tête de distribution : Davia, qu'un jeune journaliste, rubriquard aux chiens écrasés, poursuit de ses assiduités, Pierre

Lazareff, futur grand patron de *Paris-Soir*, partisan actif du retour d'Arletty au théâtre après la guerre.

« Sur scène, on portait un petit pantalon à carreaux, se rappelle Davia. Le mien était rouge et blanc, celui d'Arletty bleu et blanc. On prenait des airs de p'tites filles un peu vicieuses pour se dire, en lorgnant le public : veux-tu que j'te fasse voir mon p'tit pantalon ? Y a soixante-dix ans, les gens riaient bien. Aujourd'hui, ça ne ferait peut-être pas d'effet [42]. » Et d'ajouter à propos de sa partenaire : « Elle parlait tout l'temps d'son frère. Elle le voyait souvent. Elle lui a donné beaucoup de choses. »

Marié le 14 juin 1921, moins de cinq mois après l'enterrement de Marie Bathiat, Pierrot a épousé une vendeuse de vingt-huit ans, née à Paris, Noémie Menu. Lui en a vingt-cinq. Noémie présente un léger bec-de-lièvre qui ira s'estompant avec l'âge et l'embonpoint. Plus petite que son mari, elle porte des chaussures à hauts talons pour se rehausser. Sous ses robes et ses jupes plissées, on devine une femme bien en chair. Ce qui amuse et exaspère Arletty, c'est qu'elle prend un mot pour un autre. Elle dit « une imprenable » pour une indéfrisable, « les carrelages du nez » pour les cartilages, « la planche des pieds » pour la plante, « les gladiateurs sont éteints » pour les radiateurs.

Pierrot, un garçon soigné, un peu à l'étroit dans son costume du dimanche, s'est laissé pousser la moustache, comme pour compenser la chute précoce de ses cheveux. Sous un front dégagé, le regard est direct, simple, légèrement rêveur.

Une de leurs joies consiste à aller se faire tirer le portrait à La Photo Mécanique, 43, boulevard Saint-Martin ou 81, faubourg du Temple, dans des décors en trompe l'œil champêtres et romantiques.

En 1922, Arletty fait les beaux soirs des Capucines, avec cinq spectacles à l'affiche : *Nonnette*, *Ce que l'on dit aux femmes*, *L'Homme du soir*, *Simone est comme ça*, *Pourquoi m'as-tu fait ça ?* Le premier signe ses débuts dans l'opérette, qui connaît son âge d'or dans les années vingt avec *Ciboulette* de Reynaldo Hahn, *Phi-Phi* et *Dédé* de Willemetz et Christiné, *Ta bouche*, toujours de Willemetz, et Maurice Yvain pour la musique.

Éloge des critiques : l'un lui trouve de l'entrain, un autre aime ses « très amusants solos de trompette », un troisième écrit : « Il faut bien dire que le succès est allé à Mlle Arletty [...]. Sa voix et sa diction sont comiques. Elle use de ces moyens avec une spontanéité qui nous a beaucoup plu. Est-ce science ou inconscience ? Du moins, nous ne sentons pas l'effort [43]. »

Les quatre comédies suivantes lui valent, outre les honneurs de la revue, de faire de nouvelles connaissances. Dont celle de Tristan Bernard, incarnation de l'esprit parisien et boulevardier, patriarche à la longue barbe blanche qui a les sourcils en accent circonflexe et, de chaque côté du nez, deux sillons obliques soulignant ses fossettes. Ses petits yeux sont enfouis sous de lourdes paupières ridées, d'où jaillissent des feux de vivacité, de malice, de sagesse. Il est bedonnant, d'une élégance de sportsman.

Dans la pièce intitulée *Ce que l'on dit aux femmes*, la seule qu'Arletty jouera de lui, exception faite d'un sketch de revue, *Le Paradis-Palace*, quinze ans plus tard, elle répond au nom de « Titi ». Le diminutif lui restera longtemps, quoique Tristan Bernard, de trente-deux ans son aîné, lui donne de la « chère amie » les rares fois où il lui écrit. Le premier rôle masculin est confié à Paul Bernard, un ancien employé du ministère des Finances tout juste sorti premier prix du Conservatoire. Sans aucun lien de parenté avec le dramaturge.

« Un camarade adorable. Nous étions de grands copains. »

Au cinéma, il se taille bientôt une place appréciable dans les rôles de méchant à l'œil mauvais. Le parfait homme de main.

Autre partenaire d'Arletty ces années-là au théâtre : une petite bonne femme d'un mètre cinquante-deux, Gaby Morlay. Après des débuts dans la comédie, elle devient en 1925 la star montante du mélodrame. Adieu les sourires pimpants, place aux sanglots longs. Pâleur de convalescente, regard douloureux et fixe, elle incarne le drame. Un mal qui pourrait passer pour congénital chez ce « monstre sacré » de l'entre-deux-guerres, si la fantaisie n'avait égayé quelques-uns de ses films. Ses entrées en scène sont un flot de larmes garanti.

« Chose rare, elle avait le blanc des yeux bleu. »

Gaby Morlay est de Cholet, chef-lieu du Maine-et-Loire, capitale des mouchoirs de batiste.

« Les mouchoirs, elle avait pris ça à Réjane [44] qui avait eu un accident au nez. C'était chic les p'tits gestes. Elle n'aurait pas été éternelle… Elle avait tous les dons, excepté le goût. Gaby était perdue par son manque de chic. Quand elle portait un tailleur, elle ne le mettait pas en valeur. Pas d'allure. »

Arletty, au contraire, en a à revendre. Ligne souple, taille fine, hanches étroites, Rip la trouve « mince comme un haricot vert ». Avec ses cheveux courts et plats, sa nuque dégagée, sa grande mèche en accroche-cœur sur le côté gauche, elle est tout le portrait de l'héroïne du roman de Victor Margueritte, *La Garçonne*. Un beau scandale que l'histoire de cette jeune fille de la bourgeoisie qui, pour se venger d'avoir été trompée par son fiancé, s'adonne à la drogue, multiplie les aventures, cherche à avoir un enfant hors mariage ! Jusqu'au jour où elle découvre l'amour avec un homme qui admet l'égalité des sexes. La bonne société est outragée, l'auteur âgé de cinquante-quatre ans voué aux gémonies.

« On lui a retiré la Légion d'honneur et il a pas pu entrer à l'Académie. C'est honteux ! »

La censure refuse son visa à la version filmée du roman. Motif : « L'œuvre est une déformation déplorable du caractère de la jeune fille française. » Les passions apaisées, une deuxième version voit le jour en 1935, avec Marie Bell en tête d'affiche, et Arletty, pas assez célèbre pour le rôle-titre malgré son physique adéquat.

« Dans le film, j'entretenais Marie Bell. Suzy Solidor faisait la femme qui fumait de l'opium. Y avait même la Piaf qui débutait là-dedans. Elle chantait. »

Marie Bell interprète *La Garçonne* alors que c'est Arletty qui en possède et le parler argotique, et la silhouette qu'elle promène dans les endroits les plus insolites de Paris.

« Je suivais tout ce qui se passait. J'trimballais mon train. »

À la Chambre des députés, elle assiste à la séance où Poincaré, le président du Conseil, annonce l'occupation de la Ruhr pour contraindre le Reich à s'acquitter du montant intégral des réparations de guerre. Privée de ses mines de charbon, l'Allemagne est exsangue. Le mark titube. L'inflation s'envole.

Au Père-Lachaise, histoire de voir toutes les célébrités de Paris, elle s'« offre » l'enterrement de Sarah Bernhardt. Une page de l'histoire du théâtre est tournée. Charles Dullin, fondateur de l'Atelier, rejoint bientôt Gaston Baty, Sacha Pitoëff, Louis Jouvet pour former les théâtres du Cartel, une association d'entraide en rupture totale avec les scènes du boulevard.

« Mon préféré c'était Dullin, le plus insolite des quatre. Il demandait à la concierge du théâtre de s'tenir prête et maquillée pour entrer en scène. »

Elle le revoit à cheval, tout de noir vêtu, place de la Concorde, au début des années vingt.

Révolution dans la mise en scène, le jeu des acteurs, la manière de dire les classiques – Molière et Musset. Des auteurs dramatiques sont lancés : Jean Giraudoux, Jules Romains, Armand Salacrou.

Fini le jeu déclamatoire et «physique», coupé de la réalité. Place à la sobriété, le théâtre doit être le reflet de la société, de ses inquiétudes, de ses refus.

À Pigalle, Arletty accompagne Pierre de Régnier, dit Tigre.

«Mon ami le plus pur. Sa mère l'avait appelé Tigre parce qu'il lui donnait des coups dans le ventre quand elle était enceinte.»

Cet enfant gâté, le fils unique de Marie de Régnier, elle-même fille du poète José Maria de Heredia et épouse de l'académicien Henri de Régnier, a le même âge qu'Arletty. La naissance de Tigre a fait jaser. Marie de Régnier, connue aussi sous le nom de plume Gérard d'Houville, l'a eu avec son beau-frère, l'écrivain Pierre Louÿs. Elle cède tout à son fils, notamment l'argent, qu'il dilapide. De ses voyages d'agrément, il lui envoie des poèmes bucoliques façon Ronsard, romantiques façon Musset, racontant ses mondanités, ses randonnées à cheval, le temps qu'il fait. Dans un style parfois fort cru.

Longiligne, Tigre ressemble à un jeune officier de l'École de cavalerie de Saumur. Est-ce d'avoir appris l'équitation avec le poète italien Gabriele d'Annunzio qui lui a offert sa cravache? Il a le visage long, le teint bistre, les sourcils broussailleux, les cheveux courts et calamistrés, les oreilles en éventail, la bouche large aux lèvres minces, le sourire triste et le regard fatigué d'un clown démaquillé. Menant une vie de bâton de chaise, Tigre est à ses heures journaliste et tient, dans *Gringoire,* une chronique mondaine : «Paris, ma grand'ville», qu'il illustre de ses propres dessins. D'un coup de crayon rapide et précis, il fait une caricature d'Arletty qu'elle impose des années durant dans les programmes de théâtre.

Deauville et ses planches, Chantilly et son champ de courses, les boîtes de nuit parisiennes, les music-halls n'ont pas de secret pour Tigre. Parce que riche, on le croit insouciant, il est au vrai désespéré. Il mourra à quarante-cinq ans.

«D'avoir trop bu, probablement.»

Avec Arletty, qu'il va chercher à la sortie du théâtre, ils font la tournée des grands-ducs dans les boîtes de Pigalle et de Montmartre. Une bande de noctambules en goguette les escorte : Sem, le caricaturiste, Jean Fayard, le fils d'Arthème Fayard, fondateur de la maison d'édition du même nom, André Strauss, dit « Dédé », lui aussi fils de famille, enfin, Coccuera Zygomalas, un ami des Rothschild. Parmi eux, elle est la seule femme.

« Je les aimais tous. »

Au hasard de leurs pérégrinations, ils retrouvent l'infatigable piéton de Paris qu'est Léon-Paul Fargue, rêveur professionnel, riche et bohème. Au Franco-Italien, ils soupent près du groupe des « moins de trente ans », génération montante de compositeurs, dramaturges et journalistes formée de Georges Auric, Steve Passeur, Jacques Natanson, Henri Jeanson, et, parfois, Pierre Lazareff.

Au Florence, une boîte de nuit de la rue Blanche — « de première classe » —, ils croisent Henry Bernstein, champion des recettes du boulevard, spécialiste des coups de théâtre mélo et grand amateur de tango.

« Je voulais tout faire, tout voir, tout connaître. Oui, tout connaître de ce qu'on peut connaître de la vie. »

On lui propose d'aller au bordel, elle accepte « en voyeur » de fréquenter deux hauts lieux de la luxure. Le One Two Two — temple sélect des plaisirs charnels avec ses vingt-deux chambres et ses soixante-cinq filles —, le Chabanais, autre maison de tolérance particulièrement prisée.

Au théâtre, la carrière d'Arletty s'accélère. En cinq ans, ses cachets décuplent. À l'aube des années trente, elle touche en moyenne 9 000 francs par mois, ce qui est honnête, mais rien en regard des 30 000 francs mensuels perçus par Davia, devenue une vedette des comédies musicales et des opérettes. « Trente mille francs, j'vous assure que ça faisait du bruit. J'pouvais m'payer une nurse pour mon fils, une cuisinière, une femme de chambre, un chauffeur. Comme j'avais une maison avec jardin à Saint-Cloud, j'avais besoin d'une voiture. J'ai eu une Packard noire avec intérieur cuir vert pomme, une Hotchkiss et une Hispano-Suiza », se souvient Davia.

Arletty, elle, peut se passer de chauffeur. Le 22 septembre 1922, elle a décroché son permis de conduire, exploit méritoire en un temps où rares sont les femmes au volant. Lorsque sa notoriété surclassera celle de Davia, Arletty mènera un train de vie diamétralement différent. Pas de propriété, une place sous le toit d'un compagnon, pas de rubis ni d'émeraudes, des tableaux impressionnistes et post-impressionnistes, des œuvres résolument modernes.

«Elle m'a passée quand elle a commencé à faire du cinéma, explique Davia. Pour moi c'était beaucoup plus difficile d'aller plus loin, car je jouais les petites ingénues. »

Arletty n'a pas le goût de la possession, au sens bourgeois du mot. Les appartements qu'elle habite dans les beaux quartiers, elle préfère les louer. Autrement, elle loge à l'hôtel. Des hôtels de luxe, évidemment !

«Avoir quinze, vingt maisons, c'est triste. Vous savez, on meurt dans une seule. »

Les deux petites maisons qu'elle achètera de sa vie, à Collioure dans les Pyrénées-Orientales, puis à Donnant, un village de pêcheurs de Belle-Île, seront des coups de cœur, non des entreprises de spéculation. Leurs reventes s'avéreront du reste des opérations plutôt désastreuses.

Ses investissements se font en Bourse. Et ce dès le 22 juillet 1924. Arletty bénéficie des meilleurs conseils. Pour 10 000 francs, elle acquiert une part de Fondateur Canal de Suez, une action ordinaire De Beers (le groupe anglo-américain qui exploite les mines d'or des colonies britanniques, devenues depuis l'Afrique du Sud), et un dixième d'action Royal Dutch. Uniquement des valeurs à haut rendement. Elle place aussi 1 000 dollars «des États-Unis d'Amérique du Nord» à Bâle, dans une banque suisse. Un moyen de se prémunir contre d'éventuelles attaques spéculatives subies par le franc.

Plus que des revues, des comédies, des opérettes qu'elle a interprétées, Arletty se souvient de ses partenaires que, sur scène, elle accompagne du regard. Phénomène assez exceptionnel chez un acteur pour être souligné. «Elle joue avec naturel, avec simplicité, ne cherche pas à placer ses effets dans le public et regarde ses partenaires quand elle leur parle ! Comme c'est rare !» note le critique Pierre Maudru [45].

«Ça, c'est un compliment. »

La liste des acteurs qu'elle remarque et apprécie pour leur talent, leur fantaisie, leur simplicité, leur beauté, leur pittoresque, leur «cingloterie», est impressionnante. Beaucoup ont sombré dans l'anonymat. Parmi les exceptions : Dalio. Marcel de son prénom. Né Israël Blauschild, fils d'un épicier de la rue des Rosiers à Paris.

« Mon p'tit chéri. Il était interdit de faire le ménage dans sa loge. La poussière, c'était son maquillage. »

Ils jouent ensemble *Hé ris haut*, en septembre 1924, un divertissement dont le titre évoque la nomination d'Édouard Herriot à la tête du gouvernement après le triomphe du Cartel des gauches aux élections législatives.

Au cinéma, Dalio se fait une spécialité des emplois de mauvais garçon ou de mouchard à tendance sadique. Sauf pour Jean Renoir qui le distribue dans le rôle du banquier Rosenthal dans *La Grande Illusion*, puis du marquis de La Chesnaye dans *La Règle du jeu*. Avec Arletty, ils ne se quitteront plus, en dépit de son long exil à Hollywood au moment de la guerre et des troubles de l'après-guerre.

Autre partenaire notable dans *Où allons-nous?*, une revue de Rip et Briquet créée en janvier 1925 : Lily Damita, Liliane Carré de son vrai nom, la future femme d'Errol Flynn. Un physique à la Mistinguett par sa façon de porter les robes à paillettes et de se déplacer sur scène, des yeux à se perdre, des joues à croquer.

« Nous avions la même loge. Une superbe créature. C'est là que j'ai connu Van Dongen. »

Des peintres, Kees Van Dongen est le premier à portraiturer Arletty, sur une affiche grand format qu'elle signe de sa large écriture. Cheveux courts coiffés en « coup de vent », front découvert, regard sombre et énigmatique, c'est un portrait grave.

Dans *Plus ça change*, une féerie de Rip, en novembre 1929, Arletty incarne tour à tour Cléopâtre, Isabeau de Bavière, Ninon de Lenclos, la comtesse Du Barry. En courtisane du Bien-Aimé, elle interprète une chanson gaillarde :

« Sous Louis XV c'était le bon temps
Ce monarque qu'on décrie tant
Dans l'alcôve était épatant
Quand j'étais à son service
C'qu'il avait du vice!
Toute la nuit, je m'en souviens
Sous Louis XV, moi j'm'amusais bien!
C'était des chichis, des machins,
Cela durait jusqu'au matin.
Sortant… de table, il avait faim,
Nos jeux érotiques

Étaient fantastiques!
Avec le Roi, c'est pas du bluff,
J'ai presque fait 89!

Aussi l'autre jour un colonel
Dans un langage conventionnel
M'interrogea, puis, paternel,
M'dit après enquête :
Je sais que vous êtes
Une sans-culotte, eh oui, pardi,
C'est mon p'tit doigt qui me l'a dit. »

Van Dongen la voit, lui demande de poser dans son costume de scène – sceptre à la main, robe à paniers, perruque à rouleaux. Il a la palette facétieuse, jongle avec les anecdotes et l'Histoire, se joue du temps. Dans son apparat de favorite, Arletty se tient droite, la coiffure aussi haute qu'une pièce montée. Au sommet de ses boucles aux tons sucrés : *la Belle Poule*, la frégate royale qui rapporta de Sainte-Hélène les cendres de Napoléon Ier, *via...* Courbevoie. C'est en effet sur les quais de la Seine, tout près de la rue de Paris natale d'Arletty, que le 14 décembre 1840, le cercueil impérial toucha le sol français, pour la première fois, avant d'être enseveli aux Invalides.

Au Salon suivant, Van Dongen présente un portrait d'Anna de Noailles. La poétesse, qui meurt la même année, étant trop fatiguée pour poser, Arletty joue les doublures. Elle enfile la robe blanche de la comtesse, arbore en sautoir son grand cordon de la Légion d'honneur.

« C'est la seule fois où j'ai accepté d'accrocher un hochet à mon revers. »

Entre-temps, Arletty tâte du cabaret. Notamment Chez Fyscher, rue d'Antin, près de l'avenue de l'Opéra.

« Une boîte unique à Paris. La plus petite. La plus élégante. »

La façade ne paie pas de mine. L'intérieur exigu non plus, avec ses mauvaises chaises, ses guéridons instables, ses banquettes qui s'affaissent. Il n'y a ni scène ni estrade. Juste un piano droit d'accompagnement tenu par Georges Van Parys. Les artistes se produisent de plain-pied. La clientèle, que l'inconfort ne rebute pas, est sélecte. Le prince de Galles et le roi de Roumanie sont des fidèles. Un soir, trois souverains en rupture de couronne sont dans la salle. Remarque d'Arletty, flegmatique : « Mais, c'est la foire du trône ! »

En smoking défraîchi, monocle à l'œil, le maître de céans aux origines levantines, Nylson Fyscher – «tzigane sans brandebourgs» –, présente le programme. De minuit à deux heures du matin. Il y a les grandes vedettes de l'entre-deux-guerres : Yvonne George, Lucienne Boyer (créatrice de *Parlez-moi d'amour*), Damia (*Les Goélands*), Lys Gauty (*Le Chaland qui passe*). Et, en lever de rideau, les débutantes.

«Je levais l'torchon [46], en veste smoking pailletée de Chéruit.»

Au répertoire d'Arletty, des parodies de Rip et *La Gavotte de Louis XIV* du comédien-chansonnier Marc Hély :

«Au jardin de Trianon, après la fête
Le roi cheminait songeur sous la coudrette.
Un seigneur vint à passer
Qui dit à sa majesté :
"Vous allez rêver la nuit comme un poète,
Bercé par le rythme lent d'une gavotte.
On se grise et parfois on a la tremblote.
— Non, non, répondit le roi,
Je cherche un taillis sous bois
Pour pouvoir un peu dégrafer ma culotte."

Il fit quelques pas encore sous la charmille
Et tomba sur un essaim de gentes filles
"Majesté, quelle occasion!
Nous goûtions à des bonbons
Faites-nous l'honneur de prendre une pastille.
Nous avons, à l'angélique et bergamote,
Des caramels, des pralines et des crottes…"
Le roi leur répond : "Merci,
Votre bon cœur me suffit.
Gardez-moi pour tout à l'heure les papillotes."

Il fit quelques pas encore et la marquise
Lui criait : "Oh Majesté, quelle surprise!
Ah! vous venez contempler
Ce palais, par vous rêvé.
Sire, vous avez fait une demeure exquise.
Le ciel n'a jamais rien vu sous sa calotte
D'aussi beau que ce palais, ces eaux, ces grottes."
Le roi dit : "C'est un bijou

L'architecte a prévu tout
Mais tout de même il aurait bien pu faire des chiottes."»

Quelques semaines plus tard, Fyscher engage une nouvelle recrue, Gaby Basset, comédienne en herbe. Un jeune homme blond aux yeux bleus l'accompagne souvent, Jean Gabin.

« J'n'avais jamais fait de tour de chant, raconte Gaby Basset. J'faisais du théâtre. Je jouais *Débauche* à la Comédie-Caumartin, une pièce avec Pierre Brasseur. Quand je suis allée auditionner, Arletty m'a dit : "N'aie pas peur la môme, ça va bien s'passer." Elle commençait à être un p'tit peu connue. C'était en 1926. Vous dire à quel point elle était gentille. Gabin ne travaillait pas. Il était soldat. Un jour que j'étais invitée à une soirée, elle m'a dit : "Passe-moi ton manteau de drap, j'te passe mon manteau de vison." C'était un admirateur qui lui en avait fait cadeau. Elle était un peu plus riche que moi. Elle était souvent invitée. Elle m'emmenait aux Six Jours au Vél'd'Hiv, à souper… C'était formidable. Elle disait : "On peut s'redresser, on fréquente des rois !" Je chantais des chansons grivoises, Arletty des chansons rigolotes, des petites chansons parigotes. On chantait toutes quatre chansons chez Fyscher. Van Parys nous accompagnait. C'était déjà un grand monsieur. Quand Gabin venait me chercher après le spectacle, habillé en matelot, elle me disait : "Tiens, y a ton marin qui t'attend." J'avais rencontré Gabin aux Bouffes-Parisiens dans une opérette. On a eu l'coup d'foudre. Il m'a dit : "T'en as d'belles mirettes la môme." Six mois après, on vivait ensemble. Il avait simplement joué aux Folies-Bergère dans des petits trucs. C'était le temps des œufs durs à Montmartre, du kil de vin, du bout de fromage. On avait une petite piaule sur la Butte. On s'cuisait un bifteck sur un réchaud à alcool. On a été mariés de 1928 à 1938. On a fait des films ensemble, comme *Touchez pas au grisbi* des années plus tard [47]. »

Gaby Basset est restée un an chez Fyscher, Arletty environ quatre mois. Quatre mois pendant lesquels elle courait du théâtre, où elle jouait en début de soirée, au cabaret. Puis, leur carrière les a éloignées. « Au théâtre, on avait les mêmes emplois, c'est pourquoi on n'a pas joué ensemble. Quand on s'est revues, j'étais en vison. Elle m'a dit : "Oh ma môme Basset ! Alors tu l'as eu ton vison !" »

En juillet 1929, le tour de chant conduit Arletty à Londres où elle se produit six jours au Café Anglais, près de Piccadilly. Là, elle apparaît comme une sorte de maharadjah aux gestes maniérés, la tête ceinte d'un turban noir en forme de ruche, croisé sur le devant et maintenu par une broche scintillante.

« Un bide. »

Avis beaucoup moins négatif de la critique britannique : « Après avoir conquis les cœurs de sa ville natale, Arletty, ce petit bout de Parisienne, se lance actuellement, avec succès, à l'assaut des cœurs de Londres. Elle chante au Café Anglais à Leicester Square, où elle remporte un franc succès. Sa voix est aussi menue que sa taille, mais elle réussit tout aussi bien. »

Un homme traverse alors la vie d'Arletty : Carlos Rodriguez Larreta, dit Carlitto, un Argentin, jeune, brun, cultivé. Les Argentins, dans les années vingt, ont une cote incroyable à Paris.

« Ils dépensaient beaucoup. Ils aimaient vivre. »

Fils de richissimes diplomates, généraux ou éleveurs de la pampa, ces *latin lovers* aux cheveux enduits de Gomina roulent les « r » aussi complaisamment qu'ils roulent des yeux et déploient des trésors de séduction. Le plus connu d'entre eux, natif de Toulouse, porte le même prénom que Larreta, Carlos Gardel. Peau laiteuse, bouche de fille, voix chaude, ton langoureux, ce dieu du tango, la danse à deux temps, violente et lascive, fait fureur dans les boîtes de nuit – au Florence et au Grand Écart. Les accords déchirés du bandonéon, aux accents tragiques, électrisent et plaisent, énormément.

Larreta n'est pas un nom inconnu à Paris. Pendant la Grande Guerre, son oncle, l'écrivain Enrique Larreta, était ambassadeur en France. L'auteur de *La Gloire de Don Ramiro* avait délibérément choisi l'ambassade d'Argentine à Paris pour remercier les Français d'avoir érigé son roman au rang de chef-d'œuvre. Partout ailleurs, il avait été boudé. Carlos Rodriguez, archétype de la jeunesse dorée latino-américaine, son neveu, a de belles manières.

« Il m'a offert un p'tit chien, un airedale. Il m'a aussi emmenée dans un bordel. Il voulait que je voie M. Pierre. La patronne était embêtée, M. Pierre était malade. Elle a dit : "Il perd ses poils…" C'était un p'tit chien. Il aurait voulu que j'me l'tape ! Vous dire la vie dissolue de l'époque ! »

Mais Carlos sait aussi se conduire en chevalier servant. « Il m'invite à danser. J'hésite. Je n'avais pas dansé depuis le bal de juillet 1914. Nous voilà, dansant toute une saison, sans voir le jour [48]. »

De ses «flirts», Larreta est celui qu'Arletty a «le plus aimé d'amour». Au bout de quelques mois, Carlos Rodriguez quitte Paris sans avoir visité la ville, pour aller mourir dans son pays, d'une chute accidentelle d'un plongeoir. Il laisse Arletty avec une rengaine :

«Adios Muchachos
Compañeros de mi vida... »

Les saisons théâtrales passent, avec leur profusion de spectacles. Arletty en retient les distributions ou les chansons. Parfois aussi de petites anecdotes cocasses et des mots d'esprit. Ainsi pour *Knock-Out*, en mars 1927 à Édouard-VII, une pièce sur la boxe de Jacques Natanson et Jacques Théry.

«Théry. Un dilettante très riche. Son père avait fait l'emprunt russe, la ruine de la France. »

Un séducteur aussi, sûr de lui, la bouche généreuse, l'œil en coin, conquérant. Amant de Spinelly, il la quitte pour Falconetti. L'héroïne de *La Passion de Jeanne d'Arc* de Dreyer prend la mouche quand Arletty surgit dans la vie de son soupirant. Un beau soir au Ciro's, une boîte à la mode de la rue Daunou, les deux femmes en viennent aux mains, avant une course poursuite avenue de l'Opéra.

«Il me faisait la cour. Le chauffeur de Falconetti a voulu m'dérouiller pour défendre sa patronne. J'ai décampé. »

Jeanson assiste à la scène, qu'il rapporte dans *Le Canard enchaîné* sous le titre : «Ces d'moiselles de c'cul Théry». Allusion à Mademoiselle de Scudéry, célèbre précieuse. La pique fait le tour de Paris. Idylle passagère avec Théry :

«La feuillée [Edwige Feuillère] l'a vite ramassé. »

C'est dans *Knock-Out* que Bernstein, auteur considérable et bien évidemment de toutes les premières, trouve Arletty «délicieuse». Mais il se rend compte aussi qu'elle ne correspond pas aux personnages à la sensibilité quasi pathologique qu'il brosse au fil de ses pièces. Ce n'est qu'en 1938 qu'il l'engagera au Gymnase, dont il est le directeur, pour défendre *Cavalier seul*, de Jean Nohain et Maurice Diamant-Berger.

Dans la comédie de Natanson-Théry, Arletty retrouve Spinelly et rencontre deux acteurs : Julien Carette et Pierre Blanchar. Le premier correspond parfaitement à l'archétype du jeune premier de l'époque : les cheveux bien peignés, les yeux langoureux, les traits lisses, l'air un peu figé.

«Il avait l'accent des Batignolles. On n'pouvait pas résister au comique de ce deuxième prix de tragédie. Il avait débuté à l'Odéon.»

Au cinéma, Jean Renoir exploitera son tempérament avec maestria. Il est le mécano de *La Bête humaine*, le braconnier de *La Règle du jeu*.

Acteur du muet, Pierre Blanchar ne lui est en rien comparable. Au faîte de sa gloire vers la fin des années vingt, il possède le physique des personnages tourmentés et noirs de Dostoïevski. De sombres pensées semblent l'agiter et le rire lui est étranger.

Arrive la dernière de *Knock-Out*.

«Après ce K.-O., je passe de belles vacances à Carry-le-Rouet avec Jacques Théry.»

Là, ils séjournent chez Marcel Pagnol, qui vient de mettre la dernière touche à *Topaze*. Passionné de mécanique, Pagnol, qui a bricolé un canot de sauvetage, demande à Arletty de l'essayer. Elle s'y glisse toute habillée. L'engin se désosse, s'enroule autour d'elle, coule à pic. Ne sachant pas nager, Arletty hurle. Théry se jette à l'eau… Pagnol, lui, réfléchit déjà au moyen d'améliorer sa technique, tandis que son amie Orane Demazis – «Pas marrante. Intelligente. Institutrice» – pousse des cris de soulagement. «Pagnol inventeur, c'est l'homme qui persiste à s'éclairer au pétrole après la découverte de l'électricité [49].»

La même année, dans un cabaret de chansonniers de Pigalle, la Boîte à Fursy, Arletty fait la connaissance d'un comédien halluciné, à l'œil noir, Robert Le Vigan. Visage long, sec, osseux, le nez en coupe-vent, il ressemble davantage à un communiant coincé dans son costume de jeune premier qu'à l'illuminé inquiétant au regard de possédé qu'on lui voit dans ses films.

«Un personnage à la Poe.»

Les traits sont d'un ascète, les méplats des joues, incurvés, ceux d'un moine, hâve et ténébreux, du Greco. «La Vigue», comme l'appelle Céline dans sa trilogie sur la déroute du régime de Vichy à Sigmaringen [50], marquera de son empreinte quelques personnages du septième art. Légionnaire mouchard dans *La Bandera*, acteur alcoolique dans *Les Bas-Fonds*, artiste-peintre hanté par la mort dans *Le Quai des brumes*, faussaire funambule dans *Les Disparus de Saint-Agil*, Le Vigan est de ces seconds rôles qui crèvent l'écran, mais en restent là.

«Toujours second.»

La seule fois où il tient un premier rôle au cinéma – celui du Christ dans *Golgotha* de Julien Duvivier –, l'échec est patent. Les producteurs vivent un calvaire.

Lorsque Arletty fait sa connaissance, il court le cachet, enchaînant opérettes et classiques, classiques et revues. Dans *Humourican Legion*, il partage deux tableaux avec elle.

« C'est là qu'un soir, il a montré son sexe sur scène. Un cinglé. Il avait peut-être fait le pari. »

Acteur excentrique à la mine patibulaire, doté d'une animalité qui lui permet de travailler avec les plus grands metteurs en scène, Baty, Jouvet au théâtre, Duvivier, Renoir, Becker au cinéma, Le Vigan collectionne sans difficulté les rôles de traîtres.

Noël 1928. Arletty réveillonne avec Tigre et sa bande de joyeux drilles. Pour finir la soirée, ils vont aux Halles. Le ventre de Paris, dit Zola. Son cœur aussi. Autour des pavillons Baltard et de l'église Saint-Eustache, dans les estaminets, les mastroquets, les brasseries, la vie palpite jour et nuit. Sous les toits, dans les appentis, plaisirs et vices s'échangent à la sauvette. C'est le Paris du frisson, furtif, pas cher. Les passages mal éclairés, les ruelles sombres encombrées par les carrioles des marchands de quatre-saisons donnent du charme au quartier. C'est le Paris de la canaille, intrépide, affranchi.

Un beau gosse à l'élégance décontractée, bien bâti, avantageux, charmé par la présence d'Arletty, se joint au groupe : Jean-Pierre Dubost.

« L'air d'un avant de rugby passé par Oxford. »

Au hasard d'une rue obscure, avec l'aplomb d'un mauvais garçon, il enfourche le percheron d'un maraîcher attaché à un réverbère. Deux coups de talon, le cheval trottine pesamment sur le pavé, le temps de faire le tour des Halles. Arletty part de son rire. Il n'en faut pas plus pour gagner son cœur. Il a vingt-quatre ans. Elle en a trente.

À son aisance, à sa tenue, à ses manières, Dubost n'a rien du voyou. Jean-Pierre est le petit-neveu d'Antonin Dubost, ancien président du Sénat. Son grand-père maternel Adrien Bénard, président-fondateur de la Compagnie du Métropolitain, est l'homme qui a choisi Guimard comme architecte des entrées du métro parisien. Il a aussi construit la ligne de chemin de fer Buenos Aires/Rosario en Argentine, et présidé, au début du siècle, une société de construction du tunnel sous la Manche.

« Jean-Pierre faisait partie des deux cents familles par le fric. Son nom sentait la IIIᵉ République. Il disait : "Nous sommes la troisième génération de faux cols." C'était la grande troisième. »

De celle, rectifie Alain Armengaud, quatre-vingt-neuf ans, cousin de Jean-Pierre, « qui s'fout la gueule par terre, mais qui a la meilleure éducation, le capital le plus précieux qu'on puisse donner à des gosses [51] ».

C'est le fils de René Dubost, titulaire d'une charge d'agent de change très en vue à Paris. « Il avait choisi d'aimer son père un peu contre une mère artistico-politico-musico-mondaine [52]. »

Hôtesse de renom à Paris dans les Années folles, Jeanne Dubost reçoit dans ses salons de l'avenue d'Iéna tout le ban et l'arrière-ban des artistes. À une de ses soirées musicales d'un grand raffinement, Arletty voit le jeune virtuose Vladimir Horowitz au piano. La mère de Jean-Pierre détonne. On la dit fofolle, anticonformiste. Non parce qu'elle parle à ses trois petits terriers blancs comme à des enfants, mais en raison de sa simplicité en société, de son enthousiasme inspiré pour de jeunes prodiges et de ses extravagants colliers de fanfreluches. Francis Poulenc ne la surnomme-t-il pas « Madame Collerette » ? En 1929, le compositeur sera parmi les dix musiciens, avec Maurice Ravel, Arthur Honegger et Darius Milhaud notamment, à lui dédier un ballet d'enfants, *L'Éventail de Jeanne*. Créé chez elle sous la direction de Roger Desormières, il sera repris à l'Opéra dans les décors et les costumes de Marie Laurencin. Jeanne Dubost aime les tableaux couleur pastel de l'ancienne maîtresse d'Apollinaire, leur pureté, leur angélisme. Son intérieur en est tapissé. Ceux qui partagent ses valeurs esthétiques la disent femme de goût. Toute sa chambre à coucher est en galuchat, une décoration signée André Groult, le beau-frère de Poiret.

Jeanne Dubost est *a contrario* hermétique à certaines idées. Bien qu'elle reçoive Louis Aragon, qu'Arletty rencontre plusieurs fois chez elle, ou l'ambassadeur d'URSS, les communistes qu'elle juge « infects » avec leur « propagande » l'épouvantent. Une révulsion invincible. Elle était « socialiste [53] », tempère Odette Joyeux, sa filleule d'adoption, qui, petit rat d'Opéra, dansa dans son salon. Une épithète qu'elle doit sûrement à sa prodigalité débridée envers les artistes et à son dévouement constant en faveur des enfants.

Jean-Pierre, son « John chéri », son « Johnny », a grandi sous la férule d'une nurse anglaise, Miss Cooke, un spécimen de protestante sévère et acariâtre ayant acquis un tel ascendant sur lui qu'une fois adulte elle n'hésite pas à le rabrouer pour sa veulerie et ses dépenses inconsidérées, elle qui espère d'improbables subsides. Jean-Pierre est un panier percé, l'argent lui glisse des doigts. À la mort de son père, contrairement aux usages, il n'obtient pas sa charge. À cause de sa passion dévorante pour le jeu.

« Il avait bouffé son fric, le mien, celui de tout le monde. Une âme perdue, un grand cœur. On peut se guérir de la drogue, de la boisson, de tout, sauf du jeu. Moi, j'me domine. Là, c'est l'Auvergne qui commande. J'ai joué une fois à Vittel avec Robert de Flers [54]. J'crois même que j'ai gagné. »

L'oncle de Jean-Pierre, puis son cousin, lui octroient des mensualités. Son nom, ses relations, sa position lui facilitent le contact dans les bars de la Bourse où il traîne, chapeau sur l'oreille, en nœud papillon. Il glâne des tuyaux, en fait profiter Arletty qui devient rapidement son bailleur de fonds. Jean-Pierre est un doux, pétri d'« English manners » (de manières anglaises).

« C'était un gentleman. »

Auquel il manque la pugnacité en affaires. Éternel optimiste, ce sans-souci ne paraît pas souffrir. L'observateur attentif ne doit pas s'y tromper : malgré le sourire lumineux qui éclaire le visage, le regard est triste. Mais comme il a l'air de prendre la vie du bon côté ! Il a d'ailleurs le chic pour offrir des cadeaux coûteux. Un exemple suffit. Peu après leur rencontre, Arletty retrouve les planches dans une opérette signée Albert Willemetz pour le livret, Maurice Yvain pour la musique. *Yes* connaît un tel succès aux Capucines que le théâtre ferme le temps d'augmenter sa capacité. Le spectacle, repris aux Variétés puis à l'Apollo, se joue six mois consécutifs à guichets fermés. Arletty, vedette à part entière en femme de chambre anarchiste, ponctue systématiquement ses interventions d'une phrase rebelle : « L'injustice des repus ! » Jean-Pierre, pour lui montrer son attachement, achète chez Cartier un poudrier de poche de la taille d'une grande boîte d'allumettes, en or fin émaillé noir, avec fermoir incrusté de corail. Il fait discrètement graver à l'intérieur « Noël 1928 », date de leur rencontre, ainsi que la fameuse réplique provocatrice qu'elle ressasse dans *Yes*. Un signe de complicité autant qu'un pied de nez à la bienséance de la part de ce fils de famille atypique et fou amoureux d'Arletty.

À la fin des années vingt, l'opérette bat son plein à Paris. Si nombre de ses interprètes sont aujourd'hui oubliés, quelques noms subsistent. Parmi eux Fernand Gravey. Un physique de jeune premier, glabre, les cheveux gominés, la bouche bien dessinée, le teint rose et frais d'un garçon d'honneur qui sortirait de sa salle de bains. Il joue avec Arletty trois spectacles entre 1929 et 1930 : l'opérette *Jean V*, de Jacques Bousquet et Henri Falk sur une musique de Maurice Yvain, la revue de Rip *Par le temps qui court* et la comédie de Marcel Achard *Mistigri*. Cependant, ils ne se découvrent aucun atome crochu.

Sorties, soupers, spectacles… Dans ce tourbillon permanent, Arletty se lie – à l'occasion de l'opérette *Vive Leroy* mise en scène par Harry Baur aux Capucines en mai 1929 – avec Jacqueline Delubac.

« Une précieuse. »

Le visage aux traits réguliers est éclairé de grands yeux bruns. Le nez est plutôt menu, le menton aussi rond que la bouche. Le sourire affleure à peine. Les dents restent serrées. Une beauté froide. Le corps est d'une adolescente, long, mince, svelte, les jambes fuselées. Elle a vingt-deux ans. Une taille idéale pour les défilés de mode.

« À Lyon, où elle est née. Elle avait les mains fondantes. »

Discrète, très équilibrée, d'une timidité parfaitement dosée, Jacqueline Delubac est d'un commerce agréable. L'élégance lui est si naturelle qu'Arletty la catalogue parmi les femmes « à beaux papeaux, à beaux yéyés ».

« Mais, y a quelque chose dans le crâne. Seulement, elle ne sera jamais de Paris. »

Et pour cause, Jacqueline Delubac appartient à la grande bourgeoisie lyonnaise. Rêvant pour elle d'une carrière au théâtre qu'elle-même n'avait pas eue, sa mère la poussa à prendre son nom de jeune fille, Basset, lorsqu'elles montèrent à Paris, l'une cornaquant l'autre. Jacqueline n'est pas à proprement parler une bête de scène. Une opérette par-ci, une revue par-là, un numéro d'imitation ailleurs, de tous les rôles passés, présents, à venir, le seul qui lui procurera prestige et notoriété est celui qu'elle tiendra dans la vie de Sacha Guitry, en devenant sa troisième femme. Pour l'heure, ni Jacqueline ni Arletty ne connaissent encore le Maître, expert confirmé en comédies aigres-douces, génie de l'esprit de Paris, porte-bonheur du théâtre Édouard-VII surnommé, grâce à lui, Édouard Recette. Pour Jacqueline, ce sera chose faite à l'automne 1931. Guitry cherchant « une fille très élégante susceptible de prendre l'accent anglais pour jouer une Américaine [55] », elle n'a qu'à entrer dans sa loge. Ils se marieront le 21 février 1935.

Arletty les accompagne en vacances, direction l'Autriche et l'Italie.

« J'étais l'amie du couple en somme. C'était plutôt elle ma camarade. »

Une camaraderie qui, sans explication, tournera à l'aigre. Jacqueline sortira définitivement de la vie d'Arletty, et réciproquement. À la mort de la mère de Jacqueline Delubac pourtant, des années après, Arletty décrochera son téléphone : « Je sais tout ce que ta mère représentait pour toi. Je voulais te dire que je pense à toi. » Ainsi s'achèvera leur relation.

1929. Dix ans déjà qu'Arletty habite sa garçonnière nichée sous les toits du boulevard Berthier. Le bail, arrivé à échéance, n'étant pas renouvelé, elle est obligée de déménager. Laissant son mobilier au locataire appelé à lui succéder, elle emporte ses paires de chaussures, ses draps, le coffret du parfait opiomane trouvé à son arrivée, ses tableaux, et emménage au 21, rue Mirabeau, dans le XVIe, chez Jean-Pierre Dubost. Il lui propose d'entrée de jeu le mariage.

« Je dis : voire ! »

En pénétrant chez Jean-Pierre et, par la même occasion, chez ses parents, Arletty découvre un autre monde : celui de la très haute bourgeoisie, avertie et humaniste, fermement attachée à des principes conservateurs, soucieuse de préserver ses acquis sans sacrifier l'honneur, bien introduite dans les sphères de la politique.

« Ça m'amusait de voir vivre cette famille. Papa, maman qui vivaient ensemble... séparés... avenue d'Iéna. Du bout de ma lorgnette, j'observe. »

Arletty est avide de découvrir, Jean-Pierre trop heureux de satisfaire sa curiosité. En signe d'affection, il lui loue une Voisin avec chauffeur.

Un mois passe...

24 octobre 1929, jour de panique à Wall Street. La Bourse de New York a le vertige, les cours s'effondrent les uns après les autres, une frayeur générale se propage. Dans la rue, une foule rugissante s'attroupe. La police est sur le qui-vive. C'est le jeudi noir, la ruine,

la misère. L'onde de choc se répercute deux ans plus tard en Europe. Berlin, Londres, Paris, à leur tour frappés, sont emportés dans un déluge de catastrophes.

« La fin d'une France. Après le krach, y a plus eu d'femmes entret'nues. La ruine. Tout a foutu l'camp... Ça a p't-être traîné encore jusqu'en 1935-36... De 1918, la fin d'la guerre, à 1935, j'ai adoré cette vie-là. »

Arletty reprend les transports en commun. Avec le sourire.

Chapitre VI

L'inspiration est instinctive, mais le métier s'apprend.
L'artiste a d'autant plus besoin de s'éduquer,
qu'il sent plus puissantes en lui les forces démoniaques
qui constituent son originalité.

GOETHE

Imperceptiblement quelque chose a changé. La fête peu à peu se détraque, les flonflons sont poussifs, les lampions jettent à présent une lueur blafarde. La France ignore que son destin lui échappe, qu'elle n'est plus, dans le monde, que l'ombre d'elle-même. C'est une terre de ruraux à la peine, réduits à puiser l'eau potable aux fontaines ou aux puits. Pour la majorité des Français, qui vit – et pour long-tems encore – à l'âge du bas de laine, New York, Wall Street, la haute finance ne représentent qu'un lointain mirage. Encore un an ou deux à ce rythme, et c'est le coup de frein brutal à l'élan écono-mique des années vingt, la fin de l'espoir d'une paix durable.

Qui pourtant n'aurait souscrit à l'idée généreuse et grandiose d'une fédération européenne lancée par Aristide Briand, l'artisan de la réconciliation franco-allemande ? Les écrivains, les premiers – en particulier ceux de la NRF toujours en pointe –, ont adhéré au Comité franco-allemand de documentation et d'information, spéciale-ment créé afin de favoriser le rapprochement et les échanges entre les deux nations. Efforts tardifs, trop tardifs. Un malaise latent se fait jour. De part et d'autre du Rhin, les nationalistes hurlent leur peur et leur colère dans un vacarme épouvantable. Mais les Français n'ont rien à craindre. Parole du ministre de la Guerre, André Maginot. Pour leur sécurité, il a imaginé, à l'Est, la construction d'une ligne fortifiée qui porte son nom. Sur une bonne partie de la frontière d'Alsace-Lorraine, des murs en béton aménagés de casemates ont été érigés. Une sorte de minimuraille de Chine. En Allemagne, la population, exténuée par une inflation galopante, est chaque jour plus pauvre. Pour survivre, nombreux sont les gens contraints de vendre à vil prix bijoux, meubles et immeubles quand ils ont la chance d'en avoir. L'agitation est dans l'air et dans la rue. En septembre 1930, peu après l'évacuation de la Rhénanie par les troupes françaises, les élections déclenchent un raz-de-marée national-socialiste. Le parti d'Hitler remporte cent sept sièges au Reichstag, contre douze dans la précédente assemblée.

« Les gens ne se rendaient pas compte. »

Arletty va souvent à Berlin, ville qu'Edelweiss lui a fait découvrir au lendemain de la Grande Guerre, entre deux escapades dans la ville thermale de Wiesbaden. Elle a aimé le Berlin des années vingt, son effervescence révolutionnaire, ses milieux interlopes, ses excès, ses vices, ses désordres.

« Le tout saupoudré de coco. »

Elle se rappelle le parfum de déliquescence qui s'exhalait des cabarets et des boîtes de « trav'los ».

« Tous "très belles". »

Dans les années trente, ses obligations professionnelles la retiennent dans la capitale allemande. Le cinéma ignorant le doublage, les films cent pour cent parlants sont tournés simultanément en deux langues, voire trois, avec des acteurs locaux. La version allemande avec des Allemands, la française avec des Français... Sinon le public, las de voir défiler des histoires sans paroles, déserterait les salles obscures.

En mai 1932, Arletty part tourner *La Belle Aventure* de Reinhold Schünzel, un cinéaste sur le point de boucler ses valises pour l'Amérique. Un film «sonore et parlant», avertit le générique, un film surtout anodin. L'année suivante, elle y retourne deux mois en juin/juillet pour *La Guerre des valses*, une réalisation de Ludwig Berger et Raoul Ploquin, avec Fernand Gravey, Madeleine Ozeray, Dranem. C'est une reconstitution de la Vienne de Johann Strauss, avec costumes d'époque, cour impériale, tavernes fleurant le houblon.

Quoique la production soit un peu chiche sur le défraiement, elle descend à la Pension Impériale, Kurfurstendamm, tenue par les Schapiro.

« Un ménage traqué. »

Depuis quatre mois, Hitler est au pouvoir, et déjà, il ne fait bon être ni juif ni communiste.

Dans les rues, la misère la choque.

« J'ai acheté une petite boîte à ouvrage à un bourgeois. Il avait pas de quoi manger. J'ai jamais voulu m'en séparer. À côté, il y en avait un autre, un monsieur portant son petit costume de la guerre 14, qui vendait son alliance très discrètement. »

C'est un coffret en croco couleur rouille, du genre *vanity case*, dans lequel elle range ses jarretelles, remise des bobines de fil, des mètres à ruban, des aiguilles, des boutons et des dés à coudre en porcelaine. Pas tant pour l'usage qu'elle en fait − étant peu habile aux travaux de couture − que pour satisfaire les besoins de ses femmes de chambre successives.

Aux travaux manuels, Arletty préfère le cinéma, qui connaît une nouvelle jeunesse depuis 1927 et l'avènement du parlant. Les films sont allemands, américains, français.

« Souvent, j'en voyais trois dans l'après-midi. Je sautais d'une salle à l'autre. J'allais souvent au studio des Ursulines. »

Sur les écrans, on chante alors beaucoup. Pour éviter de sombrer dans l'oubli, des acteurs du muet sollicitent le conseil des sociétaires de la Comédie-Française et prennent des cours de diction. Les comédiens de théâtre ayant de la voix sont engagés. Max Dearly rate sa reconversion. Michel Simon s'impose haut la main. Une nouvelle génération émerge. Ce sont, pour les plus connus : Raimu, Fernandel.

Le tout premier film d'Arletty, *La Douceur d'aimer*, signé René Hervil, est tourné en avril-mai 1930. Elle interprète une dactylo, ce qui, compte tenu de ses antécédents, n'est pas vraiment un rôle de composition.

« Je me disais, il faut bien faire un essai. J'ai été engagée alors que je jouais une revue de Rip. »

C'était *Par le temps qui court*, qui a tenu l'affiche cinq mois au théâtre Daunou. Deux jeunes comédiennes jouaient à ses côtés : Cora Lynn, la future Edwige Feuillère, et Josseline Gael, qui deviendra la compagne de Jules Berry. La première est alors aussi boulotte que la seconde est gracile. Tandis que l'une, bouche menue et lèvres aguicheuses, soutient un regard audacieux, l'autre, traits fins et teint de pêche, jette des éclairs romantiques.

La revue se compose de deux actes et douze tableaux. Dans celui intitulé «Le Casino de Paris», Arletty est seule en scène. Maillot délavé, chaussures éculées, grand chapeau déplumé, elle fait un numéro à la Charlot, le temps d'entonner : «*Ma mère est entrée au Casino d'Paris…*». Elle arrive les pieds écartés, ressort les pieds en dedans.

«Toujours arythmique, je rate le pas réglé depuis dix ans par Georgé, le metteur en scène.»

Dans le film *La Douceur d'aimer*, Victor Boucher fait lui aussi ses premiers pas au cinéma, après plus de vingt ans de triomphe au théâtre, aussi bien dans les pièces de Bernstein et de Bourdet que dans les opérettes. Son front largement dégagé et son regard étonné lui donnent un air de professeur égaré chez des funambules. Profil en lame de couteau, menton pointu, nez bosselé, petite moustache taillée nette, c'est un pince-sans-rire qu'Arletty aime et admire.

«Sympathique au point qu'on ne pouvait pas l'étrangler sur scène.»

Autrement, le public se levait pour protester.

Il y a également Thérèse Dorny, comédienne excentrique au physique de Gavroche. De chaque côté de sa large casquette, des rubans et des mèches folles pendent comme des breloques. Son nez est légèrement retroussé, sa bouche immense. Rire ou sourire, elle affiche de belles dents blanches, bien plantées. Une carnassière. Avec Arletty, elles ont sympathisé dans *L'École des cocottes*, dix ans plus tôt aux Variétés.

«Cocasse. Elle m'a acceptée d'emblée.»

Elles s'entendent si bien que, dès qu'elles ont un moment, elles filent à la montagne, en Suisse, où, régulièrement, elles rejoignent Yvonne Vallée, la première femme de Chevalier.

Le jour de la présentation du film au Colisée, sur les Champs-Élysées, Arletty et Thérèse Dorny sont dans la salle. Les ouvreuses portent un bonnet et, sur leur robe noire, un tablier blanc. Après un numéro d'acrobates, le rideau s'ouvre et dévoile l'écran. Arletty se pétrit les doigts d'anxiété. La musique du générique grésille. Dès son apparition, Arletty ne voit que l'espace entre ses deux dents de devant, les fameuses dents de la chance.

«C'était le grand écart. Je m'trouvais hideuse.»

Impression personnelle que ne partagent pas les producteurs et les réalisateurs. En dix ans, de 1930 à 1939, Arletty tourne plus de la moitié des longs métrages de sa filmographie, soit vingt-neuf sur cinquante-quatre. Les plus marquants : *Pension Mimosas* de Jacques Feyder (1935), *Les Perles de la couronne* et *Désiré* de Sacha Guitry (1937), *Hôtel du Nord* (1938), *Le jour se lève* (1939) de Marcel Carné, *Fric-Frac* de Maurice Lehmann (1939), *Circonstances atténuantes* de Jean Boyer (1939).

« Le théâtre, mon luxe, le cinéma, mon argent de poche. »

Arletty ne saurait mieux définir la place que tiennent l'un et l'autre dans sa vie. Pour elle, qui mène alors deux carrières de front, le théâtre est un art plus noble que le cinéma. Lui ayant tout donné, elle ne l'oublie pas.

Dès son deuxième film, *Un chien qui rapporte* de Jean Choux, réalisé en 1931, Arletty perçoit pour six semaines de tournage dix fois plus que pour le premier, qui l'a, il est vrai, retenue seulement deux jours. Soit toutefois le double du cachet qu'elle toucherait au théâtre pour une durée équivalente de travail. Premier rôle féminin, elle incarne Josyane Plaisir, une « poule de luxe », dont le petit chien, Pantoufle, est spécialement dressé pour lui rapporter, du bois de Boulogne, des clients aisés. La comédie charmante et démodée, tirée d'une pièce de Paul Armont et Marcel Gerbidon, vaut surtout pour son aspect documentaire, car le scénario et les dialogues pourraient avoir été écrits expressément pour Arletty. Qu'il s'agisse des reparties – « J'ai l'corps un peu vadrouille, ça n'm'empêche pas d'avoir l'âme ingénue » –, ou de la chanson, *Cœur de Parisienne*, d'André Sablon, le frère de Jean, qu'elle interprète sur un air d'accordéon :

« *On me trouve un minois mieux que joli,*
Du moins on me le dit,
Et ce compliment me ravit.
Il paraît que j'ai un petit accent
Gentil, drôle et troublant,
Qui vaut un regard caressant.
J'ai l'air de voir la vie en rose
Mais mon cœur rêve d'autre chose...
Aimer, sincèrement de mon cœur tendre
Celui qui pourrait me comprendre,
Et s'il le fallait me défendre,
Aimer, ah je veux vivement qu'il vienne

113

Celui qui bercera la peine
De mon âme de Parisienne... »

Du sur mesure. Arletty-Josyane est coiffée en coup de vent, comme sur l'affiche de Van Dongen accrochée dans son appartement de «fille». Le décor, agrémenté de photos et d'œuvres d'art, ressemble à une véritable topographie de sa vie. Il y a la gravure d'un petit chien qui rappelle le Diogène de ses douze ans, le tableau de *La Belle Poule* de Van Dongen pour lequel elle a posé, et une reproduction de la statue de la Liberté au pont Mirabeau à Paris. Entre deux changements de toilettes apparaît l'image fugace de ses petits seins rebondis, une vision qui n'est pas du goût de tous les critiques.

«Hélas! Nous nous refusons à considérer comme une forme d'art les effets de déshabillé, la vedette fût-elle aussi joliment tournée que Mlle Arletty», déplore, dans *Candide*, son ami Jean Fayard.

Au cinéma comme au théâtre, la pudibonderie a ses adeptes. En avril 1931, sa prestation dans *La Viscosa*, une comédie de Rip raillant les travers de la IIIe République, inspire à Nozière ce commentaire perfide : «Arletty [...] possède une belle voix, tantôt ambrée, tantôt canaille, elle a de bien jolies jambes et gagnerait à s'habiller davantage.»

N'en déplaise aux tristes sires de la critique, Arletty récidive l'année suivante dans *Un soir de réveillon*, une opérette montée avec faste aux Bouffes-Parisiens.

«Un énorme succès.»

En tout cas six mois de recettes rondelettes et une transposition au cinéma avec la même distribution éclatante. En tête d'affiche, Henri Garat. Lorsqu'il chante «*J'aime les femmes provinciales...*», façon Chevalier, son public se pâme.

«On devait barrer la rue des Bouffes pour empêcher ses admiratrices de l'étouffer. Il était obligé de sortir discrètement par l'autre côté. Il a fini dans la drogue.»

Dranem, un pitre magnifique, lui donne la réplique. Tête d'aigle, large nez busqué, œil vif, la dégaine d'un parrain quand il met son Borsalino. En toutes occasions, le cœur sur la main. Un artiste haut en couleur, sachant tout faire, tantôt capable d'interpréter des comédies de Molière, tantôt des pièces d'une futilité insigne, tantôt des chansons insensées (*Ah! les p'tits pois, les p'tits pois*).

«Mon grand copain. Dans sa large toge du doge d'*Un soir de réveillon*, il mettait ses mains derrière le dos et s'applaudissait pour entraîner le public. Les textes par trop bêtes, il les chantait les yeux fermés. »

Au deuxième acte, la fièvre monte. Au poulailler, on joue des coudes, les cous se tendent pour mieux apercevoir Viviane-Arletty, « poule de haut luxe »... nue, « dans sa baignoire » − titre de la chanson qu'elle fredonne nonchalamment tout en se brossant les pieds :

« *C'étaient deux amoureux très économes...*
Tiens, j'me suis fait un bleu
Po po pom pom pom...
Ils étaient très regardants, même très chiches
Faut que j'demande 100 000 francs à mon English.
Ils n'dépensaient pas un rotin,
Tant ils étaient radins.
Ils n'avaient pour deux qu'une brosse à dents
Mais pour être heureux il n'en faut pas tant.
Y a bien des gens qui n'en ont pas du tout
Donc une pour deux, c'est déjà beaucoup.
Mais comme ils savaient qu'une brosse à dents
Ça s'use ici-bas,
Ils n'en servaient pas
Ils s'lavaient les dents en faisant ah! ah! ah!
Et quand ils arrivèrent à soixante ans,
Ils avaient la brosse mais n'avaient plus d'dents.

Faut qu'j'passe aux Galeries et chez ma mère,
J'aime beaucoup mon nombril
Tra-la-lère... »

Comble de la pudeur, Arletty ne montre que les bras et les jambes. La scène s'achève, au grand dam des spectateurs haut perchés. Un soir, Moïse Kisling, un des peintres de Montparnasse les plus cotés des années vingt, est dans la salle. Après la représentation, il va la trouver dans sa loge et lui demande de poser pour lui.

« Il voyait que j'étais nue dans la baignoire. Il avait pas à prendre de gants. »

Arletty se prête aux séances de pose, alanguie sur un divan de son atelier du 3, rue Joseph-Bara à Paris.

« Mon père disait toujours : "Ah le corps d'Arletty ! C'est le plus beau corps de femme [56]" », se souvient Jean Kisling qui allait pointer le bout de son nez dans l'embrasure de la porte. « L'atelier était au cinquième étage, l'appartement au quatrième. J'montais, j'frappais, j'poussais la porte, j'allais la voir. C'était la première fois qu'elle se déshabillait devant un homme qui n'était pas son amant. Elle lui avait dit : "J'accepte à condition qu'on n'me fasse pas de visage." »

Inutile, par conséquent, de chercher une ressemblance quelconque entre le modèle et l'odalisque aux seins pommés, aux mains potelées et aux cuisses lourdes, aujourd'hui chez un collectionneur privé de Genève. Son nu, aux aplats léchés, est exactement dans la veine des portraits de femmes, allongées ou en buste, souvent nues, que Kisling a peints sa vie durant. Sculpturales, austères, elles ont de grands yeux fixes en amande, caractéristiques des poupées de porcelaine. Elles en ont d'ailleurs l'expression. Le corps, inerte, possède l'éclat de l'émail.

Lorsqu'il exécute le portrait d'Arletty, il y a déjà beau temps que Kisling est une figure du Paris de la bohème. Ses œuvres plaisent. Outre leur aspect décoratif, elles sont d'un académisme intemporel. Aussi, en ces années de vaches maigres pour bien des artistes plasticiens, Kisling est le plus riche. Arrivé de Cracovie en 1910, il subvient largement aux besoins de sa famille quand son ami Modigliani en est encore à recevoir des subsides de la sienne. Généreux, il tient table ouverte. Dans les années trente, ses déjeuners du mercredi sont célèbres. Une fois par semaine, pas moins d'une dizaine de personnalités du monde entier – acteurs, industriels, couturiers, banquiers, officiers, musiciens – se retrouvent chez lui. Il y a là Madeleine Sologne, Valentine Tessier, Louis Jouvet, Marcel Bloch-Dassault, Jeanne Lanvin, les Rothschild, le général Édouard Corniglion-Molinier, Charlie Chaplin, José Ferrer, Charles Boyer, Arthur Rubinstein, Jean Renoir, Colette, Georges Simenon, et désormais… Arletty, à qui il adresse, de sa villa *Les Flots Bleus* à Sanary-sur-Mer, de petits mots attentionnés signés Kiki.

1932. Contrecoup du krach. La crise s'installe en France, insidieuse et tenace. Dans les campagnes, pour affronter la chute du prix du blé, les paysans limitent leurs dépenses aux frais du maréchal-ferrant et du bourrelier. L'entretien du cheval de labour est une priorité. À Paris, le frère d'Arletty est licencié « pour cause de réduction de personnel ». Il a reçu une lettre ainsi motivée de la Société des moteurs Gnome et Rhône, « à seule fin de lui permettre son inscription éventuelle au fonds de chômage ». Une chance sur cent. Comme les indemnités hypothétiques, de toute façon, risquent d'être maigres, il pointe à Billancourt. Tourneur expérimenté, les usines Renault l'embauchent. Pour trois mois. La sécurité de l'emploi, Pierrot ne connaît pas, lui qui a toujours été ballotté d'une place à l'autre. Un mois à droite, deux à gauche, six autres ailleurs, quelquefois dix. Avec de perpétuels aller-retour chez ses employeurs. Au total onze mois chez Darracq, un an et demi chez Hotchkiss, trois ans chez Delage, autant chez Peugeot, un peu plus de dix-huit ans chez Hispano-Suiza, quelque temps chez Panhard et Levassor.

À l'automne, un événement secoue la république des lettres. *Voyage au bout de la nuit* paraît chez Denoël. Six cent trente pages. Un pavé. « Mon ours », dira son auteur Louis-Ferdinand Céline, diplômé de la faculté de médecine, et, à ce titre, vacataire au dispensaire de Clichy. Il est de Courbevoie. Rampe du Pont. Pour Arletty, cet ouvrage est un choc.

« Après la lecture du *Voyage*, j'étais quelqu'un d'autre dans ma tête. »

Sur le coup, elle est subjuguée. Par le langage d'abord, qui échappe à toute référence. Céline écrit comme elle parle. Un cocktail d'argot, d'onomatopées, de monologues syncopés, de pensées au vitriol. Par sa violence ensuite, qui clame son horreur de la guerre. Les visions d'apocalypse de cet auteur inconnu des milieux littéraires la bouleversent. Arletty est, comme bon nombre de Français d'alors, traumatisée par les massacres de 14-18. Le sang versé pour la patrie, les soldats tués au front alors que les riches pistonnés se gobergent à l'arrière, le cynisme des gouvernements, l'affairisme des marchands de canons, elle en a la nausée. Comme Céline — « ce savant des mots » —, rescapé de la Grande Guerre et premier écrivain à s'indigner dans un langage éruptif des combats atroces et inutiles, des millions de morts pour rien. Il tonne, fulmine, vitupère, enrage contre ce gâchis qui lui inspire une répulsion absolue, insurmontable. Céline, enfin Bardamu son héros, n'aspire qu'à une chose, vivre et mourir en paix. « Je refuse la guerre et tout ce qu'il y a dedans... Je ne la déplore pas moi... Je ne me résigne pas moi... Je ne pleurniche pas dessus moi... Je la refuse tout net, avec tous les hommes qu'elle contient, je ne veux rien avoir à faire avec eux, avec elle [57]. »

« Très très beau. Brillant. Du grand Céline ! », s'exclame Arletty, à l'occasion d'une relecture durant les mois d'avril à juillet 1986, cinquante-quatre ans après la sortie du roman.

Même élan enthousiaste quand Céline plaide la cause des «pacifistes puants», qui ne veulent «ni en découdre, ni assassiner personne». Ils «auront perdu, ces ignobles, le droit magnifique à un petit bout d'ombre du monument adjudicataire et communal élevé pour les morts convenables dans l'allée du centre, et puis aussi perdu le droit de recueillir un peu de l'écho du Ministre qui viendra ce dimanche encore uriner chez le Préfet et frémir de la gueule au-dessus des tombes après le déjeuner [58]...»

«Y a des morceaux d'écriture étonnants. C'est là où il est prophète.»

Céline profère tout haut ce que beaucoup, Arletty comprise, pensent tout bas.

«Non, plus jamais ça!» proclament, en 1932, les affiches de la SFIO [59], en forte progression aux élections législatives, en partie en raison de son combat contre le bellicisme menaçant. L'aspiration de la population à la paix est profonde.

Instinctivement, Arletty souscrit au cri de révolte de Céline. Sans compter que, lorsqu'elle lit le *Voyage* pour la première fois, l'auteur fait vibrer la corde sensible de son enfance. Elle s'identifie tout de suite aux paysages qu'il décrit, à l'atmosphère générale du roman.

«J'ai vu la même chose que lui. C'est ses images que j'ai aimées..., ses visions. C'est nostalgique.»

Le quartier des Filles du Calvaire à Paris?

«Le quartier de ma marraine. Elle y habitait avant d'aller rue de Turenne.»

La banlieue, les tramways, les berges de la Seine, les bateliers?

«C'est tout à fait mon père avec les tramways. C'est ma jeunesse... C'est mon pays. J'ai eu le choc, c'était mon paysage... Gennevilliers... Tout ça... C'est peut-être parce qu'il parle des tramways que j'ai été saisie.»

Lorsqu'il décrit l'enfer du travail à la chaîne dans les usines Ford de Detroit, Arletty y voit Courbevoie, les ouvriers, les usines.

«C'est toute la vie des mécanos comme mon frère.»

Approbation encore à ces passages effrayants : «La vérité de ce monde c'est la mort. Il faut choisir, mourir ou mentir. Je n'ai jamais pu me tuer moi [60].»

«Y a un côté frère et frangine avec moi.»

Le *Voyage* provoque des haut-le-cœur à sa publication. En raison de la crudité du style de l'auteur, qui dynamite la langue française, mais aussi des odeurs rances de latrines ou d'entrejambes qui flottent dans le récit.

« Y a beaucoup de pisse. C'est c'qu'avait déplu à l'Académie à l'époque. Des mecs comme Henri de Régnier… La bonne société pouvait pas accepter ça, il faut bien le reconnaître. C'est du réalisme. D'ailleurs il adorait Zola. »

Aux scènes les plus scabreuses, à la description de parties fines, Arletty, la bouche en rond, pousse des « oh » de stupéfaction.

« Voyeur, mais pas pour l'inversion. Voyeur d'un homme et d'une femme, mais pas un gros consommateur. »

Sa communion littéraire avec Céline est immédiate et profonde. Le *Voyage* l'a séduite comme n'a pas su le faire *Du côté de chez Swann*, lorsqu'elle avait vingt ans. Sa lecture de Proust demeure superficielle parce qu'elle réduit son œuvre à un univers de duchesses suranné et mondain. Le travail d'introspection auquel se prête l'auteur d'*À la recherche du temps perdu* à travers ses personnages, le kaléidoscope des émotions et des sentiments qu'il tourne et retourne méticuleusement, sa cruauté n'arrêtent pas l'attention d'Arletty.

L'introspection est, à son gré, un exercice trop personnel, auquel elle se livre dans le secret de ses nuits agitées, pour admettre qu'il puisse occuper le cœur d'un roman. En reconnaître la valeur littéraire reviendrait, pour elle, à ouvrir une brèche dans la cuirasse qu'elle s'est forgée, à abdiquer une part d'elle-même, à s'offrir aux regards extérieurs, et, qui sait, à montrer ses points faibles. Arletty se reconnaît dans ses lectures. Elle croit ce que disent les livres, même s'ils ne lui ont, au fond, rien appris d'essentiel. Ils lui font davantage l'effet d'un baume. Ce qui est déjà beaucoup. Aussi aime-t-elle cette épître de Sénèque revue par La Fontaine :

> *« Je puiserai pour vous chez les vieux écrivains,*
> *Écoutez seulement leurs préceptes divins*
> *Soyez-leur attentif, même aux choses légères :*
> *Rien chez eux n'est léger. »*

À bien des égards, elle se trouve davantage d'affinités avec Nietzsche, qu'elle a découvert à vingt ans en lisant *Ainsi parlait Zarathoustra*. Comme lui, elle perd très tôt la foi.

« J'ai pas la foi. J'ai les foies. »

Un mot pour la galerie. Dans le fond, Arletty fait un constant travail d'ascèse pour atteindre à l'individu doué de qualités supérieures, que prône le philosophe.

«On ne m'a pas élevée. Je me suis élevée», dit-elle plus simplement, en écho au héros nietzschéen : «J'ai appris à marcher de moi-même ; depuis, je cours.»

Ainsi, Arletty s'astreint en permanence à dominer le désordre anarchique de ses instincts, avec la volonté de se hisser au-dessus de la masse. Consciemment ? Inconsciemment ? Elle seule le sait.

Nietzsche est mort en 1900, Proust en 1922, Céline en 1961. Ce dernier est le seul qu'elle ait rencontré. Avec le recul, elle tempère ses premiers engouements pour le *Voyage*. Logique. On ne brûle pas à quatre-vingt-cinq ans d'une flamme aussi ardente qu'à trente ans, même quand, comme elle, on a conservé une soif fantastique de découvrir et de savoir.

«J'ai été exaltée à la sortie. Aujourd'hui, je pourrais pas dire ça. Vous vous rendez compte, je n'l'ai pas lu depuis 1932. Ça fait cinquante-quatre ans. Aujourd'hui, je n'ai plus l'exaltation. Je ne retrouve pas l'émotion.»

Céline a alors le tort de vouloir se faire passer pour ce qu'il n'est pas – «un pauv'mec, alors que c'est un bourgeois» – et Arletty de confondre les genres – biographique et romanesque.

«Il se plaît dans la mythomanie. Une biographie... ça s'invente !»

Le commentaire vaut pour *Voyage au bout de la nuit* autant que pour *Mort à crédit*. Au reste, la capacité émotive d'Arletty s'est émoussée.

«C'est bien foutu, mais je n'ai pas beaucoup d'émotion. C'est pas un coup de poing dans l'estomac.»

L'impact originel est passé.

«Un grand exercice de style. Y a des images qui sont jolies. Y a la grande poésie, la grande construction, mais y a pas d'émotion. J'suis de l'avis de Genet. C'est démodé. Il est démodé. À cause de l'évolution du milieu.»

Jean Genet expliquait son choix de la langue classique en ces termes : «Il fallait que ceux que j'appelle "mes tortionnaires" m'entendent. Donc il fallait les agresser dans leur langue. En argot, ils ne m'auraient pas écouté. [...] L'argot est en évolution. L'argot est mobile. L'argot utilisé par Céline se démode, il est déjà démodé [61].»

Il ne faut en aucun cas en déduire que les morceaux de bravoure de Céline, écrivain, indiffèrent Arletty. Mais sa noirceur et son pessimisme fonciers finissent par la contrarier, elle, dont les années d'enfance en banlieue sont synonymes de jours heureux.

Sa verve à décrire l'ambiance de Luna Park, avec les manèges et les stands de tir – «la fête à tromper les gens du bout de la semaine» – et la vie des pauvres gens, racornis par le travail et les privations, lui laisse un goût amer.

«Il s'est jamais amusé à une fête, j'vous le dis. Il a jamais été enfant. Il a jamais été adulte. Il a été tout, sauf heureux. Il n'est qu'un rouspéteur de la vie. C'est un destructeur. Il détruit même le plaisir des enfants… J'l'ai jamais vu éclater de rire… Il y a de l'amertume… Un ratage du cœur, de l'âme. Un grand dégoût.»

Autant de sentiments étrangers à Arletty que le dessein d'Alphonse Daudet d'être un «marchand de bonheur» enchante.

«Donner de la joie aux autres, de l'optimisme, du courage, je trouve ça merveilleux.»

En dépit de ces réticences exprimées dans les dernières années de sa vie, *Voyage au bout de la nuit* est, en définitive, le seul ouvrage de Céline qui trouve grâce à ses yeux.

«Il y a eu le *Voyage*. Après, il était gommé.»

Joignant le geste à la parole, elle se donne un coup sec sur le front avec la main.

Mort à crédit la laisse sur sa faim :

«Crédit est mort, mauvais lecteurs l'ont tué [62].»

Les Beaux Draps, pamphlet plus politique qu'antisémite comparé à *Bagatelles pour un massacre* et à *L'École des cadavres*, la consterne :

«Gommé… il est gommé [l'index pointé sur la tempe]. Cinglé… Un cinglé… Il y va très fort, trop fort. Ça ne construit rien. Il se parodie. C'est un malade.»

Arletty avait acheté le *Voyage* après avoir lu des articles de Léon Daudet et de Léon Trotsky. Tous deux très influents à l'époque, bien qu'au rayonnement personnel historiquement incomparable. Leurs idées sont diamétralement opposées. Chantre de la droite réactionnaire, le fils d'Alphonse Daudet, monarchiste antisémite, relève le «style cru, parfois populacier, mais de haute graisse» de Céline. Compagnon de Lénine, le fondateur de l'Armée rouge, partisan de la «révolution permanente», écrit dans une étude : «La force de Céline réside dans le fait qu'avec une tension extrême, il rejette tous les canons, transgresse toutes les conventions, et, non content de déshabiller la vie, il lui arrache la peau... »

Trotsky, Arletty le voit au printemps 1933 alors que, traqué par la Guépéou, la police politique de Staline, il s'est réfugié à Barbizon, près de Paris. Il fréquente un restaurant luxueux, Les Pléiades, dont Arletty est une habituée depuis 1928. Ils ont signé le livre d'or, tous les deux le même jour.

« Le plus sympathique de la bande rouge. Il ne parlait pas beaucoup, mais il écoutait attentivement. Je l'ai rencontré plusieurs dimanches de suite. »

Finalement débusqué par un journaliste du *Figaro*, Trotsky doit s'enfuir au Mexique. Il y meurt assassiné en 1940.

Au cours de l'été 1933, Arletty manque de peu un meeting d'Hitler à Berlin, entre deux journées de tournage de *La Guerre des valses*, son deuxième film en Allemagne. Dranem et elle décident d'aller voir Hans Albers, un acteur très populaire outre-Rhin. L'Aryen type, selon les critères nazis : costaud, des épaules d'athlète, les cheveux blonds, les yeux bleus.

« Un Jules Berry énigmatique, au regard insoutenable dans sa transparence. »

Un jeune acteur berlinois les ayant invités au Sport-Palast, le grand palais des sports de la ville, où Hitler doit prendre la parole devant quatre mille personnes, ils se tâtent. Pile ou face ? C'est face et Hans Albers dans *Liliom*...

« Voilà pourquoi je n'ai pas vu Hitler. »

Rentrée à Paris, au hasard d'une conversation avec le préfet de police Amédée Bussière, un Auvergnat de souche, Arletty raconte ses impressions de voyage. « Il se passe des choses inquiétantes, dit-elle incidemment au futur directeur général de la Sûreté nationale. Les gosses des vedettes sont habillés en costumes hitlériens. Tout le monde fait le salut nazi dans la rue. » Condescendance du haut fonctionnaire : « Vous êtes charmante, Arletty. Vous êtes une délicieuse comédienne. Faites votre métier. »

Elle se le tient, et se le tiendra pour dit. L'intermède berlinois achevé, retour aux Bouffes-Parisiens que dirige Albert Willemetz, dans *Ô mon bel inconnu*, une comédie musicale en trois actes. Musique de Reynaldo Hahn, livret et lyrics de Sacha Guitry. En cuisinière bonne à tout faire, elle chante deux arias enlevées, guillerettes, malicieuses : *La Calcographie,* qu'elle interprète seule, et *Qu'est-ce qu'il faut pour être heureux,* enregistrée avec Reynaldo Hahn.

« Un ami de cœur. »

Entre eux, le courant passe tout de suite. Elle apprécie sa « grande originalité ». Lui, « son admirateur et ami », lui dédie sa composition : « À la mystérieuse Arletty qui trouve le moyen d'être à la fois comique et toujours jolie. » Guitry ne tient aucun rôle dans la pièce. Mais, c'est la première fois depuis qu'ils se connaissent, grâce en soit rendue à Jacqueline Delubac, que le nom d'Arletty figure auprès du sien dans un même spectacle.

Arletty retrouve aussi son partenaire d'*Un soir de réveillon,* René Koval, un Parisien aux tempes grisonnantes, qui module sa voix et imite l'accent américain comme personne.

« Un troisième rôle de première. »

Comme il est sous contrat avec les Bouffes, la production est tenue de l'engager. Seulement voilà, il est en froid avec la promise du Maître.

« Sacha, pour plaire à la dame de son cœur, distribue à Koval un rôle de muet dont celui-ci se tire brillamment, honorant ainsi son contrat [63]. »

À la ville, son compagnon Dubost se montre tout ce qu'il y a d'agréable, presque une âme sœur. Grand amateur de tennis, un sport qu'il pratique depuis l'adolescence, Jean-Pierre entraîne Arletty aux élégantes réunions de Roland-Garros. Le stade a été construit en un temps record pour les Mousquetaires (Jacques Brugnon dit Toto, Henri Cochet, René Lacoste, Jean Borotra) au lendemain de leur victoire historique en coupe Davis à Philadelphie en 1927. Un site digne de ses héros, qui, six ans de suite, remportent le saladier d'argent.

Un après-midi, Arletty, qui n'aime le sport que « superficiellement », voit Borotra bondir jusqu'à la tribune officielle, juste au moment de commencer son double avec Cochet. Devant les spectateurs médusés, il accueille le navigateur Alain Gerbault, fraîchement débarqué de son voilier blanc, le *Firecrest,* après cinq ans de vagabondage sur les mers.

« Le "Basque bondissant" est aussi un bon metteur en scène. »

Jean-Pierre – « parfait Nemrod » – l'invite à la chasse. Elle va chez Gastine-Rennette, au rond-point des Champs-Élysées, pour apprendre à tirer. «Assez douée, paraît-il! Je tire d'abord sur des oiseaux en plâtre, puis sur un mannequin mâle, tête, cœur, comme Mme Caillaux. Non, décidément, je ne tirerais ni sur un homme, ni sur un animal. En cas de légitime défense? Voire [64]... »

À Toussus-le-Noble, elle accepte la proposition de Gabriel Morane de survoler l'Île-de-France. Une cascade de loopings la laisse sans voix et sans couleur. Au sol, Jean-Pierre, pétrifié, est vert. C'est à ce moment-là qu'Arletty adopte une fois pour toutes un nouveau parfum, ambré et épicé, «Vol de nuit» de Guerlain, lancé deux ans après le succès foudroyant du roman de Saint-Exupéry. Une senteur composée, selon les vœux de son créateur, «pour la femme mystérieuse à la personnalité affirmée», une définition qui sied à merveille à Arletty. Par égard pour les voisins autant que par souci de raffinement, un art dont elle connaît les mille et un secrets, elle en vaporise la porte d'entrée de son appartement. Le bien-être doit être sans limite.

1934, année faste pour la carrière d'Arletty. Le 6 janvier, *Le Bonheur Mesdames* connaît un tel triomphe aux Bouffes que l'année suivante, l'opérette, adaptée de la comédie de Francis de Croisset, est reprise, dans la foulée, à Marigny. L'argument est cosigné Willemetz, la musique Henri Christiné. En marquise des Arromanches, Arletty endosse un rôle créé au théâtre par Ève Lavallière, se taille un fier succès avec la chanson «le baba, le baba, ils l'ont pas volé...», et fait la connaissance de Michel Simon, un partenaire de comédie appelé à le demeurer longtemps.

«Une gueule!... Quand on arrive avec une gueule comme ça, on a déjà gagné cinquante pour cent!... Des mains intelligentes, des jambes superbes. »

La même extravagance les unit et les sépare à la fois. Ce sont deux caractères uniques dans leur genre, deux inclassables. Entre eux se crée un rapport presque passionnel, émaillé de scènes parfaitement théâtrales, de véritables scènes de ménage.

Jusqu'à *Fric-Frac* en 1936, le summum de leur numéro en duo, ils forment sur scène le nouveau couple d'acteurs, se partageant coup sur coup la vedette dans *Les Joies du Capitole*, puis dans *La Revue des Nouveautés*. Au cinéma, ils tournent pour la première fois ensemble dans *Amants et voleurs* (1935) de Raymond Bernard, d'après la pièce de son père Tristan, *Le Costaud des Épinettes*. Une histoire de gars du milieu. Un avant-goût de la version filmée de *Fric-Frac*, réalisée en 1939, la même année que *Circonstances atténuantes*.

«Michel Simon composait ses personnages, mais ne jouait pas dans la vie. C'était un être beaucoup plus sensible qu'on ne croit. Il avait une tristesse en lui... Triste au fond.»

. Agitation politique en France. Hitler et Mussolini font des émules. Les ligues pullulent sur le dos de la droite républicaine assoupie. La SFIO est tiraillée par ses tendances; les communistes, figés sur leurs positions, s'enferment dans un ghetto. Le 6 février 1934, un mois, jour pour jour, après la première du *Bonheur Mesdames*, la foule est dans la rue pour protester, sur un air d'antiparlementarisme, contre le chômage, la gabegie, la corruption. L'affaire Stavisky, du nom d'un escroc doté de relations politiques et mondaines, fait grand bruit. Arletty l'a rencontré au début des années vingt, alors que le beau Sacha, son surnom, était danseur dans une boîte de la rue Caumartin.

«Mes camarades se le disputaient. Moi, je visais plus haut...»

Le scandale, ordinaire en soi avec sa cohorte de hauts fonctionnaires et d'élus corrompus, sert de prétexte supplémentaire à l'émeute. La droite rêve d'en découdre avec la gauche impuissante à gouverner. Un déferlement de rancœurs se donne libre cours. Entre dix-neuf heures et minuit, rixes et coups de feu éclatent : une quinzaine de personnes sont tuées, deux mille autres blessées.

«J'étais dans la rue. J'ai vu un autobus brûler place de la Concorde. J'allais aux Bouffes jouer *Le Bonheur Mesdames*. À la fin du premier acte, la pièce a été interrompue. Les manifestants avaient envahi le théâtre... Un jour de drame pour la France. Inoubliable.

— Vous étiez de quel côté politiquement?

— J'étais nettement pour les métallos. J'allais à l'usine voir mon frère.»

Pierrot s'apprête à déménager. Il quitte la rue de Turenne pour Courbevoie. Retour aux sources. Le groupe Beau Soleil lui loue un deux pièces-cuisine avec buanderie-toilette pour 247,50 francs par mois alors que son salaire est de 1 300 francs, à raison de quarante-deux heures de travail en moyenne hebdomadaire.

À l'évidence, la France fait moins de cas de ses ouvriers que de son prestige. Un principe sacré. Le paquebot *Normandie,* lancé en grande pompe, conquiert le Ruban bleu. Pour fêter son record de vitesse

Le Havre/New York, une croisière est organisée à laquelle Arletty est conviée. Guitry doit y projeter *Pasteur*, l'adaptation filmée de sa pièce à la gloire du savant français. Jacqueline, sa nouvelle épouse, s'est acheté une collection de vêtements pour la traversée. Au dernier moment, il renonce.

« C'est à cause de moi qu'il n'est pas parti. J'ai eu la trouille d'avoir le mal de mer. J'ai donné ma cabine – la 32 – à Valentine Tessier. Je devais jouer un sketch de Guitry sur le bateau. »

Une peur contagieuse. Guitry l'invoque à son tour pour se dédire, non sans adresser à Arletty un télégramme rédigé « à la manière de La Fontaine ».

> « *En vérité, je vous le dis,*
> *Ce n'est pas encore cette fois*
> *Que vous verrez le* Normandie *;*
> *J'ai compris que vous maronniez*
> *De jouer en ma compagnie ;*
> *Restez donc sous les marronniers*
> *Du théâtre de Marigny* [65] *!* »

Le 8 août 1934, Arletty signe avec la société de production Tobis un contrat pour le tournage de *Pension Mimosas* de Jacques Feyder.

> « Le rôle que je vous destine est très joli, lui écrit Feyder, mais assez court – c'est en quelque sorte un numéro Arletti [*sic*], intercalé dans le film. Je crois pouvoir terminer en deux jours avec vous. Puis-je vous demander de faire quelques concessions financières à la Tobis ?
> J'aimerais tant que vous arriviez à vous entendre et je crois que vous ne le regretterez pas.
> Veuillez agréer Chère Mademoiselle l'hommage de mon respect charmé. »

Parasol est un personnage épisodique imaginé pour elle, un personnage que Feyder a, à son habitude, façonné avec le même soin que les premiers rôles. Arletty n'a guère qu'une scène, un tête à tête avec la vedette féminine, Françoise Rosay, l'épouse du réalisateur. Le front ceint d'un foulard à rayures, vêtue d'une combinaison qui lui donne l'allure d'un mécanicien, Arletty/Parasol attend Georges, son ami, à la table d'un hôtel-restaurant parisien, assez mal famé au demeurant. Femme tout ce qu'il y a de digne et respectable, Françoise Rosay, qui est de passage, s'installe à une table voisine. Polie, elle alimente tant bien que mal la conversation :

126

«Vous travaillez [aussi] dans l'automobile?

— Non, moi, j'suis parachutiste.

— Oh ça doit être dur!

— Vous pensez, surtout que rien que d'monter sur une chaise, j'ai l'vertige.

— Ah ben en effet!

— Ça, y a d'vilains moments, mais tant pis... Qu'est-ce que vous voulez, moi, je n'peux pas m'envoyer les vieux. Et vous?...»

Hors champ, Françoise Rosay est de bon conseil. Elle lui signale l'existence de prothèses dentaires amovibles pour dissimuler l'espace entre ses incisives... Voilà comment, dans ses films suivants, Arletty remédie au «grand écart». Quant aux «concessions financières», il lui est inutile d'en faire. La Tobis accepte d'emblée de lui verser les 15 000 francs qu'elle exige pour trois jours de tournage. Beaucoup plus que ses 3 000 francs quotidiens habituels. L'affaire conclue, Arletty, en villégiature à l'Impérial Palace d'Annecy, plie bagages. Première quinzaine de septembre : moteur! Dans les studios d'Épinay.

Sur le plateau, nouvelles rencontres capitales pour l'avenir avec Marcel Carné, l'assistant de Feyder, et, Roger Hubert, son directeur de la photographie. Ce dernier fera dix films avec elle et travaillera avec les plus grands cinéastes : Abel Gance pour *Napoléon*, Jean Renoir pour *La Chienne*, Maurice Tourneur pour *Volpone*, Jean Delannoy pour *L'Éternel Retour*, Carné pour *Les Visiteurs du soir* et *Les Enfants du paradis*.

«J'ai une grande admiration pour lui. Il a été un des très grands chefs opérateurs français. On n'en parle pas comme on devrait.»

Fin septembre, Arletty répète *La Revue des Variétés* au théâtre du même nom. Un jour, alors qu'elle marche sur les boulevards, une voiture s'arrête à sa hauteur. Paul Guillaume lui adresse la parole. Dix ans qu'ils ne se sont pas revus. Il est à présent marié, et professionnellement, multiplie les activités. Ses affaires prospèrent des deux côtés de l'Atlantique. Il gère sa propre galerie parisienne, approvisionne les collectionneurs américains en tableaux modernes – c'est lui qui procura des Renoir en quantité au richissime docteur Barnes pour sa prestigieuse Fondation –, conseille le ministre du Commerce extérieur. D'où le ruban rouge de la Légion d'honneur agrafé à sa boutonnière.

Lui : « On a suivi des routes différentes. »

Elle : « Oui, moi j'roule pas en Rolls ! »

Paul Guillaume se montre inquiet d'avoir à subir le lendemain une opération de l'appendice.

« Y a vraiment qu'les bonshommes pour avoir peur d'un truc pareil », lui lance Arletty.

Ils se quittent sur cet échange. Deux jours plus tard, le 1er octobre, il succombe à une péritonite.

« Un homme supérieurement intelligent, généreux de sa protection… Il aimait follement le théâtre. Sans lui, je ne faisais pas de théâtre. »

Arletty éprouve, à son égard, une reconnaissance mêlée d'affection. Il l'a mise en selle — une simple carte de recommandation l'a propulsée dans le monde du théâtre et a contribué à aiguiser son œil.

« J'allais plutôt vers les peintres. »

En sa compagnie, elle se familiarise avec la peinture moderne, fait la connaissance d'artistes contemporains comme Max Ernst et André Derain.

« Il avait un drôle de caractère, dit-elle du second. Boudeur, mal luné. »

Quant aux tableaux, soit elle en acquiert parce qu'ils lui rappellent des images de son enfance — « J'allais souvent à l'Hôtel Drouot, j'aimais bien la salle des ventes » —, soit on les lui offre. Elle en possède six, sept à la fois. Pas de quoi constituer une collection, une manie qui a le don de l'horripiler. L'infortune venue, elle en revend. Aux murs de ses appartements successifs, pas le moindre de ses portraits, ni sur toile, ni sur papier glacé.

Arletty aime le pastel d'Ève Lavallière qu'après un séjour au musée de Belle-Île elle confie à une amie ; une *Jeune fille* de Pascin qu'elle prête au deuxième Salon de la Folle Enchère en 1925 ; des dessins de Cappiello qu'elle offre à sa fantaisie. *L'Homme au gibus* de Van Dongen trouve un acquéreur lors d'une vente aux enchères. Elle s'éprend aussi d'un Lautrec représentant *La Goulue* silhouettée en bleu.

« J'l'ai fait vendre à un collectionneur avant la guerre. J'ai même touché la commission. J'habitais le Lancaster [66]. J'l'ai eu très peu. En six mois, la cote n'avait pas tellement grimpé. »

À quelque temps de là, elle hésite à faire une folie avec l'intégralité de son cachet de *Madame Sans-Gêne*.

« J'ai voulu m'offrir le Monet *Les Inondations de Rueil.* »

Son prix la fait reculer.

Parmi les tableaux qui l'accompagnent jusqu'à sa mort, il y a d'abord ceux liés au souvenir de Jean-Pierre : au-dessus de son divan une silhouette au crayon de sa mère Jeanne Dubost par Pierre Laprade ; dans sa chambre, un nu crayonné de Colette par Dunoyer de Segonzac. Deux dessins qu'elle destine au musée d'Orsay où sont exposés le lit de ses vingt ans et un portrait de la grand-mère de Jean-Pierre, Mme Adrien Bénard, née Julie Amélie Ferrier, une œuvre exécutée par l'ami de la famille, Édouard Vuillard.

La petite gravure à l'eau-forte de Georges Braque représentant un bouquet de fleurs, c'est le peintre lui-même qui la lui offre en 1954 avec cette dédicace : « À vous Arletti [*sic*], merci pour votre présence dans mon film. » Un documentaire réalisé en 1949. Braque comme Feyder écrit Arletti avec un « i ». Simple étourderie.

Mais le tableau qu'Arletty aime par-dessus tout reste *La Plage arrière du vapeur reliant Le Havre à Deauville* de Raoul Dufy, une huile sur toile grand format (54 sur 65 cm) réalisée vers 1905. Des passagers en chapeaux se reposent sur le pont, un autre est adossé au bastingage. Un drapeau tricolore flotte au vent derrière une échelle de coursive. Quelques traînées de couleurs, une mer verte et mauve. À droite, une voile blanche gonflée. Voilà tout le décor.

« La première fois que j'ai vu la mer, j'avais peut-être sept ans. Avec mes parents, on était allés chez mon oncle, qui était cuisinier-chef dans un palace du Havre [l'hôtel Frascati]. C'était le mari de ma marraine. Il bouffait tout ce qu'il gagnait aux courses. Des années plus tard en souvenir, j'ai acheté le Dufy. »

Sa vie durant, il ornera sa chambre.

1935. La crise s'aggrave, le monde entier s'emballe. En Allemagne, les hordes de Hitler écument le pays. À Rome, Mussolini, plus obstiné que jamais, s'accroche à son idée fixe : la conquête de l'Éthiopie. Un peu partout en France, la précarité de l'emploi jette les gens à la rue. Marches de la faim et soupes populaires se propagent. À Paris, pour se dérider, il y a le théâtre. Dans *Les Joies du Capitole*, une opérette romaine et burlesque signée Jacques Bousquet et Albert Willemetz pour les couplets gaulois, Raoul Moretti pour la musique guillerette, Arletty campe Agrippine, en tunique fendue des deux côtés, et Michel Simon l'empereur Claude, en dalmatique. Que de sueurs froides essuyées pendant les représentations parce que son fils Néron, joué par le comédien Christian Gérard, rate régulièrement son entrée !

« Il faisait du patin à roulettes. Un soir, je lui demande en douce où il était passé. Lui, à haute voix : "J'ai été pisser." J'enchaîne sur ma réplique : "Cet enfant me tuera !" La salle était en deux. »

Une anecdote qu'ils ne manquent pas de faire revivre cinquante ans plus tard, lors de leurs retrouvailles chez Arletty autour d'une coupe de champagne. Ténébreux, Christian Gérard, intimidé et en retrait, est un homme meurtri. Ses parents, parce que juifs, ont péri dans un camp de concentration pendant la guerre. Lui était soldat. À la Libération, il s'essaie à l'illusionnisme, puis, désabusé, devient agent commercial pour assurer ses fins de mois.

Il sonne à la porte d'Arletty le 23 février 1985. « Elle n'a pas changé, ni la voix ni le caractère », dit-il en la voyant. Puis, le souffle coupé par la fraîcheur de son teint de jeune fille et son alacrité, il ajoute : « Vous aviez toujours un mot gentil pour moi. Pas comme Gaby Morlay qui, un jour sur scène, a lancé, alors que j'avais le dos tourné, "c'est un cabot ce gosse-là". Je ne l'ai pas oublié. » Christian Gérard reste béat.

Les Joies du Capitole n'ont pas le succès escompté malgré le dithyrambe de son ami Tigre de Régnier paru dans *Gringoire* en mars 1935 : « Arletty est parfaite. Avec une perruque bleue Antoine, une perruque bleu clair saupoudrée d'argent, qui a la consistance éphémère des gâteaux pas tout à fait secs à la devanture des pâtissiers, avec des satins brillants qui moulent son corps parfait, retenus sur le bas des reins par une étoile de rubis, avec ses ongles de main bleus, ses ongles de pied arc-en-ciel (le violet commençant par le pouce), elle sait rester Arletty, en étant tout de même Agrippine… On l'a comparée, très jeune, à Lavallière… Lavallière, comme l'histoire romaine, est oubliée. N'oublions pas Arletty. »

Un soir, faute d'un nombre suffisant de spectateurs, il faut annuler et rembourser la représentation. L'opérette, montée dans des costumes d'Erté, se joue deux mois et demi. D'abord à la Madeleine, puis au théâtre de l'Étoile, avenue de Wagram.

« En 35, le théâtre traversait une grave crise. »

Les formes de divertissement évoluent. La TSF se répand dans les foyers. La télévision balbutie. L'inauguration de la première émission en studio est proche.

130

«Cette année-là, j'ai fait le premier film [pour la TV] avec Thérèse Dorny, la maîtresse de Dunoyer de Segonzac. Il y avait aussi des acteurs de la Comédie-Française. Mais y a pas de quoi se vanter. »

Le cinéma, mode de culture de masse, devient une industrie. Arletty inscrit trois films à son actif : *La Fille de Madame Angot* pour un rôle secondaire de «merveilleuse» du Directoire dans l'opérette de Charles Lecocq, *Amants et voleurs* de Raymond Bernard, *La Garçonne* d'après le roman de Victor Margueritte.

Signe des temps difficiles et précaution utile, elle est payée au terme de chaque journée de travail. Comédienne confirmée, elle joue sans arrêt et peut même s'offrir le luxe d'une Lancia surbaissée, de préférence à la traction avant commercialisée par Citroën.

«Avec mes films alimentaires : troisièmes plans, deuxièmes plans, Ran tan plan… »

Étant constamment invitée et hébergée à l'année, elle peut consacrer la quasi-totalité de ses cachets aux vêtements, aux voyages, aux impôts et… aux prêts d'argent à Jean-Pierre Dubost. En juillet, il lui signe une reconnaissance de dettes remboursables avec intérêts, pour une somme de 60 000 francs consentie deux ans plus tôt. L'explication? Leur relation s'est dégradée depuis qu'au cours d'un voyage à Venise avec les Guitry, Arletty a fait la conquête de David Mdivani.

«Mon coup de foudre. Le seul. Ça n'aurait pas pu ne pas être réciproque. »

Son frère Alexis Mdivani, honoré d'accueillir le Maître Guitry, grand ambassadeur de la culture française, les avait invités dans son palais vénitien.

«Qu'avez-vous ressenti en le voyant?

— J'étais d'un aspect froid. Je n'aurais pas fait la folle. »

Impossible de présenter David sans parler de la tribu. Ses deux sœurs : Roussadana dite Roussy — «la Sphinge» —, Nina — «le cerveau de la famille» —, ses deux frères : Serge — «le bel indifférent» — et Alexis dit Alec — «l'astucieux». Unis comme les doigts de la main, ils s'adorent. Leurs relations passionnelles, notamment entre Roussy et Alec, échappent tellement aux canons traditionnels de l'amour fraternel que les esprits malintentionnés les jugent bizarres, voire incestueuses. Leur vie tient moins du roman d'opérette que de la superproduction hollywoodienne. Originaires de Tiflis, en Géorgie, ils ont émigré dans les années vingt. Leur père Zacharias, général après avoir été aide de camp du tsar, est un partisan de Lénine. Ses enfants quittent le pays quand Staline le fait jeter en prison. D'où l'histoire prêtée au père selon laquelle il serait la seule personne au monde à avoir hérité un titre de ses enfants! Débarqués à Constantinople, avec le titre de prince et de princesse, ces derniers collent des affiches de cinéma en échange de billets d'entrée gratuits. Jeunes, aventureux, débrouillards, ils deviennent rapidement des spécialistes de la chasse aux dots, épousent des stars du muet, de riches héritières (ou héritiers), en général américaines. Normal, le dollar est roi. Fortune faite, ils s'installent qui en France, qui en Angleterre, qui en Amérique. À l'aube des années trente, ils font partie de la haute société internationale, se pavanant à Deauville, sur les champs de courses, dans les boîtes et les restaurants huppés. L'épopée ne serait pas complète si Alec ne mourait au volant d'une Rolls-Royce sur une route d'Espagne, Serge d'une chute de cheval au cours d'un match de polo en Floride, Roussy, au teint de camélia, de tuberculose en Suisse. Tous trois à la fleur de l'âge. Filles ou garçons, ils sont racés, téméraires, exubérants, séduisants, flamboyants.

« Ils ne doutaient de rien. Rien ne leur faisait peur. Tout leur était permis. »

L'ébauche ne doit pas tromper. Sous cette absence de contrainte apparente, de vacances à perpétuité, leur virtuosité répond à un besoin : s'amarrer, trouver un havre à décorer d'objets ciselés et de tentures orientales, leur rappelant leur Géorgie natale. David, qui a été marié à Mae Murray, divinité du muet des années vingt et héroïne de *La Veuve joyeuse* d'Erich von Stroheim, n'échappe pas au portrait.

« Le dernier des Mohicans. »

Rien ne l'effraie. Sa démarche, à elle seule, dénote une hardiesse de conquérant. Souplesse de jockey, adresse de prestidigitateur. Sa façon de jouer à qui perd gagne plaît violemment à Arletty. Rendez-vous est pris. Ils se revoient bientôt à Paris.

Dans les théâtres, la revue en tant que telle, avec sa kyrielle de tableaux, ses costumes chamarrés, ses distributions pléthoriques, est un genre désuet, en voie de disparition. À l'automne, *La Revue des Nouveautés* est la dernière qu'Arletty joue de Rip.

Elle y fait successivement Suzy dans « Suzanne et le vieillard », Arletty, c'est-à-dire elle-même, dans « Ripopée 35 », Mauricette dans

« Chapeaux et béguins », Zélie dans « Le pays du silence », Marie Bell, une parodie, dans « Athalie », l'instant d'une scène baptisée « Molière chez Offenbach ».

Colette la couvre d'éloges : « Large des épaules, étroite des hanches, cette froide fantaisiste ne consent à aucun procédé qu'elle ne l'ait inventé elle-même. Voix, chant négligent et lascif, sursauts imprévus d'un corps indolent, le moindre charme d'Arletty n'est pas d'inquiéter. Elle inquiète même ses directeurs qui se demandent : "Par qui remplace-t-on Arletty, si cette cavale élégante, un peu cabocharde, rue, s'emballe et disparaît ?" 67 »

Au même programme : Thérèse Dorny et Michel Simon.

« Michel portait le deuil. Il venait de perdre Zaza, sa guenon. Je lui dis un mot pour le réconforter. Lui me fait avec sa gueule de prognathe : "C'était plus qu'une maîtresse, c'était ma femme." »

Une jeune comédienne à la tête de poupée, archétype de la femme des années trente, est également sur scène : Danièle Parola, l'épouse du producteur de cinéma André Daven. L'ovale du visage aux traits réguliers est rehaussé de pommettes saillantes, les sourcils dessinés, les cheveux clairs mi-longs, permanentés – c'est la grande vogue de l'indéfrisable. Avec Arletty, une longue amitié commence. « Nous étions très liées, explique Danièle Parola. Nous allions souvent en vacances ensemble. Nous aimions bien la Suisse en hiver, le midi de la France en été. Arletty était une amie très chère, presque une sœur. Elle était exquise 68. »

On les voit en effet souvent ensemble, emmitouflées, sur les pistes de ski avec les Guitry, ou sur les plages, assises à même le sable, avec Jean-Pierre Dubost. Lui est en peignoir, les femmes en costumes de bain et shorts de boxeur à bandes blanches latérales.

Changement de décor le temps du gala de charité, « La Nuit des Étoiles », organisé un soir de relâche au théâtre des Ambassadeurs, l'actuel Espace Pierre-Cardin. Devant une salle considérable, Arletty, en Eton-Boy, sert d'introducteur à Sacha Guitry qui récite quelques vers de sa pièce *Deburau*, et à Maurice Chevalier. Tout Paris est là, Mistinguett, les Rothschild, les Polignac, des ducs et duchesses à ne savoir qu'en faire.

Aux Nouveautés, dans la revue du même nom, les échanges avec Michel Simon virent à l'algarade. Arletty se fatigue la voix, un double nodule se forme sur ses cordes vocales. Plutôt que d'être opérée, elle choisit le repos complet à la station climatique de Montana en Suisse.

« À côté de Crans-sur-Sierre. J'y suis allée pour une extinction de voix. On m'a soignée par le silence. Sinon, j'aurais une voix comme ça [prenant une voix de rogomme]. »

Dès lors, les ennuis de santé, réels ou supposés, constituent son argument fétiche pour éviter des corvées – tournées et galas de bienfaisance – ou rompre à l'amiable un engagement. Exemple en mai 1938 avec Albert Willemetz qui, dans une lettre, accepte volontiers de lui rendre sa liberté « puisque la Faculté impose à [ses] cordes vocales un repos d'une année ». N'étant pas en mesure de chanter des opérettes, Arletty tourne quand même trois films : *Le Petit Chose* de Maurice Cloche, *La Chaleur du sein* de Jean Boyer, et *Hôtel du Nord* de Carné.

Au printemps 1936, elle achève une série de quatorze représentations de *L'École des veuves* à l'ABC. Un événement très parisien. Cocteau fait son entrée dans le temple du music-hall, avec un sketch tiré de *La Matrone d'Éphèse* de Pétrone.

« Le soir de la première, Goldin (Mitty Goldin, directeur de l'ABC) ne reconnaissait plus sa clientèle, tellement il y avait de Rolls et de Bentley devant son théâtre… J'aimais beaucoup Cocteau. Il y avait entre nous une amitié pédérastique. Mais, ce serait prétentieux de dire que c'était moi l'homme. »

Le deuil sied à Arletty, drapée dans une longue robe noire de Chanel, échancrée aux épaules. Les décors sont signés Christian Bérard, surnommé Bébé à cause de son embonpoint, de ses petites mains potelées et de son visage poupin orné d'une large barbe fauve. Peintre le plus choyé du Tout-Paris de l'entre-deux-guerres, il a toujours table ouverte à La Méditerranée, le restaurant de Monsieur Jean (Subrenat), place de l'Odéon, et de sempiternels ongles noirs.

« Généreux. Il n'avait rien, que sa chienne Jacinthe. Aussi sale que lui. »

Les femmes n'ayant pas le droit de vote, Arletty n'a pas eu à se déplacer pour déposer un bulletin dans l'urne lors des élections législatives de 1936. L'aurait-elle eu qu'elle se serait sans doute abstenue. Non par manque de civisme, mais en raison de sa méfiance viscérale pour la politique.

« Je n'ai jamais voté de ma vie. »

Sa conception en la matière, si tant est qu'elle en ait une, s'inscrit plutôt dans un esprit IIIe République.

« Les femmes n'ont pas besoin de bulletin de vote pour influencer la politique. »

Et de citer les comédiennes Berthe Cerny, Marie Marquet, Béatrice Bretty ayant eu des amants ministres et présidents du Conseil. Au fond, elle soupçonne trop les manœuvres pratiquées au nom des idéologies.

« Je ne parle pas de mes idées, mais de ma façon de voir. »

D'un côté ceux qui se partagent les places, de l'autre ceux qui subissent. Tant pis si le schéma paraît manichéen. Elle a tant vu d'hommes politiques prendre des virages à cent quatre-vingts degrés par pur intérêt personnel, aller d'un extrême à l'autre au mépris de l'amour-propre le plus élémentaire, que sa religion est faite. Son enseignement, elle l'emprunte à Oscar Wilde. Pour le cynisme de façade : « Quand on n'aime pas la politique, il ne faut pas en faire. Quand on l'aime, il faut en vivre. » Pour rire de bon cœur : « Les politiciens n'ont rien à dire. Et ils le disent. » Parce qu'elle est une artiste dans l'âme : « La forme de gouvernement qui convient le mieux à un artiste, c'est pas de gouvernement du tout. » Et d'ajouter :

« L'anarchie est la plus haute expression de l'ordre. Un pays sans anarchie est un pays fini. Je suis anarchiste, mais pas une anarchiste inconditionnelle. »

Quand, par hasard, elle fait l'éloge d'un homme politique, c'est avant tout sur ses talents d'orateur, son timbre de voix ou son esprit d'à-propos qu'elle fonde son opinion – comme pour Aristide Briand ou Jacques Chaban-Delmas. Non sur son appartenance à tel ou tel parti.

« A voté ! » Plus de quatre-vingts pour cent de l'électorat s'est prononcé. Le Front populaire arrive au pouvoir. Léon Blum, chef du parti socialiste, forme un gouvernement. Le patronat accuse le coup, la bourgeoisie reste désemparée. Un fol espoir naît chez les ouvriers. Des grèves sans précédent, avec occupations d'usines, éclatent et s'étendent. Des centaines de milliers d'adhérents rejoignent les rangs de la CGT.

« Jusqu'à la guerre, tout le monde était cégétiste. Raimu… tout le monde. »

Arletty, elle-même, a sa carte.

« Pendant les grèves, j'allais voir mon frère à l'usine Hispano-Suiza de Bois-Colombes. Il suivait ça avec beaucoup de froideur, tapait la belote avec ses camarades grévistes. »

Une tranquillité de façade, car la détermination est réelle. Le pays est au bord de la paralysie. Face à l'ampleur de la mobilisation, le gouvernement adopte une série de réformes sociales – conventions collectives, semaine de quarante heures, congés payés – qui constitue une embellie dans la vie des ouvriers. Pour eux, jusque-là, le loisir était une idée vague. Désormais, davantage de facilités leur sont offertes.

Il n'est pas dit pour autant qu'ils se souviennent d'Arletty en Rose de Saint-Leu, provinciale coquette, dans *Aventure à Paris*, de Marc Allégret, assisté de France Gourdji, alias Françoise Giroud. Une production d'André Daven avec Jules Berry, Danièle Parola, Carette, Ray Ventura et ses Collégiens. Le film ne lui a pas particulièrement laissé de souvenir, sauf pour sa robe droite à manches courtes sans col, ornée d'une sorte de liseron géant, qu'elle rachète à la fin du tournage.

Le Mari rêvé de Roger Capellani, en revanche, est à marquer d'une pierre. À cause de la beauté de Prague où il est tourné, et plus encore de la présence de Pierre Brasseur avec qui elle partage la vedette. Une force de la nature. Excentrique. Tonitruant. Shakespearien. « Il y avait entre eux une espèce de connivence. Ils riaient beaucoup [69] », se souvient Odette Joyeux. Brasseur l'ayant épousée la veille du départ, c'était son voyage de noce.

« À l'hôtel, raconte Arletty, j'avais une chambre mitoyenne du couple. Y avait pas besoin de prêter l'oreille pour être indiscrète… C'est comme ça que j'ai été témoin de la conception de Claude, leur fils. »

Arletty tourne encore deux courts-métrages en 1936, sans grand relief malgré sa participation : *Mais n'te promène donc pas toute nue* et *Feu la mère de Madame*, d'après les comédies de Georges Feydeau.

Automne 1936. L'isolement du gouvernement Blum est flagrant. Aux frontières, l'Allemagne réoccupe militairement la Rhénanie, l'Espagne est en guerre civile. Dans le pays, le marasme économique s'installe. *Faisons un rêve*, propose Sacha Guitry, qui cherche à rééditer au cinéma le succès de son invitation galante, écrite pour le théâtre. Pour corser son film, il imagine un prologue dansé. Une pléiade de comédiens célèbres y font de la figuration. Outre Arletty : Michel Simon, Yvette Guilbert, Victor Boucher et Marguerite Moreno.

« J'ai eu la chance de jouer avec elle. On passait des soirées ensemble avec Rip, on soupait. C'est peut-être la personne avec qui j'ai le plus soupé. Elle pilotait les mecs. Elle avait toujours un p'tit gigolo. Non, de beaux mômes. C'était la jeune femme qui avait toujours l'air d'une vioque. Un vrai bonhomme. Ces sortes de femmes-là, c'était l'intelligentsia. Une grande amie de Colette… Un grand personnage, beaucoup plus qu'une grande actrice. »

Que dire de *Messieurs les ronds-de-cuir* tourné aux studios Paramount à Saint-Maur par Yves Mirande, d'après Georges Courteline, si ce n'est qu'il lui laisse un souvenir de franche gaieté, grâce à la présence de Saturnin Fabre ? Un acteur totalement loufoque.

« Un type insensé. Très gastronome. Il ne signait au théâtre que s'il y avait de bons restaurants dans le quartier. Il pensait qu'à la gueule. Il avait beaucoup d'allure, beaucoup de classe. J'l'aimais bien. C'était un bourgeois bien élevé, bien nourri, qui avait été à Saint-Jean-de-Passy. Il était pas paumé Saturnin ! »

Cinq films donc, si l'on tient compte des deux courts-métrages, et pas un pour figurer au panthéon cinématographique, malgré le métier, le talent, la renommée des auteurs ou des réalisateurs, et les prestations honorables d'Arletty. En regard des préoccupations politiques et sociales du moment, ils sont bien évidemment hors sujet. Mais quelle époque n'a-t-elle pas produit des œuvres aussitôt oubliées ? Le visionnaire des écrans, cette année-là, s'appelle Chaplin, grâce à Charlot, entré de plain-pied dans *Les Temps modernes*. La moustache frétillante, il donne des tours d'écrous à coups de clé anglaise, des images plus parlantes que tous les discours et traités de sociologie relatifs aux conditions de travail de l'ouvrier.

Arletty, elle, c'est, toute proportion gardée, au théâtre qu'elle est le plus en symbiose avec le Front populaire. Ses manières un peu gouape, son accent des faubourgs font merveille dans *Fric-Frac* d'Édouard Bourdet. L'événement de la saison sur les boulevards. Un tournant dans sa carrière. Et dans sa vie…

Chapitre VII

C'est le manque absolu de sincérité
qui fait les acteurs sublimes.

DIDEROT

Le rideau se lève sur un coin de forêt de Poissy. Un couple de cyclistes fait son entrée suivi d'un tandem monté par Michel Simon (Jo-les-bras-coupés) et Arletty (Loulou).

Jo. — Section... halte.

Loulou. — Qu'est-ce que tu fais? Tu t'arrêtes?

Jo. — Tu vois.

Loulou. — Pourquoi?

Jo. — J'ai la rame.

Loulou. — Ah! celui-là...

Jo. — Dis donc, ça fait plus d'une heure qu'on roule!

Loulou. — Pauvre petit!

Jo, *mettant pied à terre.* — Et puis d'abord c'est dimanche et le dimanche est pas fait pour se fatiguer.

Loulou. — Et la semaine?

Jo. — Quoi! La semaine?

Loulou. — Tu te fatigues beaucoup dans la semaine?

Jo. — Dans la semaine, j'fais ce qu'il faut.

(Il va s'étendre au pied d'un des arbres.)

Loulou, *mettant ses mains en porte-voix, et appelant.* — Eh ah!... Eh ah!...

Jo. — Crie pas si fort, tu me fais mal aux oreilles.

Loulou. — Faut bien que j'arrête les autres!

Jo. — Quand ils ne nous verront pas venir, ils feront demi-tour! T'en fais pas, tu le reverras, ton Marcel!

Loulou, *même jeu*. — Eh ah!... Je t'en fous, oui. Ils sont loin. (Elle met pied à terre et couche le tandem dans l'herbe.)

Jo. — Dis?

Loulou. — Quoi?

Jo. — Un jour que t'auras le temps, tu m'expliqueras ce que tu lui trouves.

Loulou. — À qui?

Jo. — À Marcel!

Loulou. — T'occupe pas de ça.

Jo. — Parce que moi, j'te l'cache pas, il me r'vient pas, c'nière-là.

Loulou. — À cause?

Jo. — À cause qu'il me r'vient pas, c'est tout. Du premier jour, je l'ai eu dans le naz, du soir qu'on était à côté de lui à Buffalo et qu'on a pris un glas ensemble à la sortie. Une idée d'toi, comme de juste.

Loulou. — Et après?... (*souriant*) T'es jaloux [70]?

Le décor est planté. Le moyen de locomotion, les sous-bois des environs de Paris, l'argot des faubourgs, tout est dans le ton des premiers congés payés. Vélos et tandems sillonnent les routes de France. Pendant l'été, des ménages ouvriers se sont même lancés en deux roues à la découverte de la mer. Dans leur automobile, les gens du monde, qui forment le gros des spectateurs de théâtre, ont pu les croiser. Ce soir, ils s'en amusent. L'auteur aurait-il voulu les surprendre, leur jouer un bon tour avec ces truands à la petite semaine qu'il ne s'y serait pas mieux pris. Tant de réalisme canaille les réjouit. La référence à l'époque s'arrête là. Édouard Bourdet fait œuvre d'entomologiste, pas de psychologue. *Fric-Frac* est une comédie sans message, sans romantisme, sans prétention, juste un clin d'œil, une pièce inoffensive sur le «milieu». Pour rire. Et le public — «au fric» et «en frac» — rit. Mieux, il s'esclaffe en prenant des leçons d'argot. Nombre d'expressions courant le risque d'être incomprises, un petit lexique lui est offert avec le programme, car s'il va de soi qu'une bafouille est une lettre, la cambrousse, la campagne, le carbure, l'argent, une arnaque, une tricherie, d'autres s'avèrent moins évidentes. Par exemple le «dab» qui désigne le père, les «bourres» les gendarmes, et, à moins de joindre le geste à la parole, les «gaillards» les seins, les «cousues» les cigarettes.

Foi du journal *Excelsior*, «c'est devant une salle extrêmement élégante qu'à été représentée la pièce de M. Édouard Bourdet», le 15 octobre 1936 à la Michodière, soir de générale. À l'entracte, l'administrateur général du théâtre, M. Frémeaux, a invité l'assistance à rester quelques instants immobile pour fixer sur la pellicule cette soirée mémorable. «Une photographie va être prise par *Excelsior* qui la publiera demain matin», a-t-il lancé de l'avant-scène.

On y voit des crânes dégarnis, des nœuds papillon sur plastrons blancs ou cols cassés, des solitaires et des colliers de perles qui scintillent sous les projecteurs. Les visages, brouillés, sont méconnaissables. Il y avait cependant du beau monde, comme il y en aura durant les centaines de représentations. Plus d'un an de triomphe.

Dans sa loge, Arletty reçoit visiteur sur visiteur dont le couturier Poiret, qui n'est plus que l'ombre de lui-même, Mayol, le chanteur à la houpette, l'actrice Polaire, *alter ego* de Colette, un sempiternel chapeau mou sur l'œil.

«Nous étions en plein Front populaire et je n'ai jamais vu défiler autant de ministres, d'ambassadeurs.»

Marx Dormoy, ami de son cousin Viple, est du lot. Ministre de l'Intérieur, il a succédé à Roger Salengro. Le député-maire de Lille, affecté par la mort de sa femme, s'est suicidé, après une campagne de calomnies orchestrée par la droite. Autre personnalité politique à lui être présentée : Pierre Laval, l'ancien député socialiste d'Aubervilliers, ancien président du Conseil et futur artisan de la politique de collaboration durant l'Occupation. Lui qui fut plusieurs fois ministre sous la IIIᵉ République et chef d'un gouvernement de centre droit jusqu'en janvier 1936, coule pour l'heure une retraite active entre son Auvergne natale – il est de Châteldon – et ses bureaux de sénateur à Paris. Il a une fille unique de vingt-cinq ans, au physique plus agréable que joli. Elle l'accompagne dans presque tous ses déplacements. Josée est comtesse depuis son mariage, en août 1935, avec René de Chambrun, un descendant direct du marquis de La Fayette, le héros de la guerre d'Indépendance des États-Unis d'Amérique. C'est Jean-Pierre Dubost qui introduit le couple auprès d'Arletty. Il connaît René de Chambrun depuis 1932, époque où le jeune comte effectuait un stage dans la charge d'agent de change de son père et préparait sa thèse sur les marchés d'emprunt, pour devenir avocat d'affaires. «Arlette est entrée dans notre vie un jour que nous étions allés voir *Fric-Frac*, raconte René de Chambrun, quatre-vingt-sept ans. Nous allions beaucoup au théâtre, parce qu'à l'époque, il n'y avait pas de télévision et peu de radio... Elle en tandem avec Michel Simon, c'était tellement drôle que Josée a emmené son papa. Ils l'ont vu deux ou trois fois [71]. »

Et se sont, bien entendu, fait une joie d'aller la congratuler dans sa loge.

«Il avait une gueule de Sarrasin», dit Arletty.

Pierre Laval a le teint basané comme un cuir de Cordoue, les lèvres charnues, une grosse moustache, des sourcils en accents circonflexes si prononcés qu'ils lui font, en haut du nez à droite, deux petits plis courts et profonds en forme de virgules ravinées. Des rides diagonales, vives comme des entailles, délimitent les joues, un peu lâches, juste à la naissance des narines. Quoique n'étant pas gros, il a la morphologie des gras. Le menton a disparu dans la rondeur du visage soutenue par une cravate blanche sur col blanc amidonné. Par égard pour les comédiens — et les comédiennes — l'ancien ministre a éteint son éternelle cigarette. Sa fille a le nez plus effilé que lui, plus pointu aussi. La bouche est large. Par un de ces mystères n'appartenant qu'à elle, la nature s'est muée en géomètre pour la dessiner dans un losange allant des ailes du nez à la pointe du menton. Le regard, empreint de fierté, est caressant. Exclusivement pour le père.

— «Elle, elle avait c't accent qu'elle a gardé. C't accent péquenot. Elle disait toujours "pââpââ". »

Échange de politesses. L'Auvergne les rapproche immédiatement. Arletty se remémore aussitôt les potins de village qui couraient à Charbonnières, lorsqu'elle était enfant, au sujet du fils Claussat, le frère de Mme Laval, mort au champ d'honneur à Verdun.

«Il avait été amoureux de ma tante. Elle avait été sa petite amie — on disait pas sa maîtresse à ce moment-là. Très sérieux comme liaison. J'sais pas si y a pas eu un gosse à l'Assistance publique. »

Les invitations à dîner, c'est Josée qui s'en charge. Dans son appartement richement décoré et meublé de la place du Palais-Bourbon, elle reçoit tout ce que Paris compte d'auteurs, d'acteurs, de diplomates, d'élus en vue. Son père, sur lequel elle veille avec tendresse, est souvent présent.

«À table, elle était pas brillante. On n'aurait pas dit qu'elle avait ces bases-là… l'École du Louvre, le droit… Tout ça… Pour la croûte, un cordon-bleu. »

Une raison supplémentaire pour qu'Arletty, naturellement prédisposée à goûter la bonne chère, accepte les invitations. C'est maintenant une vedette, on recherche sa compagnie, les milieux guindés les premiers.

Fric-Frac remporte tous les succès. Des grands quotidiens aux gazettes locales, c'est un concert de louanges. Pour le texte de Bourdet, qui surprend agréablement ses admirateurs accoutumés à un théâtre plus caustique ; pour le talent incomparable de ses interprètes : Michel Simon, en monte-en-l'air lymphatique et couard, Victor Boucher en commis de joaillerie candide et dévoyé, Arletty en pierreuse distinguée et rouée.

« Mlle Arletty semble née pour jouer les arpètes, écrit le *Figaro*. Sa placidité qui, à ses débuts, n'était qu'une ignorance ou un truc, devient de la finesse. Elle a de l'esprit en ne s'efforçant pas d'en avoir. Elle reste imperturbable, et la totale indifférence qu'elle marque au public est une joie. L'argot sur ses lèvres devient le langage même de la nature [72]. » « Admirable Arletty, féroce avec tant de douceur paisible, de menaçante veulerie [73] », s'exclame *L'Œuvre*. « Une grande actrice est née [74] », renchérit *Comoedia*.

L'Homme libre ajoute : « Mlle Arletty fut vraiment extraordinaire d'esprit et de naturel et recouvrit le texte de M. Bourdet d'un véritable vernis de ressemblance [75]. » *L'Indépendance belge* de Bruxelles confirme : « Mlle Arletty a su se montrer vraie, en gardant une mesure et même une sorte de distinction qu'il n'était pas aisé de prêter à un rôle de fille [76]. » *Les Nouvelles de l'Exposition* assurent : « Arletty se révèle dans *Fric-Frac*. Tout ce que nous avons vu, jusqu'ici, interprété par cette spirituelle comédienne n'était pas encore digne du talent qu'elle déploie dans cette pièce [77]. » *L'Écho des Sports* écrit : « Mlle Arletty s'est véritablement transformée : elle est devenue une grande artiste qui joue avec aisance et vérité [78]. » André Maurois dans *Marianne* assure : « Mlle Arletty est simplement parfaite. Elle dit juste, avec une infaillible sûreté. Rien de plus ravissant que la franchise et la gaieté qui soudain passent sur son visage, quand elle sourit, les dents blanches et vigoureuses brillant dans la bouche entrouverte [79]. » Enfin, dans *Le Journal*, Colette note son « âpre et nonchalante séduction sans geste», «ses coupants sourires» de « méchante fille impassible [80]».

Le 13 octobre 1936, deux jours avant le lever de rideau, dans un article au *Figaro*, Bourdet prévient : «J'ai voulu écrire une pièce gaie et la faire jouer par des acteurs comiques. Je ne sais pas si j'ai réussi dans la première partie de mon programme, mais je suis certain, du moins, d'avoir réalisé la seconde. L'apport personnel de comédiens tels que Victor Boucher, Michel Simon et Arletty est considérable.»

La pièce a d'ailleurs été écrite pour eux.

«On jouait *Les Joies du Capitole*. Un soir qu'on s'bagarrait avec Michel, un monsieur très sérieux se présente : "Le moment n'est peut-être pas très bien choisi, je viens vous proposer une pièce." C'était Édouard Bourdet.»

Un monsieur avec une bien curieuse moustache, taillée si fin qu'elle passerait facilement pour être postiche chez un homme moins sage. Sous ses dehors placides, on devine un sens aigu de l'observation, une calme ironie et quelque chose d'ombrageux dans son beau regard gris-vert. L'éducation est d'un bourgeois : politesse de circonstance, absence de flamme. Comment croire que cet ancien élève d'HEC, en perpétuel complet-veston gris à rayures, connaît la gloire à travers ses études de mœurs anti-bourgeois : *Vient de paraître*, *Le Sexe faible*, *La Fleur des pois*, *Les Temps difficiles*.

À côté, *Fric-Frac* a tout de l'exercice de style, de la bluette de potache. Par souci d'authenticité, Bourdet s'est du reste livré à un minutieux travail de sociologue, grâce à Fernand Trignol qui l'a guidé dans les endroits plus ou moins malfamés de Paris. Ce sont Arletty et Michel Simon qui lui ont présenté ce Parisien gouailleur à la casquette de métallo toujours vêtu d'une culotte à carreaux, le nez en bec de perruche. Personnalité des plateaux de cinéma, Trignol les enchante par ses reparties fleuries. Exemple, quand il raconte l'inhumation de sa belle-mère dans le caveau de famille : «Dire qu'elle montait pour trois thunes et une canette, et qu'il faut 600 balles pour la descendre !» Ou encore lorsqu'il commente l'entrée en fonction de Bourdet à la direction de la Comédie-Française, précisément le soir de la générale de *Fric-Frac* : «Une veine pour lui, il aurait jamais pu faire un maq'.» Chef de figuration tout en rondeurs, Trignol traîne une réputation d'ancien truand et connaît la pègre comme personne. L'homme idoine pour qui cherche un professeur d'argot.

Le soir de la couturière, assise sur le tandem, un pied à terre, Arletty, prête à entrer en scène, ajuste son béret. Afin de se donner du cœur au ventre, elle félicite Michel Simon qui tient le guidon, pour son élégante tenue de cycliste.

« J'lui dis : "Et moi, comment tu m'trouves ?" D'une voix nouée : "C'est fou c'que tu r'ssembles à Zaza !" Zaza, c'était sa guenon qu'il avait perdue un an plus tôt. Il portait un p'tit crêpe en signe de deuil. Là-dessus, les trois coups. Mon trac tombe à zéro. J'étais tout d'même perplexe. À la fin du premier acte, je lui demande : "Comment ça je ressemble à Zaza ?" Lui : "Par la coiffure." C'est vrai, j'étais aussi brune qu'elle, et comme elle je portais une frange. »

Arletty n'en est tout de même pas à porter les ensembles écossais et les bracelets-montres dont il l'affublait. Zaza avait ses gants, son sac à main, son chapeau et de beaux yeux tristes.

En temps ordinaire, Arletty a du mal à vaincre son trac. « Il ne s'explique pas. J'ai connu de grands acteurs qui ne l'avaient pas. Moi, je l'ai, de la première à la dernière représentation ; j'appellerais plutôt cela la conscience professionnelle permanente. Antidote : nerfs d'acier [81]. » Après la guerre et ses drames, Arletty révisera son jugement. Quand elle remonte sur scène, en 1949, c'est une femme changée. Le trac ?

« C'est quand même pas : "fusillé à l'aube". »

Le cinéma en revanche la libère de ces angoisses : pas de public, donc pas le risque d'un désastre majeur ; en cas de faux pas, une nouvelle prise suffit à refaire la scène ratée. La vérité :

« Je ne savais jamais où se trouvait l'œil de la caméra. »

À la première de *Fric-Frac*, Mdivani vient la rejoindre, provoquant un séisme dans sa vie affective. Serait-ce le poids des sept ans de vie commune avec Jean-Pierre qui lui pèse ? le pouvoir de séduction de ce prince sûr de lui qu'elle trouve irrésistible ? ou simplement l'envie d'une femme libre de céder à ses élans ? Raisonner est peine perdue. L'impulsion domine. Le soir même, sans crier gare, elle quitte Jean-Pierre, la rue Mirabeau et son balcon d'angle donnant à droite sur la Seine, à gauche sur le Mont-Valérien, en face sur l'église d'Auteuil – « ce mini Sacré-Cœur ». Une séparation brutale.

Arletty suit Mdivani au luxueux hôtel Crillon, place de la Concorde, avec vue sur la Chambre des députés et les chevaux de

Marly. Du jour au lendemain, elle redevient la noctambule effrénée qu'elle était dans les années vingt.

« Cette fois, sans hommes ni femmes d'esprit. »

David est un grand blond carré, jeune et riche. D'une richesse aux origines aussi mystérieuses que le titre de noblesse dont il est paré. Homme d'action viril, c'est un feu follet à la voix grave et forte, teintée d'une jolie pointe d'accent slave. Il a l'aisance ostentatoire, un brin tapageuse, des gens parvenus, aptes à impressionner par le charme de leur nature audacieuse. Ce trait de caractère séduit Arletty, le temps pour elle d'en voir les limites.

Mdivani l'entraîne dans un tourbillon de nuits blanches et de folies. De restaurants en cabarets, de palaces en boîtes de nuit, ils hantent les endroits les plus chics : le Tabarin, le Monseigneur, le Shéhérazade, le Poisson d'Or, et, face au cimetière Montmartre, le Casanova, avenue Rachel.

« On avait déjà un pied dans la tombe. »

Arletty brille par son élégance. Le corps a gardé une allure adolescente, longue et souple. La taille est prise, la démarche coulée, le port de tête inflexible. Une inflexibilité que soutient le regard où se lit une force de caractère peu commune. Le visage est d'une beauté froide. Bien malin qui peut dire quelle pensée l'agite lorsqu'elle éclate de son rire sonore, écoute les propos de table des dîners parisiens, ou, sur scène, observe d'un œil oblique ses partenaires. Sous le masque impénétrable vibre une âme solitaire, terriblement lucide, en proie à un absolu détachement. Une solitude glacée l'habite.

David déchiffre-t-il complètement son cœur ? Comprend-il réellement sa sublime indifférence, lui qui, pour compenser la perte de sa Géorgie natale, s'entoure d'autant de signes extérieurs de richesse qu'elle met de dépouillement dans sa vie ? Au-delà de cette divergence difficilement conciliable, il y a pour les rapprocher l'amour, seul capable de rassembler, au moins un temps, les extrêmes.

Mdivani est sous le joug du « grand charme » et de la « beauté » d'Arletty. Nul doute qu'il est aussi flatté d'escorter la dernière vedette parisienne consacrée au théâtre. Pour l'honorer, elle consent à s'afficher en redingote chinoise de chez Paquin, couturier renommé de la rue de la Paix, des gardénias piqués dans les cheveux. « Ne mets jamais de chaussures plates, ça descend l'derrière », lui recommandait Mistinguett à ses débuts aux Capucines. Arletty retient le conseil. Elle va juchée sur des socques vénitiens de quinze centimètres de haut. «Pour comble de ridicule, à notre entrée dans les boîtes, le violoniste, reconnaissant des pourboires de David, nous susurrait : *Je t'ai donné mon cœur* [82].»

D'autres fois, l'orchestre joue *Fascination* de Féraudy. Très souvent, Arletty porte des robes signées Schiaparelli, la créatrice en vogue. L'extravagance surréaliste de ses patrons – Dali a été son directeur artistique –, sa couleur fétiche rose violacé, le fameux rose shocking, son originalité débridée font sensation. On l'appelle «la bombe». Arletty lance son manteau d'Arlequin, petit chef-d'œuvre multicolore de la collection «Commedia dell'Arte».

«J'ai porté sa première robe du soir, un long fourreau rouge. Entre 30 et 40, elle a bouleversé la mode, et après la guerre, Balenciaga. J'ai toujours gardé présente à l'esprit l'allure de "Schiap". C'est elle qui m'a le mieux habillée, selon mon humeur, mon tempérament. C'était une internationale.»

Arletty porte les modèles de «Schiap» aussi bien à la ville qu'à la scène – dès 1930 dans *Mistigri* de Marcel Achard –, comme ceux de la plupart des grands maîtres de l'élégance parisienne. Le temps des essayages pour les maisons de couture du quartier de la Madeleine est depuis longtemps révolu, mais, servie par sa silhouette de femme du XXe siècle, elle continue de poser pour des photos de mode. Très tôt, les créateurs de renom l'ont repérée. Poiret a été, au temps de sa splendeur, un des premiers.

«Il avait l'intelligence qui brillait. Physiquement, ni beau ni laid. Un roi de Paris. Il est pas dégommé… Il a supprimé la gaine, ça aplatissait les fesses. C'était pas joli. Poiret : un génie qui était aussi un grand couturier.»

Il a inventé le soutien-gorge.

«J'en ai jamais mis de ma vie. Je vais peut-être m'y mettre maintenant que je suis presque nona[génaire], dit-elle à quatre-vingt-huit ans. J'aimais bien sa robe fourreau, un peu entravée. Ça allongeait les jambes. J'ai porté longtemps des manchons quand j'étais malade. J'en avais un comme celui de Mme Caillaux.»

Arletty ne conçoit l'élégance que comme une épure, un style dépouillé des frivolités que constituent les garnitures, les guirlandes, et autres falbalas. Le corps, libéré, doit respirer. La chute des épaules doit être marquée, le galbe des jambes suggéré. Dans ce droit fil, des créateurs comme Jeanne Lanvin, Mme Chéruit, Coco Chanel l'habillent tour à tour merveilleusement, de même Balenciaga et

Balmain, Yves Saint Laurent et Alaïa. Sa ligne inspire grand nombre d'entre eux. Quelles que soient l'époque et la mode dominante du moment. À cause de l'intemporalité de son physique, de la modernité de son style, et de sa façon de provoquer les talents. Azzedire Alaïa raconte : « Je l'ai rencontrée pour la première fois au début des années soixante. J'arrivais de Tunisie. J'étais inconnu à Paris. Elle jouait *L'Étouffe-chrétien* au théâtre. Je suis allé la voir dans sa loge avec un ami. Ça a tout de suite accroché entre nous. Elle m'a demandé un tailleur en satin rose XVIIIᵉ avec une veste ras du cou, à gros boutons torsadés. Pendant les essayages chez elle, elle me posait des questions sur tout. J'étais timide à mourir. J'parlais pas bien le français. Une de ses amies a vu le tailleur et a voulu le même. Arletty a porté le sien jusqu'au bout, alors qu'il montrait la corde [83]. »

L'échange est fructueux. Elle devient sa marraine, puis une source d'inspiration pour ses collections.

Arletty a filé avec Mdivani. « Encore un de ses coups de tête », a dû penser Jean-Pierre, désemparé, quand il a compris qu'elle l'avait laissé choir. Un réflexe verbal plus pertinent qu'il n'y paraît face à ses comportements imprévisibles.

« Jean-Pierre me disait : "Plus on te connaît, moins on te connaît." Il m'appelait "l'indéchiffrable". Il n'était pas très content de ça, Mdivani, tout ça… mais, j'ai pas eu de pitié, oh non ! Une grande tendresse, oui. »

L'arrivée de David dans sa vie est fracassante. Sur un seul regard échangé à Venise, Arletty a le cœur qui tangue, ses nerfs s'électrisent. Un trouble irrépressible la saisit, symptôme d'une passion extraordinaire. Nerveuse de nature, Arletty n'est pas faite pour des amours parcimonieuses et béates. Les siennes sont agitées, inquiètes, douloureuses. À la façon des romantiques, l'idée de l'amour, mythifiée, absolue, inaccessible, l'occupe et l'obsède. Beaucoup plus que l'amour physique.

« Les hommes, y m'possédaient pas. Soixante-quinze pour cent des bonnes femmes ne jouissent pas. L'homme ne peut pas mentir sexuellement, c'est impossible. Mais la femme, elle, peut mentir jusqu'à quatre-vingt-dix-neuf ans. La simulation, ça fait partie d'une armure. »

Constat ou aveu, son attachement à Mdivani la précipite dans un déluge de sensations extrêmes, nouvelles pour elle. Ses forces s'en trouvent décuplées. Elle se sent soudain invincible, dans un état second.

« À en mettre ma tête sur le billot… J'suis assez l'genre… Dans la vie, ça m'est arrivé… Oh, pas souvent… »

Deux fois, en tout et pour tout. La première fois avec Mdivani, la seconde sous l'Occupation avec un officier allemand. À chaque fois, ses nerfs sont mis à rude épreuve, à cause du désordre affectif occasionné. Son moral est d'autant plus à vif que la cuirasse, dont elle croyait s'être dotée, se fissure. Cœur et raison se livrent une lutte sans merci. D'un côté, l'amour lui donne des ailes, de l'autre, elle sait que l'harmonie parfaite dans un couple relève du mirage.

« Il y en a toujours un qui est moins épris… Dans mon cas, quand ça commençait, des fois même avant, j'me disais : Comment ça va finir ? »

À l'heure des choix décisifs, c'est l'impasse, le repli sur soi, le chaos intérieur. Aux phases d'euphorie fantastique succèdent des périodes d'abattement profond. Arletty perd pied, car peu faite pour un bonheur simple, elle manque de certitudes, de ces croyances simples et tranquillisantes en un dieu. Religion, pouvoir, argent ou gloire, tout l'indiffère pareillement.

Elle éprouve le désir brutal d'être tout pour Mdivani. Lui demanderait-il de tout arrêter qu'elle accepterait à la seconde. Du moins, le croit-elle alors sincèrement. Par chance, il a la perspicacité de s'en garder. Le feu de la passion se consumera de lui-même, non sans une épreuve : en 1939, Arletty, enceinte, choisira en conscience de se faire avorter.

En attendant, ils font plaisir à voir lorsqu'ils apparaissent ensemble, radieux, à « La Nuit de Longchamp », la grande attraction mondaine de juillet organisée au bois de Boulogne en clôture de l'Exposition internationale. Tous les regards se tournent vers eux. Pourtant, le Tout-Paris est présent : Paul Reynaud et Georges Mandel – membres des gouvernements qui succéderont au Front populaire –, le conseil municipal au complet, le maharadjah de Kapurthala et ses fils, nombre de milliardaires dont Florence Gould.

« Kit [84] était avec Jane Renouardt [85]. Elle aimait le pognon, c'est tout. Ils habitaient le Ritz. Une fois dans sa chambre, il allait chercher des hommes aux Halles, en marin. Il aimait bien s'taper des mecs. »

À Longchamp, le spectacle est partout. Autour des tables dressées sous le velum de la tribune, dans le restaurant du jardin anglais où Arletty et Mdivani ont pris place pour déguster caviar et champagne à volonté. Mais aussi sur la pelouse livrée à un nombre incroyable de jeux forains, numéros de cirque et de music-hall, combats de boxe et de catch ; sur la piste hippique illuminée, où se disputent successivement les prix du Soleil couchant, du Crépuscule, de la Voie lactée, de Phébé, d'Orion, d'Uranie. Et enfin le prix des Centaures, dont le favori, Prince Charlie, un pur-sang monté par le prince Ali Khan, porte une casaque verte au croissant rouge. Une soirée féerique, digne des *Mille et Une Nuits*, comme il y en aura d'autres, tout aussi brillantes, beaucoup moins sages, bien plus extravagantes.

« L'époque la plus stupide de ma vie. Un temps perdu qui ne vaut pas d'être recherché [86]. »

Un constat finalement s'impose :

« L'amour peut se passer d'estime. L'amitié, pas. »

Un matin, Jean-Pierre vient la chercher à l'hôtel. Elle le suit, désarçonnée et vaincue. La parenthèse Mdivani, dans son intensité la plus exacerbée, se referme moins de deux ans après avoir été ouverte, non sans laisser quelques séquelles.

À la déclaration de la guerre, en 1939, David, ancien élève d'une école du Massachusetts, part pour les États-Unis. Sa route recroisera celle d'Arletty. Installé à Los Angeles, au milieu de ses souvenirs de famille et de photographies ramenés de Géorgie, il repense avec un plaisir attendri aux moments partagés avec elle à Venise et à Paris. Les cheveux devenus blancs, il lui rendra encore de temps à autre des visites émues dans son appartement de la rue Raynouard donnant sur la Seine. Le champagne qu'il lui apporte infailliblement est du meilleur cru. Attentions généreuses et sincère affection demeurent.

David reçoit *La Défense*, le livre d'Arletty, que sa sœur Nina lui a envoyé. Après l'avoir lu, il lui écrit le 7 juin 1970 dans un français hésitant :

« Je suis en train de préparer mes mémoires et tu peut être certaine que je parlerai beaucoup plus de toi que ce que tu as parlé de moi. Je ne manquerai pas de mentionner ton grand charme et ta beauté. Ça me fera un grand plaisir de recevoir un note de toi, me faisant savoir sur ta santé.

Je t'embrasse. »

De son côté, Nina, la princesse Mdivani, bien que veuve, remariée et vivant à Londres, lui adresse un mot après avoir eu vent de la publication de ses Mémoires :

> « J'espère que vous avez gentillement et un peu parlé de David qui vous a tellement aimé et comme vous savez c'est toujours vous que j'avais préféré d'avoir comme belle sœur. C'est vous, Barbara Hutton, et Pola Negri que j'ai aimé. Aucune autre. Mais il y a tellement de vie... Qui sait... Toutes les réincarnations qu'on va faire ensemble. »

Barbara Hutton, Pola Negri... deux des femmes entrées un temps dans cette famille pittoresque. La première, milliardaire américaine héritière de la chaîne de supermarchés Woolworth, avait épousé Alexis, le frère de David.

> « Alec a été son premier mari. Elle m'appelait "ma belle-sœur"... Pour rire. »

La seconde, vamp hollywoodienne du cinéma muet, s'était, elle, mariée avec son frère Serge.

> « Les Mdivani lui ont pris du fric. Il était très beau, Serge. »

Deux alliances parmi d'autres dans un maelström d'amours tumultueuses.

David meurt en Californie, sa terre d'adoption. Arletty l'apprend par un courrier de Nina, daté du 29 septembre 1984 :

> « Chère Arletty,
> C'est une lettre d'une très vieille amie, qui vous aime beaucoup. Je vous écris avec une pénible nouvelle : mon cher et noble frère, David, qui vous a tellement aimée est décédé le 5 septembre à Los Angeles après une longue et pénible maladie. Je partage la conviction de mon beau-père Sir Arthur Conan Doyle [87], que ce n'est pas la fin mais le renouvellement d'une nouvelle vie.
> Maintenant je suis toute seule, car toute ma famille n'est plus et j'ai seulement le fils de David, un gentil garçon américain, qui vit à Los Angeles et qui n'aime pas l'Europe. Je sais que vos yeux, à vous et à moi, ne nous permettent pas d'écrire des lettres, mais peut-être la lettre d'une gentille amie à vous pourra me donner de vos nouvelles.
> Dieu nous a donné un fardeau trop lourd pour nos épaules féminines. Mais donnez-moi de vos nouvelles, car vous savez que je vous aime avec un profond et sincère amour.
> Bien à vous. »

Au-delà de la peine qu'il a pu éprouver de se voir délaissé, Jean-Pierre se montre un ami sûr, fidèle, aimant, un soutien dévoué.

«Mon p'tit compagnon des bons et des mauvais jours», avoue Arletty. Elle est cependant fâchée de la faiblesse qu'il manifeste le jour où elle le quitte pour David. Il faut dire qu'il est allé s'épancher auprès de leur ami commun, Sacha Guitry.

«Jean-Pierre est allé pleurer dans son gilet, lui dire que je l'avais plaqué pour Mdivani. Je n'suis pas rentrée.»

Une comédienne célèbre délaissant son amant pour une figure de roman, voilà un sujet rêvé pour le maître du boulevard qui adore les chassés-croisés amoureux. Reste à compléter l'ébauche. Guitry s'y emploie en hâte et avec brio, non sans brouiller les pistes. Ici, il installe un personnage supplémentaire, là glisse des répliques maintes fois essayées en privé. Son besoin légendaire d'être en représentation permanente l'amène souvent à raconter les mêmes histoires plusieurs fois de suite, en particulier lors des déjeuners qu'il organise dans son hôtel-musée de l'avenue Élisée-Reclus.

«La maman Delubac me donnait des ramponneaux sous la table : septième édition!»

Combien de fois Sacha n'a-t-il pas ainsi ressorti devant ses convives la profession de foi de Deburau, le héros de sa pièce créée en 1918 : «Adore ton métier, c'est le plus beau du monde!

— Vous êtes optimiste pour les vidangeurs», rétorque Arletty.

«Sacha me disait : "Vous êtes redoutââââble."»

Guitry serait-il Guitry sans ses redites et plus encore sans les pointes drolatiques de férocité qu'il distille dans ses dialogues? La vie, l'amour, la scène, mieux vaut en rire.

Le résultat s'appelle *Quadrille*, une pièce écrite en 1937. Commentaire d'Arletty : «Une connerie sans nom.» Présentée en avant-première le 21 septembre à Orléans, elle quitte l'affiche du théâtre de la Madeleine à Paris lorsqu'en sort l'adaptation cinématographique en janvier 1938. Arletty refuse de voir le film.

«Ça m'avait déplu.»

Guitry pourtant fait œuvre d'auteur. Les confidences que lui livre Jean-Pierre lui servent de matière première pour étoffer ses caractères. Là, il transpose les situations ou les exagère, ailleurs, il inverse les rôles ou se les adjoint.

Paulette, le personnage inspiré d'Arletty, devient la figure centrale de cette comédie douce-amère. Au théâtre comme au cinéma, l'interprétation est confiée à Gaby Morlay, parfaite dans ce rôle de comédienne indépendante, qui, pour gagner les cœurs, passe du drame à la fantaisie. Elle a un amant rédacteur en chef d'un grand journal parisien prénommé Philippe, qui n'est que le paravent de Jean-Pierre Dubost. Sacha s'adjuge le personnage en lui prêtant ses propres tourments. Paulette/Arletty le trompe (pour la première fois) avec un acteur de Hollywood de passage à Paris, un garçon au charme et à l'accent irrésistibles. Mdivani, joué par Georges Grey, lui sert de modèle. Pour corser l'affaire — et justifier le titre —, Guitry, dont la règle dramaturgique consiste à toujours offrir un emploi à sa femme du moment, introduit un quatrième protagoniste, Claudine, journaliste, incarnée par Jacqueline Delubac. À défaut de séduire le sémillant Américain, elle se console dans les bras de l'amant trompé. Et réciproquement. La fiction, en quelque sorte, rejoint la réalité : Sacha et Jacqueline sont effectivement mari et femme à la ville. Arletty n'est « que » l'amie du couple.

Que faut-il déduire de ces jeux de l'amour et de la cruauté ? Guitry était-il insatisfait de sa situation conjugale ? Soupirait-il pour Arletty ? A-t-il recouru à ce travestissement des sentiments pour dissimuler les siens ? Où n'était-ce que du théâtre ? Impossible de répondre à sa place. Quand il parle de *Quadrille*, Sacha s'en tient à la théorie de l'écriture.

« La cuisine. »

Arletty a-t-elle eu une « liaison » avec Guitry comme on le prétend ?

« Ça c'est une vraie rigolade. J'ai jamais couché avec lui. J'étais avec le couple. De vous à moi, "entre hommes", j'vous dirais la même chose. Jacqueline lui avait trouvé une partenaire pour échanger des répliques. »

D'ailleurs, Arletty accompagne souvent les jeunes mariés dans de brefs voyages à l'étranger. Le samedi 21 août 1937, ils sont à Salzbourg pour l'ouverture du Festival dirigé par le chef d'orchestre Bernhard Paumgartner. Un jour mémorable. Le clavecin de Mozart résonne à nouveau pour la première fois depuis la mort du compositeur prodige. À la lueur des bougies, le chancelier autrichien Schuschnigg, maître de céans de La Résidence, reçoit ses invités. Deux cents personnalités sont annoncées par des valets de pied tout de blanc vêtus. La curiosité d'Arletty est piquée. Un demi-cercle se forme autour du pianoforte. Au milieu d'une foule de princes et de diplomates émergent l'archevêque de la ville, le duc et la duchesse de Windsor, le ministre-président de Hongrie, l'ambassadeur d'Hitler à Vienne, Franz Von Papen. Strict respect du protocole, les artistes occupent les derniers rangs. Pour les lettres, Erich Maria Remarque, l'auteur de *À l'Ouest rien de nouveau*, Paul Morand, Somerset Maugham ; pour l'art lyrique, la basse russe Feodor Chaliapine ; pour le cinéma, Marlene Dietrich, Brigitte Helms, Douglas Fairbanks Jr, Emil Jannings. Max Reinhardt, grande gloire du théâtre autrichien, est présent. Il convie le couple Guitry et Arletty dans son château. Une réception royale.

Est-ce ce même mois, un peu plus tôt, un peu plus tard, qu'ils se rendent à Venise ? Si la date est incertaine, les photos, qui les montrent devant la basilique Saint-Marc en train de donner à manger aux pigeons, ne laissent aucun doute sur leur présence dans la Sérénissime. Costume rayé, chapeau blanc sur l'œil, Guitry, appuyé sur une canne, pose de trois quarts, au premier plan, comme dans les génériques de ses films lorsqu'il introduit les artistes. « Voyez mes fausses jumelles », semble-t-il dire, malicieux. Celles-ci sont en léger retrait, sur une marche. À sa droite immédiate, Jacqueline, en sandales, face à l'objectif, puis un peu plus loin Arletty, souriante, un ruban dans les cheveux, les yeux tournés vers les pigeons perchés sur sa main droite. Elles portent un tailleur Hermès de même coupe : jupe blanche à mi-mollets, veste légère cintrée aux deux pans amarrés par un gros bouton.

Sacha a cinquante-deux ans. Pris de douleurs durant le séjour, il imagine déjà sa fin prochaine, commande l'ordonnateur des pompes funèbres, l'enjoint de prendre des dispositions pour que Paris lui rende un dernier hommage solennel, le prie de coucher son corps dans un cercueil molletonné, le supplie de le faire incinérer. Soudain, il se ravise : « Vous ferez à votre idée. Je ne me mêlerai de rien… » Il souffrait d'une simple indigestion.

À Venise, le trio visite le ghetto, promenade au cours de laquelle Arletty est confortée dans l'idée que Sacha est juif. Voici pourquoi :

« Un jeune garçon nous guide. Il pointe son doigt sur la troisième femme de Sacha.

— Toi, goy.

Ensuite vers moi :

— Toi, goy.

Vers Sacha :

— Toi, juif.

Pour une fois, Sacha est resté sans réplique [88] !»

Arletty n'en démord pas : Guitry cache ses origines.

«Il avouait jamais qu'il était juif. Il s'est jamais coupé, Sacha. C'est le cas d'le dire !… C'qu'il aimait en moi, c'est la boutique d'en face.»

Plusieurs éléments fondent sa conviction. D'abord, l'admiration sans borne qu'il voue à Sarah Bernhardt, témoin de son mariage avec Yvonne Printemps.

«"Ma seconde mère", disait Sacha. Il était très fier de ces origines-là.»

Mais aussi le fait que Bernstein l'appelle : «le p'tit Juif».

Enfin, les retrouvailles avec son père Lucien, au terme de treize années de brouille, sa pièce *Mon père avait raison* célébrant l'entente retrouvée.

«C'est beau ça !…»

Une réconciliation dont Arletty sera, elle, privée avec sa mère.

À Rome, Chez Alfredo alla Scrofa, restaurant où les célébrités du monde entier viennent déguster les fettuccine maison, ils consultent le livre d'or : Eleonora Duse, Rudolf Valentino, Douglas Fairbanks, Mary Pickford, Charlie Chaplin… Sacha sort son stylo en or pour y apposer son autographe majuscule. Le maître d'hôtel s'empresse de le lui soustraire. À l'évidence, il ne connaît pas le maître du boulevard.

À Gênes, Arletty va seule avec Sacha au Campo Santo, un cimetière aménagé dans un cirque montueux qui réverbère les échos. Désir de repos ou crainte des revenants, Jacqueline a déclaré forfait. À l'intérieur du colombarium, Arletty fredonne : «Je t'ai rencontré simplement…», qui, répercuté, lui revient, purifié. «Et tu n'as rien fait pour chercher à me plaire», enchaîne Sacha de son plus beau grave.

Arletty est encore du voyage lorsque Sacha et Jacqueline se rendent à Vienne présenter *Faisons un rêve*.

«J'étais archi bien fringuée par Schiaparelli.»

Une vieille chanson du folklore viennois lui trotte dans la tête : «Wien, Wien, o! Du allein/Bist die Stadt meiner Traüme [89]…»

«La suite, la suite !», insiste Sacha, fatigué d'entendre la même rengaine.

À l'heure de la représentation à l'Opéra, Guitry entre en scène. Tourné vers Arletty assise à l'avant-scène, il entonne «Wien, Wien…».

« Toute la salle s'est levée. C'était le triomphe de sa vie. Je lui aurais fait une sale blague en lui demandant la suite. »

En dehors de ces épisodes qu'Arletty revoit avec netteté, et un agrément non dissimulé, que disent-ils des événements politiques qui ébranlent l'Europe ? Commentent-ils l'avancée des franquistes en Espagne, le réarmement de l'Allemagne nazie, l'agonie du Front populaire en France ? Fallait-il obligatoirement s'offrir un billet d'entrée à l'Exposition internationale des Arts et Techniques de Paris, ouverte en mai au Trocadéro, pour comprendre la portée des enjeux politiques du moment ? L'affrontement idéologique y est éclatant. Au fronton du pavillon de l'URSS, un couple de travailleurs géant porte à bout de bras la faucille et le marteau tandis qu'au sommet du pavillon allemand, un aigle doré se dresse, gigantesque, sur ses ergots. L'Espagne républicaine, elle, présente Sainte-Thérèse et, à l'intérieur, l'œuvre de Picasso, *Guernica*, vision apocalyptique de la petite ville du Pays basque martyrisée par les bombardiers de la Luftwaffe.

Arletty, pas plus que Guitry, ne milite, ni n'a jamais milité de sa vie. Rien ne la fera dévier de son sublime et imprudent détachement.

« Je suis vierge de tout parti. Et si vous voulez mon avis, Sacha y connaissait rien en politique. »

Elle non plus. Ses jugements sont beaucoup plus sûrs quand elle tranche sur le théâtre et les acteurs que lorsqu'elle commente la haute diplomatie et ses arcanes. Du reste, elle s'en garde, n'en usant que pour faire des mots. Légère, Arletty ? Plutôt sans illusions. D'un scepticisme trop noir pour souscrire à un engagement. Un geste moralement inélégant, une scène de jalousie, une manifestation d'égoïsme, une trahison ont pu, en quelques rares occasions, l'inciter à briser net une amitié ou à mettre un terme à une relation suivie. Mais jamais une prise de position politique, de droite ou de gauche, n'a réussi à heurter ses convictions, à la pousser à la rupture. Pour elle, ce domaine est aussi peu sérieux que la scène parce que c'est du théâtre, privé de grands auteurs, quelquefois doté de bons acteurs. Les orateurs et les tribuns : « des pitres, des cabots supérieurs ». Citoyenne, comme elle le revendique, Arletty côtoie des monarchistes déclarés, voire les héritiers de la couronne de France. Athée, elle reçoit des grenouilles de bénitier bornées, sympathise avec des curés et des cardinaux. Anarchiste, elle fréquente des partisans de l'ordre – républicains, réactionnaires, voire fascistes. On la croit à droite, elle fraye avec des socialistes et des communistes. À la table des capitalistes et des ultralibéraux, où elle est invitée, elle fait l'apologie des ouvriers. Irrécupérable, égarée dans ce vaste monde, elle observe, non sans ironie, ces contrastes, et, comme Galilée, se dit : « *E pur si muove* [90] !» Expression qu'elle emploiera encore avec fatalisme à la Libération, quand les épurateurs la priveront d'exercer son métier, tandis que les belles actrices françaises reçues à Berlin, elles, poursuivront normalement leur carrière.

De quoi parlent Guitry et Arletty durant leurs voyages ? Principalement de théâtre et de cinéma, même s'ils échangent aussi leurs impressions sur la beauté des villes et des paysages traversés, rivalisent d'esprit, rient beaucoup. Notamment quand Sacha rapporte les propos de table vécus ou inventés par son père, un boulimique notoire. Lucien est invité à dîner. Le poulet est servi. Les convives sont nombreux, trop nombreux eu égard à la grosseur de la volaille qui s'écrie par la voix de Lucien : «Que d'monde !... Que d'monde !» Situation identique quelque temps après. Lucien est raccompagné par ses amphitryons. «Nous espérons que vous reviendrez bientôt dîner», lui disent-ils machinalement, en prenant congé.

«Tout de suite si vous voulez !»

Fou rire d'Arletty, aux anges.

«Sacha me disait souvent : "Papa vous aurait adorée." Pour lui, le plus beau des compliments.»

Au fil de leurs périples émaillés de fous rires, une complicité s'instaure. Sans atteindre à l'intimité, encore moins à la familiarité. Entre eux, le tutoiement n'a et n'aura cours qu'exceptionnellement.

«Il me tutoyait pas dans la vie. Pas de tutoiement entre nous. Après la taule, il a voulu s'y essayer. Je lui ai dit que ça ne nous réussirait pas.»

Ils en restent à l'estime mutuelle d'un effet limité sur le plan professionnel. Que ce soit au cinéma ou au théâtre, Arletty joue peu l'œuvre de Guitry – une opérette, une revue, trois films, aucune pièce de théâtre. À cause de l'écrasante personnalité de chacun et des risques d'antagonisme ? Sans doute. Plus vraisemblablement en raison de la similitude de leurs caractères qui les unit et les sépare à la fois. Ils sont de la même espèce : rieurs en surface, tragiques dans le fond. La volubilité de Guitry, la gaieté d'Arletty ne sont qu'un vernis.

En 1933, Arletty interprète *Ô mon bel inconnu*, une opérette de Sacha sur une musique de Reynaldo Hahn, dans laquelle il ne joue pas. Trois ans plus tard, elle fait une brève apparition dans le prologue de *Faisons un rêve*, et ce juste après l'échec d'un projet de sketch et de chanson qu'il lui écrit sur une musique d'Adolphe Borchard.

« Un intime de Sacha. Un assassin de la musique, vous pouvez pas savoir… impossible ! »

D'ailleurs Mitty Goldin, le directeur de l'ABC, refuse de monter le spectacle, de crainte de faire un four.

L'année 1937 est pour Arletty « l'année Guitry ». Elle tourne deux de ses films – *Les Perles de la couronne* et *Désiré* –, participe à des galas de bienfaisance dont Sacha s'est fait une spécialité.

Arletty ne quitte guère non plus, cette année-là, Michel Simon, sauf les soirs de relâche à la Michodière.

« L'acteur avec qui j'ai le plus joué au théâtre. »

Le triomphe de *Fric-Frac* ne se dément pas. Tant et si bien qu'après la dernière du 5 décembre, Bourdet invite ses interprètes à venir jouer le troisième acte à la Comédie-Française. Une matinée exceptionnelle au profit de la Caisse de retraites. L'occasion pour Arletty de fouler la scène de la Maison de Molière, un privilège insigne quand on vient du boulevard et non du Conservatoire. La représentation a lieu le samedi 18 décembre.

Fric-Frac ayant fait relâche en juin-juillet, Arletty et Michel Simon ont pris leurs quartiers d'été à la Madeleine pour la reprise d'une revue « publicitaire », financée par les plus grandes marques et créée pour la soirée de gala du Commerce et de l'Industrie : *Crions-le sur les toits*. Un spectacle en deux actes et seize tableaux. Une idée de Sacha conçue avec le concours de ses amis Tristan Bernard, Albert Willemetz, Arthur Honegger, Adolphe Borchard, etc.

Arletty apparaît dans trois tableaux. Dans le douzième, intitulé « Au Paradis Palace » de Tristan Bernard, elle joue l'« ange chasseur » de chez Maxim's, avec Michel Simon et Cécile Sorel en comtesse de Grignan. Dans « Charrions le char » de Dorin, célèbre chansonnier, Arletty incarne Marianne.

« J'étais montée sur un char romain, coiffée d'un bonnet phrygien, et j'faisais en passant : "Blum, mon petit cœur fait Blum, ti la la li… la la…" sur l'air de la chanson de Trenet. Comme on était en plein Front populaire, la scène avait beaucoup de succès. »

Au final, titré « Les perles fausses de la Couronne », elle apparaît grimée en reine d'Abyssinie, tandis que Sacha Guitry interprète François Ier. Pauline Carton campe la duchesse de Chevreuse, Jacqueline Delubac la reine Marie Stuart, Michel Simon le pape Clément VII, Jean-Louis Barrault, Bonaparte. Dans *Les Perles de la Couronne*, les vraies, première fantaisie historique que Guitry coréalise au cinéma avec Christian-Jaque, Arletty apparaît charbonnée des pieds à la tête, les cheveux, anthracite et calamistrés, dressés en torche. Son costume exotique est des plus sommaires : un short, un collier de coquillages, un cache sur les seins. Une corolle de plumes d'autruche, déployée comme la queue d'un paon, l'auréole d'une large aigrette. C'est la Perle noire. Allongée sur un palanquin recouvert de peaux tigrées, elle reçoit les honneurs dus à son rang, un python, un vrai, autour du cou.

« Le soir, il passait à Médrano. »

La scène, très courte, bouclée en deux jours — les 9 et 10 mars 1937 — dans les studios de Billancourt, lui vaut les éloges du *Canard enchaîné* qui lui consacre sa chronique « premiers plans ». « Il y a de la grâce dans sa gouaille, de l'élégance dans sa tendre canaillerie, de la légèreté dans sa drôlerie et une espèce de poésie dans toute sa personne. Un sourire se dissimule toujours sous les rires que provoque mademoiselle Arletty, gommeuse à la mode de 1937, comédienne ravissante et spirituelle », écrit l'hebdomadaire satirique dans un article non signé où se reconnaît le style de Jeanson.

À l'automne, Sacha Guitry la rappelle pour interpréter une soubrette au vinaigre dans *Désiré*, une étude sur la gent domestique des maisons riches, adaptation cinématographique de sa pièce créée en 1927 par Yvonne Printemps. Outre Arletty et Guitry, on y voit Jacqueline Delubac, Pauline Carton, Saturnin Fabre. Le 1er octobre 1937, Sacha écrit :

« Ma petite Arlette,
Je vous confirme notre accord. Vous tournerez dans *Désiré* le rôle de Madeleine. Les prises de vues commenceront le 6 octobre 1937. Chaque fois que vous tournerez, vous toucherez la somme de 4 000 francs (quatre mille) — et je vous assure un minimum de 10 cachets (dix).
Je me réjouis de vous avoir une fois de plus pour interprète. Je sais que votre cachet est ordinairement de 5 000 francs (cinq mille). Je vous remercie de cette concession amicale que vous me faites — et je profite de cette occasion pour vous baiser les mains. »

Cinq mille francs, c'est en effet habituellement le montant de son cachet, c'est aussi approximativement le prix d'une huile de Kisling, c'est encore le traitement mensuel d'un agrégé en fin de carrière. C'est ce qu'Arletty a touché par jour de tournage pour *Les Perles de la Couronne*.

« Pour *Les Perles*, Sacha m'a donné une très jolie boîte en or. Il donnait des cadeaux à ceux qui tournaient peu. Pas mesquin, pas radin. Il recherchait la finesse du cadeau. »

Une marque de gratitude, dont il est coutumier, qui explique le petit sacrifice financier qu'elle consent pour *Désiré*. Le reste du temps, les contrats sont âprement discutés. Arletty s'en remet autant à la pratique de ses agents rompus aux tractations qu'aux avis amicaux de juristes. Paul Derval, le directeur des Folies-Bergère, en fait l'amère expérience le jour où elle lui annonce son intention de faire augmenter ses appointements : « Si je vais au music-hall, c'est pour gagner plus d'argent qu'au théâtre. » Il a beau invoquer la mauvaise saison qui se profile, l'avantage pour une artiste d'être applaudie par deux mille personnes plutôt que par cinq cents dans une salle exiguë, les triomphes passés de Max Dearly ou De Max dans les spectacles de variétés, Arletty tient bon. Le projet est abandonné.

Autres tournages en 1937 : *Si tu m'aimes/Mirages* d'Alexandre Ryder, avec Michel Simon et Jean-Louis Barrault, *Aloha ou le Chant des îles* de Léon Mathot avec Danièle Parola. Deux films à classer dans la rubrique « alimentaire » de sa filmographie.

Le couronnement de cette « année Guitry » est paradoxalement *Quadrille*, où Arletty ne figure qu'en négatif sous les traits de Gaby Morlay.

« Entre nous, il aurait pu, là aussi, me donner beaucoup plus de fric. »

Arletty muse de Guitry, l'idée est inattendue. Quoi qu'il en soit, la pièce ponctue de façon définitive une coopération artistique fructueuse, quoique mince. Ils jouent et tournent peu ensemble.

Dominique Desanti a raison d'écrire que les héroïnes de Guitry sont taillées « selon le plus périmé des schémas [91] ». Arletty très tôt le constate, et opte pour une forme théâtrale moins vieillotte, pour un genre cinématographique auquel Prévert et Carné donnent ses lettres de noblesse : le réalisme poétique.

La théâtralité des situations que crée Sacha, son jeu excessif et

160

posé, ses intonations pleines d'accents circonflexes qui jurent avec l'ascétisme janséniste des Dullin et des Jouvet alors au zénith, sont trop sophistiqués pour lui plaire vraiment. C'est démodé. Démodé aussi le «naturalisme» de ses mises en scène revenant, sur les plateaux, à boire du vrai champagne où à manger des aliments périssables.

«Le poulet était le poulet, le caviar était le caviar.»

Une voix et du naturel, voilà la conception du théâtre que revendique Arletty. Foin de l'enflure et des théories rabat-joie qui prêchent la maîtrise du corps par la méditation transcendantale et les exercices d'assouplissement physiques. L'âme d'un comédien «est» ou «n'est pas» en lui.

«Une belle voix au théâtre, c'est un atout, mais elle n'est rien sans l'intonation. La voix, c'est la force, c'est l'âme même. Regardez Victor Boucher, il avait des moyens vocaux très faibles, mais c'était l'Aristide Briand des acteurs, le cello de la Chambre. Dans *L'École des cocottes*, Spi[nelly] priait Raimu d'aller lui chercher "une rose… pâle… très pâle". Raimu répondait sur un ton inimitable : "Anémique". Cet "anémique" faisait courir tout Paris. La force de l'intonation!»

Arletty se souviendra de la leçon. Son tempérament fera le reste. Réfractaire aux cours de diction, elle se fie exclusivement à son intuition extraordinaire. Consciencieuse et disciplinée, elle exècre l'effort. Quand elle dit un texte, un total dédoublement s'opère en elle. L'esprit, alerte, chemine. Les apparences sont sauves. C'est sans doute pourquoi elle personnalise tant ses compositions et n'a jamais joué les grands rôles du répertoire classique. Quant à théoriser sur le théâtre, elle s'en garde.

«Tout ça, c'est de la littérature.»

Elle est tout de même convaincue qu'un comédien doit pouvoir parcourir l'arpège des émotions sans en éprouver une seule. Feindre absolument, tel est son leitmotiv. Héritière spirituelle du siècle des Lumières, elle est en accord complet avec Diderot, qui veut que le manque absolu de sincérité rende les acteurs sublimes.

Sacha, lui, donne dans l'emphase. Arletty aime la sobriété. Cette distinction faite, elle lui conserve estime et admiration. Par un phénomène inverse à celui observé pour Céline, elle le porte même rétrospectivement au pinacle.

«J'étais plutôt rosse avec lui. J'ai beaucoup changé. Post mortem, j'admire Sacha. J'le monte, j'le monte dans ma tête. J'regrette de ne pas être allée plus loin avec lui. Pas dans l'plumard, dans les confidences. Il était humain, et il avait dû souffrir… Le fond est triste, oui sûrement. Jamais sûr de lui ce type-là. Qu'en scène. Il aurait fait jouer une chaise. C'était vraiment don de Dieu de don de Dieu!»

«J'ai soupé, j'ai dîné en ville, c'est pas ce que j'ai fait de mieux. Ça n'améliore pas les répliques [92].»

Difficile après le triomphe de *Fric-Frac* de rééditer pareil succès. La dernière pièce qu'Arletty joue avant la guerre ne lui offre pas cette chance. *Cavalier seul* est signée Maurice Diamant-Berger et Jean Nohain, alias Jaboune. À la création, le futur présentateur du petit écran, rendu célèbre par son émission de variétés *36 Chandelles*, émet trois souhaits : que sa pièce soit montée au Gymnase, qu'Arletty en soit la principale interprète féminine, que son frère Claude Dauphin – finalement remplacé par Paul Bernard – soit son partenaire.

Arletty accepte d'emblée, puis se ravise, hésite, pose ses conditions. Il faut la ferme élégance d'un Henry Bernstein, grand ordonnateur des évolutions des acteurs sur le plateau de «son» théâtre – le terme de «mise en scène» est encore peu usité sur le boulevard – pour la convaincre d'endosser le rôle de Danièle Josselin et les robes piquées de Schiaparelli.

Le 24 janvier 1938, les répétitions commencent.

Bernstein a soixante et un ans. Il y a du bélier dans l'homme. Le buste, d'une taille impressionnante, reste bizarrement immobile quand il est en mouvement. Les hanches sont souples et le jeu de jambes n'a rien perdu de la prestance du danseur de tango qu'Arletty croisait dans les années vingt au Florence. D'un blond argenté, ses cheveux, moins rebelles et plus clairsemés, lui épargnent désormais d'avoir à les plaquer à grand renfort d'eau lustrale de Guerlain. La stature, carrée, est imposante, le nez, fort et charnu, avec le bout légèrement busqué. L'énergie prodigieuse qu'il déploie est teintée d'une autorité d'airain. Bernstein est, en toutes choses, d'un perfectionnisme maniaque.

«Il avait l'amour du théâtre et des acteurs. Un grand personnage. Intelligent. Beaucoup de classe.»

Mais doté d'une psychologie de hussard. À une séance d'essayage dans les couloirs du Gymnase, il voit Schiaparelli affairée à ajuster les robes d'Arletty.

« Je ne la comprends pas, lâche-t-il le plus sérieusement du monde à propos de son interprète, elle pourrait avoir un hôtel particulier, sa Rolls, des diamants, des fourrures…

— Oui, l'interrompt Schiaparelli, mais ça ne serait pas Arletty. »

Fils d'une famille de riches négociants juifs, Bernstein a connu le grand luxe dès sa tendre enfance. Dans le portrait en pied qu'il a fait de lui à cinq ans, Manet le peint en mathurin, les mains derrière le dos. Les yeux sont ronds, écarquillés ; le regard, déjà, commande.

Bernstein a toujours montré une solide assurance, qu'il doit à son éducation dans les meilleurs collèges autant qu'à sa fréquentation, adolescent, de la Bourse, de l'Opéra, des Champs-Élysées. Les manières conquérantes, qu'il affiche avec insolence, lui attirent soupirs et faveurs des jolies femmes. Car, s'il n'est pas beau, il a du charme et une anatomie « apollinienne » d'après un gazetier l'ayant croisé un été sur une plage. Son savoir-faire à trousser des comédies bourgeoises n'est pas le moindre de ses atouts. La formule est éprouvée. Le coup de théâtre tombe toujours au dernier acte, dramatique. *Le Secret, La Soif, Mélo* ont fait sa gloire. Il est reçu, choyé, honoré, sollicité, envié. Son égotisme insupporte. C'est un homme coléreux, injuste, chatouilleux. Une parole de travers à son endroit, il croise le fer. Pour avoir avoué que de tout ce qu'il exècre, le théâtre de Bernstein surpasse les lavallières, Gaston Gallimard reçoit ses témoins.

Autre personnalité à subir ses foudres : Édouard Bourdet. Bernstein l'irrite depuis qu'il l'a surpris à lutiner sa femme Denise. Pour se venger de l'affront, l'auteur de *Fric-Frac* le frappe au point le plus sensible, sa vanité. Plutôt que de refuser clairement de monter *Judith* au Français, un ouvrage de Bernstein reçu par son prédécesseur, Bourdet temporise, louvoie, invoque les exigences de ses metteurs en scène. Jouvet, Copeau, Dullin, Baty goûteraient médiocrement son mélodrame. Échange épistolaire acide. Le passé resurgit. Bourdet fait une allusion assassine à sa conduite « sans scrupule, sans honneur et sans loyauté ». Bernstein dégaine. En garde ! Le duel fait sensation. Sur le pré, ou plutôt la pelouse d'un hôtel particulier de Neuilly, Bourdet s'échauffe, cingle l'air avec son épée, attaque. Coup d'arrêt de l'adversaire. Le patron de la Comédie-Française est touché, l'honneur, lavé. Dans le sang. Il a un trou rouge à l'avant-bras droit.

« Un événement très parisien. La plus grande peur de ma vie. J'étais chez Bernstein. Je jouais *Cavalier seul*. Le soir, nous avons soupé tous les deux chez Maxim's. »

Un tête à tête ne saurait lier Arletty. Elle adresse un message de sympathie à Bourdet, l'assure de sa sollicitude. Il se montre sensible à tant de fidélité, le lui dit. C'était au mois de mai 1938.

Deux mois plus tôt, le 12 mars, les troupes de la Wehrmacht envahissent l'Autriche. À Vienne, les soldats du Führer sont accueillis à bras ouverts. C'est l'Anschluss. En France et en Angleterre, mutisme officiel complet. À Paris, Léon Blum a d'autres soucis. La classe ouvrière l'a abandonné. Ses jours, à la tête du gouvernement, sont comptés. Dans un ultime élan, il propose l'union sacrée de tous les partis. La droite, hostile aux communistes, refuse. Le radical Édouard Daladier attend son heure.

Cavalier seul a tenu cent représentations. Au diable l'intrigue La critique retient pour l'essentiel le jeu des comédiens. Colette : « Il y a [enfin] Arletty qui est une très grande actrice, et qui semble à cent lieues de le savoir. Car Arletty, mystérieuse pour nous tous, est peut-être aussi un mystère pour Arletty [93]. »

Arletty garde le souvenir d'une pièce « fine, charmante, pas très gaie [94] ». Elle se rappelle surtout Carette et le fou rire inextinguible qui l'a saisie un soir sur scène en le voyant faire un irrésistible numéro de comique dans les coulisses.

« On a dû baisser le rideau. Bernstein ne m'en a pas voulu. Il était plein d'indulgence… quand la pièce n'était pas de lui. »

Elle se souvient aussi, bien sûr, de la classe de Bernstein, de sa générosité. Le directeur du Gymnase ne néglige rien pour le bien-être de ses acteurs. La veille de la générale, il lui écrit :

« Bien chère Arlette,
On portera ce rien chez vous pendant que vous serez devant la maussade chambrée des couturières une Danièle ravissante sur la scène de mon vieux Gymnase. Acceptez-le en souvenir de vos semaines de travail qu'ont embellies pour moi votre grâce, votre gentillesse, votre grand talent.
Mes plus affectueuses pensées. »

Le « rien » en question est un dessin pastellisé à la pointe de Constantin Guys, chroniqueur élégant du second Empire. « Le peintre de la modernité », selon Baudelaire. Collectionneur émérite,

Bernstein en possédera jusqu'à trois cents, à côté de ses Van Dongen, Dunoyer de Segonzac, Renoir, Courbet, Manet, Berthe Morisot, Vuillard, Matisse, Dufy, Derain, Picasso, Braque. Contraint et forcé, il a dû céder son Goya — *Don Manuel Osorio,* dit *L'Infant à la cage,* aujourd'hui au Metropolitan Museum de New York — au lendemain d'une culotte au baccara.

« Il a vendu sa collection de tableaux à Edward G. Robinson, dont *L'Homme à l'oreille coupée* de Van Gogh », raconte Arletty, attachée à son Constantin Guys, plus en souvenir du donateur que pour l'œuvre elle-même, un cheval attelé, aux lignes d'une pureté admirable. Un homme en haut-de-forme et habit, assis sur un cab, tient les guides. Esquisse du cavalier, ébauche de la voiture, le trait est fin, précis. L'attelage, lui, a par sa netteté la force d'une gravure. Jambes fuselées, croupe galbée, harnais solidement arrimés. C'est la reproduction vivante des équipages des boulevards du XIXᵉ, l'illustration du Paris d'autrefois.

Bernstein est un seigneur. Chauffeur, maître d'hôtel, valet de chambre, rien ne manque à ce flambeur impénitent. Arletty l'admire. Sa hauteur de vue, la noblesse de ses manières, sa distinction, son courage la séduisent. Lui aime sa spontanéité, son talent dénué d'artifices, le mélange de souveraineté et de simplicité qui la rend unique. Il l'adore. Lorsqu'ils dînent ensemble, les reparties fusent. Au cinéma sur les boulevards, où ils vont quelquefois, ils assistent à la sortie du film de Carné, *Le Quai des brumes.*

« Bernstein était ébloui. Moi, je n'avais qu'une envie, connaître Prévert. »

Outre les dialogues du film, la noirceur de la situation, la mélancolie des brouillards du Havre qui évoquent la sombre poésie des bords de Seine, le destin poisseux des personnages rappellent à Arletty des images de son enfance.

Été 1938. Deux mois à peine après la fin des prises de vues d'une comédie sans prétentions de Jean Boyer, *La Chaleur du sein,* la société de productions Impérial Film, de Joseph Lucachevitch, engage Arletty pour jouer « Europe » — la future Mme Raymonde — dans *Hôtel du Nord.* Le scénario est inachevé, le plan de travail en cours d'élaboration. Elle est néanmoins priée de se tenir à la disposition de Marcel Carné du 26 septembre au 26 octobre. Sans même savoir si son nom figurera en haut de l'affiche, juste après le titre, ou en vedette américaine, en caractères inférieurs à ceux d'Annabella et Louis Jouvet, elle accepte. Seule garantie : elle aura Tchimoukow pour couturier, le même que l'épouse de Tyrone Power, vedette numéro un au cinéma. De la présence d'Annabella dans un film dépend alors son succès commercial. Les pays d'Europe centrale raffolent de sa blondeur. Les producteurs sont formels.

Autre avantage : Lucachevitch pourvoit aux costumes, y compris à la fameuse robe-zip de «fille» attachée par une fermeture éclair oblique lui barrant la poitrine, ainsi qu'aux escarpins signés Perugia.

«Un modèle exclusif qui représente au moins quatre-vingts passes de Mme Raymonde.»

Un monde sépare le film de Carné de l'œuvre d'Eugène Dabit, parue en 1929, qui lui a servi de canevas. Le roman raconte sans fla-fla la vie d'ouvriers, de cheminots, de petites gens louant une carrée à la semaine ou au mois pour un prix modique. À la différence des locataires de la pension Vauquer, ils mènent une existence sans histoire, de labeur et de résignation, aux antipodes des héros de Balzac travaillés par l'ambition, la cupidité ou le vice. Chez eux, nulle idée de revanche sur le sort. Les jours se suivent, ordinaires, monotones, implacables, dans ce meublé de rapport sordide du 102, quai de Jemmapes. Il y a l'eau, l'électricité – un luxe. La façade grisâtre donne sur le canal Saint-Martin, son écluse, ses péniches, sa passerelle. L'univers intimiste qu'il décrit, Dabit le connaît mieux que personne, pour avoir été apprenti serrurier jusqu'à seize ans et avoir observé la détresse des pensionnaires logés précisément dans cet hôtel tenu par ses parents. Le lecteur en quête d'un récit haletant en est pour ses frais. Aucun événement saillant, aucun drame, si ce n'est celui qui consiste chaque jour à refaire les mêmes gestes, à redire les mêmes mots.

«Ça fout l'cafard.»

Publié à compte d'auteur, *Hôtel du Nord* possède toutes les qualités du roman populiste, mouvement littéraire éclos la même année. L'auteur procède à une étude de comportements avec pudeur et tendresse, évitant l'écueil misérabiliste.

Le succès du livre en librairie, puis sa traduction en allemand et en anglais, ont donné un coup de fouet à Céline qui, n'ayant encore rien publié, se remet au manuscrit de *Voyage au bout de la nuit* laissé en plan. «J'connaissais Dabit, qu'était au métro des Abbesses... C'était un très gentil garçon... Lui, vous savez qu'il était communiste… Alors, il se met à sortir *Hôtel du Nord* chez Denoël… Moi, à ce moment-là, j'avais un mal énorme à payer mon loyer, justement… C'était pourtant pas brillant, je vous assure… Alors, comment en sortir… Et je m'suis mis à écrire [95]. »

Arletty : « Il a cravaché pour terminer le *Voyage* à cause du battage fait autour du mouvement populiste. En somme, il était excité par Dabit. Il a été blousé. Y avait de la pureté chez Dabit qu'il n'y avait pas chez Céline. »

Une pureté stylistique : Dabit recompose le parler populaire, sans argot.

Encouragé par les ventes, ce dernier tente d'adapter son ouvrage au théâtre, puis au cinéma. Il renonce, faute d'action. Sa mort, d'une scarlatine toxique en août 1936 à Sébastopol, lors d'un voyage officiel d'écrivains en URSS avec André Gide, le prive du triomphe de la transposition de son roman à l'écran. Le film en a toutefois changé la perspective puisque la peinture de Dabit est réduite à une toile de fond. Les quatre personnages principaux – les amoureux joués par Annabella et Jean-Pierre Aumont, et le couple Arletty-Jouvet – sont des créations d'Henri Jeanson, coscénariste avec Jean Aurenche, et dialoguiste, un gage de qualité à une époque où de bouche à oreille, il est de bon ton de dire : «Allez voir le film, le dialogue est de Jeanson!» C'est lui qui a inversé l'importance des rôles d'un premier scénario, donnant consistance et relief au souteneur (Jouvet) et à sa fille (Arletty), reléguant les amoureux au rang de faire-valoir.

Que de réticences les modifications de Jeanson n'ont-elles pas éveillé de la part de Carné. Lui-même reconnaît avoir un moment hésité à confier ce rôle à Arletty, dont il n'avait vu qu'une silhouette dans *Pension Mimosas*. Il avait pourtant été le premier à penser à elle pour le personnage. Quant à Jouvet, l'idée de lui faire interpréter M. Edmond revient à Jeanson.

Début du tournage en septembre 1938. Carné choisit d'abord de filmer la séquence où Jouvet, assis sur son lit, manipule un appareil photographique, tandis qu'Arletty se fait une inhalation. Non sans mal. Elle se montre maladroite. Carné, angoissé, mime la scène. «Lorsque j'ai fini, Arletty me dit : "Ne vous en faites pas. J'ai compris." Pitoëff également disait avoir compris. Aussi ne suis-je qu'à moitié rassuré. On répète à nouveau. Cette fois tout est à sa place : texte, mouvements, accessoires. Tout. La répétition terminée, je bondis vers Arletty, la serre dans mes bras et l'embrasse avec sincérité, même si à mon effusion se mêle un certain soulagement.

« Tel fut le début d'une collaboration affectueuse qui durera près de dix années et que, seul, un accident devait brutalement interrompre. Non seulement Arletty sera mon interprète préférée, celle qu'on demande avec une grande chaleur au cœur, mais encore elle deviendra une amie fidèle et sûre, quoique à mon gré lointaine [96]. »

« Moi lointaine ? Y s'déplace jamais. »

« De plus, poursuit Carné, elle sera souvent ma confidente, comme je crois avoir été le sien durant un moment difficile de son existence. Et, on l'apprendra très vite, Arletty est tout à la fois la gouaille de Paris et la distinction, la drôlerie et la tendresse, le rire et l'émotion. Jeanson avait peut-être trouvé son plus beau mot d'auteur, lorsqu'il voulut lui confier le principal rôle d'un film qu'il devait tourner comme metteur en scène : *Lady Paname*. »

« Carné, c'est le Karajan du cinéma. »

Laconique, Arletty ressert volontiers le compliment en public, ajoutant parfois en aparté :

« Il a pas de cœur... pas d'émotion... C'est sa force ! »

Pour le reste :

« Un sou neuf, toujours astiqué... Mal luné... C'est vrai, il me confiait ses peines de cœur. »

La réalisation d'un film, et son hypothétique réussite, ressortissent à un travail d'équipe. Arletty le soutient mordicus. *Hôtel du Nord* n'échappe pas à la règle.

« Les opérateurs comptaient. »

Direction de la photographie : Armand Thirard, assisté de son bras droit Louis Née, un Parisien de pure souche à l'argot des faubourgs. Décor : Alexandre Trauner, qui a fidèlement reconstitué dans les studios de Billancourt l'hôtel des parents de Dabit. Le couple âgé et visiblement intimidé est plus encore ému, le jour où, répondant à l'invitation de Carné, il vient sur le tournage.

« Ils étaient touchants et tout simples. Ils portaient encore le deuil de leur fils. »

Et Jouvet ?

« Ça a été une joie de travailler avec lui. Il jouait pas du tout au grand professeur. C'était inattendu, ce maquereau intellectuel ! Une certaine allure... Un scientifique de son métier... Il s'était servi d'un début de bégaiement. Il en avait fait un truc épatant, car il maîtrisait cette chose saccadée. Un type très fort! Il avait l'amour du théâtre. C'est une performance d'aimer son métier à ce point!»

Les seconds rôles que Carné choisit méticuleusement sont excellents : André Brunot, Jane Marken, Paulette Dubost, Andrex, François Périer, Bernard Blier, Suzanne Raymone. Les dialogues, du vif-argent.

Tournage de la séquence sur la passerelle en fer du canal Saint-Martin. Jouvet, cigarette aux lèvres, cannes à pêche sur l'épaule, chapeau à peine incliné, est parfait de placidité dans son costume croisé impeccablement maintenu dans les plis. Arletty, œil gauche poché, mèches bouclées, sourcils charbonneux, lèvres soulignées, est prodigieuse dans son petit ensemble rayé. Elle le regarde, droit dans les yeux, furibarde, soupçonneuse qu'il veuille la plaquer pour Renée/Annabella. Dans ses mains, elle serre un sac signé Schiaparelli en forme de nécessaire à maquillage. Moteur.

Mme Raymonde. — Pourquoi qu'on part pas pour Toulon? Tu t'incrustes! Tu t'incrustes! Ça finira par faire du vilain.

M. Edmond. — Et après…

— Ho! t'as pas toujours été aussi fatalitaire.

— Fataliste.

— Si tu veux. Le résultat est le même. Pourquoi que tu l'as à la caille? On n'est pas heureux tous les deux?

— Non.

— T'en es sûr. T'aimes pas not'e vie?

— Tu l'aimes, toi, not'e vie?

— Faut bien, j'm'y suis habituée. Coquart mis à part, t'es plutôt bon mec. Par terre on s'dispute, mais au lit on s'explique et sur l'oreiller on s'comprend. Alors…

— Alors, rien. J'en ai assez. Tu comprends? Tu saisis? Je m'asphyxie. Tu saisis? J'm'asphyxie.

— À Toulon, y a d'l'air puisqu'il y a la mer. Tu respir'ras mieux.

— Partout où j'irai, ça sentira l'pourri.

— Allons à l'étranger, aux colonies!

— Avec toi?

— C't'idée!

— Alors, ça sera partout pareil. J'ai besoin d'changer d'atmosphère, et mon atmosphère, c'est toi…

— C'est la première fois qu'on m'traite d'atmosphère!… Si j'suis une atmosphère, t'es un drôle de bled. Oh là là!... Des mecs qui sont du milieu sans en être et qui crânent à cause de c'qui z'ont été, on devrait les vider!... Atmosphère?... Atmosphère?... Est-ce que j'ai une gueule d'atmosphère? Puisque c'est ça, va-z-y tout seul à la Varenne... Bonne pêche et bonne atmosphère!»

Les phrases claquent. L'humour crépite. L'échange est foudroyant, l'ultime réplique percutante. Un classique du cinéma, gravé dans toutes les mémoires.

«Un "mot" qui a l'air de sortir du chapeau d'un prestidigitateur. Il n'est pas dans le roman *Hôtel du Nord*. Il est de Jeanson. Une trouvaille de poète. Il vaut les mille cinq cents lignes de Cyrano!... Je ne le dis jamais. Il appartient au public. »

Petite dérogation en janvier 1963 sur la scène de l'Odéon-Théâtre de France. Hommage est rendu à la mémoire de Jouvet, mort douze ans plus tôt. Arletty est dans les coulisses. Jeanson l'attire sur la scène. Elle cède à sa pression amicale. L'écho, répercuté à l'écran par le décor de l'écluse du canal Saint-Martin, est amorti par les baignoires de velours. Le cadre est faussé.

«Ça ne compte pas.»

Il lui échappe presque à nouveau le 12 mars 1980 pour vanter la beauté des Alpes-de-Haute-Provence.

«Forcalquier, c'est atmosphérique.

— C'est comment?

— Mais vous avez vu, j'l'ai dit qu'une fois [97]!»

«Atmosphère» signe son entrée dans la légende du cinéma, et devient la réplique fétiche de ses admirateurs. Combien de fois Arletty n'a-t-elle pas été sollicitée pour la redire une dernière fois. Qui ne l'a pas un jour priée de la répéter pour la conserver jalousement sur magnétophone. Aimable ou agacée, elle s'y refuse obstinément.

«Non mais, vous voyez la poule qui serait toujours à r'faire son numéro! Ce serait grotesque. Les gens diraient : c'est une vraie connasse! Et ils auraient raison.»

«Atmosphère» devient, de fait, banni de son vocabulaire. Elle lui substitue : «le mot», terme qu'emploient sans rire quelques-uns de ses inconditionnels.

Arletty connaissait Jeanson. De vue, pour l'avoir aperçu dans les restaurants à la mode des années vingt avec la bande des moins de trente ans; de réputation pour ses articles polémiques dans *Le Canard enchaîné* et ses dialogues cinématographiques. Il est spirituel, virulent, caustique, fantasque au point de se livrer à l'éreintement de films auxquels il a collaboré. Sa fantaisie indispose, son pacifisme irrite, plus encore à l'approche de la guerre. Mourir pour Dantzig, selon l'expression consacrée, Jeanson-le-pacifiste s'y oppose et le clame noir sur blanc à sa façon. Riposte de la justice militaire : cinq ans de prison ferme. Motif : défaitisme. Il est arrêté, incarcéré à la Santé. Arletty lui adresse *illico* un mot de réconfort, témoignant de sa sympathie, son admiration, son affection. Indéfectibles. Réponse de Jeanson :

« le 12 novembre 1938

Chère Arlette,
Votre lettre est la première de toutes. Je n'en suis d'ailleurs pas surpris mais j'en suis bougrement touché et je vous embrasse fort. Je comprends maintenant très bien pourquoi je trouve tout de suite des répliques quand il s'agit de vous. C'est sans doute que vous me les dictez, ou que nous pensons de même... Il y a des gens qui lorsqu'ils se rencontrent font du brouillard. Nous ça fait des étincelles... Enfin, en un mot comme en dix, je vous aime bien et je vous embrasse car vous êtes une vraie frangine − comme dirait la Madame Édouard Bourdet.

Votre. »

L'atmosphère, politiquement parlant, s'est alourdie en septembre. Le feu couvait en Europe. Hitler s'entête à vouloir redonner au Reich ses frontières d'avant 1919, à reprendre la région des Sudètes. La « conquête de l'espace vital » de l'Allemagne est le programme qu'il s'est fixé, et qu'il entend appliquer point par point, fût-ce au péril de la jeune Tchécoslovaquie. Les chancelleries s'agitent. En France, Daladier rappelle un million de réservistes. Paris prend un visage grave. Au pied des monuments s'entassent des sacs de sable; au Louvre, les œuvres d'art sont remisées dans des caisses. Comme en 1914, l'enthousiasme en moins. Sur le tournage d'*Hôtel du Nord*, l'équipe se dégarnit. Deux électriciens de plateau reçoivent leur fascicule de mobilisation, puis deux machinistes et un aide opérateur, un jeune acteur, enfin, Jean-Pierre Aumont. Le film est interrompu. Arletty part seule sur les routes, au volant d'une Voisin rutilante.

« Carné disait qu'Hitler avait fait ça pour empêcher le tournage d'*Hôtel du Nord*. »

Rire pour conjurer le danger et ne pas penser au pire, point de meilleur remède ! La guerre ? Allons donc ! Ce serait compter sans le formidable ballet de haute diplomatie en cours. Mussolini mène la danse. Daladier et Chamberlain, le Britannique au sempiternel parapluie roulé, font un pas, puis deux, de conciliation. Hitler, inflexible, régente en maître. Conférence des quatre à Munich. Des accords sont signés le 30 septembre 1938. La Tchécoslovaquie, lâchée par ses alliés, est démembrée.

« Quand ils sont rentrés de Munich, on leur a fait une fête avenue de l'Opéra ! »

Détente appréciable. La guerre est évitée. Pas pour longtemps. En attendant, chacun peut de nouveau vaquer à ses occupations et le film redémarrer. Arletty tourne avec Raymone, la femme de chambre d'*Hôtel du Nord*, compagne de Blaise Cendrars, qui la fait inviter place Sainte-Clotilde à la table d'Ambroise Vollard, le grand collectionneur et marchand d'art.

« Il changeait les tableaux chaque semaine. »

Attraction des déjeuners du jeudi et des dîners : Maurice de Vlaminck, célèbre peintre des vues de Montmartre. Ses propos anarchistes et grivois égayent la tablée. Arletty écoute, se divertit. Après la guerre, elle lui rend visite dans sa ferme de Normandie où il vit retiré. Un couple l'accompagne, Frédéric Gérard dit Polo et sa femme, patrons du cabaret très parisien de la Butte, Au Lapin Agile. Vlaminck a un violon d'Ingres : écrire des polars. Dans *Fausse couleur*, paru en 1957, un roman sans crime ni suspense, au style plus impressionniste que théorique, il modèle son héroïne Pierrette d'après l'Arletty d'*Hôtel du Nord*.

Le film de Carné sort le 10 décembre 1938. La critique est mitigée. Dans *Regards*, l'historien communiste Georges Sadoul boude la verve de Jeanson. Le beau rôle fait aux gangsters et aux barbeaux lui déplaît, le sort malheureux des petites gens froisse ses idéaux. Dans *Je suis partout*, l'extrémiste de droite François Vinneuil, pseudonyme de Lucien Rebatet [98], en dénonce le ton « prolétarien ». Dans *Paris-Soir*, Marcel Achard, d'une droite beaucoup plus modérée, est dithyrambique.

Les réactions, dans l'ensemble, sont tièdes. Carné s'y attendait

– il le dira des années plus tard – de même, assure-t-il, qu'il s'attendait au succès du couple Arletty-Jouvet sur celui formé par Annabella et Jean-Pierre Aumont.

Arletty fait d'emblée l'unanimité. «La grande vedette de ce film, écrit Sadoul, c'est Arletty. Son abattage est vraiment prodigieux et elle a fait une création haute en couleurs d'une putain des boulevards extérieurs.»

François Vinneuil : «Le seul rayon de bonne humeur du film est fourni par Mlle Arletty, d'une gouaille naturelle, qui porte à chaque coup.»

Georges Altman dans *Lumières* : «Elle parle, Arletty, avec une amère drôlerie, elle a des cris de fière, de villonesque truandise.»

Surenchère d'Achard : «On ne pourra plus oublier le couple burlesque, extravagant et adorable que forment Louis Jouvet et Arletty. [...] Louis Jouvet, ce très grand comédien dont c'est un des très bons rôles, et Arletty, qui est géniale, simplement.

Géniale.

Et c'est peu dire.»

Tournant décisif dans sa carrière cinématographique, *Hôtel du Nord* lui apporte la consécration, comme *Fric-Frac* deux ans plus tôt au théâtre. À la différence de la pièce de Bourdet, le film de Carné et Jeanson touche un bien plus large public populaire. Auréolée de sa nouvelle gloire, Arletty est plus que jamais demandée par les producteurs. Les propositions de contrats affluent, ses cachets passent en quelques semaines du simple au double, puis au triple, à quelques milliers de francs près.

«Il faut dire qu'Arletty était l'âme du film, écrit Carné. Elle transcendait certaines répliques, certains mots d'auteur que je n'aimais guère à cause de leur pittoresque outré, comme la fameuse "atmosphère" à laquelle son talent, sa magie d'artiste firent le succès que l'on sait. Aujourd'hui encore, je ne peux prononcer le mot "atmosphère", même dans les circonstances les plus sérieuses, sans qu'un interlocuteur le reprenne en s'efforçant d'imiter l'accent parigot, un peu traînard, de celle qui avait lancé la réplique, devenue fameuse, sur la passerelle étroite d'une écluse enjambant le canal Saint-Martin [99].»

Le site, à son tour, entre dans la légende. De mythique, il devient touristique. Il est visité, photographié, admiré. L'hôtel du Nord des Dabit, pourtant sans caractère, n'a servi que d'intitulé, que de vague trame au film. Qu'importe. Arletty lui a donné une âme. Et c'est assez. Que des spéculateurs s'avisent, en 1989, d'y substituer des appartements de standing et c'est le tollé. «Au scandale!» crient ses défenseurs, cinéphiles ou écologistes.

«Autant démolir la tour Eiffel!», s'amuse Arletty, priée de donner son avis.

La façade, classée monument historique, est sauvée. Les studios de Billancourt, eux, ont été rasés. Nul n'a protesté. Toutes les scènes du film y ont pourtant été tournées. Oubli ou méprise pardonnables. Billancourt n'est pas Paris.

C'est encore à Billancourt qu'Arletty tourne, sous la direction de Carné, son film suivant. Signature du contrat la veille même de la sortie d'*Hôtel du Nord*, et par conséquent de sa grande consécration à l'écran. Titre provisoire : *La Rue des Vertus*.

«Enfin, je connais Prévert!»

Chapitre VIII

Presque tous nos malheurs nous viennent
de n'avoir pas su rester dans notre chambre.

PASCAL

Dernières images d'*Hôtel du Nord*. Annabella et Jean-Pierre Aumont sont assis l'un près de l'autre sur un banc, au bord du canal Saint-Martin.

Elle. — Le jour se lève.

Lui. — Il va faire beau...

Elle. — Viens, maintenant c'est fini...

Lui. — Quoi donc?

Elle. — L'hôtel du Nord...

Plan final : ils se lèvent, s'éloignent.

Hasard du scénario ou flair de Jeanson, les répliques d'Annabella auraient très bien pu être prononcées par Arletty, tant elles reflètent sa situation professionnelle du moment.

Prévert est en panne d'inspiration. *La Rue des Vertus* est abandonnée. Carné défend un synopsis en trois pages de Jacques Viot, qui l'a séduit par sa construction technique de retours en arrière : *Le jour se lève*. Un mode narratif nouveau auquel le cinéaste veut recourir en usant de fondus, pour raconter comment un ouvrier d'usine devient un meurtrier assiégé dans sa chambre d'hôtel minable.

Prévert s'attelle aux dialogues. Changement de scénario, mais maintien des trois interprètes prévus initialement : Gabin en vedette,

Jules Berry et Arletty. Le jour se lève bel et bien pour celle-ci qui fait la connaissance de Jacques Prévert. Une relation forte, sans ombre, unique. On peut parler d'amitié, d'estime, d'admiration et d'affection entre eux. Mais une communion d'esprit les lie, une entente exemplaire et durable, très souvent tacite, que confirment un geste, un signe, un mot, un poème. Ni elle ni lui ne cèdent aux effusions. Ils se comprennent à demi-mot, par une moue, des regards, des silences, des rires. Une vraie complicité, adolescente et subversive, les unit.

Subvertir l'ordre établi, tous les ordres établis, Jacques Prévert s'y entend mieux que personne. Par le burlesque, la loufoquerie, le gag, l'insolite. Ses armes sont les mots et les images qu'il manie avec un bonheur iconoclaste. L'absurde est son allié constant, la tendresse, sa force. Il a vraiment tout pour plaire à Arletty. Et ils se plaisent et s'aiment comme un frère aime une sœur. Et réciproquement, d'un amour pur.

Ami des peintres – Picasso, Miró, Calder –, des photographes – Brassaï, Izis, Doisneau –, Prévert est un touche-à-tout auquel répugnent le sérieux et les dogmes. D'où sa désertion du surréalisme, quand Breton, autoritaire et despotique, en devint «le pape». Son anticléricalisme jubilatoire ne ménage aucune chapelle.

Avec le groupe Octobre, un collectif théâtral «révolutionnaire» proche du PCF, et qui tire son nom de la victoire bolchevique de 1917, il «fait l'acteur» à Moscou en 1933. Pendant le Front populaire, le comédien Raymond Bussières lit ses textes aux ouvriers en grève de chez Citroën, quai de Javel à Paris. Prévert est un poète des rues, un poète populaire. Mais, c'est d'abord et surtout un homme de cinéma – adaptateur, scénariste, dialoguiste.

Avant *Le Quai des brumes*, il collabore à *L'affaire est dans le sac* de son frère Pierre, écrit *Jenny* et *Drôle de drame* de Carné, *Le Crime de Monsieur Lange* (1935) de Jean Renoir – dont Arletty garde un souvenir émerveillé. Il sera aussi l'auteur des *Visiteurs du soir*, des *Enfants du paradis*, un parolier : *Les Feuilles mortes* et un poète : *Paroles*, *Fatras*.

Rêveur mélancolique, Prévert a la veine poétique. Pas de tristesse dans ses vers, mais une sorte d'allégresse apocalyptique aux multiples pieds de nez et à l'incongruité débordante. Avec un humour d'un noir d'encre, il chante des amours splendides, un hymne constant à l'indiscipline. C'est un poète béni, comme d'autres sont maudits.

Même s'il bouffe du curé à longueur de rimes, il est certain d'obtenir l'absolution. Sa tolérance, son amour de l'humanité lui font tout pardonner.

> *« Ceux qui pieusement...*
> *Ceux qui copieusement...*
> *Ceux qui tricolorent*
> *Ceux qui inaugurent*
> *Ceux qui croient*
> *Ceux qui croient croire*
> *Ceux qui croa-croa... »*

Sa *Tentative de description d'un dîner de têtes à Paris-France* fait le bonheur d'Arletty qui se la répète à voix haute comme on fredonne un air aimé.

L'allure de Prévert le rend attachant. Familier des quartiers de Paris, dont il préfère la place Clichy, la Villette ou Saint-Germain-des-Prés, il trottine, un éternel mégot aux lèvres, un chien ou un chat sur les talons. L'intelligence pétille dans le regard lourd. Il a les yeux fanés, la voix rauque et nerveuse, le ton saccadé. Lorsqu'il parle, on croit qu'il dicte. Ses idées s'emboîtent comme des poupées russes, pour la plus grande joie de sa bande de copains – acteurs, auteurs, artistes, techniciens. Au cinéma, ce sont les mêmes : Pierre, son frère inséparable, Alexandre Trauner, le décorateur, Louis Bonin alias Tchimoukow, le costumier, Joseph Kosma, le compositeur, Marcel Carné et tant d'autres – qui se retrouvent, selon les films, sur les tournages.

Arletty, qui n'en oublie aucun, a toujours une pensée pour Maurice Jaubert.

« Il a fait la musique du *Jour se lève*, une véritable symphonie... Sa dernière. Il est mort à la guerre. Un être prédestiné. J'l'ai connu là, sur le tournage. D'une drôlerie ! Il avait du talent... Qu'est-ce qu'il foutait à la guerre ! »

Compositeur des musiques de *Quatorze Juillet* de René Clair, de *Carnet de bal* de Duvivier, de *Drôle de drame*, du *Quai des brumes* et d'*Hôtel du Nord* de Carné, Maurice Jaubert fut tué sur les rives de la Moselle le 19 juin 1940. Il n'avait pas quarante ans.

Dans *Le jour se lève*, Arletty (Clara), en collant noir et tutu, interprète la compagne de Berry (Valentin), dresseur de chiens dans un café-concert, un couple en désunion qui se séparera la première occasion venue. Elle, sensuelle et désabusée, s'éprend de Gabin (François), métallo romantique, lui, vieillissant et cynique, de Jacqueline Laurent (Françoise), jeune fleuriste candide. Des rapports se nouent, complexes, acides, inextricables. Le rôle d'Arletty tranche sur ses précédents. À la fille gouailleuse et pittoresque qui chaloupait des hanches dans *Hôtel du Nord*, fait place la femme solitaire et grave qui accepte sans colère d'être délaissée. La gravité l'emporte sur la fantaisie, y compris quand, sur l'air d'«atmosphère», un clin d'œil à Jeanson, Prévert fait dire à son héroïne : «Des souvenirs, des souvenirs… Est-ce que j'ai une gueule à faire l'amour avec des souvenirs?» Sous sa patte, la mue d'Arletty s'opère, en douceur, pour s'achever quatre ans plus tard dans *Les Enfants du paradis*. Car c'est bien de 1939 que date le changement d'emploi d'Arletty au cinéma, une rupture de style passée alors pratiquement inaperçue, la critique notant sa métamorphose trois ans plus tard seulement, dans *Les Visiteurs du soir*. «Moi, ce qui m'intéresse le plus, ce sont les acteurs», dira Prévert en 1965. «Je créais des rôles en fonction des acteurs. On les a même fait changer d'emplois dans les films de Carné. Avec Renoir, dans le cas du seul film que j'ai fait avec lui, on a fait changer Jules Berry d'emploi [100]. Arletty, on l'a fait changer tout de suite.» Pense-t-il au *Jour se lève*? Prévert ne le précise pas. «Pour *Les Enfants du paradis*, poursuit-il, les gens disaient : "Vous vous rendez compte, avec son accent!" Nous avons répondu : "Écoutez, vous ne voudriez pas qu'elle ait l'accent de la reine d'Angleterre, alors foutez-nous la paix [101]."»

Arletty, elle, se refuse à l'analyse.

«J'n'avais d'yeux et d'admiration que pour Berry. Il se détachait par sa désinvolture. Oui, c'est ça, sa désinvolture.»

Elle lui a donné la réplique au cinéma pour la première fois en 1936 dans *Aventure à Paris* de Marc Allégret. Il interprétait un séducteur mondain, elle était une ex-théâtreuse enjôleuse. Dans le film de Carné, Berry fanfaronne à son habitude, virevolte, authentique acrobate des mots. Sous l'aplomb du prestidigitateur perce l'ensorceleur, louche et pervers, que Prévert révélera pleinement dans *Les Visiteurs du soir*.

«Il disait n'importe quoi quand il ne savait pas son texte. Mais à moins d'un incident technique, c'était bon à la première prise.»

Gabin est la vedette masculine du *Jour se lève*. Arletty l'avait entrevu autrefois chez Fyscher quand, jeune matelot, il venait attendre sa compagne Gaby Basset. *La Bandera*, *La Belle Équipe*, *Pépé le Moko*, *La Grande Illusion* et *Le Quai des brumes* l'ont rendu célèbre. Son visage s'étale en couverture des magazines de cinéma.

« C'est l'acteur qui a fait le plus de films en restant lui-même. Quelle gageure de faire une carrière de séducteur avec une bouche sans lèvres ! La veine aussi qu'une époque aille avec les yeux et le p'tit tailleur. Des yeux bleus grand teint... Sa marche à petits pas de danseur de java lui venait d'son passage aux Folies-Bergère. Il était très fier de ses pieds, des pieds de femme élégante. J'crois même qu'il a eu le premier Grand Prix d'Honneur des pieds... Un d'ses copains a voulu l'faire passer pour un mahousse [102]. Moi j'gantais du sept, lui du six ! J'chaussais du trente-sept, lui du trente-six ! »

Arletty se sent d'instinct plus proche d'un Berry, flambeur éperdu, que d'un Gabin, investisseur sagace.

« J'ai une admiration professionnelle pour Gabin... Seulement. Ça ne m'engage pas de dire ça ?... De quel côté il était en politique, j'vous dirais pas. Il aurait été du côté d'la droite pour son porte-monnaie. »

À un moment, Gabin et Berry se donnent la réplique sous l'œil attentif d'Arletty, silencieuse.

« Berry était impressionnant sans faire d'effort. Gabin le regardait l'air de dire : "Mais qu'est-ce qu'il fait ce type-là ?... J'suis pas si con qu'j'en ai l'air !..." Il était devant un acteur rare, le plus rare que j'aie vu. »

« C'était, pour moi, presque impossible de jouer avec lui, confie Gabin à son ami André Brunelin. J'en arrivais à m'arrêter à plusieurs reprises, pour le regarder faire et ce qu'il faisait tenait du génie. J'en bavais des ronds de chapeaux. [...] Aucun acteur ne m'a jamais épaté comme Berry dans *Le jour se lève* [103]. »

Une scène montre Arletty, tout sourire, nue sous la douche, tenant pudiquement une éponge en guise de feuille de vigne.

« Mon record de déshabillage. Vichy l'a coupé... Voyez bien mes protections ! »

Le plan, que Carné juge capital pour la compréhension de l'histoire, est en effet censuré en 1940. Il n'est toujours pas rétabli. Aujourd'hui encore, on voit juste Gabin entrant dans la chambre, se diriger vers la cabine de douche, puis se hisser sur la pointe des pieds tout en lui jetant un regard concupiscent. Saisi d'un désir impérieux, il va s'étendre sur le lit, pensif.

Devenu un classique du cinéma, *Le jour se lève* est fraîchement accueilli à sa sortie, qui a lieu moins de trois mois avant la déclaration de la guerre.

« Ça n'a pas été un succès, mais j'm'en tapais complètement, complètement!... Pas un bide, attention. Pas un succès. »

Début 1939, le rythme des tournages s'accélère. Arletty interprète quatre films en six mois : *Le jour se lève*, puis *Fric-Frac* de Maurice Lehmann et Claude Autant-Lara, adapté de la pièce de Bourdet avec Michel Simon et Fernandel dans le rôle tenu à la scène par Victor Boucher ; *Circonstances atténuantes* de Jean Boyer, avec encore Michel Simon ; *Tempête sur Paris*, un film de Bernard-Deschamps, avec Erich von Stroheim, Dalio, Carette. Son dernier avant la guerre.

Le jour, elle tourne, le soir, elle répond aux invitations. Au théâtre, à l'Opéra, à dîner, à souper, dans les boîtes. De temps à autre, son vieil ami Zygomalas, natif de Grèce, la guide au One Two Two de la rue de Provence, que hante le gratin dévoyé de la haute société internationale – des hommes politiques aux gangsters –, comme dans les années vingt. Une clientèle triée sur le volet vient s'encanailler avec les belles pensionnaires dans des chambres aux noms exotiques : Tahiti, Chandernagor, San Francisco. Décor principal : un village de France avec sa place, son clocher, sa mairie, sa poste. L'industrie du vice prospère, jusqu'à son interdiction en 1946 sous le coup de la loi Marthe Richard, l'illustre tenancière reconvertie dans la lutte pour la libération de la femme.

« Fermer les maisons closes, c'est plus qu'un crime, c'est un pléonasme. »

Rien ne parvient à émousser la curiosité d'Arletty. La cadence de ses sorties est pourtant moins frénétique qu'elle n'a été. Elle n'est plus l'oiseau de nuit qui s'épuisait jusqu'à l'aube dans les endroits à la mode. Quelque chose est cassé avec Jean-Pierre Dubost, toujours présent malgré tout, toujours dévoué, fidèle, aimant, prêt à composer, à essuyer les rebuffades, à s'effacer au moment opportun.

La Chartreuse de Parme d'Henri Sauguet est l'événement lyrique de mars 1939 à l'Opéra de Paris. Germaine Lubin, l'éblouissante soprano, interprète l'ouvrage d'après le roman de Stendhal, dans des décors de Jacques Dupont. À la Libération, elle sera arrêtée pour avoir chanté du Wagner devant des parterres nazis.

Après une représentation de l'opéra de Sauguet au Palais Garnier,

Arletty soupe chez Helena Rubinstein, la créatrice de cosmétiques. Sa voisine de table est une femme longiligne à l'élégance racée, avec des cheveux auburn coupés sur la nuque, un cou de cygne, le visage oblong. La noblesse de ses traits, la fraîcheur de son teint légèrement ivoire, l'ardeur de ses yeux noisette, tout, chez elle, polarise l'attention.

« Une ravissante, descendue d'un tableau de Gérard. »

Elle a la voix claire, bien timbrée, d'une mezzo. Comme le premier violon d'un orchestre, elle donne le ton de la soirée. D'où le surnom qu'Arletty lui accole d'emblée : « La ».

Antoinette d'Harcourt est la descendante directe du frère de François Gérard, le peintre de *La Bataille d'Austerlitz* et du *Portrait de Mme Récamier*, anobli sous la Restauration. Sa naissance, son titre de duchesse lui assurent ses entrées dans le monde, auprès des artistes. Son éducation rigide se recommande par ses manières un rien compassées. Mais il suffit qu'une fraction de seconde elle oublie son rang, écoute son cœur battre, pour céder à ses élans. Alors, le code des convenances vole en éclats et elle succombe à ses passions secrètes que les usages de la haute société n'ont pu abolir. Les feux du regard, où se lisent la profondeur d'une âme perdue, les revers subits, les vices indomptés, conquièrent Arletty qui ne saurait aimer des êtres parcimonieux, rassis, ordinaires.

« Colette, Marie Laurencin, Antoinette d'Harcourt sont les femmes que j'ai aimées. C'était spirituel. »

Sa grande admiration va à Colette.

« Un bonhomme ! Elle avait gardé son accent bourguignon. Quand j'la rencontrais chez Crèpelet, le grand fromager de la place de la Madeleine, elle me r'commandait toujours de prendre de la fourme d'Ambert, "l'emp'rreur des frromages". »

Avec Marie Laurencin, Arletty établit des « parallèles » : même liberté d'esprit, même crânerie envers la mère, même contemplation de l'amour, même liaison dangereuse avec un Allemand. Marie Laurencin épouse le sien, un aristocrate, avant la première guerre.

« Marie, un être rare que je regrette de ne pas avoir mieux connu. On se saluait. Pour moi, elle aimait les femmes. Elle devait me prendre pour un jules. Je n'pense pas qu'elle ait eu une attirance physique pour moi. Spirituelle, oui. »

Il en va tout autrement avec Antoinette d'Harcourt, femme sensible et tourmentée, assez réservée au premier abord. La duchesse est un volcan qui sommeille. De tous ses plaisirs, le plus grand est certainement de fumer de l'opium, une habitude remontant aux années trente. L'effet de la drogue la transfigure, ses facultés intellectuelles se décuplent, ses sens se débrident. L'exaltation fouette ses ardeurs secrètes, aiguise sa volupté, commande à ses désirs. Elle, si fière de sa naissance, ne craint pas de fouler l'étiquette sociale, quitte à offusquer la reine d'Angleterre. «Elle allait ouvrir le bal à la cour d'Angleterre. J'éclate de rire... Je descends faire une cure dans les Pyrénées. "La" me rejoint à Collioure à l'hôtel de la Balette et laisse tomber la cour. Une longue amitié nous unit, brisée en 1944. La guerre... la guerre [104]... »

Une amitié particulière?

«On ne prête qu'aux riches... Il faut connaître son propre sexe. J'ai jamais mis mon nez dans un sexe de femme, on a beau me prêter des choses de gousserie... Je m's'rais peut-être fait faire des trucs, mais toucher, moi, jamais! Plutôt me tuer. Je suis nettement pour les hommes. Les femmes, c'étaient des petits accidents. Y en a qu'une du reste... Antoinette d'Harcourt. »

Qu'elle appelle aussi parfois «Fleur de lit».

L'attraction d'Arletty sur les femmes est puissante, et elle en joue. Nombreuses sont celles qui, par leurs visites régulières, leurs attentions généreuses, lui témoignent de l'empressement et de l'affection, qu'elles soient titrées ou sans grade, rentières, comédiennes, femmes d'affaires, secrétaires, employées des grands magasins.

Drapée dans sa souveraineté, Arletty, courtoise, sourit à ses adoratrices, sans croire un mot de leurs louanges. Elle se connaît trop. Inaccessible elle est, impénétrable elle demeure. Parfois, d'étranges rapports se nouent, dignes des traités de morale sado-masochiste. Par exemple, quand l'une de ses admiratrices, flattée d'être reçue, se présente à elle docile, asservie, et que survient la terrible mise à l'épreuve de se voir préférer une nouvelle venue. Des antagonismes se créent entre les élues, des antipathies mortelles se développent. L'amitié d'Arletty n'est jamais gagnée; son intimité, un domaine strictement réservé, est rarement acquise. Parce que, chaque jour, telle femme sonne à sa porte à heure fixe, lui tient compagnie, partage son champagne, lui passe ses mules et ses robes, elle pourrait se croire investie d'une confiance illimitée. Erreur. Une parole déplacée, un soupçon de mesquinerie, d'égoïsme, de jalousie peuvent tout détruire. Quand elle intime l'ordre de sortir, c'est pour de bon.

Premier séjour à Collioure, avec la duchesse d'Harcourt. Elles font le tour du village, échangent un mot avec les uns, bavardent avec les autres, font la connaissance des notables de Perpignan, sympathisent avec le gardien du Fort Saint-Elme, se lient avec René Pous, patron du café-restaurant des Sports où tout le village se retrouve le soir. Elles respirent aussi à pleins poumons, longent les remparts, la Côte Vermeille, repèrent la bicoque du peintre Albert Marquet dominant la mer, prennent le temps de ne rien faire. Des jours d'enchantement.

« En remontant sur Paris, on s'est arrêtées à Albi. On a fait ouvrir le musée pour voir les Lautrec. On a donné un pourliche. Antoinette d'Harcourt avait passé son voyage de noces à parcourir les musées d'Europe au pas de course, elle en était dégoûtée. »

La Lancia a été vendue. Arletty pilote un cabriolet Packard douze cylindres, le dernier modèle importé des États-Unis.

« Une décapotable grise avec toit noir en toile, des fauteuils rouges. Je l'ai eue quand je tournais *Circonstances* en 1939. Jean-Pierre l'a gardée pendant toute la guerre à Lyon. Quand les Russes sont descendus à l'ambassade, on la leur a donnée. L'ambassadeur de Russie roulait dedans. »

La Packard a été réquisitionnée pendant plusieurs mois vers la fin de la guerre sur ordre du ministère de l'Intérieur.

En attendant, les cachets d'Arletty font la culbute. En huit mois, elle devient l'actrice la mieux payée. Pour les deux semaines de tournage de *Circonstances atténuantes*, le film tiré du roman de Marcel Arnac *À l'héritage*, dans lequel elle incarne « Marie Qu'a d'ça », un personnage de mauvais garçon en jupon, elle touche 250 000 francs. *Hôtel du Nord* ne lui en a rapporté que 75 000.

Son premier geste est pour Pierrot, son frère ouvrier mécano. Elle voudrait lui acheter un garage, l'aider à améliorer sa situation. Inutile. Si le bonheur ne se décrète pas, le talent de gestionnaire non plus. Pierrot n'a pas la bosse des affaires. Elle en a conscience, renonce, lui offre une petite maison normande à colombages et toit de chaume, avec un terrain, une grange, une écurie. Le tout, pas trop loin de Courbevoie. Il y passe ses vacances en famille, avec les copains d'usine.

Pierrot est un être discret jusqu'à l'effacement. S'il a vu les films d'Arletty, il ne lui en parle pas. Sauf peut-être une fois par hasard.

«Il est jamais v'nu m'voir au théâtre... C'était difficile d'être mon frère... Il a réussi.»

En secret, il la vénère, et sifflote évidemment *Comme de bien entendu*, à l'été 1939, la chanson de Van Parys qui, sur des paroles du réalisateur Jean Boyer, popularise *Circonstances*. Le portrait d'Arletty en casquette de métallo, par Roger Corbeau, fait la couverture des journaux et le tour du monde. «La photo a été prise un matin avant le tournage, dans les studios Pathé rue Francœur, se souvient le photographe de plateau. J'avais fait sa connaissance sur *Fric-Frac*. C'était déjà une vedette. Moi, je sortais de chez Pagnol. J'étais presque un débutant. On a sympathisé tout de suite. Il y a des comédiens qui se concentrent pour être eux-mêmes. Dans ce cas, je les laisse tout bêtement sur une chaise. Avec l'attente, la fatigue, ils se relâchent. Arletty, elle, faisait partie de ces gens faciles, qui sont instantanément dans le coup. Je ne voulais jamais qu'elle soit souriante. Je n'ai pas tourné de sujets dramatiques avec elle [105]. Mais son œil est toujours dramatique, lourd de pensées. Des pensées rapides [106].»

Sa réplique «Pas folle, la guêpe!» entre au dictionnaire. Michel Simon, son partenaire, joue Le Sentencier, un ancien procureur. Pour ramener dans le droit chemin une bande de petits truands dont elle fait partie, il devient leur chef et organise jusqu'au cambriolage de son propre domicile.

Le film est gai, bienvenu en cette fin juillet 1939, chargée de nouvelles menaces pour la paix du monde. Hitler veut reprendre Dantzig, le grand port polonais sur la mer Baltique.

Avant même la sortie en salle de *Circonstances atténuantes*, Arletty signe un engagement avec le producteur et réalisateur Roger Richebé pour ce qui doit être le premier grand film français en Technicolor, *Madame Sans-Gêne*.

Au défilé militaire du 14 juillet, grandiose et chatoyant avec les tirailleurs sénégalais, les fantassins tonkinois, les Marocains à cheval qu'admirent bouche bée le roi Carol de Roumanie, le sultan du Maroc et Winston Churchill, Arletty préfère les bals populaires où l'entraîne Dubost. De la Bastille à la République, Paris s'étourdit sur des airs d'accordéon. «One, two, three, boom à Daisy», hurlent les danseurs, en se tapant le postérieur. Diables d'Anglais, toujours en avance d'une cadence! Sur les marches de l'Opéra, «l'Ange bleu» – Marlene Dietrich – chante *Auprès de ma blonde*, en français.

«Avec un prin d'agzent... Je m'demande quel est l'ange parisien qui aurait le culot de chanter une vieille marche allemande, en allemand, sur les marches de l'Opéra de Berlin!»

La fête nationale a ses traditions. Et ses vedettes. Naguère, la chanteuse Marthe Chenal s'est produite devant le Palais Garnier et place de l'Étoile, en fiacre découvert.

«C'est elle qui a chanté *La Marseillaise* en 1914. Chez Fyscher, elle était cliente de luxe. Pensez, elle chantait à l'Opéra!... Adorable fille, belle, sculpturale.»

Arletty déroge rarement à son habitude d'effectuer des séjours à la montagne. L'air pur des cimes lui réussit depuis qu'elle y a goûté, enfant, dans le Puy-de-Dôme. Le climat l'apaise. La lecture, de longues marches, la compagnie d'un ou une ami(e) occupent ses loisirs. Pendant des années, les Alpes, françaises ou suisses, ont eu sa préférence presque exclusive. À présent, elle se retire aussi parfois dans les Pyrénées. À Salies-de-Béarn, en août 1939, elle suit une cure. Une quinzaine de jours à l'hôtel du Parc, loin de l'agitation parisienne, des dîners en ville, des rumeurs les plus insensées sur les intentions belliqueuses d'Hitler, les tractations diplomatiques, les accords et les trahisons, vrais ou supposés.

Son agent l'informe du suivi de ses contrats, sollicite ses instructions. *Madame Sans-Gêne* a du retard à cause de l'incapacité de la société Technicolor à fournir à temps l'équipement nécessaire. Arletty regagne quand même Paris pour apprendre le dialogue du film et viser les patrons de ses costumes. Le premier tour de manivelle est fixé au 25 septembre. Un acompte lui est versé.

Quand l'Angleterre et la France déclarent la guerre à l'Allemagne, le 3 septembre, deux jours après l'invasion de la Pologne par les troupes de la Wehrmacht, elle est déjà rentrée.

«J'étais chez Jean-Pierre rue Mirabeau. Je l'ai accompagné à la gare de l'Est avec sa mère. Il avait c't'esprit-là d'être comme les autres, un simple troufion. Il était mobilisé à Metz.»

Le brigadier Dubost rejoint son corps d'armée. Il n'a pas le choix, mais ne souffre pas de son nouveau statut. Sa mère le couve jour après jour de tendresse épistolaire, lui expédie des colis, tantôt de truffes de chez Hédiard, tantôt de cravates de chez London House. Des produits de marque que Jeanne Dubost continue d'acheter malgré les présentes contrariétés, comme au temps béni de son salon depuis longtemps dispersé. Les manques d'argent périodiques la désolent, l'existence est devenue bien morne entre son appartement parisien et ses villégiatures. À la campagne, elle flâne, s'instruit par ses visites à la ferme, tricote avec les châtelaines normandes, remonte le moral des villageois prompts à céder aux sirènes de la propagande communiste, œuvre à la Croix-Rouge, se rend utile auprès des enfants évacués des zones les plus exposées de l'Est. Elle a été une infirmière courageuse en 1914 sur le front de Marne. À l'automne 1939, elle se dit convaincue que jamais la France ne s'est battue pour une plus impérieuse nécessité. Le bon air champêtre d'Argentan, toutefois, a ses limites. Les paysans rabougris d'alcool, les vieilles femmes cupides qu'elle fréquente quotidiennement sur les marchés lui font l'effet d'un spectacle balzacien. Un monde… effrayant! Pour se ragaillardir, heureusement, il y a le bord de mer, Houlgate, les baignades, les tornades de vent qui piquent le visage, l'air iodé qui réveille l'imagination et les sens. Mais, tout compte fait, rien ne vaut Paris, aussi triste soit-il, le thé pris en compagnie, les déjeuners, les dîners entre amis. Arletty aime la mère de Jean-Pierre, se montre envers elle empressée, disponible, charmante, indifférente aux réserves feutrées qu'elle a pu hasarder à l'égard de leurs dix ans de vie commune. Jeanne voit bien qu'Arletty n'est pas la femme qui convient à son fils adoré, en mal d'être materné, et que de temps à autre, à mots couverts, elle incite à la réflexion. « Moi aussi, j'ai bâti des châteaux en Espagne. La vie s'est bien vengée. Vois, comme je suis malheureuse à présent! », tente-t-elle de lui faire comprendre par ses inflexions de voix désolées, par les regards chargés d'une douceur navrée dont elle l'enveloppe.

Arletty n'en a cure, accueille Jeanne à son arrivée en gare, l'emmène au théâtre, dans des restaurants insolites, parfois seule, parfois accompagnée, entre autres de la duchesse d'Harcourt très sport en l'occurrence, quoique sujette aux affres épouvantables de la jalousie. Leur préoccupation, quand elles se retrouvent, reste bien entendu Jean-Pierre, son bien-être, sa réussite sociale, lui qui, la guerre venue, ne cesse de répéter qu'« il faut en finir avec le monstre qu'on a eu tort de laisser grandir ».

Sujet de satisfaction : après des semaines à l'Est, il est affecté dans le Nord, chez les interprètes.

« Mon copain Fayard était dans la même section que lui. J'ai été les voir à Douai avec Zygomalas et Lolette Fayard. Au cours d'une soirée, chacun a fait son numéro. André Maurois a réussi une imitation de la vache, plutôt inattendue chez un Immortel. »

Les mots qu'Arletty adresse à Jean-Pierre brillent par leur concision. Exemples : « Je n'ai pas de nouvelles. Vie inchangée », ou plus succinctement : « Je t'embrasse. » Lui n'est guère plus prolixe, mais, n'oubliant personne, écrit des petits billets, inéluctablement soumis à la censure militaire, pour se rappeler au bon souvenir de ses proches et de ses connaissances, fleuriste et blanchisseuse incluses. Aussi paradoxal que cela paraisse, c'est lui qui, par son moral extraordinaire, réconforte amis et parents restés à l'arrière ! Un cœur, ce Jean-Pierre !

Trois semaines de guerre éclair. La Wehrmacht raye la Pologne de la carte. Les troupes françaises font une percée jusqu'aux lisières de la ligne Siegfried, pendant allemand de la ligne Maginot. Représailles sans suite. Stratégie d'attente. C'est le brouillard total, la « drôle de guerre », des semaines et des mois de routine, d'inaction, d'ennui. La vie de caserne, l'inconfort en plus. Si les officiers déployés en Lorraine logent chez l'habitant, les simples soldats couchent sur la paille, dans des baraquements, se lavent dans les rivières. Les camarades de Jean-Pierre broient du noir, s'abrutissent en fumant du tabac anglais à haute dose, restent des journées entières sans ouvrir la bouche, hormis pour manger et bâiller. Lui résiste au cafard, prend la vie avec philosophie, conserve sa bonne humeur. Ses amis l'aiment pour cela. Peut-être aussi un peu pour ses appuis dans les ministères, que certains lui demandent de faire jouer à l'occasion, histoire d'obtenir une recommandation. Jean-Pierre ne se dérobe pas, sert de courroie de transmission, récolte même des insignes d'unités françaises et anglaises pour qui les lui réclame. Serviable, le cœur sur la main, Jean-Pierre conseille, donne le coup d'épaule salvateur, honorant sa réputation de garçon gentil et débrouillard. N'a-t-il pas, par ce biais, réussi à se faire muter agent de liaison, puis interprète ? Son rôle consiste à renseigner l'armée britannique sur les troupes françaises, à traduire les kilomètres en miles, les degrés centigrades en degrés Fahrenheit.

Où qu'il soit, Jean-Pierre suit la Bourse avec assiduité, certes petite en affaires brassées de l'automne 1939 au printemps 1940, mais d'une santé insolente. À cause du rapatriement des capitaux allemands, et de la guerre qu'il faut financer. Des explications qu'Arletty écoute et juge parfaitement immorales. Réduite à l'inactivité par les événements, elle se voit privée de la pleine jouissance de sa gloire naissante, mais n'en laisse rien paraître. *Madame Sans-Gêne* subit de nouveaux contretemps. Le Service de la propagande les sollicite, elle et Michel Simon, pour aller jouer en Belgique et en Suisse. Trois semaines de tournée fin 1939 à Genève, Lausanne, Bruxelles, Liège, Anvers.

« À Genève, le même soir, nous donnons *Fric-Frac* et les Allemands *Les Maîtres chanteurs*. Vraiment les deux écoles. »

Retour à Paris. Rares sont les gens qui circulent encore avec leur masque à gaz à la main, pourtant recommandé contre les gaz asphyxiants.

« Personne n'en avait. Que les excentriques. J'n'ai vu que Bérard et Kisling en porter. Ils sortaient du Fouquet's. Il est vrai que l'étui pouvait servir de boîte à pinceaux. Moi, j'n'en avais pas. J'suis contre toutes les guerres et leurs ustensiles. »

Insensiblement, le désœuvrement persistant lui pèse. La fin de l'hiver trouve Arletty agitée, nerveuse, inquiète. Une crise de confiance la mine, similaire à celles, passagères et récurrentes, de ses débuts. La signature d'un film ou d'une pièce, à l'évidence, lui remonterait le moral. Dans une lettre à Jean-Pierre, Marthe, la femme de chambre, relève son air tourmenté :

> « Mademoiselle va toujours bien, naturellement ce serait mieux si Mademoiselle pouvait travailler, malgré toutes les invitations à déjeuner ou à dîner, Mademoiselle s'ennuie, il faut vraiment espérer que cette guerre ne s'éternise pas, ce n'est gai pour personne, ni pour ceux qui sont à l'arrière, encore moins pour ceux qui sont partis. »

Le cœur n'y est pas. Pour écarter les idées noires, Arletty, flattée d'être adulée, cède à la tentation des soirées mondaines, au Fouquet's ou chez Maxim's, plus souvent encore chez Lili de Rothschild, Josée de Chambrun, Sacha Guitry ou les Daven. Elle arpente Paris quartier par quartier, fait l'impossible pour paraître égale à elle-même, gaie, spirituelle, d'excellente compagnie. Le duo chanté, qu'un soir à un dîner elle improvise avec Marcel Achard, ravit les convives. La maîtresse de maison Danièle Parola en garde le souvenir émerveillé. Arletty fréquente beaucoup les amis de Jean-Pierre à qui elle envoie colis sur colis, multiplie les séjours hors de Paris. Toujours des intermèdes à la montagne, à Montana lorsque Jean-Pierre est en permission, et en mars 1940 à Megève. Elle fait le voyage en Packard avec

Lili de Rothschild. Nora Auric, la femme du compositeur Georges Auric, les rejoint bientôt.

À chacun de ses déplacements, Arletty adresse une carte postale à ses six cents filleuls du 1er bataillon de chars de combat cantonné dans un petit village d'Alsace, à une vingtaine de kilomètres de la frontière allemande, sous le commandement du colonel de Gaulle.

La guerre est déclarée depuis une quinzaine de jours lorsque le commandant Warabiot, Guy de son prénom, un Tourangeau, lui propose de devenir marraine et mascotte du régiment. Il l'informe que son nom, inscrit en lettres blanches sur son propre char en guise de panache, servira de cri de ralliement sur les champs de bataille. Arletty croit d'abord à une plaisanterie, mais la sollicitude de tous ces jeunes hommes appelés à se battre, peut-être même à mourir, la touche. Elle accepte. Comme chaque fois qu'un admirateur lui écrit, elle envoie une photo dédicacée — cette fois dans son cadre — dans l'espoir secret d'éviter un échange épistolaire suivi.

« Raimu disait toujours : "Dis que tu ne sais pas écrire." »

Mais le charme, l'insistance des jeunes soldats opèrent, leur franc-parler, leurs façons libres, un peu cavalières, ne sont pas pour lui déplaire. Et puis, elle s'instruit, apprend qu'un bataillon se compose de quatre compagnies, trois de combat et une d'échelon. Chacune veut un portrait de la marraine, décoration du poste de contrôle oblige. Outre les cartes, les photos, Arletty expédie des colis. Lorsqu'elle est absente de Paris, elle charge son amie Parola d'y veiller. Les cartons de Chesterfield qu'elle envoie, un luxe en cette période de restrictions, déclenchent un vent de folie dans les chambrées. Les chasseurs, sevrés de mauvais tabac, sont comblés. Pipes, bouquins, boîtes de dominos, jeux de cartes, jeux de dames, ballon de foot suivent bientôt avant un appareil de TSF, et en décembre 1939, cinq billards de chez Mestre et Blatgé, avenue de la Grande-Armée. De la meilleure facture. La joie est vive dans les rangs. Arletty, fêtée, est invitée à passer le bataillon en revue. Projet sans suite. L'Alsace-Lorraine, il faut l'avouer, est un désert au point de vue distractions, surtout en temps de guerre. Une drôle de guerre décidément, ponctuée de rares duels d'artillerie. Les chasseurs montent la garde le long du Rhin, s'épuisent dans de fastidieuses missions de reconnaissance. Les troupes sont en alerte, mais le calme règne, un solide ennui aussi. Surtout le soir à la veillée.

Autant dire que les largesses d'Arletty tombent à pic. Bienfaitrice vénérée, elle devient l'âme du régiment. Les permissionnaires ne ratent pas une occasion de la remercier en lui rendant visite. Elle les invite à dîner, à raconter dans le détail leur vie de soldats. L'humeur, d'abord, est des plus gaies, les hommes étant convaincus que l'armée française vaincra. Bémol du commandant Warabiot en octobre 1939. La situation, explique-t-il, dépend uniquement «du bon plaisir du terrible petit moustachu de Berlin qui ne rêve que carnage et domination et par la faute duquel des millions d'hommes vont peut-être mourir».

Pour honorer ses filleuls, Arletty fait confectionner un fanion en soie aux armes du régiment. Ils la trouvaient délicieuse, exquise, prodigue, charmante. Elle est désormais «un ange de bonté», d'autant que, sur son intervention, une salle de cinéma leur est prêtée pour leurs trois semaines de quartiers d'hiver près de Lunéville. À défaut d'*Hôtel du Nord*, de *Fric-Frac*, ou du *Jour se lève*, le préposé au cinéma, opérateur dans le civil, déniche une copie de son deuxième film, *Un chien qui rapporte*. Les séances affichent complet.

Hiver 1939-1940 : il gèle par moins vingt, la nuit par moins vingt-cinq. En plus du froid, il y a la neige. Sur les routes, le verglas entrave le déplacement des convois militaires, les campements sont mal chauffés, les espoirs de paix et de retour dans les foyers hypothétiques. Le printemps ne s'annonce guère plus souriant avec la perspective de dégel, des pluies, de la gadoue, d'une guerre qui ne dit pas son nom. D'où la reconnaissance extrême des soldats envers leur marraine, d'une générosité constante. Lui demande-t-on les paroles de la chanson de *Circonstances atténuantes*, qu'elle les envoie. Une parodie de *Comme de bien entendu*, rebaptisée «Arlettyenne», sert d'hymne officiel au bataillon, lors de l'inauguration des foyers de cantonnement :

«Ier couplet "modeste"

Bataillon sans faiblesse
Comm'de bien entendu
Le premier d'son espèce
Comm'de bien entendu
Nous somm' sans qu'ça paraisse

190

Comm'de bien entendu
L'meilleur bataillon d'chars
Qu'on ait jamais vu
Comme de bien entendu

IIᵉ couplet "original"

Venue d'un'zone immense
Comm'de bien entendu
De tous les pays d'France
Comm'de bien entendu
Chez nous, plus d'différence
Comm'de bien entendu
On s'figure maint'nant qu'on
S'est toujours connu
Comme de bien entendu

IIIᵉ couplet "familial"

Pour nos famill'pas d'plaintes
Comm'de bien entendu
Nous somm' partis sans crainte
Comm'de bien entendu
Car nos femm' sont des saintes
Comm'de bien entendu
En sort' qu'on est sûr de
N'êtr'jamais cocus
Comme de bien entendu

IVᵉ couplet "galant"

Nous avons un'marraine
Comm'de bien entendu
C'est ARLETTY, quelle veine!
Comm'de bien entendu
Dans le genr' c'est un' reine
Comm'de bien entendu
Qui nous expédie des cadeaux
Tant et plus
Comme de bien entendu

Vᵉ couplet "pompier"

On aim'la rigolade
Comm'de bien entendu
On n'prend pas d'boissons fades
Comm'de bien entendu
On n'est jamais malade
Comm'de bien entendu
Quand il faut gueuler on a
Toujours l'dessus
Comme de bien entendu

VIᵉ couplet "martial"

Chacun de nous espère
Comm'de bien entendu
Gagner bientôt la guerre
Comm'de bien entendu
Et rejoindr'sa chaumière
Comm'de bien entendu
Car nos chars mettront les
Sal'boch's'le cul
Comme de bien entendu

VIIᵉ couplet "patriotique"

Que la Franc' soit tranquille
Comm'de bien entendu
Nous leur foutrons la pile
Comm'de bien entendu
Pour nous c'est bien facile
Comm'de bien entendu
Nous somm'"toujours prêts" pour
L'impossibl'… et plus!…
Comme de bien entendu »

Sur le terrain, Hitler absorbe résolument l'Europe. Après une expédition victorieuse en Norvège, ses troupes déferlent sur la Belgique et les Pays-Bas. La France, sûre d'elle et enferrée dans ses positions défensives, suspend les permissions, tente une riposte, hésite sur la stratégie à adopter. Les jeunes chasseurs du 1ᵉʳ bataillon de chars brûlent de se battre, de rendre coup pour coup. Le 13 mai 1940, la grande offensive commence. L'aviation allemande pilonne les armées alliées. Les hommes du commandant Warabiot, persuadés de mater les «Boches», comme le martèle l'état-major, se lancent à l'assaut avec une confiance aveugle. Maldonne. La ligne Maginot est contournée, le front français enfoncé. Sedan, Saint-Quentin, Amiens, Arras tombent.

Le 29 mai 1940, lettre du commandant Warabiot à Arletty :

«Chère amie,
Je vous écris ce soir presque sans lumière car nous sommes un peu son-nés par les marmites. Notre moral reste excellent malgré les premiers revers. Votre bataillon est toujours solide à son poste. Je garde confiance en l'avenir. Je ne puis vous écrire plus longuement mais le ferai dès que possible. Nous pensons bien à vous et je vous embrasse.»

Déluge de feu sur les côtes françaises, de l'est au nord, la guerre fait rage.

«Jean-Pierre a fait Dunkerque. Les bateaux étaient bombardés, ses copains ont été tués. Il était interprète auprès des Anglais. Mme Dubost et moi étions très inquiètes. On a vite été rassurées. Son nom était sur la liste des rescapés. Après, il est passé en Angleterre.»

Cent trente mille soldats français ont été évacués outre-Manche. Face à une Wehrmacht triomphante, le général Weygand, comman-dant en chef des forces françaises, tente de reconstituer un front avec le reste des troupes clairsemées. On veut, il faut croire à la victoire. À l'avant comme à l'arrière. Le successeur de Daladier à la tête du gouvernement, Paul Reynaud, dit «Cocorico», ne paraît-il pas l'homme de la situation? Dressé sur sa petite taille, il rejette l'idée d'une capitulation.

«Un type pas trop mal.»

Doué d'un sens inouï de la formule choc.

«"Nous vaincrons parce que nous sommes les plus forts" était sa phrase favorite. Il avait pas dit ça qu'c'était l'exode, la défaite. Il était drôle. Qu'est-ce qu'il a dit comme conneries!»

Arletty se souvient aussi des paroles célèbres qu'il prononça deux jours avant l'échec complet de la campagne de Norvège, déclenchée pour empêcher Hitler de s'approvisionner en Suède.

«La route du fer est coupée.»

Effondrement des dernières lignes de défense. Les blindés allemands foncent sur la capitale. Mussolini entre en guerre. C'est la débâcle. Sur les routes, noires de monde, le désordre est indescriptible. Ici, ce sont des charrettes à bras pleines de bric-à-brac, là, des voitures qui filent, des matelas sur le toit. Le 14 juin, le gouvernement quitte Paris, déclarée ville ouverte.

« L'heure est grave. La France perd son visage à cette guerre-là. Les Allemands sont entrés. On donnait *Tempête sur Paris* au Marignan. »

Scénario et dialogues : André Cayatte, d'après une transposition des plus libres de *Ferragus* de Balzac. Dalio interprète un escroc international, Erich von Stroheim un maître chanteur. Un rôle psychologiquement dans la veine des habituels officiers allemands, cruels et sadiques, que, servi par son physique, von Stroheim incarne sans effort. Cheveux en brosse, monocle hautain, port de tête arrogant, il est d'une raideur corsetée.

« La gueule de l'emploi. Il avait trouvé un truc de soldatesque de luxe. Il claquait des talons dans la vie comme dans ses films. Dans *Tempête*, il voulait être payé en dollars. Il avait bien confiance en la France !... Après, il est retourné en Amérique. Mais, y a pas de doute, le cinéma lui doit beaucoup. Énormément. J'admirais en lui le metteur en scène. »

Bien avant sa prestation dans *La Grande Illusion* de Renoir, il a réalisé des films à Hollywood, dont les classiques : *Les Rapaces* et *La Veuve joyeuse*.

Tête d'affiche du film de Bernard-Deschamps, tourné en juin 1939, Arletty est traitée comme une reine, égards dus à sa gloire ascensionnelle confortée par son succès personnel dans *Circonstances atténuantes*, et aux exigences de son agent André Bernheim. La production ne songe qu'à la satisfaire. Un minimum de douze heures de repos lui est accordé entre deux journées de prises de vues et, suprême privilège, elle est priée de choisir elle-même son costumier, son maquilleur et son opérateur. L'importance qu'elle attache à son image est capitale.

« Par respect du public. Vous voyez une poule qui serait saldingue ! »

Chanteuse de cabaret vêtue de toilettes excentriques ou en déshabillé, Arletty interprète :

« Pitié, Ernest, pour une faible femme !
Sentez mon sein palpiter de passion !

À ce péché, perdition de mon âme,
Faudrait-il que nous succombassions ?
Vos bras musclés sur votre cœur me serrent
Avant l'hymen ? Ernest, vous êtes fou !
Je perds la tête… et le reste… Ah ! ma mère !
Éloignez-vous, Ernest, éloignez-vous ! »

« À la Libération, on redonne le film. Délicate attention… on retire mon nom. Ce n'était pourtant pas moi qui avais déclaré la guerre [107]. »

Paris envahi, la France est abasourdie. L'exode des populations gagne tout le territoire. Les artistes se ruent par centaines sur la Côte d'Azur : Maurice Chevalier, Micheline Presle, Max Dearly, Charles Vanel, Simone Berriau, Marc Allégret, Albert Préjean, Charles Trenet, Yves Mirande, Michèle Morgan, Gaby Morlay, Tino Rossi, Viviane Romance, Jean Gabin, Tristan Bernard, Henri Matisse, André Gide.

Arletty n'aime ni Saint-Tropez ni Monte-Carlo. Au volant de sa voiture, elle prend la route des Pyrénées, pays de connaissance.

« Quand les Allemands sont arrivés à Paris, j'suis partie faire ma cure à Salies-de-Béarn. J'étais malade. À l'hôtel, il y avait Dita Parlo [108]. En me voyant, elle a dit : "C'est la plus grande actrice française…" Sacha m'a appelée de Dax pour me dire qu'il regagnait Paris. Il ne savait pas où aller, mais il est remonté avec la Popesco. C'est à ce moment-là qu'j'ai vu Poiret pour la dernière fois à Biarritz. Il avait la Parkinson. Comme on dit, il sucrait les fraises. »

Le grand couturier de la Belle Époque et des Années folles, à présent ruiné, est physiquement diminué. Il s'éteindra le 28 avril 1944 à Paris.

Hormis un passage éclair dans la capitale fin août, Arletty passe plus de trois mois dans le Sud-Ouest où sont repliés bon nombre de ses illustres compatriotes : Mistinguett, Johnny Hess, l'as du swing, Georges Guétary, le futur roi de l'opérette, Julien Cain, le conservateur de la Bibliothèque nationale – « un ami de Jean-Pierre ». Trois mois à visiter la région, à écouter la radio, à faire des rencontres, à revoir des amis, à tourner en rond.

« J'étais décidée à ne faire ni théâtre ni cinéma, prête à dépenser le capital gagné en 1939. »

À Bordeaux, elle assiste au départ du *Massilia*, le paquebot affrété par des parlementaires décidés à poursuivre la lutte outre-mer. Voici Édouard Daladier, Pierre Mendès-France, Jean Zay, ancien ministre radical du Front populaire, Georges Mandel, accompagné de la sociétaire du Français Béatrice Bretty, avec qui Arletty a inauguré en 1935 la première émission de télévision.

« J'étais avec Fayard sur le quai. Pas un de ces messieurs ne me fait signe de monter. On aurait dit qu'ils me confiaient le sort de la France. Quelle imprudence ! »

Entre-temps, Jean-Pierre la rejoint à Perpignan. Antoinette d'Harcourt y est déjà. Ils restent quelque temps à Collioure, vont jusqu'à Port-Vendres, tout proche, pour voir décoller les aviateurs qui rejoignent l'Algérie.

Assommé par la défaite, Paul Reynaud, découragé, démissionne. Le pouvoir est confié à Philippe Pétain, maréchal de France auréolé de sa victoire à Verdun. Dès sa prise de fonction, le vieil homme – il a quatre-vingt-quatre ans – appelle à « cesser le combat », fait transmettre à Hitler une demande d'armistice assortie de ses conditions de paix.

« Le jour où il a parlé pour dire qu'on arrêtait, la France pleurait, j'm'en souviens. C'était émouvant. Fallait pas oublier les milliers d'morts à Verdun. »

Le lendemain, 18 juin, le général de Gaulle lance de Londres un appel qui fera date.

« C'est une gageure d'avoir choisi le jour anniversaire de la défaite de Waterloo pour parler de Londres aux Français ! »

Les gaullistes de la première heure sont une poignée. Leur rang grossira au gré des revers d'Hitler. À la Libération, ils seront des millions.

Et vous Arletty, gaulliste ?

« Non, gauloise ! »

La poursuite de la lutte est-elle encore possible ou la reddition inéluctable ? Des années après, le débat reste ouvert. Quoi qu'il en soit, l'armistice est signé. Il entre en vigueur le 25 juin 1940.

« Ce jour-là, tout le monde respirait. Tout le monde attendait. On a porté Jean-Pierre comme un petit pioupiou. Ça m'rappelait l'autre guerre. Mon frère blessé deux fois, à Verdun et aux Éparges, pour une rupture d'anévrisme puis une blessure au bras. »

La déroute est complète. Nul n'en mesure vraiment les conséquences immédiates. Le sentiment général est au soulagement. Les soldats, défaits, sont dispersés dans l'affolement comme des passereaux un jour d'orage. Le 30 juin, le commandant Warabiot écrit à Arletty :

« Chère amie,

Après le pénible effondrement de l'armée française dans une lutte inégale où nous fûmes dominés par le nombre et par le matériel ; après les terribles combats au cours desquels nous avons lutté un contre dix, le 1er Bataillon de Chars, le vôtre, celui dont vous avez accepté de présider les destinées, est resté invaincu. Jusqu'au dernier jour nous avons tenu tête à l'ennemi dans des situations souvent tragiques dont je ne comptais plus sortir vivant. Pris à parti par des chars plus puissants, par des canons et par l'aviation, mes équipages ont accompli des actes sublimes qui dépassent tout ce qu'on peut imaginer et dont les citations qui vont leur être décernées vous confirmeront l'héroïque conduite. Mon char, celui qui portait votre nom, a été transpercé par des obus sans qu'il soit cependant touché dans ses parties vitales. Ceux qui l'occupaient ont échappé comme par miracle à la mort, sans doute parce que, sans que vous vous en doutiez, vous les protégiez. Le bataillon en entier lui-même, en raison de sa belle conduite, est proposé pour une citation à l'ordre de l'armée dont je vous ferai part dès qu'elle sera officielle, et le fanion que vous m'avez si généreusement offert s'ornera je l'espère de la croix de guerre avec palme.

Nous sommes actuellement dans un village au nord de Limoges où pour la dernière fois nous nous sommes opposés à l'avance allemande. Nous ne sommes malheureusement plus au complet, pas mal des nôtres, officiers, sous-officiers et chasseurs sont tombés sur les champs de bataille entre la Somme et la Loire, mais l'honneur est sauf et nous pourrons rentrer la tête haute, conscients d'avoir accompli notre devoir jusqu'au bout. Les missions qui nous furent confiées au cours de ces trois semaines de combat furent presque toujours des missions de sacrifice que nous avons acceptées sans murmurer. Après avoir arrêté pendant quelquefois douze et même dix-huit heures la progression ennemie par des contre-attaques furieuses pour permettre le décrochage et la retraite d'unités d'infanterie débordées et même quelquefois encerclées, le commandement était étonné de nous retrouver tous groupés le lendemain matin après avoir échappé pendant la nuit à l'étreinte ennemie et prêts à repartir à nouveau pour accomplir une nouvelle mission. Telle est la vie que nous avons menée du 5 au 25 juin, sans repos, presque sans vivres et presque sans sommeil après avoir parcouru plus de 900 km en combattant chaque jour ; nous étions harassés, sales, mais nous avons tenu jusqu'au bout sans avoir laissé un des nôtres aux mains de l'ennemi, et le 1er Bataillon de Chars, ou plutôt ce qu'il en reste, demeure groupé autour de son fanion, épuisé peut-être, abattu jamais. Je suppose que vous êtes restée à Paris, quand j'aurai l'occasion de vous voir, je vous conterai de vive voix toutes nos péripéties et vous remettrai un exemplaire de mes comptes-rendus de combat que je suis en train de rédiger. Aujourd'hui je vous écris sans savoir comment ma lettre pourra vous parvenir pour vous dire ce que nous sommes devenus et pour vous dire aussi que malgré notre défaite dont il faut rechercher les causes ailleurs que dans nos rangs, vous avez le droit d'être fière de nous. Nous avons bien pensé à vous et je vous embrasse bien tendrement. »

Le désastre est total. La France, amputée sur ses frontières à l'est, garrottée au centre par une ligne de démarcation, est mise en coupe réglée. Pour circuler de la zone occupée au nord à la zone libre au sud, un laissez-passer est exigé. La IIIe République, règne honni de la décadence et des combines politiques selon ses détracteurs, se saborde. Pétain est investi des pleins pouvoirs. À Vichy, le gouvernement prend ses quartiers. L'État français est en marche.

« On nous parle toujours du règne de Louis XIV. Mais alors, la IIIe, qu'est-ce qu'elle a à son actif ! Le gaz, l'électricité, le chemin de fer, l'auto, l'avion, le cinéma, la télévision, les impressionnistes et j'en passe... »

Fin septembre, Arletty regagne Paris. Ses réserves d'argent s'amenuisent car il lui est impossible de faire transférer des fonds d'une zone à l'autre. Munie d'un certificat de rapatriement de réfugiés et d'un bon d'allocation d'essence, elle prend la route, fait une halte à Vichy, promue capitale des mondanités.

« C'était devenu Deauville. »

Jean-Pierre Dubost l'accompagne jusqu'en Dordogne où ils se séparent. Elle lui confie sa Packard, au volant de laquelle il gagne Châtelguyon, lieu de repli stratégique des agents de change. Arletty le mandate pour acheter comptant la maison de Collioure d'où Marquet, devant son chevalet, peignait des vues du port.

« C'était c'qui m'avait fait l'acheter. Une maison de geisha. Trente mètres carrés. Une des plus belles vues de France. En toile de fond, il y avait les remparts, l'église, la Méditerranée. J'étais à cent kilomètres de Font-Romeu et à deux cents de Barcelone. »

Minuscule, mais pas sans caractère avec sa petite coupole hexagonale au-dessus de la pièce unique, sa salle de bains de poupée, son coin cuisine. Un lit pour deux, partagé à deux quel que soit l'invité, jamais à trois. « On dormait tête-bêche [109] », se souvient André Beaurepaire, un ami peintre et décorateur de théâtre, après la guerre.

Paris occupé, Paris défiguré. Le svastika flotte sur la façade des bâtiments administratifs ; des panneaux de signalisation en lettres gothiques balisent le coin des rues, la place de l'Opéra, les boulevards.

« Quand j'ai vu la croix gammée rue de Rivoli et au ministère de la Marine, ça m'a foutu un coup… L'coup à l'estomac. Où en était notre pays… J'ai dû aller prendre un coup de rouge. »

Rue Mirabeau, le propriétaire refuse de considérer Arletty comme locataire. L'affaire est entendue. Elle prend une chambre à l'hôtel Lancaster, rue de Berri, que les Daven lui ont recommandé avant de se réfugier à Hollywood. Lui a été réformé. Directeur de théâtre — il a lancé la Revue nègre avec Joséphine Baker en 1925 — et producteur de cinéma, il a gagné les États-Unis avec sa femme Danièle Parola afin de travailler pour la Fox, la société de production américaine.

Arletty reçoit un courrier du commandant Warabiot daté du 26 septembre 1940 :

« Chère amie,
Je vous ai envoyé une lettre hier sans savoir si elle vous parviendrait. Celle-ci vous arrivera plus sûrement et tant pis si elles arrivent toutes les deux, vous aurez l'ennui de me lire doublement. Je voulais surtout vous dire que notre pensée et la mienne en particulier ne vous ont pas quittée et que nous nous rappelons la « chic » marraine que vous fûtes. Dans notre exil, car je suis actuellement à Albi où j'ai été affecté avec mes officiers d'active et la poignée d'hommes qui m'a suivi, nous oublions les durs moments de la guerre pour ne songer qu'aux bons et vous étiez de ceux-là. Nous avons tous gardé de vous un souvenir délicieux et je vous disais hier que vous avez été sans le savoir peut-être l'âme de mon bataillon, vous étiez pour nous la femme que nous idéalisions chacun à notre manière ; moi qui vous connaissais et les autres qui brûlaient du désir de vous voir et de vous accueillir. Les circonstances ne l'ont pas permis malheureusement, car vous auriez encore su les exalter davantage par votre présence. Tout cela est du passé, un passé malheureux, mais dont il nous reste la vision de votre charme et tout le bien que vous avez fait.
Je ne sais quand les circonstances me permettront de rejoindre Paris,

mais je commence à en avoir la nostalgie et si vous parvenez à m'écrire vous m'enverrez un peu de son air.

Je reste votre ami et vous embrasse. »

« Le commandant a fait sa rentrée à Paris en 1944, cette fois en général. Je n'ai jamais eu de ses nouvelles. »

Jusqu'en 1988, cependant, nombreux sont les anciens du 1er bataillon de chars à témoigner reconnaissance, admiration, respect et amitié à leur marraine.

La tourmente de l'exode passée, chacun tente de rentrer chez soi, de surmonter les difficultés, d'aller et venir comme à l'ordinaire. À l'automne 1940, théâtres et cinémas parisiens rouvrent leurs portes. Grosse affluence. Les efforts de correction des soldats allemands sont impuissants à chasser le fond de tristesse ambiant. Les troupes de la Wehrmacht défilent au pas de l'oie sur les Champs-Élysées. Malaise. Occupants et occupés ont l'air de s'ignorer. La population pâtit des conséquences de l'armistice, ne serait-ce que pour circuler, puisque les autorisations sont délivrées au compte-gouttes contre une paperasserie incroyable. Beaucoup plus angoissante est l'attente du retour du frère ou du mari prisonnier en Allemagne.

Arletty écoute la radio, attentive aux modulations de ton des speakers, une pure déformation professionnelle. Timbre de voix, intonation, articulation, diction, aucun effet ne l'indiffère. Par contre, son aversion pour les journaux qu'elle ne lit guère depuis le temps où elle les ramassait dans les tramways de son père est confortée par sa lecture de Baudelaire : « Je ne comprends pas qu'une main pure puisse toucher un journal sans une convulsion de dégoût. »

Arletty discerne trop les mobiles inavoués, la propagande orchestrée, les luttes de pouvoir et d'argent auxquelles se livre une poignée d'hommes sous le prétexte d'informer. Pour alimenter sa chronique, elle discute avec les commerçants, glane des propos de table.

« J'ai jamais acheté de journaux de ma vie. J'me plaisais à entendre les gens parler. S'il y a un tremblement de terre, je le saurai toujours. Pas plus que vous m'voyez acheter un journal, jamais je m'mêlais de politique. J'comprenais pas les conversations. »

Là comme en toutes choses, Arletty suit son instinct, privilégie l'esprit, fait confiance à son don d'observation, quitte à commettre des impairs, parfois énormes. Comme ce jour d'octobre 1940 où elle commente la rencontre Pétain/Hitler à Montoire et la poignée de mains historique des deux chefs d'État, scellant la politique de collaboration.

« J'étais à un dîner chez Josée. Y avait l'père Laval. Y avait aussi Mary Marquet. J'étais pas très au fait. Ne comprenant pas la chose, j'ai dit : "Ce petit incident…" Ça a jeté un froid. Alors, pour faire rire, j'ai ajouté : "Je minimise !…" »

Arletty ne se démonte pas. Son rire de jeune fille, sa convivialité, sa gouaille font passer ses bons mots.

« C'est mon père qui, dans la vie, m'a appris à la fermer. En face de chez nous à Puteaux, il y avait une famille d'immigrés italiens. Les hommes étaient ouvriers fondeurs. Je partageais cour et "quatre heures" avec les gosses. Un jour, ils me donnent une poignée de sous neufs. Ma mère, intriguée, m'oblige à les rendre. L'un d'eux me dit : "T'en fais pas, c'est nous qui les font !" Mon père, qui était la rigueur même, nous a pris avec mon frère. "Ne répétez jamais ça." Pour nous, c'était définitif. »

Arletty est sans projet. Un an et demi a passé depuis la fin du tournage de *Tempête*; *Madame Sans-Gêne* tarde à se débloquer. Difficile après les succès qu'elle a connus d'être contrainte au repos. Heureusement, elle ne reste pas longtemps seule dans sa chambre d'hôtel, sorties et mondanités s'enchaînent. À l'Aiglon, un cabaret proche de son hôtel, rue de Berri, où Sacha Guitry préside un gala au bénéfice du Pont-aux-Dames, la maison de retraite des vieux comédiens. Au cocktail du centième anniversaire du journal *Les Nouveaux Temps*, lancé trois mois après l'arrivée de l'occupant, le dramaturge Steve Passeur bavarde dans un coin avec le danseur étoile Serge Lifar. Le directeur Jean Luchaire accueille chaleureusement son ami Pierre Laval, des personnalités allemandes du « gross Paris », des camarades de sa fille Corinne – étoile montante du cinéma –, la reine du théâtre de boulevard Alice Cocéa, la chanteuse de cabaret Suzy Solidor et Arletty. À quoi songe Simone Kaminker, assistante au secrétariat personnel de Luchaire, en les voyant se presser au buffet, elle qui rêve de faire carrière dans le septième art ? A-t-elle déjà décidé de prendre le nom de jeune fille de sa mère, Signoret, en ces temps mouvementés où les juifs sont à l'index ?

15 décembre 1940 : translation des cendres de l'Aiglon aux Invalides. Des torches grésillent dans la nuit. Il est 1 h 20 du matin. Sous des rafales de neige fondue, des soldats allemands portent le cer-

cueil du fils de Napoléon jusqu'à la chapelle. L'archevêque de Paris célèbre la grand-messe. On reconnaît Otto Abetz, ambassadeur du Reich, le général Van Stülpnagel, commandant en chef des forces allemandes en France, Fernand de Brinon, représentant spécial de Laval auprès de l'occupant. Dans l'assistance choisie se détachent les ombres de l'académicien Abel Bonnard, Sacha Guitry, Marcel Déat, directeur de *L'Œuvre* et auteur en mai 1939 du retentissant *Mourir pour Dantzig? Non!* Arletty rate la cérémonie.

« Je ne me suis pas réveillée. C'est la princesse Murat qui m'avait invitée… Je l'ai échappé belle! »

Début 1941, rares sont les jours sans un déjeuner, un dîner ou un souper en société. Chez Maxim's, au Fouquet's, au Café de Paris, aux Auvergnats de Paris ou chez des particuliers : les Chambrun, Jean Fayard, Sacha Guitry, Marie-Louise Bousquet, la directrice de l'édition française du journal de mode américain *Harper's Bazaar* et l'épouse du librettiste des *Joies du Capitole*, Jacques Bousquet, dont le salon place du Palais-Bourbon est connu; ou encore chez Alfred Fabre-Luce.

« C'était le petit-fils de Henri Germain, le fondateur du Crédit Lyonnais. Un type colossalement riche. Mon premier amoureux de luxe platonique au théâtre. Il revenait de Chine. C'était pas biblique. »

Fils de banquier, Fabre-Luce a commis des pièces sous le pseudonyme de Jacques Sindral, puis sous son véritable nom, avant d'épouser Charlotte de Faucigny-Lucinge, et de se consacrer pour de bon aux lettres.

En ces occasions, Arletty rencontre tout ce que Paris compte de gens en vue. Chez Josée de Chambrun, experte dans l'art de composer une table, elle croise les sommités de l'État, la vieille France, l'ancienne gauche, la nouvelle droite, selon les reclassements politiques à l'œuvre, mais aussi des gens sans étiquette, des hommes de lettres, des artistes. Les déjeuners sont servis dans une belle salle ovale ornée de rares tableaux et donnant sur la place du Palais-Bourbon. Arletty remarque la farandole de personnages de cirque, noirs et grimaçants comme des Goya, qui dansent au plafond peint à fresque par José-Maria Sert. Le peintre catalan a été le beau-frère de son amant Mdivani. De quoi raviver ses souvenirs et la conversation. Parmi les convives, il y a Laval, Luchaire, Déat mais aussi, parfois, Abel Bonnard, chargé à titre de membre du Conseil national de préparer une nouvelle constitution comme de soigner l'image du régime, ou Drieu La Rochelle, l'auteur de *Gilles* bombardé directeur de la NRF avec la bénédiction d'Abetz. Certains jours prennent place autour de la grande table l'ambassadeur d'Espagne Lequerica, courrier de Pétain au moment de l'armistice, l'écrivain diplomate Paul Morand et sa richissime épouse d'origine roumaine, la princesse Soutzo. Autres invités : l'historien Jacques Benoist-Méchin, éminence grise du gouvernement, le critique fascisant Lucien Rebatet, le conseiller politique de tous les régimes Jean Jardin, le président de la société Hispano-Suiza, le prince Stanislas Poniatowski [110] – «le patron de mon frère» –, la productrice de cinéma Denise Tual, des comédiens et des comédiennes.

Deux hommes captent l'attention d'Arletty. D'abord le conseiller Ernst Achenbach, chargé des questions de politique générale et des relations avec la presse à l'ambassade, un francophile lettré.

«J'l'ai connu, il était France-Allemagne comme Abetz, Brinon, Pierre Benoit. J'le voyais chez Josée.»

Ensuite, le marquis de Polignac, président de l'Association vinicole champenoise.

«Melchior, un grand copain à moi. Sa femme, une Américaine, a été arrêtée avec moi. "Elle a du talent, j'n'en ai pas. Faut qu'ça change!" C'est lui qui a dit ça quand j'ai été arrêtée à la Libération. Un téméraire.»

En février 1941, le Schiller-Theater de Berlin donne deux représentations en allemand du chef-d'œuvre de Schiller *Kabale und Liebe* [111], à la Comédie-Française. Pour fêter la venue de la troupe, Abetz organise une réception dans les salons de l'ambassade d'Allemagne. Des plus somptueuses. Sur les banquettes capitonnées de l'ancien palais de la reine Hortense, rue de Lille, une pléiade de vedettes, parmi lesquelles Arletty, devisent avec des officiels allemands, dont quelques-uns en uniforme. Ici, c'est Jacqueline Delubac, une coupe de champagne à la main, qui bavarde avec le consul général Rudolph Schleier. Là Edwige Feuillère qui virevolte sous le regard gourmand d'un gros officier hilare, plus loin la charmante Jany Holt, puis la solide Marie Bell de la Comédie-Française, enfin la pétulante Roumaine Alice Cocéa. Ambiance de première. «Les photographies prises alors en disent plus long que les mots», commente le *Frankfurter Zeitung* dans son édition illustrée du samedi 23 mars 1941.

Sortie des mondanités, Arletty se ménage de longs moments en tête à tête ou en comité restreint avec ses fidèles : Jean-Pierre Dubost, Antoinette d'Harcourt, le couple Bourdet – Édouard et Denise. Vichy a révoqué l'administrateur du Français nommé par le Front populaire. *Je suis partout*, l'hebdomadaire collaborationniste, antisémite et délateur, qu'avec son art du calembour assassin Jeanson surnomme « Je chie partout », livre l'auteur de *Fric-Frac* à la vindicte. Le journal s'en prend aussi vivement à l'ancien ministre Jean Zay, qui l'a nommé à ce poste, parce qu'il est juif.

« La sœur de Jean Zay a fait mon buste. Il est en Amérique. Elle avait fait Doumergue [112], c'était pas si mal. »

Le buste d'Arletty, que Jacqueline Bardin-Zay (1905-1961) a sculpté au début des années trente, a été exposé à la World's Fair de New York en 1939 avec ceux de Chevalier, Mistinguett, Joséphine Baker, Buster Keaton. C'est une œuvre d'inspiration cubiste dans les formes et caricaturiste dans l'expression. Il n'est jamais revenu d'outre-Atlantique, à cause de la guerre.

Le reste du temps, Arletty reçoit des visites d'amis à son hôtel. Elle court les cinémas, arpente la salle des ventes, flâne sur les quais, va au théâtre, au cirque, visite les musées, fredonne l'air américain « Je regrette Paris ». Elle lit aussi : *L'Éducation sentimentale*, le *Journal* de Samuel Pepys, du Claudel, replonge dans *L'Aiglon* de Rostand. Son impression d'enfant était la bonne : indigeste. *L'Amant de Bornéo*, une pièce de Roger Ferdinand et José Germain, lui tombe sous la main. Quand Jean-Pierre Feydeau en tire un film en janvier 1942, elle accepte le rôle de l'actrice-chanteuse-illusionniste, d'un intérêt mineur, sauf pour les inconditionnels.

Soudain, arrivée d'un câble de Beverly Hills. André Daven a un rôle important pour elle à Hollywood. Il a réussi à placer son accent, et s'engage à embaucher Jean-Pierre comme assistant technique. Début des prises de vues : mai 1941.

« Non, nous ne voulions pas partir. Peut-être que quatre ans plus tard, je serais revenue "grande résistante". »

D'accord avec le directeur des Deux-Ânes et des Variétés, Rip, de son côté, offre de lui écrire deux revues pour l'année 1942. Mais Arletty n'a pas le temps de lui donner de réponse : il meurt brutalement le 25 mai 1941, à cinquante-sept ans.

Richebé la contacte. Il ne faut surtout pas perdre espoir. Malgré la pénurie des studios, la production repart doucement. *Madame*

Sans-Gêne se tournera en noir et blanc, puisqu'il abandonne son projet de faire « coûte que coûte », ainsi qu'il le lui disait en 1939, le premier film français en couleur.

Un mardi, Josée de Chambrun l'invite à un concert salle du Conservatoire. Au programme, des œuvres vives et pleines de fantaisie d'Emmanuel Chabrier. Arletty accepte. Le décor pompéien, qu'elle ne connaissait pas, lui semble en parfaite harmonie avec les robes des jolies femmes descendues de gravures Directoire. Josée lui présente son voisin, un fringant officier allemand. Dans le rang derrière, Marie Bell qu'Arletty appelle Melpo, diminutif de Melpomène [113], veille. Il se murmure qu'elle serait membre du IIᵉ Bureau de renseignement [114]. C'était le 25 mars 1941 vers 18 heures.

« Je fis la connaissance d'un jeune homme singulièrement beau et d'une parfaite indifférence qui devait bouleverser ma vie. »

Son nom : Hans Jürgen Soehring.

Seconde partie

Chapitre IX

Il est à mon pays puisqu'il est tout à moi.

RACINE

Mars 1941. Arletty est, à bientôt quarante-trois ans, comme à seize ans. Détachée, insoumise, irréductible, libre. Le succès n'a pas entamé son goût de l'indépendance. Sans doute sourit-elle davantage qu'à l'adolescence. Sans forcer son tempérament. Pour se rendre aimable. Par philosophie de la vie. Tout plutôt que les larmes. Si les malheurs du monde l'agitent, elle n'en laisse rien paraître.

« Pas le genre d'la maison. Je suis, par nature, une pierre qui roule. Mon défaitisme m'interdit les déceptions. »

Lors de sa première rencontre avec Soehring, elle est, à tous points de vue, disponible. Professionnellement, les vagues projets ayant surgi après son refus de s'expatrier à Hollywood ont tourné court. Le dernier en date, un film sur la vie d'Ève Lavallière vieux de deux ans et relancé par son fils Jean Lavallière, est abandonné. Arletty trouve le synopsis insipide en regard de l'histoire de cette comédienne, amoureuse d'un attaché d'ambassade allemand avant 1914, entrée ensuite dans les ordres. Il y a bien *Madame Sans-Gêne* mais le projet reste en suspens.

« Moi, pendant la guerre, je ne tournais que quand j'n'avais plus d'argent. Pleine de pognon, j'aurais pas travaillé. J'étais contre la guerre. Je suis contre toutes les guerres. »

Affectivement, rien ne la comble non plus. Jean-Pierre, qui reste son âme damnée, l'appelle de Lyon, lui écrit, passe régulièrement la ligne de démarcation pour lui rendre visite à Paris. Aurait-elle la vocation de bourreau? Non, en amour, la réciprocité ne se commande pas. Arletty «l'aime bien». Elle le lui fait dire lorsqu'ils sont loin l'un de l'autre, l'assure de sa «tendresse» par l'entremise de Josée de Chambrun, lui offre une photo dédicacée où elle apparaît rieuse, sous un béret à fronces orné d'une plume, cliché signé : «À Jean-Pierre, sa Sans-Gêne.» Maigre consolation pour celui qui ne vit que pour elle. Avec Antoinette d'Harcourt, ses rapports ne sont à l'évidence qu'un pis-aller. Elle sait à l'occasion le lui faire cruellement sentir.

«Aux siècles passés, les artistes compromettaient les duchesses, aujourd'hui, ce sont les duchesses qui compromettent les artistes.»

En somme rien de comparable avec ce qu'elle va éprouver pour Soehring. Lorsqu'elle le voit pour la première fois, elle éprouve une impression si forte, si inédite, que l'émotion l'étreint d'une douleur physique. Désir? passion? Elle ne sait pas, ne saurait dire. Rétrospectivement la passion, plus que le désir. Arletty aborde des rivages inconnus, incomparables au coup de foudre fulgurant et météorique qui lui fit plaquer Jean-Pierre pour le racé Mdivani en 1936. Cette fois, un sentiment beaucoup plus ravageur la domine, à la rendre folle. Arletty est subjuguée. Fascinée. Domptée. Elle qui a, jusque-là, toujours tenu la dragée haute à ses soupirants. De dix ans plus jeune qu'elle, Soehring a l'œil incisif et clair, la mâchoire volontaire et carrée, la bouche bien ourlée, le front large et dégagé, les cheveux courts, très légèrement plaqués sur le côté. Sa distinction, son côté bien-né se lisent dans sa démarche, souple et sèche, d'homme entreprenant, dynamique, dont l'aisance à claquer des talons est manifeste. Les mouvements des mains sont ceux d'un chef d'orchestre à son pupitre, prestes, rythmés, nets, précis. Il déborde d'assurance et d'autorité. Quand on le surprend, le visage fermé ou les traits tendus, des éclairs métalliques jaillissent de ses yeux gris-marron. Comme des lames d'acier. Au contraire, si un vague sourire appuyé d'un léger froncement de paupière illumine sa physionomie, il se transforme en jeune premier romantique conscient de son rayonnement. Dans le regard flotte en permanence des lueurs magnétiques, tantôt tendres, tantôt féroces, expressions de ses émotions et de ses humeurs. Signe particulier : il a les oreilles pointues des faunes mythologiques représentés dans les tableaux allégoriques. Arletty le gratifie d'emblée d'un surnom : Faune. Elle, elle sera sa

Biche. Jusqu'au terme de leur aventure, à la mort brutale de Soehring à l'automne 1960.

Entre leur premier échange de politesses salle du Conservatoire et l'éclosion de leur passion sur le tournage de *Madame Sans-Gêne*, plus de trois mois passent.

En avril 1941, en zone occupée, la production française a repris tant bien que mal, sous le contrôle des Allemands devenus les maîtres de l'industrie cinématographique. Moins par la qualité des œuvres produites que par le pouvoir qu'ils exercent. Leur réseau de propagande est impressionnant. Il y a la Propagandastaffel, rattachée au commandement militaire en France, la Propaganda Abteilung, liée au ministère allemand de l'Information, la Continental Films, société de production dirigée par un homme réputé despotique et secret, Alfred Greven. Trois organismes très actifs, lorsque Roger Richebé dépoussière son projet d'adaptation de la pièce de Victorien Sardou et Émile Moreau. Ayant repris sous son nom la direction française de la Paramount, propriété américaine, il décide de produire ce film seul, sans la Continental. Avec Arletty dans le rôle principal.

Madame Sans-Gêne est l'histoire d'une ancienne blanchisseuse de la rue Sainte-Anne, qui, sous la Révolution, a pour client un jeune officier d'artillerie mauvais payeur, Bonaparte. Devenue épouse d'un maréchal d'Empire, elle se pavane dans la haute société avec un franc-parler et des manières piquantes et populaires, qui ne sont pas du goût de ce beau monde. Mais son grand cœur, sa conduite chevaleresque forcent l'estime et le respect.

Tournage dans les studios de Joinville, sauf pour la scène finale du départ en calèche de l'héroïne et de l'Empereur, joué par Albert Dieudonné. Pour aérer le film, Richebé veut la réaliser dans la cour du château de Grosbois. L'ancienne demeure du maréchal Berthier, major général de la Grande Armée de Napoléon, est située à une trentaine de kilomètres de Paris, sur la route de Provins. Richebé téléphone au concierge. Hélas pour lui, le château est réquisitionné par le quartier général de la Luftwaffe. À tout moment, la garde est prête à rendre les honneurs au maréchal Goering, commandant en chef des forces aériennes allemandes, qui, lorsqu'il est en France, préfère séjourner au Ritz, place Vendôme. Qu'à cela ne tienne, une demande de permission de tournage est transmise aux occupants. Autorisation accordée. Le jour dit, un contretemps oblige à reporter les prises de

211

vues ainsi que la réception, organisée par le général Hanesse, hôte des lieux, supérieur hiérarchique de Soehring. Colère de l'officier. Richebé fulmine d'avoir à renoncer à son projet. Arletty intervient.

« J'ai joué les "Boule-de-Suif". »

Elle téléphone à René de Chambrun qui, par ailleurs, est l'avocat de Richebé. « Je lui brosse un tableau noir de la situation : les canassons, les carrosses, les calèches, les autobus, la figuration, Napoléon, sa famille et votre servante. "Ne vous occupez de rien, dit-il, je vais prier S[oehring] de vous appeler au studio."

« Et... une heure après, nous avions l'appel.

S[oehring] acceptait d'oublier une erreur de protocole devenue un incident diplomatique et qui finissait en malentendu, à une condition que je sois à huit heures précises devant le château de Grosbois ; il serait là pour m'ouvrir la grille.

« Service, service, la cantinière était à l'heure, en costume d'amazone, badine en main.

« Et c'est ainsi que cela commença... Voilà tous mes forfaits [115] ! »

Échange de passeports.

« Sa mère était polonaise. Lui était né à Constantinople. »

Hans Jürgen Soehring voit le jour dans l'ancienne capitale ottomane le 23 juillet 1908, au hasard des affectations de son père, attaché culturel allemand. Une partie de sa jeunesse se déroule en Amérique du Sud, dans les milieux diplomatiques, les grands espaces, l'aisance. Un environnement propre à satisfaire son inclination à la rêverie, que berce la douceur protectrice du foyer familial. Ses lectures, en particulier l'œuvre de Goethe qu'il vénère au point de le réciter par cœur, à laquelle il ajoute les romantiques allemands, nourrissent son romantisme. À vingt ans, c'est donc un jeune homme ténébreux, bouillonnant de projets grandioses. Il veut écrire des livres inspirés, pleins d'amours virginales et déchirantes, avec références à la Grèce antique, paysages champêtres, ciels d'orage, aubes et crépuscules exaspérant les sens. Un hymne à la nature et à l'amour. Idyllique, sans souillure. Sa formation littéraire le marque durablement, de même que les récits héroïques de la vie de Napoléon Ier. Il l'admire avec tant de ferveur qu'il n'est pas sûr que les conquêtes de l'Empereur n'aient pas influé sur sa décision de devenir, toute proportion gardée, un héros de son siècle, en s'engageant dans l'aviation allemande. Ou est-ce pour oublier ses aspirations contrariées de devenir champion sportif? Sans un claquage malencontreux à l'entraînement, il aurait peut-être décroché la médaille d'or du cent mètres aux Jeux olympiques de Berlin en 1936. Sa vie alors en aurait peut-être été modifiée du tout au tout.

Soehring est, à Paris, assesseur au conseil de guerre de la Luftwaffe. À ce titre, il peut aller et venir à son gré entre la capitale et le château de Grosbois, et, le cas échéant, aplanir les difficultés. Comme il le fait pour *Madame Sans-Gêne*.

Le film est un succès. Jean Cocteau salue le talent d'Arletty : « S'il fallait incarner les mystères de Paris à tous les étages, depuis les grandes dames de Balzac jusqu'aux larves d'Eugène Sue, s'il fallait essayer de rendre visibles à un étranger les contrastes, les détresses, le luxe, la misère, la malice et le crime de notre ville, je désignerais du doigt Arletty. [...] Car le langage que parle cette actrice et la manière dont elle en use l'emportent de beaucoup en pureté sur le français avachi dont se servent, à l'heure actuelle, les personnes correctes. [...] De sa voix mordante et traînante, Mlle Arletty trouve toujours l'expression juste, la couleur, le relief. Elle fait mouche à tout coup. Les cinéastes le savent et, lorsqu'ils lui écrivent un rôle, c'est sa manière qu'ils imitent. Mlle Arletty, c'est Mylord l'Arsouille [116]. »

Aux louanges succèdent les contrats. Son agent s'active, résolu à lui obtenir des conditions financières au moins aussi favorables qu'à un Fernand Gravey. À la différence qu'Arletty n'exigera jamais, en sus de ses cachets, un kilo de beurre des Charentes par semaine et le blanchissage de ses serviettes à démaquiller [117]. C'est à cette période-là que la Continental, qui souhaite embaucher les meilleurs professionnels afin de promouvoir la collaboration franco-allemande dans le septième art, lui fait un pont d'or. Arletty est invitée à lui réserver l'intégralité de son activité cinématographique entre la mi-juin 1942 et décembre 1943. Un an et demi de cachets assurés, alors que de nombreux comédiens et techniciens n'arrivent pas à décrocher un engagement. Pour beaucoup, la situation est critique. Le producteur Raoul Ploquin, directeur du Comité d'organisation de l'industrie cinématographique (COIC), un organisme créé par Vichy pour réorganiser et relancer la production et l'exploitation françaises paralysées par l'occupant, n'a-t-il pas lancé un appel à la solidarité dans la profession ? Arletty envoie un chèque en guise de réponse.

À la Continental, on lui laisse la possibilité d'émettre son avis sur la partie des scénarios et les dialogues la concernant, d'en exiger, si bon lui semble, des modifications avec l'assentiment de l'auteur; garantie lui est encore donnée que ses trajets domicile-studios en automobile seront pris en charge; assurance lui est faite qu'à chaque fois, elle sera la seule tête d'affiche. Enfin, interdiction lui est dressée de contracter avec d'autres producteurs, exception faite des engagements déjà conclus – avec l'accord plus ou moins tacite d'Alfred Greven – auprès de la Compagnie commerciale française cinématographique (CCFC) et de la société Regina. Car, le patron de la Continental tranche de tout. Affable mais jaloux de son pouvoir, il est capable de représailles quand on lui résiste.

Pour cinq films, Arletty se voit offrir un minimum de 2 300 000 francs [118]. Il est aussi question de lui assurer une moyenne de 100 000 francs par mois la première année, et le double la deuxième. La Continental lui propose d'emblée de tourner dans deux productions, dont l'une, *Le Chevalier à l'éventail*, avec Raimu. Un projet apparemment jamais réalisé.

L'autre était-il *L'assassin habite au 21*, dont Henri-Georges Clouzot donne le premier tour de manivelle le 4 mai 1942?

«On m'l'avait proposé. Je n'ai pas voulu le faire. C'est la [Suzy] Delair qui l'a joué. Elle était la maîtresse, comme mariée, de Clouzot. Y avait Fresnay dedans. »

Suzy Delair, elle, soutient que le rôle lui était destiné dès l'écriture du scénario [119].

Arletty a également refusé de jouer *Mam'zelle Bonaparte*, rôle endossé par Edwige Feuillère dans le film de Maurice Tourneur produit par Greven. Par la suite, elle déclinera la proposition d'incarner une bourgeoise de province austère, ayant commis un péché de jeunesse, dans *Vingt-cinq ans de bonheur* de René Jayet avec Jean Tissier, Noël Roquevert, et, pour la remplacer, Denise Grey.

«J'lui r'filais les rôles que je refusais à la Continental. Pas par patriotisme, parce que j'les trouvais mauvais. Les sujets me déplaisaient. Elle m'a pas r'merciée, remarquez! Elle m'a évité des ennuis, et elle en a pas eu. »

Autre projet resté dans les limbes, *Les Évadés de l'an 4000*, que devait réaliser Marcel Carné avec Jean Marais et Danielle Darrieux.

Pourquoi ces refus successifs à la Continental?

«Je suis incorruptible! »

En 1971, dans *La Défense*, elle écrit : « Si je n'ai pas tourné pour cette [société de] production, ce n'est pas que j'en redoutais les suites, mais simplement parce que j'aurais desservi [ses] films [120]. »

Probable aussi qu'Arletty écoute alors les sages conseils que Soehring, beaucoup plus fin politique qu'elle ne le sera jamais, lui dispense.

Leur rendez-vous sur le tournage des dernières scènes de *Madame Sans-Gêne* au château de Grosbois a été fatidique. D'autres rencontres, pourtant, brèves et fortuites, ont précédé.

« Je le voyais aux courses, aux premières, accompagnant de belles "pharisiennes". »

Soehring adore les femmes, qui le lui rendent bien. Arletty, elle, aime se moquer de sa très légère pointe d'accent, car s'il s'exprime dans un français impeccable, précis, imagé, s'il lit, parle, écrit cette langue avec facilité et cite les grands auteurs français, romantiques de préférence, sa prononciation se heurte à des fautes vraiment bénignes, du genre « par conséquence » au lieu de « par conséquent ». Erreur qu'il commet parfois par jeu, pour montrer qu'aucune des subtilités de la langue de Molière ne lui est étrangère. Francophone pour avoir étudié le droit à Grenoble, Clermont-Ferrand et Paris, c'est aussi un francophile averti, cultivé, à l'aise en société, portant beau et viril.

« Un vrai bonhomme. »

Les moments les plus intenses de leur passion, folle et agitée, sont partagés dans le superbe appartement qu'Arletty loue à une Américaine rentrée dans son pays, Miss Wiborg, au 13, quai de Conti, à deux pas de l'Institut. Immeuble tranquille du XVIIe en pierre de taille de François Mansart. L'entrée se fait par le n° 2 de l'impasse toute proche. Sous l'action d'une clochette de bronze, la lourde porte cochère s'ouvre sur une cour de gravier plantée de lauriers-roses. Arletty emménage au premier étage – dit noble, à cause du balcon – la veille du tournage de *Madame Sans-Gêne*. Sacha Guitry et les Chambrun l'accompagnent. Dans l'escalier de marbre, un tapis de velours bleu délavé amortit les pas. Le vestibule est si frais que, lorsque Arletty entre, son premier geste est d'ouvrir la porte du salon, sobre, haut de plafond, éclairé de grandes fenêtres. Les murs sont tapissés de tentures claires et les meubles peu nombreux. Il y a un grand lit douillet recouvert d'une parure de mousseline brodée, un piano à queue sur lequel trône le portrait à l'huile d'un Arlequin signé Picasso, que Soehring déplace chaque fois qu'il s'installe au clavier. Car, le bel indifférent de la première heure se sent à présent chez lui quai de Conti où, entre deux bouffées de cigarette, il n'aime rien tant qu'improviser un air en buvant un verre de sherry.

À partir d'août 1941, le jeune officier s'installe pratiquement à demeure. Les soirées d'été, devant la porte-fenêtre ouverte du balcon, Marie, la gouvernante, sert à dîner sur une table pliante, dressée près du piano. Ils grignotent des petits morceaux de homard, dégustent du champagne dans des verres à cognac frappés du N impérial ceint de deux rameaux de lauriers, goûtent la fraîcheur du soir qui monte de la Seine, hument le parfum des arbres qui longent les quais. L'hiver, ils vont aux premières. Au théâtre, à l'Opéra, aux concerts, Soehring se comporte en parfait sigisbée lorsque ses missions à Mourmelon ou à Reims le lui permettent. De retour du spectacle, ils soupent d'un plat unique : des huîtres de Marennes ou des belons, du caviar ou un aspic de viande que Marie, d'une sollicitude zélée, se procure au marché noir. Il lui arrive parfois de rapporter un pont-l'évêque ou un quart de brie, dont Arletty ne mordille, à son habitude, que la croûte.

« C'était au moment où la guerre nous était complètement indifférente, écrit Soehring dans *Cordélia*, un roman largement inspiré de sa liaison avec Arletty, paru en Allemagne en 1948. La guerre était bien plus loin de nous que la rougeoyante planète Mars qui, la nuit, étincelait à l'ouest, par-dessus les ponts dans les exhalaisons de la ville sombre. La guerre se passait sur une autre planète, entre des êtres étranges avec lesquels nous n'avions aucune parenté, pour des choses dont nous ne savions que les noms et auxquelles nous ne comprenions rien, ni ne voulions jamais comprendre quoi que ce soit. »

Dehors, la nuit, la brume leur font écran. Du balcon, le square du Vert-Galant, sur la pointe de l'île de la Cité, se distingue à peine. Les quais, les arbres, les stands des bouquinistes, la lourde masse du musée du Louvre se fondent dans la pénombre. À gauche se devine la passerelle des Arts, à droite le Pont-Neuf. Ce sublime isolement sera de courte durée.

Arletty aime son nouveau logement. Elle s'y sent chez elle, et, une fois n'est pas coutume, pend la crémaillère. Sont de la fête son amie Lili de Rothschild, Colette et son mari Maurice Goudeket, Marie Laurencin, Coco Chanel et Misia Sert, l'égérie des plus grands artistes du début du siècle – Proust et Mallarmé pour les lettres, Bonnard et Toulouse-Lautrec pour la peinture, Ravel et Stravinski pour la musique.

« Plantureuse… Un Renoir… La santé, la chair. Un personnage. Elle sentait les talents. Essentiellement généreuse. Mdivani disait qu'elle portait malheur. »

Il était en effet persuadé qu'elle avait jeté un sort à sa sœur Roussy, morte de tuberculose à trente-deux ans, quelques mois à peine après son mariage avec José Maria Sert, qu'elle avait arraché à Misia.

Dans les premiers temps de son installation quai de Conti, Arletty organise des petits déjeuners et quelques dîners. Colette est parmi les premières à être reçue. Sacha Guitry, Josée de Chambrun, Odette Joyeux, Simone Signoret, alors débutante, suivent bientôt. Le prestige des invités n'est pas forcément un gage de convivialité. La rencontre Picasso, Cocteau et Chevalier tombe à plat. Entre le peintre espagnol et le « gars de Ménilmontant », le courant ne passe pas.

« Paul Valéry venait aussi en voisin quand il allait toucher ses j'tons à l'Académie. Un ingénieur des mots. Il appréciait le café de Marie. »

L'auteur de *La Jeune Parque*, lui, apprécie l'hôtesse. Sa compagnie lui est si agréable qu'il prie le pianiste Alfred Cortot de l'inviter à une lecture des *Études pour un Faust*, qu'il donne à un cercle restreint d'auditeurs un dimanche après-midi de juillet 1941 au domicile du virtuose, à Neuilly.

« Il y avait Cortot, Jacqueline Delubac. C'était barbant. Il lisait très mal. Il lui manquait la voix d'un Raimu ou d'un Fresnay. Les auteurs n'ont pas toujours intérêt à lire eux-mêmes leurs textes… »

Les saillies de l'écrivain, en revanche, l'enchantent. Comme celle entendue lors d'un dîner en cabinet particulier chez Lapérouse avec le professeur de médecine Henri Mondor : « La cause de la dépopulation en France ? la présence d'esprit. »

Sa rencontre avec Céline, auteur qui l'avait tant marquée autrefois, date de cette époque. Les présentations ont lieu, à l'initiative de Josée de Chambrun, place du Palais-Bourbon, chez un voisin, William von Bohse, un avocat allemand chargé des questions juridiques à l'ambassade d'Allemagne.

« C'est là que j'ai vu Céline pour la première fois. Il était très beau. De très beaux yeux, d'un gris rare. Les plus belles mains du monde. Nous sommes tombés dans les bras l'un de l'autre. C'est là qu'on s'est dit : "Courbevoie… Courbevoie…" La voix hésitante… Il avait aussi une espèce de superbe. Séduisant, mais très simple. Un ascète. Pas loqueteux du tout. J'avais l'impression de l'avoir toujours connu. »

À cause du *Voyage* bien sûr qu'elle a lu à sa sortie, et qui l'a marquée par ses vitupérations contre les guerres et son cortège d'horreurs, la vie sordide des gens écrasés par le cynisme des puissants, la banlieue, l'usine, l'ennui, la misère. Images et impressions indélébiles de son enfance.

Une enfance que lui rappelle, à sa manière, Marianne, une gosse de Fontenay-sous-Bois qu'Arletty recueille bientôt, quai de Conti, et pour laquelle elle se prend d'affection. La fillette a douze ans, des parents que la drôle de guerre a, pour son malheur, séparés. Sans être une enfant abandonnée, la fillette est souvent livrée à elle-même et terriblement seule. Douée du génie de l'innocence, mais d'une franche débrouillardise, elle traîne au hasard des rues, fait des rencontres de fortune. Quai de Conti, elle trouve un refuge; auprès d'Arletty, attention et réconfort. Voici comment : « C'était pendant l'Occupation. Je me baladais avec des gens que j'avais rencontrés par hasard sur les quais. Arletty fouinait chez les bouquinistes. Mes "amis" l'ont reconnue, et lui ont dit un mot. Je savais qui elle était pour l'avoir vue au cinéma à Fontenay. Comme ça m'était interdit, j'avais l'habitude d'entrer dans les salles par des portes dérobées. Elle m'a tout de suite posé un tas de questions [121]. »

Pour satisfaire sa curiosité, Marianne lui raconte ses chagrins, ceux d'une famille déchirée par la guerre. Sa mère a pris un amant quand son père, ouvrier d'usine, était mobilisé. À son retour du front, elle le somme de quitter le domicile conjugal, avec l'enfant. Depuis, père et fille vivent dans un pavillon de rapport sans prétention, à Fontenay. D'ailleurs, Marianne va devoir rentrer, prendre l'autobus pour éviter qu'il ne s'inquiète de son retard. Arletty lui donne son numéro de téléphone. Quand, le lendemain, Marianne l'appelle d'une cabine publique, Arletty l'invite à venir la voir. Son père l'accompagne à bicyclette, le moyen de locomotion des gens simples, généralisé à cause du rationnement.

La fillette est aux anges. Arletty lui parle, l'écoute, lui prête attention. Ensemble, elles rient. Pour exprimer son bonheur, ce bonheur tout bête d'être considérée, Marianne ne fait pas de phrases, elle ne sait pas. « Je ne suis pas un prix de littérature », répète-t-elle. Elle ne l'a du reste jamais été. Une adolescence contrariée par la guerre et l'égoïsme de ses géniteurs l'a privée de l'instruction élémentaire qui permet de décrocher un certificat d'études ou un brevet. Ses lacunes grammaticales du type «Je souhaite que tout va bien pour vous» reflètent cette carence, même si, quand elle parle, ses phrases, empreintes d'une touchante naïveté, sont émaillées de mots, aisément repérables, tombés directement de la bouche d'Arletty. D'ailleurs, comment cette enfant délaissée n'aurait-elle pas, presque naturellement, subi l'influence bénéfique de celle qui bientôt deviendra «tout ce qu'elle a de plus cher au cœur», une seconde maman? Marianne en convient. Elle essaie d'imiter son accent, de prendre ses intonations, de reproduire ses comportements. Mimétismes qui iront s'atténuant avec le temps et l'éloignement, puisque, une fois rencontré l'amour, elle ira vivre au Canada.

En attendant, ses visites quai de Conti, où elle élira finalement domicile, se multiplient, d'abord avec, puis sans son père. Un père qui finit par se lier à une autre femme. Marianne se retrouve un soir à la rue. Elle a marché longtemps dans la nuit, le long de la Seine, une petite valise à la main avec dedans quelques habits jetés pêle-mêle. Sur le coup de deux heures du matin, elle sonne quai de Conti. Arletty ne dort pas.

«Qu'est-ce que c'est?» (d'une voix forte et dissuasive).

Elle se lève, ouvre, l'accueille, lui montre «sa» chambre.

«Entre, ton plumard est prêt.»

Le lendemain, comme les jours suivants, ses efforts pour réconcilier père et fille échouent. Marianne reste quai de Conti. «D'une certaine manière, c'était comme si elle m'avait adoptée.» Pour l'enfant, Arletty est, et demeure à jamais: «ma fée».

Arletty refuse toutes les propositions de la Continental, mais signe pour trois films, produits par des compagnies françaises: *L'Amant de Bornéo* de Jean-Pierre Feydeau, *Boléro* de Jean Boyer, *La Femme que j'ai le plus aimée* de Robert Vernay. Trois farces à dénouement heureux, réalisées entre novembre 1941 et février 1942, et où elle n'a aucun mal à briller.

Les deux premières, adaptations de comédies de boulevard, ne sont que du théâtre filmé, la troisième un film à sketches. Dans *L'Amant de Bornéo*, Arletty, coiffée de turbans, interprète une vedette de music-hall charmée par un libraire explorateur fantasque, Jean Tissier.

« Il y avait Guillaume de Sax, le mari de Cécile Sorel. J'étais très bien fringuée. Mais, faut jamais mettre de galures dans les films, c'est c'qui s'démode le plus vite. »

Dans *Boléro*, vêtue d'un petit boléro fantaisie, elle se fait passer pour folle, à dessein de tromper un architecte (André Luguet) que l'air de Ravel, joué sans cesse sur le pick-up de sa voisine du dessous (Denise Grey), rend fou de rage. Dans *La Femme que j'ai le plus aimée*, une idée d'Yves Mirande sur une musique de Maurice Yvain, elle incarne une divette de café-concert qui profite des avances que lui fait son propriétaire – un chirurgien – pour ne pas payer son loyer.

« C'est Noël-Noël qui faisait le toubib. J'avais déjà joué avec lui aux Deux-Ânes. Un grand chansonnier. Un faux derche terrible. Dans le film, il habitait au-dessus de chez moi et voulait m'épouser, et moi je faisais une espèce de grue et je répondais : "Non, ce serait toc." »

Entre deux tournages, escapade à Megève. Arletty passe quelques jours de détente à la montagne avec Soehring. Puis, une fois son amant reparti, avec Jean-Pierre Dubost, son vieux compagnon, qui ne manque aucune occasion de la rejoindre. Pendant ce temps, elle garde le contact avec Prévert, qui, retiré dans un petit hôtel de La Garoupe à Antibes, songe à elle pour un film. Ce sera *Les Visiteurs du soir*. Le projet est bien avancé. Pour éviter la censure de Vichy, Prévert et Carné ont décidé d'en situer l'action dans le passé, dans un monde hors du réel. Le choix du Moyen Âge est-il une idée du cinéaste, comme celui-ci le revendique dans ses *Souvenirs*? Arletty, elle, penche plutôt pour Prévert. En tout cas, réalisateur et dialoguiste sont rapidement d'accord sur le nom d'Arletty pour interpréter le principal rôle féminin. « Qui mieux qu'elle, en effet, pouvait camper Dominique, personnage androgyne, mais en qui s'incarnait toute la rouerie féminine, et aussi toute la grâce [122] ? », écrit Carné.

Le contrat en poche, Arletty prend des leçons d'équitation au manège de Neuilly, les premières images du film devant la montrer à cheval, en costume de ménestrel, avec Alain Cuny. Elle s'initie aux trots et galops d'essai. Pour se perfectionner, elle séjourne au château de Candé, en Indre-et-Loire, domaine célèbre pour avoir accueilli, cinq ans plus tôt, le mariage de l'ex-roi d'Angleterre Édouard VIII, devenu duc de Windsor, après son abdication par amour pour l'Américaine Wallis Simpson, qu'il a ainsi faite duchesse.

«Shakespeare disait : "Mon royaume pour un cheval." Lui, c'était : "Mon empire pour une femme."»

Le propriétaire du lieu, Charles Bedaux, un Franco-Américain, est plus secret qu'Arletty ne saurait l'imaginer. Il a cinquante-cinq ans, une forte corpulence, un air têtu, une fortune colossale et une réputation d'industriel dont il se flatte puisqu'il a «inventé» le travail à la chaîne, version française du taylorisme emprunté aux Américains, dès avant 1914, et forme des ingénieurs qu'il envoie de par le monde.

«Bedaux, une gueule à la Louis Renault. Il était esclave de son système et minutait l'emploi du temps de ses invités [123].»

C'est un homme puissant, qui, au sein de la Synarchie, une société secrète aux ramifications internationales, suspectée de fomenter des complots politiques, influence les gouvernements et traite directement avec les chefs d'État. Ses sympathies pour l'Allemagne nazie sont de notoriété publique. Sous l'Occupation, il bâtira le projet grandiose de relier les pays du Maghreb à l'Afrique noire par un chemin de fer transsaharien, et d'installer un pipeline de trois mille deux cents kilomètres capable de transporter indifféremment de l'eau ou de l'huile d'arachide. Bedaux propose à Hitler de se charger de la construction, pourvu qu'on lui fournisse matériel et main-d'œuvre. Le Führer accepte. À peine installé dans ses bureaux d'Alger, Bedaux est arrêté, avec son fils, par les Américains fraîchement débarqués, puis expédié à Miami où il meurt subitement en février 1944.

À Candé, dans son parc boisé, Arletty, cheveux ondulés au vent, tient les rênes et cravache. Soehring l'escorte, en veste de tweed et chapeau mou. Elle acquiert de l'aisance, et peut, fin avril, se rendre sur le tournage des *Visiteurs* en toute quiétude, pour se glisser dans la peau de Dominique, envoyée du Diable (Jules Berry) avec Gilles (Alain Cuny) au château du baron Hugues (Fernand Ledoux). Leur mission consiste à faire échouer le mariage de la fille dudit baron, Anne (Marie Déa), car le Malin en est amoureux. Pour mener à bien leur entreprise de séduction-destruction, les missionnaires du Diable recourent à des sortilèges, mais, le Mal est joué : Gilles s'éprend follement d'Anne.

«Tournant de ma carrière. Je passe du personnage léger à l'énigmatique. Tout m'enchante dans ce film : le poème, la musique, les sites où on allait tourner : le Midi, Vence, Gourdon, Tourrette-sur-Loup, écrit Arletty. Là, dans la maison où je loge, un cochon clandestin [à quatre pattes] manifeste un goût dévorant pour mon maillot. Je m'en tire de justesse.

« Images : Roger Hubert. Je n'ai aimé qu'un château : celui des *Visiteurs*, le château neuf, brillant comme un miroir, planté par Trauner.

« Nous travaillons et vivons en équipe : Carné, Marie Déa, Alain Cuny, Marcel Herrand, Jules Berry, Fernand Ledoux. C'est aussi une compétition d'acteurs, chacun veut donner son maximum. Jacques Prévert fait des apparitions discrètes [124]. »

« On ne pouvait pas rêver meilleur diable que Berry…, ajoutera-t-elle plus tard. Cuny, c'est un pauvre mec. C'est surtout un tordu. Vous savez, on connaît les gens quand on vit six mois avec eux. Il avait une boulimie. Il mangeait toujours du saucisson. »

Il y a aussi Roger Blin, le futur metteur en scène des pièces de Samuel Beckett, en montreur d'ours, et une jeune figurante qu'Arletty a pu croiser préalablement dans *Boléro*, Simone Signoret. Bien malin qui parvient à l'identifier dans *Les Visiteurs*, au fil des tableaux traités à la manière des *Très Riches Heures du duc de Berry*, qu'il s'agisse des scènes de la danse, du banquet, de la chasse. « Pour la première fois, je côtoyais des stars, écrit Signoret dans *La nostalgie n'est plus ce qu'elle était*. Je n'en perdais pas une ! Et ce n'était pas n'importe qui : c'étaient Arletty, Jules Berry, Ledoux, Marcel Herrand. On vivait à Vence. Les figurants habitaient la pension Ma Solitude, au bord de la voie ferrée, les stars habitaient le Grand Hôtel de Vence sur la place, au milieu des platanes, qui a été démoli. […] À part deux ou trois copains qui avaient pris ce boulot pour passer en zone libre, le gros de la troupe était constitué de figurants de métier, ceux qui ont la garde-robe… […] Arletty, Ledoux et Herrand étaient particulièrement gentils avec nous [125]. »

Retour à Paris, Signoret prend ses quartiers quai de Conti et présente son petit ami Daniel Gélin à Arletty. « La première qui m'ait parlé d'Arletty en détail, c'était Simone, se souvient-il. Elle disait qu'elle avait une vraie culture, authentique. Simone avait plutôt la dent dure avec les bonnes femmes mais Arlette passait à travers. Je lui ai été présenté pendant la guerre. Je jouais aux Mathurins, où Signoret a démarré pendant *Les Visiteurs*. Arlette m'a fait un compliment : "Tu vas faire une bonne carrière parce que tu te déplaces bien." Après ça, à chaque fois que j'avais un plan en pied, je faisais attention de ne pas marcher lourdement. J'avais la chaloupée, comme les marins de Brest [126]. »

Les mois de tournage des *Visiteurs* dans le Midi s'avèrent un soulagement pour Arletty, momentanément délivrée de ses obsessions, elle que l'inactivité rebute. Régulièrement, elle retrouve Paris, Soehring, et parfois les théâtres où il l'accompagne. Dès 1942 pourtant, leurs sorties se raréfient. Ils passent souvent seuls leurs soirées quai de Conti. Pour éviter les cancans, fuir les envieux qui les jalousent. Comme elle craint que les tête à tête prolongés ne lui pèsent, elle le pousse quelquefois à l'emmener au spectacle. Lui peut bien jurer qu'elle est la seule femme avec laquelle il ne s'est jamais ennuyé, elle sourit, dubitative, le regard triste. Dans l'assistance particulièrement choisie ces soirs-là, les saluts amicaux – «des grimaces» – qu'elle reçoit ne la trompent pas. Les apartés, les chuchotements qu'elle surprend, les regards furtifs qu'on lui jette et qui semblent signifier «Quel toupet!» ne l'émeuvent pas. La pièce terminée, elle redresse la tête, plus crâne que jamais, redoublant d'amabilité.

Davia, la vieille camarade des débuts théâtraux, se souvient : «J'me rappelle d'Arlette avec son militaire. J'l'ai vue au Saint-Georges. Elle allait aussi chez Maxim's avec lui. Y avait qu'des officiers. Pour une artiste, c'était pas bon. Après, qu'est-ce qu'elle a eu comme emmerdes! Elle bravait tout l'monde. L'air "j'm'en fous, mon corps est à moi. J'fais c'que j'veux". Elle a pas été plate. Elle était pas inconsciente, elle était bravache. C'était son caractère [127]. »

Dans la rue, Arletty et Soehring ne s'attardent pas. Ils empruntent aussi souvent que possible la passerelle des Arts. Elle, marche les yeux baissés, lui, toujours un demi-pas en arrière, la main glissée sous son bras, comme mû par un sentiment instinctif de protection.

Arletty aurait-elle lieu de se sentir menacée? Certes, elle s'affiche avec son amant et se compromet dans les mondanités, au même titre que le Tout-Paris artistique. Un soir, Soehring l'entraîne à un grand raout organisé en l'honneur de Goering chez le général d'aviation Hanesse, chargé de distraire le maréchal lors de ses visites à Paris, en l'emmenant tantôt chez Maxim's, tantôt ailleurs.

«Hanesse, le patron de Soehring. Il parlait très bien le français.»

Dans un étonnant rapport de police, Eugène Feihl, chargé de la presse à l'ambassade d'Allemagne à Paris pendant les quatre ans de l'Occupation, affirme qu'Hanesse, installé à l'hôtel Rothschild, près de l'Étoile, organisait «de somptueuses réceptions chez lui où se côtoyaient le monde et le demi-monde [128]». «Son comportement a causé quelque scandale mais il s'est assagi par la suite, s'étant sans doute fait rappeler à l'ordre, ajoute-t-il. C'était un vieux camarade de combat de Goering et il cherchait surtout à satisfaire les penchants de ce dernier qui était le responsable de ses débordements.»

Quand le chef suprême de la Luftwaffe se déplace en France, Soehring, son subalterne, fait partie de la garde rapprochée.

«Il était son homme lige. Sa grande qualité… morale : sa loyauté. Dévoué envers Goering. La fidélité à son chef», explique Arletty.

Était-il nazi?

[Un temps.]

«Il savait nager…»

Arletty part dans un rire, autant pour esquiver la question que pour l'allusion à la mort par noyade de son amant dans le fleuve Congo, en octobre 1960.

Étant donné sa curiosité, indomptable, il y a fort à parier qu'elle l'a, une fois au moins, interrogé sur l'époque, les troubles politiques, la nature de ses engagements passés et présents.

«Soehring disait toujours : "Vous n'avez pas eu confiance en notre monnaie." Pour mon "Péché", je l'appelle "Mon Péché", Hitler s'est laissé attendrir par le vainqueur de Verdun. Autrement, il allait jusqu'à Gibraltar.»

Sauf à s'exiler, Soehring, qui a choisi de rester et de servir dans l'Allemagne hitlérienne, aurait peut-être pu se cantonner à une neutralité de bon aloi, toutefois difficile à imaginer dans un pays quadrillé par un régime policier implacable. À l'instar de millions d'Allemands, il a pris sa carte du parti. Par convenance personnelle? ambition? conviction? La question reste posée. La date exacte de son adhésion n'est pas établie. Une lettre «confidentielle» du 29 mars 1938 enregistrée au secrétariat du Führer à Munich indique que le ministre de l'Air a proposé l'assesseur Hans Jürgen Soehring au poste de juge au tribunal militaire [129]. Le document, frappé du svastika surmonté d'un aigle, est à en-tête du Nationalsozialistische Deutsche Arbeiterpartei [130], le parti nazi, imprimé en lettres gothiques. C'est le premier document connu attestant que les instances dirigeantes s'intéressaient à lui. Ses adresses successives en Allemagne y sont recensées depuis le 1er janvier 1932. Objet du document : la «nomination d'un fonctionnaire». Ce n'est pas une banale fiche administrative, mais un texte de recommandation, comme il en circulait pour les désignations à des postes à responsabilité. Plus troublant est le contenu d'une lettre « d'appréciation » des qualités de Soehring, datée du 17 juin 1938. Destinée à la « section politique » du parti, elle est adressée au Gauleiter (chef de district) de la province de Munich par un chef local. Tous les membres du parti qui l'ont connu peuvent témoigner que Soehring a fait « une très bonne impression », indique l'Ortsgruppenleiter. Il a « respecté » la ligne du parti dans toute sa conduite. « Tout porte à croire qu'il pourra s'acquitter de son travail de manière positive [131] », ajoute le document, qui s'achève par le salut « *Heil Hitler !* ». Il est probable que ces pièces compromettantes soient les seules qui existent. En 1936, après ses études de droit en France et des séjours en Angleterre et en Amérique, Soehring regagne l'Allemagne pour intégrer le barreau. Finalement, il opte pour la magistrature.

Honnête fonctionnaire, ni fanatique ni particulièrement zélé, Soehring est d'une loyauté évidente, comme le note Arletty. Après la guerre, dans les années de reconstruction, il déploiera la même droiture à servir son pays en temps que diplomate. En 1954, il sera nommé consul de la République Fédérale d'Allemagne à Loanda [132], en Afrique occidentale portugaise.

Sous l'Occupation, Soehring est en service commandé, comme le jour de la réception donnée en l'honneur de Goering.

« La seule… où je sois allée, dit Arletty. Il y avait la Popesco qui avait connu Goering à vingt ans en Roumanie pendant la première guerre. J'dis ça, c'est pas pour compromettre Popesco. Alice Cocéa était là, Guitry, la Laval et quelques autres. Quand Pierre Laval est arrivé, il s'est dirigé vers moi qui étais seule. Il m'a dit : "Qu'est-ce qu'on fout là tous les deux ?" »

Hanesse, le maître de céans, présente Arletty, coiffée d'un turban à aigrette de verre filé, au maréchal en grand apparat.

« Des yeux d'un bleu ! Une gueule, une belle gueule. Tout à fait Siegfried. Il était beau… en 14. Très élégant. De la très grande bourgeoisie allemande. Il était coquet. Il adorait les soies de Lyon. Il faisait marcher le commerce. Il a dit : "Madame Sans-Gêne ? Il ne vous manque plus que l'éléphant." »

En mai 1942, en revanche, elle se rend seule à deux invitations lancées par les autorités allemandes. Le 16, elle répond à celle du Dr Karl Epting, directeur de l'Institut allemand, pour l'exposition du sculpteur Arno Breker au musée de l'Orangerie. Des œuvres monumentales. Cocteau s'extasie devant les athlètes de bronze. Derain essaie de se dissimuler derrière les « joyeuses » d'un cheval géant [133]. « Si ces statues entraient en érection, on ne pourrait plus circuler », lance Sacha Guitry. Geneviève de Séréville, sa quatrième épouse, est à ses côtés.

« Une arriviste. Ambitieuse. Une vie de grande bourgeoise. Aucun talent, mais pas sotte. »

L'élite se bouscule pour saluer l'artiste officiel du IIIe Reich : l'architecte Auguste Perret, le sculpteur Paul Belmondo [134], Morand, Drieu La Rochelle, Lifar, Cécile Sorel, Dunoyer de Segonzac, Van Dongen, Chardonne, Benoist-Méchin. Arletty y fait la connaissance d'Aristide Maillol, sorti de sa retraite méditerranéenne pour saluer publiquement le « Michel-Ange allemand ». Vernissage exceptionnel : Alfred Cortot et le grand chef d'orchestre Wilhelm Kempff exécutent des œuvres de Mozart au piano ; Germaine Lubin chante des mélodies de Schubert et de Fauré.

Le 28, Arletty assiste au dîner donné dans les salons cossus du restaurant Ledoyen, cours des Champs-Élysées, par Alfred Greven, le patron de la Continental Films. De petites tables rondes de six ou sept convives, ornées de bouquets, sont dressées. À la sienne : Georges Simenon et Roger Richebé. Son long cou émerge d'une robe sombre à gros boutons nacrés. Un turban à voilette lui ceint la tête. La mode pourtant est aux petits chapeaux élégants posés de guingois, comme celui que porte Danielle Darrieux assise à la table d'Harry Baur. Il y a aussi Eva Busch, Zarah Leander, Spinelly, Pierre Benoit, Maurice Tourneur, Henri Decoin, Christian-Jaque. De ces célébrités, bien peu sont inscrites sur la liste noire de trente-neuf noms publiée le 24 août 1942 par le magazine américain *Life*, que la Résistance promet de châtier pour faits de collaboration. Parmi elles se trouvent Philippe Pétain, Pierre Laval, Fernand de Brinon, Jacques Doriot [135], Maurice Chevalier, Sacha Guitry, André Derain, Mistinguett.

« J'vois pas pourquoi Mistinguett était du nombre. Parce qu'elle avait joué, peut-être, alors voilà !... S'il avait fallu tordre le cou à toutes les poules qui ont joué !... »

À noter aussi au ban de l'infamie, des écrivains – Pagnol, Céline, Chardonne –, des patrons de presse ou éditorialistes – Luchaire, Déat, Prouvost, Horace de Carbuccia –, le producteur de champagne Melchior de Polignac, le boxeur Georges Carpentier, René de Chambrun.

« J'ai honte de n'pas y être. Ben oui, j'ai l'air d'être privilégiée. »

Arletty échappe aux menaces. Si elle semble ignorer que certains de ses amis, eux, y sont exposés, elle est, en revanche, très au fait du retour aux affaires de Laval en avril 1942. Près d'un an et demi après son éviction du pouvoir, il cumule désormais les fonctions de chef du gouvernement, ministre des Affaires étrangères, de l'Intérieur, de l'Information. « C'était Bougnaparte. »

Le discours que le président du Conseil martèle un mois plus tard sur les ondes lui laisse une impression de malaise.

« J'étais dans mon bain quai de Conti. J'prenais des bains à ce moment-là. Quand j'ai entendu Laval dire : "Je souhaite la victoire de l'Allemagne, parce que, sans elle, le bolchevisme s'installerait partout en Europe…", j'ai bondi. Tout le monde pouvait bondir. C'était la plus grande connerie de sa vie. Un passage historique terrible. Sans ça, il s'en tirait. Ce jour-là, il a signé sa mort. Il pouvait le penser, mais pas le dire. »

Quant au durcissement de la politique de Vichy contre les juifs, elle n'en saurait précisément dire la date. Le port de l'étoile jaune – le signe infamant le plus visible de la discrimination – est rendu obligatoire, le 28 mai 1942, une semaine avant qu'un décret ne leur interdise de se produire au théâtre, au cinéma et dans le domaine musical, à moins d'une autorisation spéciale. Depuis la loi raciale du 3 octobre 1940 déjà, « toute personne issue de trois grands-parents de race juive […] est regardée comme juive », quelle que soit la religion de la génération actuelle.

Arletty n'en rapporte qu'une histoire assez saugrenue vécue par Pierre Wolff, critique dramatique et auteur oublié de pièces où les riches barbons le disputent aux femmes entretenues.

« Il habitait place du Palais-Bourbon. Méchant, caustique. Il a porté l'étoile. Un jour, il a été convoqué rue Lauriston, au siège de la Gestapo, à propos de sa généalogie. Il leur a dit : "50, 100, 1 000, 2 000, 3 000, 4 000, 5 000, 6 000 ans… J'ai beau chercher, je ne vois que des juifs." Pour ce mot, je l'ai admiré. »

Tout Paris s'amuse alors de la manière spirituelle dont le dramaturge fait la nique à l'occupant.

Les décrets antisémites du printemps 1942 sont applicables en zone nord, mais en zone sud, Alexandre Trauner se cache néanmoins pour réaliser, sans risque d'être inquiété, le château blanc avec pont-levis des *Visiteurs du soir*. Avec Joseph Kosma, comme lui Juif hongrois, le compositeur de la musique du film, dirigée par Charles Munch, il vit dans la clandestinité. Arletty, qui dîne souvent en sa compagnie, le sait parfaitement. « À Tourrette-sur-Loup, raconte la veuve du décorateur, Trau', enfin Trauner, habitait le Prieuré, une petite maison qui avait l'avantage d'avoir une entrée et une sortie. À l'approche du danger, il foutait le camp. Carné, qui l'avait commissionné pour les décors du film, faisait des aller-retour à Paris pour lui rapporter de la documentation et les nouvelles. Arletty connaissait tout ça. Un jour, elle lui a vraiment sauvé la mise en lui disant ce qu'il fallait au bon moment. Trau' était menacé. Elle lui a dit : "Il ne faut pas rester là, il faut que tu t'en ailles." Il a suivi ses conseils. Il y avait entre eux une très grande connivence, une amitié très forte. Tous les trois avec Prévert, c'était à la vie, à la mort [136]. »

De la vie dans les stalags en Allemagne, Arletty connaît ce que lui en écrit en octobre 1942, de Trèves, un prisonnier, Émile Cacheux, à qui elle a adressé le texte de *Fric-Frac* qu'il lui avait demandé. Le prisonnier se plaint du manque d'accessoires et de costumes — « Mais nous ne serions pas français s'il fallait s'arrêter là », se prévaut-il. La pièce de Bourdet a été jouée « intégralement et avec un large succès. Évidemment nos femmes ont des allures plutôt mâles, mais entre nous cela n'est rien pourvu que, dans l'ensemble, l'illusion soit assez parfaite. » Arletty rit à la lecture de son récit.

Les Visiteurs du soir sortent sur les écrans. Éloge unanime de la critique envers ses auteurs, ainsi que ses interprètes : Berry, Arletty. Pour la presse à la solde de Vichy, la grande qualité du film est d'en finir avec les « drames bourbeux » qui ont jusqu'alors fait le succès de Prévert et Carné, autant qu'avec les sempiternels vaudevilles et pièces de théâtre gaulois adaptés à l'écran. Il n'y a guère que la Centrale catholique du Cinéma et de la Radio pour faire la dégoûtée, laquelle recommande de le proscrire absolument à cause du « défi du Diable ». Et aussi Guitry pour faire le délicat : « Ça a l'air de la parodie d'un chef-d'œuvre luxembourgeois joué par des domestiques tristes. Le cuisinier : Ledoux. Le valet de chambre : Herrand. Le palefrenier : Cuny. La couturière : Marie Déa. Le caviste : Berry. Et enfin, je l'ai gardée pour la bonne bouche : Arletty. Celle-là, elle a l'air d'une bonne, mais d'une de ces bonnes dont on dit qu'elles n'ont pas l'air d'être des bonnes [137]. »

« Ça, c'est de l'amertume. Sacha a dû souffrir de ne pas avoir fait de film comme ça. »

La charge symbolique des images finales, où le cœur des amants (Gilles et Anne) bat…, bat…, bat…, sous la pierre, à la grande colère du Diable Berry, a suscité bien des gloses. Certains y ont vu, à l'étonnement de Prévert et Carné, les pulsations de la France sous la chape de plomb de l'occupation.

« Ça alors, je n'en savais rien ! »

Sorti de ce plan final prétendument subversif, *Les Visiteurs du soir* est un film où il est surtout beaucoup question d'amour. Un amour auquel hommes et femmes succombent sans grande résistance, à l'exception notable de Dominique/Arletty, qui, elle, ne cède rien, jamais, à personne.

Chapitre X

Oui, certes, je ne suis qu'un voyageur,
un pèlerin sur cette terre! Qu'êtes-vous donc de plus?

GOETHE

Sérieuses déconvenues pour Hitler à l'hiver 1942-1943. Son rêve d'un IIIᵉ Reich destiné à durer mille ans est sévèrement mis à mal. La Résistance intérieure sort de la chrysalide dans laquelle elle se débattait depuis juin 1940. La guerre mondiale s'étend. Au Sud, les troupes anglo-américaines ont débarqué en Afrique du Nord, provoquant l'invasion de la zone libre par les soldats de la Wehrmacht. À l'Est, les soldats de l'Armée rouge ont repoussé les colonnes blindées du maréchal Paulus de l'autre côté de la Volga. Stalingrad est dévastée, mais libérée. En France, les réseaux de renseignement clandestins, longtemps spontanés et inexpérimentés, se structurent. Les actions s'intensifient. Tracts et journaux sont diffusés sous le manteau. Les maquisards descendent des montagnes, sortent des forêts et harcèlent l'occupant. Sabotages et attentats se multiplient dans une guerre subversive, génératrice de sanglantes représailles. Arletty retient de cette époque quelques bombardements sporadiques sur Paris, dont un une nuit de pleine lune. Hommes et femmes de l'ombre, les résistants épient les faits et gestes de l'ennemi, veillent à ne pas être victimes de dénonciations. Une seule imprudence les conduirait au mieux en prison, au pis à la torture, à la déportation, ou plus sommairement, au poteau d'exécution. De Gaulle s'impose à la tête du Conseil national de la Résistance, qui regroupe des représentants des mouvements clandestins.

Pour venger ses revers militaires autant que pour remédier au manque de main-d'œuvre dans les fermes et les usines allemandes, le Führer réquisitionne les ouvriers français, contingente de façon drastique les denrées alimentaires. L'usage des tickets de rationnement, d'abord réservés au pain et aux pâtes, se généralise, parallèlement au marché noir qui bat son plein, et inspire les chansonniers.

« Y avait plus de tissus, plus de costumes, plus de robes, plus de cuir, donc plus de chaussures. Mais y avait des modistes qui faisaient des merveilles. Maguy chez Balenciaga », se souvient Arletty.

Contre la pénurie de bas, pour en imiter la couture, les coquettes dessinent un trait noir sur le mollet. Arletty, elle, trouve un moyen plus ingénieux de ne pas avoir froid aux jambes. Elle met des bas usagés et prévient les remarques par un « Ah zut, j'viens de filer ma paire de bas ! », quand elle arrive quelque part. Elle peut s'offrir de ne pas porter de galoches, ces sortes de bottines montantes à semelle de bois, en pleine vogue.

Quai de Conti, Marie, « la servante au grand cœur » comme l'appelle Soehring, se démène pour rapporter des provisions. Mais le beurre et la crème fraîche font gravement défaut, malgré la diligence d'Antoinette d'Harcourt. La jolie duchesse a rejoint les Sections sanitaires automobiles féminines (SSA) dès leur création en septembre 1939 pour porter secours aux blessés du front. L'armistice venu, elle est restée membre de l'état-major au titre de capitaine avec mission de veiller au bon déroulement du ravitaillement des populations, en particulier côtières. Son secteur comprend la Normandie d'où elle rapporte régulièrement des produits fermiers frais. Les SSA, que commande avec une autorité toute militaire Edmée Nicolle, comptent plus d'un millier de dames titrées et fortunées. Leurs présidentes d'honneur, Mme Albert Lebrun et la duchesse de Windsor, sont entourées d'une pléiade de femmes du monde : la comtesse Roussy de Sales, la comtesse Bernard de Ganay, la princesse Daisy de Broglie, la comtesse Marie-Louise de Tocqueville, la duchesse de Valençay, la comtesse Claude de Peyerimhoff, Mme Jeanne Paul Reynaud, la vicomtesse Yvonne de Villiers de la Noue – la sœur de l'as de l'aviation Georges Guynemer. « Mes conductrices voyageaient beaucoup, partout. Quelquefois, elles revenaient avec du beurre. Ce n'était pas coutumier. J'avais créé cet organisme par patriotisme.

Toutes les femmes de la bonne société voulaient en faire partie. L'état-major a décidé qu'il fallait que j'en sois la générale. J'étais très sévère. Il est évident qu'il y avait des histoires de femmes. Mais, je n'acceptais aucun incident [138]», affirme Edmée Nicolle. Arletty l'encouragera à écrire un livre de souvenirs resté dans ses tiroirs, texte dont elle lui fournit le titre : *J'étais un général.*

«Quand Antoinette d'Harcourt m'apportait deux kilos de beurre, ça m'durait quinze jours, raconte Arletty. Et puis, j'en donnais à la concierge, à la gouvernante. Alors, elle me reprochait que ça n'me dure pas six mois. Un jour que j'avais tout donné à mon frère, ça a fait toute une histoire : "Où sont passés les deux kilos… ta, ta, ta, ta, ta, ta…" J'étais invitée dans les restaurants. Dans ceux qui donnaient de plain-pied sur la rue, comme chez Lapérouse, on se cachait dans les cabinets particuliers pour déjeuner. Pour les malheureux, c'était horrible. Puis moi, j'ai jamais été une goulafre [139].»

Les dîners en ville déjà s'espacent. Son appétit, ces semaines-là, se porte sur les livres. Rentrée de Mégève au lendemain des fêtes du nouvel an 1942-43, Arletty en achète un stock : *L'Étranger* de Camus, *Mille Regrets* d'Elsa Triolet, *Fortunes* de Robert Desnos, *Les Suicidés* de Simenon – tous de parution récente – *Sanctuaire* et *Tandis que j'agonise* de Faulkner. Beaucoup d'autres encore. Ces lectures l'aident à apaiser la douleur aiguë qu'elle ressent le jour où Soehring lui annonce qu'il doit aller rejoindre le front italien enfoncé par les troupes alliées. Le débarquement en Sicile précipite la chute de Mussolini, bientôt retranché à Salo, sur le lac de Garde. Rome est bombardée, la péninsule italienne envahie par l'armée allemande.

«Le retour fait aimer l'adieu», se dit Arletty philosophe en relisant Musset. À quand ce retour? La question reste sans réponse, bien vite l'angoisse est là. L'éloignement lui paraît rapidement interminable. Elle voudrait suivre les déplacements de Soehring, se rappelle les serments inouïs qu'il faisait sur le mode «je n'ai jamais aimé et je n'aimerai jamais quelqu'un d'autre que la petite femme que la providence m'a donnée», hume les fleurs d'oranger et de cerisier séchées qu'il lui envoie, caresse son buste de bronze posé près du lit. En révolte, elle lui donne des nouvelles de Paris, d'une écriture fiévreuse. Exemple, le 15 avril 1943 :

«Faune,
Hier soir, Pâques russes au Lancaster chez Mme Tessier ex-Maria

Balewska. Des Lifar aux Trouberzk[oï] en passant par les Limur, les mijetons [*sic*] chocolat lactéol, les "chenilles" fidèles au schoking Schiap. L'amphytrionne toujours belle, l'air d'un sucre d'orge rosé. Aussi, le nouveau ministre des Beaux-Arts d'exhiber son savoir en débitant des pages de Tourgueniev, de Dostoïevski, de Tolstoï, de Gogol, de Tchekhov, puis il est parti sur Borodine, Rimsky-K[orsakov], Moussorgski, Tchaïkovski, Stravinski! Tous de s'attendrir!

À la sortie, j'avais envie de crier : Vive la merde, vive Céline, vivent les mecs du Soho.

Vive Faune.

Biche. »

Soehring est-il déjà aux abords du Vésuve ou seulement sous le ciel de Toscane? Pure spéculation. Arletty ne dispose pas d'indication précise. Il se peut qu'il ait été appelé à Berlin, s'il n'est pas encore sur une base de l'est de la France. Il lui arrive de téléphoner, mais tenu au secret militaire, il lui dit rarement où il se trouve. Où alors, après coup.

Amoureuse, Arletty l'imagine sous le ciel toscan soliloquant sous les étoiles, lui qu'Orion et la Grande Ourse rendent lyrique. Il a séjourné à la Villa Reale de Marlia, au nord de Lucques, avant de prendre ses quartiers au sud de Naples. La magnifique résidence XVIIᵉ d'Élisa Bonaparte [140] a été réquisitionnée par les Allemands pour servir de halte aux soldats. Soehring occupe la chambre de la sœur de Napoléon. Les officiers goûtent l'harmonie du cadre, ses ruisseaux, son lac, sa fontaine de pierre monumentale et ses arbustes taillés en hémicycle qui forment un théâtre de verdure unique. Le matin, lorsque le jour se lève en rose et gris, des rubans de brume courent entre les bosquets. Le décor est adossé à des collines d'où se répercute le chant des cigales. Soehring savoure le paysage, pense à ses amours lointaines, se détend, quoique en mission. De là, il se rend à Venise. Au Danieli, il demande au maître d'hôtel de l'installer à la table où Sacha Guitry a dîné cinq ans plus tôt avec Jacqueline Delubac et Arletty, comme pour mieux sentir la présence de sa «guenon» claquemurée à Paris.

De son côté, recluse dans sa chambre, Arletty s'efforce de sourire, douloureusement, en songeant aux reproches que son amant, d'une jalousie féroce, lui adresserait au vu de certaines de ses fréquentations, en particulier féminines, ou en songeant aux scènes pendables qu'il lui est arrivé de lui faire. Qu'elle continue de fréquenter la

234

duchesse d'Harcourt, qu'elle se hasarde chez Fred — «une boîte de gousses» — attiserait, c'est sûr, sa suspicion maladive, lui, «l'ancien lion des salons parisiens», qui se targue de pouvoir rester des mois avec une invisible ceinture de chasteté. La seule pensée qu'un étranger puisse toucher la peau de sa «môme de Courbevoie» l'horripile.

Et vous Arletty, jalouse?

«Si un bonhomme avait joué à ça, j'aurais tombé la bonne femme. Avec moi, ça n'aurait pas duré quarante-huit heures… En amour, j'ai toujours choisi. Je n'ai jamais été celle qui se laisse choisir. Mais, je suis une femme incomplète sans doute, je n'ai jamais été jalouse. Ça ne m'aurait pas déplu pourtant… Dans la vie, j'suis poker. J'aime à la folie les parties perdues d'avance. Parfois, je demandais à Soehring s'il se tapait des bonnes femmes. Il me répondait : "C'est elle qui me suis tapé…" [rires]. Avec Antoinette d'Harcourt, c'était différent, c'était une jalousie d'amour qu'elle éprouvait.»

Lorsqu'elle est seule, toute à ses pensées, Arletty s'attendrit aussi du soin que Soehring, s'il était là, montrerait à l'accompagner le soir pour rentrer chez elle, et de la sollicitude dont il l'entourerait dans le tumulte des représentations houleuses de la pièce de Marcel Achard, *Voulez-vous jouer avec moâ?*, en mai 1943.

«Une pochade d'étudiant. Amusante. Je n'avais pas vu la pièce à la création en 1923. Achard jouait alors Crockson. Ce qui m'a décidé à la jouer, c'est que Christian Bérard dessinait les costumes. J'avais la première coiffure queue de cheval. Dans *Mistigri* [141], j'avais l'deuxième rôle. C'est Jane Renouardt qu'avait le premier. J'étais habillée par Schiap. À l'époque, la réussite d'une garde-robe faisait une partie du succès d'une pièce. On a beaucoup plus parlé de mes costumes que de c'que j'faisais. Le théâtre d'Achard, c'est comme une robe, ça se démode.»

Cette fois, dans *Voulez-vous jouer avec moâ*, le rôle d'Isabelle lui est proposé par Albert Willemetz, directeur des Bouffes-Parisiens. Seule femme de cette fantaisie en trois actes, elle est aimée de deux clowns — Rascasse et Crockson — mais éprise d'un troisième, Auguste. À ses côtés : Armontel, Jean Parédès et Pierre Brasseur, également chargé de la mise en scène. Musique de Georges Van Parys. La rentrée d'Arletty sur une scène de théâtre, cinq ans après sa dernière prestation dans *Cavalier seul*, vire au tumulte. Huées, sifflets, des spectateurs se lèvent, donnent de la voix en usant de leur programme comme d'un porte-voix. «Remboursez», «C'est infâme», hurle la salle.

« Les répétitions sont sans histoire. Nous étions soutenus par Van Parys qui ne nous quittait pas d'une mesure. Tout allait bien, le ciel était pur... quand, le soir de la première, plus de Van Parys. Il avait été appelé "d'urgence" en zone libre, remplacé au pied levé par un visage inconnu. Je chantais – c'est une façon de parler – *Voulez-vous jouer avec moâ?* et *Faut pas dire ah! Faut pas dire oh!* qui appelait l'accrochage. Au milieu du premier acte, bruits divers dans la salle; les fauteuils claquent. Nous restons très calmes. Le chahut va *crescendo*; il est à son paroxysme quand Isabelle-moâ apparaît en haut d'une échelle, dans un somptueux costume, traîne de dix mètres, Brasseur à ses genoux en romantique Monsieur Loyal, un bouquet de fleurs en papier à la main. À l'entracte, parmi d'autres invités, une jeune débutante se précipite dans la loge, haletante, pour me dire qu'elle se bagarre avec les trublions... alors que je venais d'apprendre qu'elle avait réglé ce "ballet". Elle jouait très mal son rôle de faux derche [142]. »

Avertissement, jalousie, patriotisme outragé... Si Arletty en est réduite aux hypothèses sur les raisons exactes de la cabale montée contre la pièce, elle affirmera, des années plus tard, que la jeune débutante n'était autre que... Simone Signoret, qu'elle reçoit très régulièrement quai de Conti jusqu'à l'aube de la Libération. Elle est tout aussi convaincue que c'est elle encore, qui, un soir, dans les derniers mois de l'Occupation, lui tend un traquenard. Une nuit, le téléphone sonne. Une voix brouillée imitant Soehring lui donne rendez-vous immédiatement sur le pont des Arts. L'incongruité de la chose la surprend à peine, connaissant le goût de son amant pour les défis amoureux. Tout de même, avant de sortir, elle décroche le combiné pour vérifier qu'il l'a bien appelée – Soehring passe la nuit dans son appartement lorsqu'il doit partir tôt le lendemain matin. À l'autre bout du téléphone, il la somme de ne pas bouger.

« C'était pour me noyer. On aurait retrouvé mon corps dans la Seine et fait passer ma mort pour un suicide. »

Rien en l'état ne permet d'étayer ses accusations. Cependant, Arletty prend vivement Signoret en grippe.

« Elle avait l'âme de son visage », dira-t-elle de l'interprète de *Casque d'or* quand celle-ci, âgée et bouffie, aura enlaidi. Après son

Arletty

Arletty photographiée
par Roger Corbeau
entre deux séances
de tournage de
Fric-Frac de Maurice
Lehmann, assisté de
Claude Autant-Lara.
1939.

$\mathcal{A}$rletty
Sa famille
Son enfance

Léonie
(au centre)
à 4 ans.
De gauche
à droite, son
père Michel
Bathiat,
sa tante Léonie,
à qui elle doit
son prénom, sa
mère Marie et
son frère
Jean-Baptiste
dit Pierrot.

Sa grand-mère
Mariette : " Elle
venait tout droit du
Moyen Age. "
Son père Michel,
chef de traction à
la compagnie de
Transport parisien
du département
de la Seine (TPDS),
l'ancêtre de la RATP,
mort accidentelle-
ment en 1916.

Photo de famille
et de la maison
de la grand-mère
Mariette à
Charbonnières-Les-
Vieilles où, enfant,
Léonie, deuxième à
gauche, passait
ses vacances.
Aujourd'hui,
le bureau de poste
du village.

Le 12 mai 1909,
Léonie
fait sa première
communion
à Montferrand.
" Les yeux
baissés sur un
missel. Rien ne
laisse deviner
mon incrédulité.
Je suis athée.
Dieu merci ! "

ÉPREUVE INALTÉRABLE AU CHARBON

*Lefièvre Couton*fils   *Clermontfd*

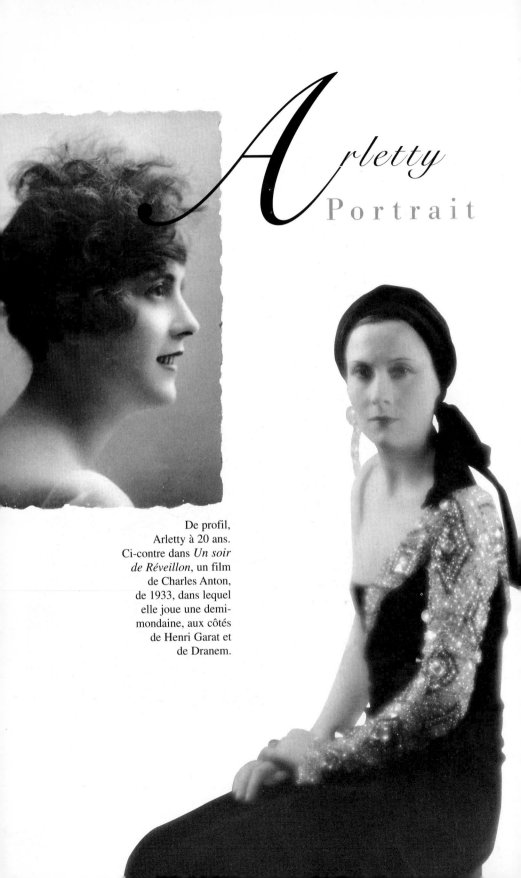

Arletty
Portrait

De profil,
Arletty à 20 ans.
Ci-contre dans *Un soir
de Réveillon*, un film
de Charles Anton,
de 1933, dans lequel
elle joue une demi-
mondaine, aux côtés
de Henri Garat et
de Dranem.

Léonie laisse tomber la sténodactylo pour devenir mannequin dans les maisons de couture à la Madeleine. Elle choisit le prénom d'Arlette, en souvenir d'une héroïne de Maupassant.

ARLETT

*A*rlette,
mannequin,
anglicise son nom :
Arletty, comédienne,
est née. Dans
Enlevez-moi (1932),
de Léonce Perret,
elle chante *J'enlève
ma liquette.*

Dans *Voulez-vous
jouer avec môa ?*,
(à gauche) de Marcel
Achard, en 1943, où elle
porte des costumes créés
par Christian Bérard.
En haut, photographiée
par Manuel Litran à
l'occasion de ses 90 ans.
En bas : à Belle-Ile
en 1960 près de
sa cheminée en granit.

$\mathcal{A}$rletty

Ses grands films

Avec
Jean Tissier
dans *L'Amant
de Bornéo*,
de Jean-Pierre
Feydeau.
1942.

Avec Louis Jouvet,
M. Edmond,
son souteneur dans
Hôtel du Nord.
Le film de
Marcel Carné et
la réplique
d'Henri Jeanson
" Atmosphère… "
lui apporteront
la consécration
cinématographique.

Dans *Le Jour se lève* (1939)
de Marcel Carné, tourné aux studios
de Billancourt dans des décors
d'Alexandre Trauner.

Son premier
film avec
Jean Gabin,
qu'elle a connu
dans les années
1920, à l'époque
où elle courait
le cachet dans
les cabarets.

Les Enfants du Paradis.
Séance de maquillage
sous l'œil de Marcel Carné
aux studios de la Victorine à Nice
à l'automne 1943.

Arletty en vérité sortant du puits.
Derniers ajustements de
coiffure de Garance.

Avant de disparaître
dans la foule du
carnaval, Garance
retrouve Baptiste
pour une dernière
étreinte.

Avec Fernandel
dans *Fric-Frac*
de Maurice
Lehmann, et avec
Michel Simon
dans *Circonstances
atténuantes*
de Jean Boyer.
Deux films de 1939.

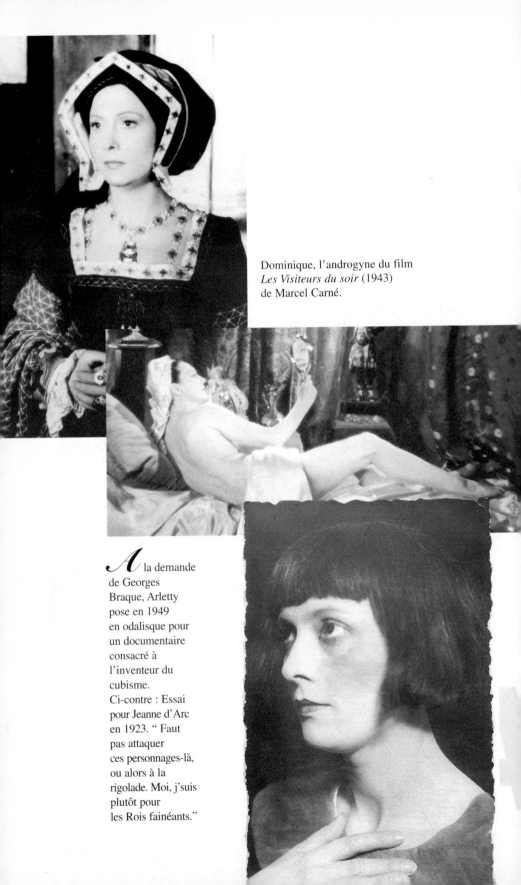

Dominique, l'androgyne du film
Les Visiteurs du soir (1943)
de Marcel Carné.

A la demande
de Georges
Braque, Arletty
pose en 1949
en odalisque pour
un documentaire
consacré à
l'inventeur du
cubisme.
Ci-contre : Essai
pour Jeanne d'Arc
en 1923. " Faut
pas attaquer
ces personnages-là,
ou alors à la
rigolade. Moi, j'suis
plutôt pour
les Rois fainéants."

Arletty et Louis Jouvet
dans *Hôtel du Nord*.
" Les répliques de Mme Raymonde,
ça vaut les 1500 lignes
de Cyrano. "

Arletty
amours
amitiés

Arletty (allongée) à la plage dans les années 1920 avec son plus fidèle compagnon Jean-Pierre Dubost, un agent de chang petit-neveu de l'ancien président du Sénat Antonin Dubost. Elle lui dédicacera son livre de souvenirs *La Défense*.

Sa liaison sous l'Occupation avec l'officier de la Luftwaffe, Hans Jürgen Soehring, fut à l'origine de ses ennuis à la Libération. Lui, en haut, à 20 ans et, en bas, en décembre 1944. " Rien ne peut m'enlever ce que fut cet événement. "

Dès sa rencontre
en 1939 avec
la duchesse
d'Harcourt,
descendante
du baron Gérard,
Arletty la sur-
nomme " LA "
pour le ton
qu'elle donne aux
conversations.

Embrassades avec le dialoguiste Henri
Jeanson -"l'homme à qui je dois tout"-,
au début des années 1960, et avec
le danseur étoile Patrick Dupont à la fin
des années 1980 autour d'une bonne table.

*A*rletty,
Jacqueline Delubac et
Sacha Guitry, place
Saint-Marc à Venise vers
la fin des années 1930.
" Avec moi, Jacqueline
lui avait trouvé
une partenaire pour
échanger des répliques."

En 1951, avec
Louis-Ferdinand
Céline dans
la maison de
l'écrivain à Meudon.
Après la lecture
de son *Voyage
au bout de la nuit*,
en 1931, elle dira :
" C'est ses images
que j'ai aimées…
ses visions."

enterrement dans le plus célèbre cimetière parisien début octobre 1985, elle ne sera plus que : «la mère Lachaise».

En mai 1943, devant le public des Bouffes-Parisiens, Arletty ne se démonte pas. Au salut final de la pièce d'Achard, elle s'avance vers l'avant-scène, et lâche : «Mesdames, messieurs, la pièce que nous avons eu le courage de jouer devant vous ce soir...» Les rires fusent, les applaudissements éclatent.

La pièce, toujours chahutée, se joue à guichets fermés. «Tu la joues autant que tu veux», lui dit Willemetz. Après trois semaines de charivari, Arletty renonce.

«J'avais assez ri... C'est bête, on aurait pu tenir jusqu'à la Libération!»

Durant ces semaines, Arletty broie du noir, lorsque renfermée dans sa chambre, elle est livrée à elle-même, à ses nuits agitées, solitaire. Mais les permissions de son amant lui ouvrent de douces parenthèses. Alors, Faune règne en maître sur le cœur de Biche. Pourtant, à l'heure de la séparation, aussi peinée soit-elle, elle contient ses sentiments. «Avoir de la classe, c'est, dit-elle, l'art de savoir se tenir en toutes circonstances.» Arletty se conforme à sa définition. Et puis, l'activité l'aide à tromper sa mélancolie. Le 14 août 1943, elle prend le train avec deux valises et son sac Hermès. Nouvelle adresse : l'hôtel Negresco, sur la Promenade des Anglais à Nice. Pour le tournage du nouveau film de Prévert et Carné, *Les Enfants du paradis*. Une coproduction des sociétés Scalera et Discina, dirigées l'une par un Italien, Di Consiglio, l'autre par André Paulvé. Arletty a signé le contrat le 7 avril pour le premier rôle féminin d'un film au titre provisoire *Funambules*. Elle savait qu'elle serait dans la distribution, Carné le lui avait dit dès le soir de la projection des *Visiteurs* à la Madeleine au mois de décembre précédent.

Malgré le succès retentissant de leur dernière réalisation, Carné et Prévert sentent le soufre aux yeux de Vichy, et tout particulièrement de François Piétri, ambassadeur de France à Madrid. Ce dernier, qui a l'oreille du gouvernement, est opposé au projet. Sur ce point, Arletty est formelle. Homme d'ordre, Laval lui-même trouve les auteurs du film – deux sympathisants communistes notoires – «anarchiques». Mais, sur les instances pressantes de sa fille sollicitée par Arletty, il donne son feu vert. Pour le président du Conseil, l'essentiel est qu'Arletty ait «un bon rôle». Josée, que son père adore et à qui il n'a jamais rien refusé, a de l'entregent. Usant de sa position et de ses relations, aussi bien auprès du gouvernement que de l'occupant, elle débrouille les situations les plus inextricables. À l'ambassade d'Allemagne, ils sont six ou sept hauts fonctionnaires à délivrer les précieux *Ausweiss*, frappés du sceau nazi, qui permettent de circuler sans encombres sur le territoire. Josée en a bien évidemment un dans sa manche, ce qui permet de favoriser les déplacements de Carné. «Josée servait de trait d'union pour que les artistes, comédiens et musiciens en obtiennent. D'ailleurs, au moment des *Visiteurs du soir*, Carné lui a fait un mot dans lequel il la qualifiait de "marraine de l'équipe de tournage [143]"», se souvient son mari René de Chambrun. Pour avoir permis à Gilles et Dominique de monter des chevaux de la Garde républicaine stationnée à Vichy? Carné officiellement l'ignore : «Je ne sais par quel miracle les autorités avaient consenti à nous les louer pour quelques semaines [144]», écrit-il dans son livre de souvenirs.

L'efficacité de la fille Laval est, durant l'été 1943, inopérante pour régler la masse de difficultés qui s'abattent sur *Les Enfants du paradis*. Les Allemands occupent Nice, contraignant Paulvé à arrêter sa production à la Victorine où, à côté des studios, un immense décor du boulevard du Crime a été édifié en plein air sur l'emplacement du château médiéval des *Visiteurs*. Après le Moyen Âge, et toujours pour éviter d'entrer en conflit avec la censure, Prévert et Carné font revivre le boulevard du Temple, surnommé boulevard du Crime en raison des mélodrames sanglants joués dans ses théâtres sous la Restauration. Une époque encore très éloignée de l'Occupation. C'est Jean-Louis Barrault qui le premier en a l'idée lors d'une conversation à bâtons rompus dans un café de la Promenade des Anglais. Le tandem se lance aussitôt dans de minutieuses recherches sur le mime Baptiste Deburau (Barrault dans le film), le comédien Frédérick Lemaître (Pierre Brasseur) et le poète-assassin Lacenaire (Marcel Herrand). Trois personnages ayant réellement existé, que Prévert représente en amoureux – l'un romantique, l'autre paillard, le troisième cynique – de Garance, son héroïne, elle, totalement imaginaire.

«Le plus beau cadeau fait à une actrice. On comprend que j'aie de l'amour pour Prévert. Un génie c'type-là. Aucun ne l'égale. On m'a apporté le scénario un soir quai de Conti. Il était tard, j'ai passé la nuit à le lire et je me suis dit : "Je n'ai pas le droit de laisser passer un film pareil…" Quelle comédienne a eu un plus joli rôle ? Tout ce qu'il a fait passer, Jacques, c'est poétique, c'est merveilleux. Ma plus grande fierté, c'est d'avoir intéressé Prévert. Mes seuls enfants sont de lui. »

Garance plaît aux hommes. Tous veulent la posséder. L'attraction qu'elle exerce sur eux est quasi magnétique, qu'ils soient assassin, acteur, aristocrate : Lacenaire, avec qui elle s'affiche, Frédérick Lemaître avec qui elle se console de la gaucherie de Baptiste, le comte de Montray (Louis Salou) – autre personnage imaginé par Prévert, à qui elle finit par céder pour s'assurer une protection. Trois liaisons vécues comme des passades, comme des pis-aller. Avec Baptiste, l'aventure est tout autre. Il l'aime d'une passion juvénile, gauche, romantique et c'est précisément sa maladresse qui la touche. Lorsqu'ils se retrouvent tous les deux la première fois dans la chambre d'un hôtel meublé, Baptiste, tout tremblant de fièvre, n'ose la regarder se déshabiller. Il lui dit son amour, mais l'émotion est trop vive, et avant même d'avoir eu la force de l'embrasser, il s'enfuit. Garance, qui n'est pas coquette, est émue de tant de fraîcheur passionnée, de tant de pureté d'âme. Dès lors, ses pensées tendent uniquement vers cet amour demeuré platonique. La vie a beau les éloigner, le souvenir de leur rencontre reste intact. Car Garance aime plus l'idée de l'amour que l'acte lui-même. D'ailleurs quand, après six ans de séparation, ils se retrouvent dans le même meublé, cette fois, l'étreinte consommée, c'est elle qui disparaît dans la foule du carnaval, pour ne plus jamais revenir.

Le rôle a été écrit spécialement pour Arletty. Prévert reproduit si fidèlement ses sentiments, son désenchantement, son vertige, qu'on ne sait plus au juste qui parle, d'elle ou de Garance. D'abord, il y a les ressemblances objectives, biographiques pourrait-on dire. La mère de Garance est blanchisseuse, comme celle d'Arletty. Prévert montre son héroïne théâtreuse aux Funambules, un emploi comparable à celui d'Arletty à ses débuts aux Capucines où elle faisait de la figuration intelligente. Si Garance a posé pour M. Ingres, Arletty n'a-t-elle pas servi de modèle à Van Dongen, Kisling, Bérard ? Garance connaît la vie, les bavardages des hommes, le monde comme il va avec sa cohorte de braillards, de gueux, de voyous, de cabots – tous magnifiques – et ses âmes pures, délicates, hésitantes. Elle s'y frotte, sans s'y fondre. Impénétrable Garance, à l'image d'Arletty, et tout aussi intemporelle, insaisissable, solitaire, libre, sans illusions. Plus que son cœur, elle suit ses instincts, sans romantisme.

Avec Prévert, Garance parle d'or, et à travers elle Arletty, quand elle dit à Baptiste/Barrault transi de dévotion : «Je ne suis pas belle, je suis vivante, c'est tout. » Ou lorsque à un compliment sur son rire elle répond : «Moi aussi, je l'aime. Sans lui, qu'est-ce que je deviendrais ? » Ou encore quand, perdue dans ses songes, elle fredonne :

« Je suis comme je suis/Je suis faite comme ça/Quand j'ai envie de rire/Oui je ris aux éclats/J'aime celui qui m'aime/Est-ce ma faute à moi/Si ce n'est pas le même/Que j'aime chaque fois. »

L'histoire de Garance est l'histoire d'un amour impossible, sans issue, forcément malheureux, comme seules sont dignes d'être les vraies passions.

«Depuis le premier jour où je suis partie, pas un jour n'a passé sans que je pense à lui », avoue Garance à Frédérick qui la retrouve dans une loge du théâtre des Funambules, où, *incognito*, elle vient, soir après soir, applaudir le mime qu'elle a quitté six ans plus tôt. L'amour, magnifié par l'absence et par l'imagination.

À Baptiste, qu'elle rejoint dans un meublé pour une seule et unique nuit d'étreinte, elle murmure : «Je trouvais ma vie tellement vide, et je me sentais si seule. Mais je me disais : "Tu n'as pas le droit d'être triste, tu es tout de même heureuse, puisque quelqu'un t'a aimée." » À Nathalie (Maria Casarès), devenue la femme de Baptiste, qui lui reproche d'être revenue après tant d'années pour perturber leur vie de famille, Garance réplique : «N'importe où, partout et tous les jours et même la nuit, toutes les nuits que je passais auprès d'un autre, toutes les nuits, j'étais avec lui. »

Là encore, le talent de Prévert, manifeste, est éclatant. Ces dialogues, Arletty les prononce alors même que sa passion pour Soehring la submerge. Sur le tournage des *Enfants*, ses pensées sont ailleurs, auprès de lui, à Paris, sur le front, où qu'il soit. Prévert, qui connaît sa liaison, devine son désarroi, bien qu'elle se garde de lui faire trop ouvertement ses confidences.

Poète, il est tout aussi visionnaire lorsqu'il fait dire à Garance, faussement accusée de complicité d'assassinat, et sur le point d'être embarquée par les policiers : «Soyez donc assez aimables pour faire prévenir cette personne (le comte Édouard de Montray) que je suis victime d'une erreur judiciaire. » Avec le recul, cette phrase apparaît prémonitoire, quand on sait les ennuis qui guettent Arletty à la Libération. Prévert réclame par avance indulgence et magnanimité à son encontre, car il la comprend, l'aime, et connaît son total désintéressement.

Les dialogues des *Enfants du paradis*, le troisième rôle que Prévert écrit pour Arletty après *Le jour se lève* et *Les Visiteurs du soir*, sont si pertinents eu égard aux tourments amoureux qu'elle traverse, qu'on les croirait sortis tout droit de sa vie. Comme si elle lui avait ouvert son cœur.

Arletty inspire Prévert en fait dès le premier film qu'ils réalisent ensemble. Ainsi, dans *Le jour se lève*, pas de larmoiement, quand François (Gabin) la quitte pour Françoise (Jacqueline Laurent). Arletty/Clara constate douloureusement : «Heureusement qu'on n's'aime pas. » Puis dans *Les Visiteurs du soir*, Dominique (Arletty) dit au Diable (Berry) : « Vous m'avez connue toute petite. Vous savez bien que je suis incapable de souffrir, incapable de douleur, de joie, de plaisir. » Des répliques indissociables du répertoire de son existence.

Carné raconte que la nouvelle du débarquement allié en Sicile a provoqué un bel affolement dans l'équipe. Ordre est donné par Vichy de stopper net le tournage des *Enfants du paradis*. Paulvé, le producteur, ne peut que s'incliner. «Arletty surtout, pour des raisons qui lui étaient personnelles, ne tenait plus en place, écrit-il. Jean-Louis Barrault était affolé à l'idée de se trouver peut-être séparé de Madeleine Renaud pour de longs mois. Cette dernière était présentement à Vichy pour une série de représentations. On convint donc de ceci : Barrault et quelques autres, dont Arletty et Marcel Herrand, iraient là-bas où ils demeureraient trois jours à l'affût des nouvelles. Si un changement intervenait durant ce laps de temps, ils reviendraient aussitôt. Sinon on se retrouverait tous à Paris dès que possible. Quand je rentrai le soir au Negresco, Arletty était partie, laissant, sur un papier à en-tête de l'hôtel, ces simples mots en lettres énormes sur toute la surface de la page :

« Marcel,
Tout va trop vite,
Une Garance qui vous doit tout.

Arletty [145]. »

Un mot-panique qu'explique sans doute aussi la dégradation de son état de santé pendant le tournage. Bouffées de chaleur, chutes de tension, nausées, étourdissements s'ajoutent aux insomnies. Pour la deuxième fois depuis ses amours avec David Mdivani, le beau Géorgien réfugié en Californie, Arletty attend un enfant. De

Soehring, cette fois. Sans hésiter une seule seconde, sans même en informer son amant, elle choisit de ne pas le garder.

«Dans le fond, c'est la guerre qui m'a empêchée de mettre au monde des enfants… J'aurais plus facilement adopté… Je souffrais, j'étais fatiguée.»

Un coup d'œil à son miroir suffit à lui renvoyer les indices de sa méforme : des cernes bleutés sous les yeux, un teint flétri et, dans le regard, un désordre morne. Ses traits sont altérés. Sa pâleur, inhabituelle, l'inquiète. Les soins de maquillage peinent à estomper un visage marqué. Conséquence : deux scènes entières des *Enfants du paradis* doivent être refaites. Deux en particulier, sous la direction artistique de Philippe Agostini, Roger Hubert, le chef opérateur attitré, étant retenu sur un autre film. «Il y avait pas mal de plans dont Arletty n'était pas contente, ni Carné. Elle ne se trouvait pas très en valeur, pas très belle. Et, comme à ce moment-là, j'avais la réputation, peut-être un peu usurpée, de photographier les femmes à leur avantage, j'ai été appelé. Hubert, qui avait commencé le film, avait un petit défaut. Il était un peu trop rigoriste dans sa conception de l'éclairage des scènes. J'ai donc fait les raccords. À l'époque, ça se faisait beaucoup qu'un chef opérateur achève le travail d'un autre. J'ai retourné la scène de la loge avec Brasseur, et une autre dans un morceau du décor reconstitué du boulevard du Crime à Joinville. Il y avait Herrand, Brasseur et Jean-Louis (Barrault). Ça devait être fin 1943. Ça a duré un mois, un mois et demi [146]», se souvient Philippe Agostini. Son contrat a bien été honoré et son cachet dûment inventorié dans les archives de la société de production Pathé. Pourtant, Carné nie l'évidence lorsqu'on l'interroge sur les raisons qui l'ont incité à refaire des plans, ou sur l'absence du nom d'Agostini au générique. «Tout ça, c'est des histoires de techniciens. J'ai dit tout ce que j'avais à dire. Le reste, je le garde pour moi [147].»

La scène, refilmée, de la loge marque les retrouvailles de Garance avec Frédérick Lemaître au théâtre des Funambules où elle vient admirer discrètement chaque jour Deburau (Barrault) parvenu au sommet de son art, et qu'elle aime toujours depuis ce soir lamentable où il a laissé filer sa chance de la conquérir. Autre séquence tournée par Agostini : la scène finale, où, assise dans une calèche, Arletty s'en va, loin de Deburau, prisonnier de la foule en liesse du boulevard du Crime.

En attendant, à Nice, c'est l'ensemble de l'équipe des *Enfants du paradis* que la tournure des événements politico-militaires contraint à un départ précipité. Arletty prend le train avec Barrault et Le Vigan, engagé pour jouer Jéricho le marchand d'habits, et que Pierre Renoir remplacera après sa fuite à Sigmaringen. Dans le compartiment, ses pensées, très discrètement, suivent Soehring. Elle appréhende qu'il soit fait prisonnier par les «We Forthere [148]», formule dont elle gratifie les Alliés, se remémore les vers de Corneille «Rome, l'unique objet de mon ressentiment…», le revoit en short quai de Conti calé dans des starting-blocks imaginaires pour une démonstration du départ du cent mètres dans la ruelle du lit, se le figure rouge comme une écrevisse sous le soleil brûlant de Campanie. Pour donner le change, elle rit des excentricités de Le Vigan; sa règle n'est-elle pas de garder, vis-à-vis de tous, le masque de l'optimisme en toutes circonstances?

«J'étais Soehringuisée au maximum!»

À Paris, angoissée, sans courage, plus seule que jamais, elle fait de longs pèlerinages sur les quais, en pantalon gris et béret basque, le cœur lourd. Elle aime d'un amour ardent, s'abîme dans des scènes d'adoration des quelques objets qu'il lui a laissés, se croit sincèrement atteinte. Inguérissable. Mais guérit-on jamais d'une passion? La sienne, maladive, durera des mois au cours desquels elle suit les événements avec anxiété, notant l'attentisme aigu sur les bords de Seine.

«Les augures s'en donnaient à cœur joie, j'vous l'dis. Guitry était pris de panique. Il a même abandonné son art pendant X temps.»

Le Maître tourne deux films en 1943 et triomphe au théâtre de la Madeleine dans *N'écoutez pas, mesdames*. Sa pièce, créée au printemps 1942, sera interrompue, puis reprise, et tiendra finalement l'affiche jusqu'au 29 mai 1944.

«Un matin d'octobre 1943, rapporte Arletty dans *La Défense*, Sacha Guitry m'apprend que son grand ami Tristan Bernard et sa femme viennent d'être arrêtés à Cannes et incarcérés à Drancy. Il se trouvait que le lendemain après-midi nous étions invités — chacun de son côté — à une réception chez le ministre allemand Rudolf Schleier, boulevard Suchet. Nous décidons d'y aller ensemble. J'en préviens le ministre. Il nous attendait à l'entrée du salon. Honneur aux dames : la première, je lui dis que le but de ma visite était de lui demander la libération de Tristan Bernard, notre grand philosophe — j'aurais préféré grand humoriste, mais ce n'était pas le lieu —, et de sa femme qui venaient d'être arrêtés. Sacha donne des précisions en insistant sur le grand âge du couple. Le ministre nous promet d'agir immédiatement. Nous partons très vite avec la conscience du devoir accompli. C'est la seule fois où j'ai sollicité les Allemands.

« Deux ou trois jours après, le ministre m'appelle pour me dire qu'il était heureux de m'annoncer la libération des Tristan Bernard. Nous allons donc avec Sacha rue Eugène-Flachat, car je désirais m'assurer qu'ils étaient libérés.

« Effusions : Tristan me prend dans ses bras en m'appelant "Titi", comme dans *Ce que l'on dit aux femmes*, et embrasse Sacha en lui disant : "Mon p'tit Alexandre [149]".

« On m'avait prêté un manteau de zibeline et une toque assortie. Je voulais faire honneur à mon pays. »

Cet épisode importe, non comme le témoignage des « entrées » d'Arletty auprès de l'occupant, mais davantage en raison de la brouille vivace qu'il provoque avec Guitry.

Qui du Tout-Paris ne connaît Schleier, l'adjoint d'Abetz à l'ambassade, qu'il assiste ou supplée dans ses fonctions ? Cet ancien négociant en caséine à l'œil vif et rusé sous les lunettes à fine monture, un temps consul général, a désormais le titre de ministre. C'est un gros homme à la moustache en brosse, façon Hitler, qu'on imagine aisément en officier dans les films d'immédiat après-guerre, un monocle calé dans le gras de la joue. Sa tête appelle la caricature. Il a du reste l'air un peu porcin. Eugène Feihl, l'attaché de presse de l'ambassade, qui a suivi de près son ascension dans le sillage d'Otto Abetz, le décrit comme « un petit personnage qui voulait être grand ». « On avait l'habitude de dire que chaque centimètre de lui était ministre, mais il n'a jamais entendu grand-chose aux affaires politiques malgré ses efforts pour paraître averti », ajoute Feihl. Les honneurs suffisent à Schleier. Il connaît Paris qu'il aime sincèrement pour y avoir effectué de fréquents voyages dès 1933, après sa nomination comme Landsgruppenleiter, c'est-à-dire chef du parti national-socialiste en France. Un poste de contrôle des différentes cellules qui l'amène à donner des conférences. Sous l'Occupation, cérémonies et réceptions sont ses champs d'action privilégiés. Avec la même rondeur satisfaite, il participe au retour des cendres de l'Aiglon aux Invalides, parade parmi les actrices au raout organisé en l'honneur de la venue du Schiller-Theater au Français. Outre les mondanités, il aime aussi les uniformes et les décorations qu'il arbore avec fatuité. C'est un vani-

244

teux prudent qui recherche tout ce qui peut le mettre en vedette, et que flatte un appel de Sacha Guitry, décidé à remuer ciel et terre pour arracher son ami Tristan aux Allemands.

«Le lendemain même [du jour où il apprend son arrestation], je téléphonais à M. le Ministre Schleier, à l'ambassade d'Allemagne, pour lui demander un rendez-vous, écrit Guitry dans *Quatre ans d'occupations* paru en octobre 1947. On me répondit que M. Schleier ne viendrait pas à son bureau ce jour-là – et l'on me donna son numéro de téléphone personnel.

«Un instant plus tard, je l'avais à l'appareil et lui demandais si, pour une raison grave, urgente, je pouvais me permettre de me présenter chez lui dans la journée. Sa réponse fut affirmative, encore qu'il me parût surpris de ma demande.

«Je venais, en effet, de m'inviter à une réception qu'il donnait chez lui ce jour-là. C'est par un coup de téléphone de Mlle Arletty que j'en fus informé vers une heure de l'après-midi.

"Veux-tu que nous allions ensemble? me dit-elle. — D'autant plus volontiers que je vais lui demander la libération de Tristan Bernard – et plus nous serons, mieux cela vaudra."

«Je pensais qu'il y aurait à cette réception des personnalités susceptibles de me seconder dans mon entreprise.

«Et c'est effectivement ce qui se produisit.

«Entre-temps, j'avais appris qu'un nouveau convoi d'Israélites était arrivé à Drancy.

«Lorsque je m'avançai vers M. Schleier, il causait avec M. Frédérick Sieburg, écrivain allemand connu. En chemin, je croisai Alfred Cortot et je le priai de se joindre à moi. Puis, m'adressant au ministre, je lui tins exactement ce langage : "Monsieur le Ministre, vous avez arrêté Tristan Bernard, âgé de soixante-dix-sept ans, grand écrivain que j'aime et que j'admire. Vous me direz qu'il est juif – pour moi, cela n'a aucune signification en l'occurrence. Je ne puis tolérer la pensée qu'un homme pareil soit en prison. Je viens m'offrir à vous comme otage et je vous demande l'autorisation de prendre sa place à Drancy." M. Schleier me répondit immédiatement : "Calmez-vous, monsieur Guitry. J'ignorais l'arrestation de M. Tristan Bernard. Je vous donne l'assurance qu'il sera ce soir même à l'hôpital Rothschild et, dès demain, je ferai l'impossible pour vous le rendre."

« Durant ce court entretien, Cortot et Mlle Arletty n'ont pas cessé, bien entendu, d'approuver ma démarche, et leur attitude, tout aussi bien que celle, je dois le dire, de M. Sieburg, encourageait le ministre à me donner satisfaction. »

Quand, quatre ans plus tard, Arletty lit le récit que Guitry fait de leur démarche conjointe auprès de l'occupant, son sang ne fait qu'un tour.

« Cortot n'y était pas. Et il n'a jamais été question de nous prendre en "otages". Ce qui s'est passé était bien plus drôle, bien plus tragique. En sortant, j'étais pâle. J'ai rencontré un ami qui m'a dit quand je lui ai raconté d'où je venais : "Quelle drôle d'idée!" Quand on m'a apporté le bouquin *Quatre ans d'occupations*, en 1947, j'ai écrit dessus "ou le roman d'un tricheur", et je le lui ai retourné. »

C'est là que vous vous êtes fâchés ?

« Fâchés ? oh non même pas, je le méprisais. »

Arletty s'irrite moins du fait que Guitry se donne, en quelque sorte, le beau rôle, lui volant ainsi la vedette, que de sa manie d'enjoliver les situations, même les plus graves, au détriment de la réalité.

« Le mensonge me fait mal. »

Cependant, à la Libération, dans ses témoignages au juge d'instruction en charge du dossier Guitry [150], Tristan Bernard omet lui aussi de citer Arletty. À l'époque, les résistants ne l'ont, il est vrai, pas encore arrêtée alors que Sacha est incarcéré. Dans une lettre du 21 septembre 1944 au magistrat instructeur, Tristan Bernard écrit : « Si j'intercède de toute mon âme en faveur de Sacha Guitry, ce n'est pas seulement pour payer une dette de reconnaissance à celui qui a obtenu, en octobre 1943, ma libération, ce n'est pas seulement parce que je l'ai connu tout enfant, parce qu'il était le fils de mon grand ami Lucien Guitry, c'est parce que c'est un écrivain que j'admire, qu'il fait partie du trésor spirituel de la France. » Idem lors de sa déposition auprès du même juge un mois plus tard : « Ma femme et moi, nous étions détenus à l'hôpital Rotchild [*sic*] lorsque M. Sacha Guitry est venu nous annoncer notre libération prochaine.

« Je ne puis vous dire dans quelle condition il est venu vers nous. Je me trouvais en effet dans ma chambre à ce moment-là. Je tiens une fois encore à déclarer que c'est bien grâce à Sacha Guitry que ma femme et moi, encore qu'israélites, nous avons été libérés.

« Je ne puis m'empêcher de croire que l'arrestation de Sacha

Guitry [151] est due à la jalousie qu'ont pu inspirer à certains quarante ans de succès.

« Il serait lamentable de voir arrêter, sur des déclarations sans fondement, l'activité d'un tel homme, qui est une richesse pour la France. »

« Tristan est excusable. L'autre l'avait bluffé », affirme Arletty.

Schleier, lui-même, ne se souviendra pas spontanément de la requête de cette dernière en faveur de Tristan Bernard. Il faudra qu'elle lui rafraîchisse la mémoire. Détenu par les Alliés dans l'Allemagne vaincue, le diplomate déchu cherche désespérément des témoignages favorables auprès de personnalités françaises. D'abord pour recouvrer sa liberté, puis, quelques semaines plus tard, pour affronter son procès en dénazification. Le 30 janvier 1948, dans un courrier à une de leurs amies françaises communes, Schleier glisse une lettre pour Arletty. Extrait :

« Je me rappelle bien de l'affaire de M. Tristan Bernard, mais j'avais presque oublié votre démarche. J'avais écrit il y a quelques mois à un ami de Paris afin de se mettre en rapport avec M. Sacha Guitry et M. Alfred Cortot pour obtenir des déclarations sur cette affaire. Mais je n'ai jamais reçu une réponse et je suppose que mes amis n'habitent plus Paris.

Maintenant je me rappelle très exactement de votre démarche. J'en ai plus besoin de la déclaration pour obtenir la liberté [152], mais maintenant pour le procès de la dénazification par les autorités allemandes. Je vous prie donc de bien vouloir me donner votre déclaration disant que vous m'avez demandé pendant une réception au début d'octobre 1943 une intervention en faveur de M. Tristan Bernard, alors arrêté par la Gestapo; que j'ai accepté sans hésiter et que j'ai obtenu sa remise en liberté en quelques jours. J'avais en même temps obtenu pour M. Guitry une autorisation de visiter M. Bernard, se trouvant comme prisonnier dans un hôpital parisien. Il faut une déclaration formelle sans prestation de serment si possible, je vous prie de bien vouloir faire légaliser votre signature par une autorité quelconque, soit le maire d'arrondissement, la police ou un avocat ou un notaire. La même déclaration par M. Sacha Guitry, et de M. Cortot serait très utile. Je m'excuse de vous déranger de tout cela. Il m'est extrêmement gênant [de] devoir demander [de] me confirmer que j'ai agi comme [un] homme humain et juste et honnête. Mes interventions ont été faites pour des raisons humanitaires et de justice sans jamais de devoir m'en servir un jour pour prouver mon attitude. Hélas, c'est le cours de la vie et la nécessité de l'instant.

Je vous remercie de tout ce que vous pouvez et voulez faire pour moi. Veuillez dire mon bon souvenir à M. Sacha Guitry, M. et Mme Alfred Cortot. Ma femme se rappelle au bon souvenir de vous tous. Nous pensons souvent à la France, à Paris, à nos amis français. Nous leur resterons attachés comme dans le passé.

Puissent nos deux pays enfin trouver la paix, la compréhension mutuelle. Je servirai comme dans le passé, aussi dans l'avenir la tâche du rapprochement franco-allemand. La France restera toujours ma grande amour. Ce ne sont pas des phrases, mais une volonté sincère. Ceux qui me connaissent depuis plus de vingt ans le savent.

Connaissez-vous la marquise Melchior de Polignac? Si je me rappelle bien, j'ai fait remettre son fils [né] d'un premier mariage, citoyen américain, en liberté après [son] arrestation par la Gestapo en 1940.

Avec mes remerciements pour tous les dérangements que je vous cause par mon affaire, je vous prie, chère Madame, d'agréer mes hommages respectueux et de croire à mes sentiments sincères et cordiaux.

Rudolf Schleier. »

Arletty ne se fait pas prier pour retourner l'attestation requise à Schleier qui en sollicite par ailleurs d'autres auprès du comédien Noël-Noël et de la comtesse et du comte Jehan de Castellane, conseiller municipal de Paris.

« Le frère du beau Boni [153], cousin de Melchior. Au dépôt, c'était le plus drôle. Quand on lui a pris ses papiers et ses effets, il a dit : "Ah non, pas ma canne! Si vous me prenez ma canne, je m'en vais". »

Arletty s'exécute le 12 février 1948, après avoir menacé le commissaire du 8e arrondissement, rue Clément-Marot à Paris, de saisir le Conseil d'État si celui-ci devait s'entêter à lui contester la validité de sa signature. Voici le certificat qu'elle adresse à « Monsieur Rudolf SCHLEIER » :

« Je soussignée L. Bathiat, dite Arletty, certifie confirmer qu'au début d'octobre 1943, au cours d'une réception chez vous, où j'étais spécialement venue vous demander d'intervenir en faveur de Monsieur Tristan BERNARD et de Madame, alors arrêtés par la Gestapo, que vous avez accepté sans hésiter et avez obtenu leur libération en quelques jours. Je crois me souvenir que ce fut immédiat.

L. Bathiat, dite Arletty. »

Six mois plus tard, Schleier est acquitté de toutes les accusations pesant sur lui par une commission allemande de dénazification. Une réhabilitation de courte durée, car l'année suivante, la France engage une procédure d'extradition à son encontre pour faits de guerre. Au final, il sera blanchi, faute de charges. « La question du non-lieu de mon client s'est réglée à l'échelon gouvernemental, assure son avocat parisien Me Yves-Frédéric Jaffré, qui fut l'avocat de Pierre Laval. Georges Bidault, qui était ministre de la Guerre, a pris le dossier en main. Pas plus un juge d'instruction qu'un magistrat du parquet ne pouvait prendre seul une telle décision. Le ministre Schleier, qui était en prison à Nuremberg, avait été transféré au Cherche-Midi. Il a rapidement été mis en liberté provisoire pour raisons de santé. Il était asthmatique. Une fois libéré, il a fait le tour de ses relations à Paris. Germaine Lubin [...], d'autres encore. Nordling, le consul général de Suède, a témoigné en sa faveur. Sous l'Occupation, le ministre Schleier était très perméable aux interventions qu'on pouvait faire pour sauver des Français [154]. »

Jusqu'à sa mort en janvier 1959, la reconnaissance de l'ancien bras droit d'Abetz envers Arletty ne se démentira pas. D'autant qu'elle accepte volontiers de satisfaire la dernière requête qu'il lui présente : l'envoi d'un autographe pour son fils qui la trouve « ravissante » dans *Les Enfants du paradis*.

À l'automne 1943, le film de Carné se heurte aux pires déboires. Les tractations entre Pathé et le producteur Paulvé, à qui les Allemands ont interdit d'exercer en raison de lointaines ascendances juives, retardent le tournage. Une tempête a endommagé les décors ; Le Vigan, qui redoute la vengeance des résistants, a disparu. Sur le plateau, parmi les quelque mille cinq cents figurants, les policiers multiplient les descentes pour arrêter les personnes soupçonnées d'actes de résistance. Suspendues une première fois début septembre, les prises de vues reprennent deux mois plus tard au studio Francœur à Montmartre. De nouvelles interruptions suivent.

Informé du retard occasionné, Jacques Becker, de son côté, se félicite, mais à regret, d'avoir renoncé au scénario de *Clarence et Bertine*, écrit spécialement pour Arletty. À ses yeux, aucune comédienne ne peut le jouer à sa place, ainsi qu'il le lui dit. Il y a longtemps que le réalisateur de *Goupi Mains Rouges* souhaite lui confier un rôle dans un film ayant pour cadre la haute couture. Le synopsis sera modifié, mais le thème conservé pour devenir *Falbalas*, avec Raymond

Rouleau, en couturier gentiment cinglé, et Micheline Presle en jeune fille de la haute infidèle à son fiancé, un soyeux de Lyon.

Arletty effeuille le calendrier. Depuis le départ de Soehring à la guerre, elle ne pense qu'à lui, «stocke des vannes» pour le faire rire à son retour — à Noël escompte-t-elle —, lâche aux uns et aux autres — y compris au prince Louis Napoléon — des quolibets dont son amant, croit-elle, serait fier. L'altesse d'empire l'invite à aller voir un film. Arletty accepte d'emblée pour se distraire, puis se ravise, rétive à l'idée d'avoir à lui donner du «Monseigneur» ou du «Prince».

«Le prince Napoléon sonne quai de Conti. Je vais lui ouvrir. Avant que j'aie eu le temps de dire un mot, il me lance : "J'ai une faveur à vous demander. Appelez-moi Louis." On est partis tous les deux au cinéma à bicyclette.»

Le samedi 27 novembre 1943, enveloppée dans un manteau de fourrure sombre, elle se rend à la première du *Soulier de satin* à la Comédie-Française. À cause du couvre-feu, Jean-Louis Barrault, metteur en scène, choisit la version abrégée de Claudel : cinq heures au lieu de neuf.

«J'étais très bien placée, presque au premier rang. Il y avait le Tout-Paris, le Tout-Résistant, le Tout-Occupant. Toute la troupe… des comédiens était mobilisée.»

La distribution est éclatante avec Marie Bell en Prouhèze, Madeleine Renaud, Mary Marquet, Louis Seigner, Jean-Louis Barrault/Rodrigue, Jean Desailly, et deux figurants inconnus du public : Juliette Gréco et Serge Reggiani. Dans la salle archicomble, Paul Claudel est à la place d'honneur, au milieu d'une pléiade d'écrivains, de dramaturges, de metteurs en scène, de comédiens, de journalistes. Des Allemands en uniforme s'installent dans les baignoires et les premières loges. Claudel salue Abetz, flanqué du gouverneur militaire du Gross Paris, le général Stülpnagel. Un avis est lu aux spectateurs sur l'emplacement des abris en cas d'alerte et sur la vente de sandwiches au saucisson à l'entracte, pour les détenteurs de tickets d'alimentation. À 17 h 30, les trois coups retentissent. Lever de rideau.

Quand la soirée se conclut, c'est sur une tirade de frère Léon : «Délivrance aux âmes captives». Le public de la salle Richelieu, transi de froid, applaudit à tout rompre. Pour se dégourdir les membres, comme le murmurent les farceurs? Des spectateurs y voient peut-être une allusion aux aspirations de la France à sortir de l'Occupation, bien que la pièce, achevée en 1924, se déroule dans l'Espagne de la Renaissance. Tout est possible.

Arletty traverse la Seine pour regagner son appartement. Rentrée chez elle, elle prend sa plume, griffonne d'une écriture fébrile :

« minuit

Faune,

Je sors du *Soulier de satin* de M. Claudel, le grand événement parisien – grand lyrisme formation jésuitique avec une grosse sensualité de gardien de square. Salle 1939 [155]. Autre événement : retour de M. Ab[etz] rue de L[ille].

J'ai dîné chez quart de Brie [156] avec le remplaçant d'Ar et sa frau [157], des prétentiards terribles.

Les jeunes sœurs de mes amies prennent souvent de tes nouvelles.

Ah! X est en perm pour la joie de F [158].

Moi, je me rapproche de plus en plus des éléments Puteaux, Courbevoie et autres lieux faubouriens, les seuls qui vaillent le coup dans ce chaos.

Quel baratin (pur argot) à une heure si tardive.

Bonsoir

Biche. »

Chapitre XI

Hélas, il me semblait qu'une flamme si belle
m'élevait au-dessus du sort d'une mortelle.

RACINE

Première vedette avant le titre sur les affiches, Arletty est, de tous les acteurs et actrices des *Enfants du paradis*, la mieux payée. Pathé lui assure 100 000 francs par semaine, payables à la fin des prises de vue hebdomadaires, alors que la rétribution des deux autres vedettes au générique, Brasseur et Barrault, s'élève respectivement à 300 000 et 200 000 francs pour le film. Son contrat, en date du 25 octobre 1943, prévoit treize semaines consécutives de tournage, sans compter d'éventuelles journées supplémentaires honorées au prorata. S'ajoutent aussi l'indemnité que Pathé lui verse «pour solde de tout compte sur les engagements» passés avec la précédente production contrainte d'interrompre le film, et un cachet pour tourner à nouveau les scènes avec Pierre Renoir en marchand d'habits, après la défection de Le Vigan. Arletty touche au total 1 775 000 francs. Six fois plus que Brasseur, pourtant déjà acteur confirmé. Un joli pactole [159]. De quoi consolider ses placements en Bourse.

Lors des discussions sur les conditions de reprise du film avec les représentants des sociétés Scalera et Discina, Pathé examine en détail les exigences des acteurs et des techniciens. Aucun d'eux ne peut, en bonne logique, prendre d'autre engagement avant d'avoir été fixé sur le sort des *Enfants du paradis*. «Tout le monde y mit largement du sien. Sauf, à ma vive stupéfaction, Arletty qui entendait être payée intégralement, écrit Carné. "Vous comprenez, Marcel, me disait-elle, je suis auvergnate !" J'ouvris les yeux : je l'avais toujours entendue dire qu'elle était née à Courbevoie [160] ! »

M. Carné a tort de se formaliser. Les rapports d'Arletty avec l'argent relèvent d'un principe appris dès l'enfance : « Il faut faire raquer les mecs à fric. » Qui plus est s'ils sont producteurs. L'application stricte de cette règle la conduit parfois à des injustices. Bien compréhensibles et pardonnables au regard de ses ascendances auvergnates et ouvrières. Ainsi suffit-il que l'ancêtre d'un de ses proches ait fait fortune dans la poudre dentifrice ou dans l'industrie papetière à Ambert pour qu'elle le croie à jamais doté — malgré les revers essuyés entre-temps qu'elle feint d'ignorer.

Début février 1944, Arletty retrouve Nice et le Negresco.

« C'était devenu une espèce de fortin. J'occupais la chambre que j'avais pendant *Les Visiteurs*. Juste avant mon départ, j'avais été à la messe d'enterrement de Giraudoux, un vrai frère. Il était venu chez moi quai de Conti faire une lecture de *La Folle de Chaillot*. Il m'avait demandé de jouer ses pièces. J'étais pas libre. Aujourd'hui, son théâtre, c'est plus possible. »

Les obsèques de l'auteur de *Siegfried et le Limousin*, ancien commissaire général à l'Information et à la Censure, se déroulent dans l'église Saint-Pierre-du-Gros-Caillou en présence d'une foule sélecte : le couple Renaud/Barrault, Bourdet, Pierre Renoir, Lili de Rothschild, Gaston Gallimard et ses écrivains de la NRF — Jouhandeau, Paulhan —, Jean Fayard, Gerhard Heller, lieutenant de la Propaganda Staffel chargé de la censure des livres.

« Un enterrement mondain, très *Harper's Bazaar*. »

La cérémonie a lieu peu de temps après l'interpellation de son amie Antoinette d'Harcourt. « Elle a été arrêtée chez elle par la Gestapo, mitraillette au poing, raconte son fils Jean. Elle est restée au secret pendant six mois, ce qui voulait dire peu de lumière, un peu de pain, des interrogatoires extrêmement brutaux, même si elle n'a jamais été torturée [161]. » Après un séjour à Fresnes, la duchesse est internée dans le camp de Romainville, au nord de Paris, antichambre des convois de déportation. « J'avais quatorze ans. Un jour, je lui ai rendu visite à Romainville. L'entrevue a duré dix minutes, un quart d'heure. Elle m'a serré dans ses bras. On ne s'est pratiquement pas parlé tellement l'émotion était vive. C'était vers Pâques, en tout cas au premier semestre 1944, au cœur de la guerre. C'est un souvenir tragique très fulgurant pour un enfant de quatorze ans. »

Un mystère complet entoure les motifs de l'arrestation de la duchesse. Son fils exclut qu'ils aient été liés à ses origines juives – son arrière-grand-mère était issue d'une famille de grands banquiers viennois, les Schnapre. Restent deux hypothèses : ses activités au sein des Sections sanitaires automobiles féminines, ou plus vraisemblablement, ses liens avec le Mouvement synarchique d'Empire, une puissante société secrète, communément désignée sous le nom de « Synarchie » (autorité exercée par plusieurs personnes ou plusieurs groupements à la fois).

La Synarchie naît et se développe en France à partir de 1922, autant pour défendre une certaine conception de l'État fondée sur le maintien de l'unité nationale que pour préserver le pouvoir et les prérogatives de la haute bourgeoisie financière et industrielle – celle des deux cents familles. Paris ne doit pas devenir Moscou où, l'aristocratie chassée, les richesses ont été nationalisées par Lénine et les bolcheviks. Le modèle italien du Mussolini des premières années lui est, de loin, préférable. L'essentiel, pour ses membres actifs, est de tenir les leviers de l'État, d'en infiltrer les rouages, quitte à faire, si besoin, de vagues concessions au peuple. La révolution par l'élite, plutôt que la révolution par la rue : tel est le mot d'ordre. À l'approche de la drôle de guerre, la Synarchie sera suspectée d'avoir voulu renverser la République pour instaurer un Ordre nouveau. C'est l'époque où ses militants noyautent les loges maçonniques et occupent des postes importants à la tête de l'organisation d'extrême droite de l'entre-deux-guerres, la Cagoule. Archisélective, la Synarchie recrute ses hommes « en fonction de leur culture et de leur situation sociale, dans les milieux industriels et financiers, dans les hauts cadres de l'administration civile et militaire, dans les milieux parlementaires et libéraux de grand relief », écrit l'organe de la Résistance *La France intérieure*, dans son numéro de février 1945. Sous l'Occupation, et plus encore à la veille de la Libération, il est vraisemblable que son objectif évolue. « La Synarchie a essayé de servir de trait d'union entre d'un côté Pétain/Laval, de l'autre de Gaulle/Massigli, pour éviter un bain de sang [162] », affirme Jean d'Harcourt. Sa mère, la duchesse d'Harcourt, est alors au cœur du mouvement, lequel, sous sa bannière discrète, réunit tout le gotha des grandes écoles, de la finance, de l'industrie, de la politique. Si les cabinets ministériels comptent une majorité de synarchistes, l'omnipotente maison Worms, spécialisée dans le courtage, le négoce, la banque, l'immobilier, l'armement des navires… lui sert de pépinière. Son patron, Gabriel Le Roy-Ladurie, n'en est-il pas le représentant, aux côtés d'hommes comme Jacques Rueff, futur sous-gouverneur de la Banque de France et inventeur du franc fort en 1958, Jacques Benoist-Méchin, Jean Borotra, le mousquetaire de Roland-Garros devenu secrétaire général à l'Éducation physique de Pétain, ou encore Jean Jardin, conseiller politique de Laval à Giscard d'Estaing [163] (Valéry Giscard d'Estaing a sollicité les conseils politiques de Jean Jardin au moment de sa campagne pour l'élection présidentielle de 1974). « Ma mère s'est retrouvée là car elle était très liée avec Le Roy-Ladurie, explique Jean d'Harcourt. C'était un ami d'enfance de mon père. »

Arletty, elle, se souvient uniquement des dîners avec Jean Jardin qui vécut dans l'ombre des différents gouvernants jusqu'à sa mort en 1976, et du livre *Le Nain jaune* que lui a consacré son fils Pascal.

« C'est chez les Chambrun que j'ai connu Jardin. Un bonhomme tout petit. Il aimait la cigarette. On lisait sur son visage tout ce qu'il était… la ruse ; un opportuniste en tout. Il savait nager le crawl, ce type-là. Du temps de Louis XIV, il aurait pu dégommer Mazarin. Grand copain de Pierre Fresnay. Ils ne se quittaient pas. Tout petits tous les deux. Yvonne [Printemps, qui avait quitté Guitry pour Fresnay] n'devait pas manquer de beurre. Il devait s'occuper du ravitaillement. »

La Synarchie tisse sa toile dans le monde entier, grâce à de puissants agents recruteurs. Un de ses dévoués serviteurs n'est autre que Charles Bedaux, le propriétaire du domaine de Candé, dont les sympathies, aussi bien en Europe qu'aux États-Unis, vont clairement à ceux du camp opposé aux Alliés, qu'il s'agisse de l'as de l'aviation américain Charles Lindbergh ou de la duchesse de Windsor.

Arletty, il faut le préciser, ne fera jamais partie de cette organisation, ignorant tout de l'appartenance des personnalités qu'elle côtoie, Antoinette d'Harcourt la première.

La duchesse a-t-elle pu être arrêtée par la Gestapo pour son rôle au sein des Sections sanitaires automobiles ? Les actes de marché noir des SSA sont des mobiles trop futiles pour être pris au sérieux. D'autant que la police allemande a interpellé, pratiquement en même temps qu'Antoinette d'Harcourt, d'autres personnes de la

Croix-Rouge ou des SSA : les comtesses de Tocqueville et de Peyerimhoff, Yvonne de La Noue et Lana Marconi, la future cinquième Mme Guitry. «J'habitais avec Lana, raconte la générale Edmée Nicolle [164]. À l'époque, son vrai nom était Marcovici. Sa mère était une actrice israélite. Elle aurait eu Lana avec Carol de Roumanie [165]. C'était une très belle fille, ravissante, avec un caractère de cochon et d'une jalousie à mourir. Des yeux magnifiques. Beaucoup de femmes lui faisaient la cour. Lorsqu'elle avait les coudées franches, elle en profitait. Au moment de la guerre, c'est moi qui lui ai dit de se faire appeler Marconi. J'ai téléphoné au préfet et je lui ai obtenu ses papiers.»

C'est sur dénonciation que la Gestapo a opéré son coup de filet, une délation dont l'auteur n'a jamais pu être formellement identifié. Un rapport du commissaire du gouvernement en date du 25 juin 1945 en fait foi. Soit faute de charges suffisantes, soit en raison de l'avancée des armées de libération, toutes les femmes membres des SSA ont finalement été remises en liberté, la duchesse d'Harcourt y compris, pour des raisons demeurées obscures. «Ma mère jouait un rôle très actif. Elle glanait des renseignements auprès des grands pontes de l'Allemagne qu'elle rencontrait chez Coco Chanel, rue Cambon. Comme ma mère avait été "brûlée", elle était devenue un agent dormant. Au dernier moment, en juin ou juillet 1944, elle a échappé à Buchenwald. Elle a fait l'objet d'un échange contre un Allemand fait prisonnier. Le colonel Knochen, lui-même, est venu la chercher au camp. Il l'a emmenée dans un hôtel réquisitionné avenue Foch, lui a offert à manger du caviar et du champagne, avant de la reconduire chez elle. La raison de cet échange n'a jamais été élucidée [166]», témoigne son fils.

Le colonel Helmut Knochen est, avec le général SS Karl Albrecht Oberg, un des chefs suprêmes de la police nazie en France. À l'ambassade d'Allemagne, il a la réputation d'un «dur, foncièrement méchant, un sanguinaire».

De cet épisode trouble et mouvementé, Arletty garde à l'esprit la visite bouleversée que lui fit le duc d'Harcourt à la suite de l'arrestation de sa femme.

Les plaintes, aussi justifiées soient-elles, ne sont pas du registre d'Arletty. Dans les instants difficiles, elle serre les dents, fait face, dissimule sa détresse, refuse de s'abandonner en public. Comme durant les semaines angoissantes où Soehring, à la tête d'une escadrille, mène de périlleuses opérations de combat dans le ciel d'Italie. Il participe à la bataille de Cassino durant laquelle la splendide abbaye bénédictine, juchée sur un môle au sud de Naples, est réduite en cendres sous les tonnes d'obus largués à pic par les bombardiers américains, alors que l'armée allemande l'a déjà évacuée. La route de Rome est ouverte. Dans les faubourgs, des monceaux de décombres remplacent les petits villages aux places jadis belles et ensoleillées. Pilonnée par les Alliés, la Wehrmacht se replie.

Sur la Côte d'Azur où elle tourne, Arletty écoute les bulletins d'information que diffuse la radio, et, quand elle est à Paris, profite de l'émission *Les Français parlent aux Français* que sa gouvernante met à plein volume. Un jour, elle s'entend condamnée à mort par un tribunal d'Alger.

« J'étais en bonne compagnie, celle de Raimu. Le lendemain, un reporter me demande mon impression : "Ni chaud ni froid." »

Seule antidote à l'inquiétude : le rire. Longtemps, sur la coiffeuse Louis XV de sa chambre, sous un verre épais, elle conservera cette devise : « Souris, quand même. » Sur le tournage des *Enfants*, qui a repris début février 1944 à Nice, le travail est irrégulier. Les jours où il n'y a rien à faire, Arletty flâne au studio, lit Goethe, Kleist et Hölderlin, échange des plaisanteries avec Brasseur.

« C'était le joyeux drille de la bande. Un soir à Berlin, avant la guerre – j'sais plus c'qu'on faisait là-bas –, une habilleuse est venue lui demander un autographe. J'l'ai entendu lui dire : "Alors, qu'est-ce qu'on sait faire pour un autographe, hein ? Qu'est-ce qu'on fait ?... Et les bas, y sont longs les bas ?" Y devait essayer de la p'loter. »

Entre eux, les histoires fusent. Deux gars. L'un dit : « Répétez ce que vous avez dit et je vous casse la gueule. » L'autre : « J'ai dit "tête de pont". » Éclats de rire. Celle-là encore : à une petite fille au catéchisme : « Pourquoi avait-on enfoncé des clous dans les pieds et les mains de Jésus ? » Réponse de la gosse : « Pour qu'y tienne ! »

Brasseur est, sur le plateau, le seul à qui elle parle de Soehring, le seul, croit-elle, à même de la comprendre, comme elle l'écrit à son amant le 27 février :

« Faune,
La Boden Stahl marque 9 h 15. Repos. Je vais aller passer la journée à Monte-Carlo. Brasseur part aujourd'hui. Le seul, sous son aspect arsouille, qui pige mon cas sentimental dans cette bande de faux fous.

J'ai appris par J.-L. Barrault qu'on avait téléphoné de Rome. Il était assez intrigué.

L'alternance des ondes me fait croire, ou douter du Père Noël. Et toi ? *Der Frühling kommt* [167], et je reste à t'aimer.

Biche. »

L'atmosphère de la Côte d'Azur est mortelle. Les derniers touristes ont fui. Encore quelques jours, et adieu nature, soleil radieux, mer bleue, amandiers en fleur. *Les Enfants du paradis* s'achèvent.

Paris !... Paris !... La Seine, les quais, les platanes sur les quais, les troncs gris, veinés de vert et jaune, Notre-Dame... Quai de Conti. Marie, l'odeur du café fumant, la petite Marianne, le manège des visites, Josée, la générale, Signoret, Céline, les autres, furtifs, tous les autres, de passage...

Le balcon, le temps d'un bol d'air. Sur la place, le socle de la statue de Condorcet vidé de son bronze. Plus loin, square du Vert-Galant, à la pointe de l'île de la Cité, un peuplier d'une tristesse à pleurer grelotte. Enfin, la chambre et son grand lit froid, comme un refuge ; cette chambre qu'Arletty voudrait fuir et où elle revient, comme à une drogue. Au plafond d'une blancheur aveuglante, des ombres qui dansent, les pensées qui vont, viennent, vagabondent : Faune, l'Italie, l'Italie, Faune. Jusqu'à l'obsession. La main qui caresse le buste. Le cafard.

« Pourquoi ? À quoi bon ? De quoi ? Vers quoi ? Où ça ? Comment ça ? N'est-ce pas folie de vivre encore ? » *Ainsi parlait Zarathoustra.* Et Arletty de se le redire...

Sortir de ses idées noires par le travail, telle est la solution. Mais pas n'importe comment, pas avec n'importe qui. Arletty décline la proposition de Pierre Le Hérain, le beau-fils du Maréchal, de jouer *Paméla*, une héroïne du Directoire.

« Le gendre de Pétain-la-Blédine m'a offert plus d'une unité pour le rôle. J'ai refusé pour rester du côté des "durs". C'est la Saint-Cyr [168] qui en a hérité. »

Un film, tiré d'une pièce de Victorien Sardou, avec Fernand Gravey et Georges Marchal.

Au printemps 1944, un nom est sur toutes les lèvres, dans toutes les conversations : Petiot, l'assassin de la rue Lesueur. Au sous-sol de son hôtel particulier, au 21, les pompiers ont déterré un tas de cadavres enfouis dans la chaux vive. Pour la plupart des juifs, traqués par les lois raciales de Vichy, qu'il rançonnait en leur offrant son aide pour fuir les rafles. Ce sont des émanations de fumée pestilentielle échappées de son calorifère défectueux qui ont perdu ce curieux docteur, spécialisé dans le traitement des polypes, verrues, taches de rousseur et douleurs de l'enfantement. On le dit fou, c'est en fait un maître consommé de l'escamotage. Il usurpe des identités, se laisse pousser la barbe en collier pour changer de visage, se fond dans le maquis une fois Paris libéré, épure les collaborateurs, lui qu'on accuse d'être un agent de la Gestapo.

« Ça excitait tous les vicelots. Si vous m'aviez vu parler de Petiot, l'rôtisseur de la rue Lesueur, et de ses femmes au foyer! J'y mêlais la politique, les mœurs, le badinage. C'est le docteur Paul [médecin-légiste] qui l'a accompagné à la guillotine, celui qui a autopsié mon père sur la voie publique. »

Lors de son procès en mars 1946, les six heures et demie de plaidoirie de Me René Floriot – aussi brillante fût-elle – échouent à convaincre les jurés de la cour d'assises de la Seine de sauver la tête de l'ancien membre de la Ligue des droits de l'homme, inventeur d'une machine à combattre la paresse intestinale. L'accusé revendique soixante-trois assassinats de « traîtres ». La cour ne lui en reconnaît que vingt-quatre. Petiot est condamné à mort et exécuté.

Durant les premiers mois de 1944, les raids aériens au-dessus de Paris redoublent de fréquence. Il y a au moins trois alertes par jour. Arletty les compte. Le 20 mars, elle écrit à Faune :

« C'est le printemps! C'est l'amour! Ça se chante! Si ça continue Joseph [169] sera à Rome avant les "forthere", lesquels avancent cactus par cactus.
Ici, mille riens inracontables. Le pro et l'anti font place au perplexe.
Vague de porno avec Petiot.
Les Claudel, les Valéry sont grillés, si on peut dire. Une réflexion de Brasseur : "Mon père, c'était un type dans le genre Napoléon, en moins con."
Tu es ma vision la plus chère.

Biche. »

Invitée aux premières, rien de l'actualité théâtrale ne lui échappe. Ni des créations de l'heure, ni des luttes fratricides entre les acteurs compromis et ceux en quête de salut, encore moins des babillages qui se colportent.

Présentée comme le chef-d'œuvre de l'année, *Antigone* d'Anouilh est jouée devant une salle comble à l'Atelier.

« Une superconnerie écrite avec un balai à chiottes. »

Raimu fait ses débuts dans *Le Bourgeois gentilhomme*, sur la scène de la Comédie-Française où, pour dénouer la crise de ce haut lieu de l'intrigue, Jean-Louis Vaudoyer démissionne de son poste d'administrateur général.

« C'est parce qu'il avait joué à la Continental que Raimu est entré au Français. C'est Marie Bell qui l'a fait entrer. Elle l'a sauvé. Elle avait du pouvoir. Politique. Barrault, lui, était candidat à la succession de Vaudoyer. Guitry avait refusé la place. »

Sacha compte alors parmi les fidèles des fidèles d'Arletty, qui est aussi bien au courant de sa séparation de corps d'avec Geneviève, que de l'entrée dans la vie du Maître d'une jolie petite comédienne, Yvette Lebon. Une jeune femme rieuse au nez délicatement retroussé et dont l'air mutin tient autant à ses pommettes rehaussées qu'à ses yeux câlins.

« Il appréciait fort ses cuisses. Elle l'a excité. Très bandante. Il couchait avec. C'était la maîtresse de Marc Allégret. »

Geneviève Fath, la blonde épouse-mannequin du grand couturier Jacques Fath, dont la maison ouverte en 1939 prospère sous l'Occupation, est une familière du quai de Conti. Son chic incomparable, la délicatesse de ses traits, la blancheur éclatante de sa belle dentition que découvrent, en souriant, les lèvres joliment dessinées, lui donnent un air très *Picture post* [170].

Tous connaissent Soehring, demandent de ses nouvelles, y compris Simone Signoret.

Pendant ce temps, Paris attend, immobile, pétrifié. L'air est chargé d'une nervosité dont l'intensité varie au gré des informations diffusées par les postes de TSF. Deux jours avant le débarquement allié sur les plages minées de Normandie, le XVe arrondissement est bombardé.

« Autour de moi, les gens avaient des gueules de vieux morts... Paris, c'est la capitale de l'individualisme, vous pouvez m'croire. Quand le voisin du Ve est bombardé, celui du IVe dit : "Ça lui fera les pieds." »

Partout en France, la Résistance s'active, sans faiblir. Les

Allemands sont méthodiquement pris pour cible. Renseignements, sabotages, embuscades, rafales de tirs, assassinats. La lutte est sans merci, les représailles sanglantes, les exécutions impitoyables.

Mais que sait-on alors réellement des drames qui se jouent ici et là, dans un pays où les moyens de communication, des plus précaires, sont entre les mains des autorités militaires, résistantes, gouvernementales ou occupantes? Retrouver très précisément le climat trouble de l'époque, apprécier comme il se doit le danger réel des combats, décrire très exactement l'état d'esprit fluctuant des Français majoritairement non engagés dans l'action est une tâche ardue, sinon impossible. Sauf à faire abstraction des mille et une lectures des événements, postérieures à la Libération.

Un fait est certain : la victoire a résolument changé de camp, après le débarquement du 6 juin 1944 en Normandie. De la Bretagne à la Picardie, les troupes de la Wehrmacht reculent ou se rendent. En Italie, les Alliés sont en passe de remporter la bataille de Rome. Soehring dans tout ça? Il se bat, le courage chevillé au cœur grâce aux bienfaits de l'amour. Il rêve de paix retrouvée, de jours paisibles et heureux, d'un bonheur partagé. Se sentir aimé lui est vital. De ce point de vue, il ressemble à son père diplomate, un homme réservé chez qui Arletty est invitée à se réfugier en cas de danger. Tout est prévu pour son évacuation sur Berlin, ou, si elle préfère, en Suisse. Pour les papiers, on verra plus tard. Fath, le couturier, a donné ordre de veiller à tout. Suzanne, la femme d'Abetz, une Française, se chargera d'elle, comme de ses autres compatriotes menacés. La fille de Laval, Fernand de Brinon et un grand avocat international ayant ses entrées rue de Lille sont prêts à l'aider. Le colonel Knochen en personne est informé de la situation.

Céline, de son côté, lui a offert de s'enfuir à Sigmaringen, cité qu'il a prévu de gagner avec les purs et durs de Vichy, craignant qu'on lui fasse expier au prix de sa vie ses écrits antisémites. C'était lors de sa dernière visite quai de Conti. Pour l'appâter, il lui a fait miroiter la vie de château, là-bas, en Forêt-Noire, avec vue sur le Danube.

«Il m'a demandé si j'avais des coqs [171]. Il avait peur que j'le fasse raquer. Un radin. Il était pas joueur, j'vous l'dis. Il avait la trouille.»

Au plus fort de la débâcle allemande, Otto Abetz lui propose, à son tour, de quitter la France. Arletty sait, par Soehring, qu'elle peut compter sur lui.

«Le premier Allemand officiel que j'aie connu. C'était chez Sacha.

262

Il était marié à une Lilloise [172]. Avant la guerre, il était France-Allemagne avec Pierre Benoit. Un grand diplomate. »

Ancien professeur de dessin, Abetz a été nommé ambassadeur du Reich à Paris en août 1940. Il connaît bien la France, dont on le dit épris. Jusqu'à l'armistice, il y est l'homme de Ribbentrop, appelé à devenir le ministre des Affaires étrangères de Hitler. Sa mission, en marge de l'ambassade, consiste à rallier des intellectuels et des journalistes à la cause nationale-socialiste. Son entregent, et plus encore sa prodigalité due à d'inépuisables fonds secrets mis à sa disposition par Berlin, participent de son succès. D'autant que l'homme, blond et mince, au sourire facile, use à loisir de sa francophilie pour séduire. C'est l'époque où « franc-tireur diplomatique », ainsi qu'il se définit lui-même, il est convaincu de la nécessité d'un rapprochement entre la France et l'Allemagne pour éviter d'éventuels conflits. L'opportunisme prend vite le dessus. Venu de la gauche sociale, il s'adapte aux idées nazies. Au tout début de l'Occupation, il revêt même occasionnellement l'uniforme SS, le temps, pour lui, d'endosser celui d'ambassadeur. « M. Abetz partageait officiellement la politique antisémite du parti. J'ai cependant l'impression qu'au fond cette question lui était indifférente [173] », affirme Eugène Feihl, son attaché de presse. Le cadet de ses soucis ; déjà avant guerre.

Sa diplomatie tient du billard. Friand de petites astuces, il agit par la bande, se défausse, comme on dit aux cartes, lorsqu'il y a péril. Aux réceptions qu'il organise rue de Lille avec sa femme, il se montre affable, attentif, toujours souriant, souvent en retrait dans les conversations mondaines. Luchaire et Laval, qu'il appelle familièrement Peterchen (Petit Pierre), comptent parmi ses amis personnels. En revanche, il n'aime guère Knochen, le chef de la Gestapo à Paris, ni Sauckel, responsable de la main-d'œuvre étrangère à Berlin : deux nazis de la première heure, rustres et bornés, qui recourent plus facilement à la force qu'à la diplomatie. « Pour flatter le Führer, il lui emportait des caisses contenant une quantité importante d'exemplaires du *Rire*, de *La Vie parisienne*, de *Frou-Frou*, tous illustrés contenant des images obscènes », affirme Feihl qui préparait les colis. L'attaché de presse s'abuse, toutes ces revues sont certes parisiennes, mais ô combien innocentes.

À l'époque, Abetz conçoit un projet impérial pour Paris : la construction d'une méga-ambassade près des Champs-Élysées, allant du Petit Palais à la place de la Concorde. Les Alliés ne lui en laisseront pas le temps.

Les divisions blindées des armées libératrices progressent vers la capitale. Bombardements et fusillades suivent un mouvement *crescendo*. Bayeux est la première ville de l'Hexagone libérée. Le 14 juin, de Gaulle y prononce son premier discours sur le sol français. À Paris, les alertes redoublent. Ce jour-là, Arletty griffonne à Soehring :

« Faune,
Paris décrète, la France suit, a dit le père Hugo ! Ça boum partout ! Moi, je vis pour toi.

Biche. »

Le mois suivant, Soehring est en permission à Paris. Il met au point les derniers préparatifs d'un hypothétique départ d'Arletty. Un soir, il l'invite à dîner avenue Montaigne chez le fameux avocat international chargé, si besoin est, de s'occuper d'elle. À la table est assis le consul général de Suède, Raoul Nordling – celui-là même qui négociera la trêve et l'échange de prisonniers entre les belligérants lors des combats pour la libération de Paris. « La conversation roule sur Rip, car Nordling avait été son condisciple au lycée. Discret, il ne révèle pas qu'il empêchera Paris de brûler [174]. » Soehring la supplie d'accepter de partir, de ne pas s'enfermer dans son je-m'en-foutisme habituel, tente de la convaincre qu'elle trouvera toujours du travail ailleurs. Rien à faire, Arletty ne veut en aucun cas quitter Paris.

« Moi partir ? Jamais. J'aurais préféré qu'on m'coupe la tête en France. Dans mon pays. Quand je lui ai dit que je refusais, il m'a dit : "Je le savais." »

Cette décision, irrévocable, elle choisit de l'assumer seule, préférant vivre pleinement ces semaines d'effervescence à hauts risques durant lesquelles son humeur combative cède assez souvent le pas à l'abattement.

Si Arletty ignore tout des manœuvres politiques de Pétain et Laval pour tenter de sauver ce qui peut l'être de la révolution nationale, elle note le passage sous ses fenêtres du président du Conseil revenant des obsèques de l'ancien ministre Georges Mandel, assassiné par la Milice. Ce jour-là, elle est au balcon.

« Il avait été à l'enterrement. Il sortait de Notre-Dame. J'étais quai de Conti. J'l'ai vu passer sous mes fenêtres. C'est la dernière fois que je l'ai vu. »

Caen et Cherbourg sont libérés. Une percée se prépare à Saint-Lô. À Paris, le bruit court que l'avance des Alliés est foudroyante, que bientôt ils seront aux portes de la capitale. Dans les rues, la nervosité presque palpable des officiers allemands conforte les rumeurs. Dans son journal, *Soixante Jours de prison*, publié en février 1949, Guitry brosse un aperçu assez fidèle du moral d'Arletty en ces semaines décisives. Son nom est délibérément occulté du récit, mais tout est fait pour qu'elle soit aisément identifiable : « 25 juillet. [Nom barré] me téléphone. Elle est assez inquiète. Elle parle, elle aussi, de troubles éventuels. Elle plaisante encore un peu — mais pour la forme.

« Cette personne dont j'ai biffé le nom m'était très chère à plus d'un titre. L'indépendance de son caractère, ses libertés de langage et son exceptionnel talent de comédienne l'exposaient à des "représailles" — et elle n'échappa que de justesse au sort abominable qui lui était réservé.

« Arrêtée par la suite, elle traversa le dépôt, fit un court séjour à Drancy — et recouvra la liberté. »

L'imminence du départ de Soehring pour Berlin réveille ses angoisses. La perspective de retomber dans la détresse affective la ronge. Son humeur s'aigrit. Les nerfs à fleur de peau, elle s'irrite pour rien, se prête à des scènes dont elle ne se serait jamais crue capable.

Le 1er août, après avoir constaté chez elle un vol avec effraction, Arletty téléphone à Guitry. « Elle ne plaisante plus, écrit-il. Elle croit savoir que les Allemands vont, dès demain, plier bagage. "Qu'est-ce que tu crois qu'il faut que je fasse ?" Je lui réponds : "Reste tranquille." Le 6 août, elle est "prise de panique". Elle veut partir. Pour où ? Elle m'en parle à mots couverts par téléphone. Je fais celui qui comprend mal. "Viens donc plutôt dîner ce soir."

« Elle est venue dîner ce soir et nous en avons longuement parlé. L'ai-je convaincue de l'irrémédiable sottise qu'elle ferait en s'en allant ? »

Les Allemands, eux, décampent. Un à un, châteaux, propriétés, hôtels particuliers réquisitionnés sont abandonnés. Des bataillons de soldats sont faits prisonniers. Le 16 août, les Forces françaises de l'intérieur (FFI) occupent Chartres. La 2e division blindée du général Leclerc marche sur la capitale.

« C'est à ce moment-là que je suis partie à vélo chez Georges Baudouin, le secrétaire particulier, intime même de Carné. Je lui ai donné le buste de Soehring. La femme de chambre [Marie] me disait : "Vous allez vous faire tuer. Allez-vous-en vite." Les Allemands pris de panique avaient tiré dans un carreau quai de Conti... Le vélo, on l'a vendu des années plus tard à Belle-Île, cher. »

Ce jour-là, elle ne fait que l'aller et retour chez Georges Baudouin. Le lendemain, Arletty déjeune avec Guitry. « Elle est un peu plus calme – mais mon calme à moi l'exaspère bientôt – et la conversation dégénère en dispute. Une bordée de gros mots dont elle a le secret la termine gaiement. »

Quand, le 19 août, l'insurrection générale est déclenchée à Paris, Laval, lui, a déserté l'hôtel Matignon. Depuis deux jours, il est en route pour Sigmaringen sous escorte allemande. Dans les rues, des barricades sont dressées ; aux frontons de l'Hôtel de Ville et de la préfecture, des drapeaux bleu blanc rouge sont hissés, pavillon haut. Des grappes de jeunes gens en bras de chemise, nu-tête ou coiffés d'un béret, brandissent des armes. Les sourires s'affichent, radieux. La guerre de libération atteint bientôt son paroxysme. Dans l'euphorie. Et la destruction. De toutes les voies de communication, le téléphone est pratiquement le seul service public encore en état de fonctionner. Le 23 août, Arletty appelle Guitry. Alors qu'ils conversent, des FFI en armes font irruption chez lui. Le Maître, pour qui c'est l'heure des croissants, est arrêté.

« C'est pendant qu'on parlait que le téléphone a été coupé et qu'on l'a embarqué. Là, les heures sont graves. Il m'avait dit : "J'prends tout en main." Il était très optimiste. Plus tard, j'ai su qu'il avait filé en escarpins, habillé d'un pyjama de chez Lanvin, jaune canari j'crois bien. Il a eu le temps de prendre son panama. Du pur Guitry. Dans la rue, tout le monde croyait qu'il tournait un film par un beau soleil. »

Voici la version que Guitry donne de sa mésaventure : « Il est 10 heures du matin, et je viens de prendre une tasse de café, quand je suis appelé au téléphone par [Arletty – le nom est biffé].

« Elle me dit que dans Paris des bruits courent, sinistres, que déjà l'on procède à des arrestations, que des femmes ont été passées à la tondeuse et marquées au fer rouge. Enfin, elle ne me cache pas qu'elle redoute, à présent, le pire.

« De nouveau, j'entreprends de la tranquilliser. Je lui conseille de ne pas se laisser influencer par des gens qui ont la détestable manie de vouloir, à tout prix, faire partager leur peur aux autres. Je désapprouve le projet qu'elle a formé d'aller se réfugier chez des amis à elle.

266

Je lui propose de prendre modèle sur moi qui pour rien au monde ne quitterais ma maison. Enfin, me résumant, je lui déclare de la façon la plus formelle qu'elle ne risque pas plus que moi.

« Au même instant, la porte s'ouvre et je vois paraître Mme Choisel [175], haletante, éperdue, qui me dit : "Monsieur, on vient vous chercher." »

« Et je raccroche le récepteur au nez de celle que je souhaite alors n'avoir pas convaincue de notre immunité. [176] »

Escorté de six hommes armés, Guitry est conduit à pied jusqu'à la mairie du VIIe arrondissement. Après un séjour au dépôt, puis un passage au Vél'd'Hiv, il est transféré à Drancy, où, après six semaines d'internement, il rédige un étincelant plaidoyer *pro domo* enlevé, spirituel, ironique, bien dans son style. Il y défend point par point son comportement pendant l'Occupation, cadre ses rapports avec l'occupant, explique ses démarches pour sauver des gens, et revient sur son arrestation. « Un assassin pris sur le fait n'eût pas été traité avec plus de rigueur [177] », écrit-il.

Sur les toits, au coin des rues, des coups de feu claquent. Des mitraillettes ripostent en rafales. Quai de Conti, Arletty s'affole, téléphone à droite, à gauche, cherche désespérément conseil, glisse des louis d'or dans son vanity-case, un peigne, un tube de rouge à lèvres tomate, son poudrier en or massif et une lettre de Josée pour son père Pierre Laval, réfugié à Sigmaringen. Marianne, la gamine qu'elle a recueillie l'année précédente, ne la quitte pas d'une semelle. À bout de nerfs, Marie, la gouvernante, les supplie de partir. Pour leur sécurité, pour la sienne ? Qui peut savoir ! À la nuit tombée, Arletty et Marianne enfourchent chacune leur vélo. « On a passé une nuit blanche entre le quai de Conti et l'ambassade d'Allemagne, qu'Arletty a fermée après le départ des Allemands [178] », raconte Marianne.

« On était toutes les deux, interrompt Arletty. C'était mon cicérone. C'est à ce moment-là qu'Abetz m'a invitée à fuir en Allemagne. Il était dans sa voiture, le moteur en marche, prêt à détaler. Je lui ai donné la lettre de Josée pour pââpââ. »

« Elle a refusé de partir, intervient Marianne. Comme elle a refusé la veille de la Libération la proposition de Simone Signoret, qui venait souvent quai de Conti, de rejoindre la Résistance. Elle n'a pas suivi. On a regagné le quai de Conti. »

Dans l'impasse, de longues banderoles vengeresses ornent le

porche. Des hommes en faction attendent, visiblement de pied ferme, Arletty. « Devant la crânerie et la tenue de cette petite fille de quatorze ans et mon indifférence supérieure, ils n'osent pas nous adresser la parole [179]. »

« Comme elle m'avait rabibochée tant bien que mal avec mon père, elle m'a dit de retourner à Fontenay, poursuit Marianne. Mais j'étais trop inquiète. J'ai tourné dans Paris. Deux heures plus tard, je suis revenue. Son peigne en ivoire, sa brosse et ses objets personnels avaient été jetés près de la poubelle. Je les ai ramassés. J'ai sonné. Marie m'a ouvert, affolée. Elle m'a dit : "Ils vont sûrement la prendre, la raser, et lui couper les seins." J'ai roulé les objets d'Arletty dans un foulard, je les ai serrés contre moi, et, sur ma bicyclette, j'ai foncé à la Petite Roquette [180] où je pensais qu'on l'avait emmenée. À l'entrée, j'ai dit avec un aplomb incroyable : "Je veux voir Arletty, c'est ma mère." J'ai laissé mes violettes et les fruits que je lui apportais et ils m'ont royalement mise à la porte. Après, j'ai filé aux nouvelles chez Jacques Prévert. Cité Véron, Mme Prévert m'a ouvert et m'a dit d'attendre son retour. Quand il est rentré, il m'a fait des dessins — je me souviens d'une forêt avec des lutins —, et il a écrit un poème qu'il m'a dédié. Je pleurais toutes les larmes de mon corps car je ne savais pas ce qu'il était advenu d'Arletty. Prévert est allé aux nouvelles. Quand il est revenu, il m'a dit : "Tu sais la petite, Arletty, personne ne pourra la descendre ; Arletty, c'est un roc." Ça m'a rassurée et j'ai regagné le domicile de mon père, à Fontenay-sous-Bois. »

Arletty est saine et sauve. Lancée dans une fuite éperdue à travers Paris, elle fonce sur sa bicyclette, béret sur la tête, sac à main au bras.

« Je suis allée déposer mon fric chez Jean-Pierre, rue de l'Université, et j'ai filé à vélo chez Baudouin à Montmartre, près du Tabarin. Chez Baudouin, les FFI sont venus me demander de l'argent. J'ai donné une somme énorme pour l'époque : 30 000 balles. »

Arletty a toujours une liasse de billets sous la main, que ce soit dans le tiroir d'une commode, la cache de sa coiffeuse, ou le fond de son sac à main. Jean-Pierre, l'homme à qui elle confie ses économies, c'est bien sûr Dubost, le sempiternel compagnon, le tendre, le viveur, qui l'aime, qu'elle bouscule et rudoie. Il est rarement à Paris durant l'Occupation, mais y a toujours une adresse pour ses petites affaires, où elle sait qu'en cas d'ennui elle peut le joindre. Ils conservent des amis communs. Sa base de repli à lui, c'est Lyon, où il entretient les meilleures relations avec des membres du clan Prouvost, l'héritier d'une dynastie lainière du Nord devenu grand patron de presse – il fondera *Paris-Match* après guerre. Jean-Pierre aurait tellement voulu arracher Arletty à ses fréquentations parisiennes, mais il n'en a ni la force de persuasion ni les moyens. «Ne me juge pas au travers des autres sur ma vie à Paris. Je ne pouvais t'importuner et mon indépendance n'est pas assez grande pour m'installer ici à ne rien faire», lui écrit-elle alors. Faute d'accéder aux attentes de son vieil ami, ne serait-ce qu'à son invitation à un voyage en Algérie, c'est sincèrement qu'elle lui souhaite de se distraire, de voir du monde, d'être heureux. Mais peut-on forcer le destin? Quand elle lui dispense sa tendresse, c'est un peu comme si elle faisait l'aumône à un mendiant. Elle l'aime! Mais de loin.

Jean-Pierre ne lui en veut pas. Il continue de gérer son portefeuille d'actions, et, aussi souvent que possible, lui fait parvenir des citrons, une denrée rare. Arletty les utilise pour ses soins de beauté, s'en frottant les coudes pour en conserver la blancheur. Jean-Pierre a vraiment le caractère bien fait, car le manque de ménagement avec lequel elle le traite est proportionnel à l'ascendant que Soehring prend sur elle. Au fond, elle déplore que, tout à son existence d'enfant gâté, de «bourgeois affranchi», Jean-Pierre soit passé à côté d'elle, malgré des années de vie commune.

25 août 1944. Les colonnes blindées de la division Leclerc franchissent les portes d'Orléans, de Gentilly, de Saint-Cloud. Des soldats allemands se rendent en masse, les mains en l'air, un drapeau blanc tenu à bout de bras. Sur les trottoirs, aux fenêtres, aux balcons, les Parisiens, surgis d'un même élan, crient leur joie. Des femmes en liesse s'agrippent aux chars et aux camions alliés surchargés. Les vainqueurs saluent du V de la victoire. Ici et là, les victimes de tireurs embusqués sont évacuées sur des civières. Des blessés qui montrent que la guerre se poursuit, même si Paris, enfin, est libéré. Arletty, elle, se cache en lieu sûr, du côté de la butte Montmartre. Ses proches lui offrent aide et protection. La première à se manifester est la générale Nicolle, toujours en grand uniforme. Elle l'appelle au 42 de la rue Fontaine chez le jeune assistant de Carné, la convainc de trouver refuge au siège des Sections sanitaires automobiles, 7, rue François-Ier à Paris, dans le VIIIe arrondissement. «Quand l'occupant est parti, j'ai eu très peur pour elle parce que je savais qu'elle avait été avec un

Allemand. Les gens, dans ce cas-là, étaient recherchés. Je suis allée la récupérer au sixième étage d'une maison à Montmartre, la rue montait. J'étais en Cadillac. J'avais ramassé deux FFI sur la route, qui m'accompagnent. Arletty – je l'appelais pas Arletty, je l'appelais Arlette – est redescendue avec moi. Elle n'avait pas l'air inquiet. Je l'ai emmenée pour la mettre à l'abri [181]. »

Séjour clandestin de courte durée à deux pas des Champs-Élysées au cours duquel Arletty est servie par « les longues mains » de Lana Marconi. Trois jours plus tard, elle prend la route de Choisy-le-Roi. « Nous allons chez la comtesse X – dame de la Croix-Rouge en 1939-40, promue colonelle à la Libération [182] », raconte-t-elle dans *La Défense*.

« La comtesse m'apprend qu'elle est une résistante ultra, me présente un jeune ami, Lord H., qui arrive de Normandie où il a vu "son papa ce matin". "Vous avez de la chance ; il admire votre talent [*sic*] et veut bien s'occuper de vous." »

« Lord H., petit bonhomme, semelles surélevées, FFI par le haut, pantalon de marié par le bas ; l'air d'un marchand de cartes postales porno. Fallait voir la gueule du lord. J'oublie de dire qu'il était accompagné d'une soldate, tous deux mitraillette en bandoulière. (On n'avait pas d'armes en 40, mais en août 44, il en pleuvait.) »

« Me voilà partie pour la grrrrande aventure... et fouette cocher, dans une grosse Cadillac officielle. Arrêt dans une petite librairie du VIᵉ. Dans l'arrière-boutique, amas de bottes, de képis, de vêtements militaires allemands. Nouvel arrêt dans une mairie, je ne sais plus laquelle, où Lord H. était maire par intérim. Recadillac. »

« Tout de suite il me dit : "Pour l'ami chez lequel je vous conduis, nous nous sommes rencontrés à Londres en 1938, dans *Le Chevalier sans armure* de Jacques Feyder, dans lequel vous auriez pu tourner." »

« J'enregistre. »

« J'avais de très bons yeux ; je filme le parcours : Choisy-le-Roi, avenue de Paris, on tourne à gauche, école Pigier ; ça me rajeunit. »

La limousine s'arrête devant la porte cochère XVIIIᵉ d'un pavillon bourgeois à étage, puis klaxonne. Bruits de chaîne, cliquetis de serrure. Arletty et ses acolytes descendent de voiture et entrent. À droite, au pied de l'escalier, un homme d'une quarantaine d'années, en uniforme de major militaire, les salue.

« Plutôt séduisant. Il avait un képi à la Pépé le Moko. »

Présentations froides. Le docteur Yves Evenou s'annonce spécialiste en gynécologie, pédiatrie et… tube digestif. Il n'a pas encore le visage bouffi, le teint jaunâtre, les joues flasques et le regard délavé des consommateurs invétérés de neuroleptiques qu'on lui verra, une douzaine d'années plus tard, dans la presse lorsqu'il défraiera la chronique des faits divers, son épouse Marie-Claire, une jeune fille rangée, riche et falote, ayant été découverte assassinée. Un coup de couteau au cœur, la gorge tranchée. Evenou sera accusé du crime. Il aurait, dit-on, armé le bras de sa maîtresse, plus vieille que lui, une femme massive, autoritaire, aux traits lourds, à la tignasse folle. Passion ? folie ? convoitise d'héritage ? La justice se confondra en hypothèses à défaut de trouver un mobile plausible. « Il m'envoûtait, clame la meurtrière. J'ai agi comme un automate. » Fasciné par le maléfice, l'écrivain Marcel Jouhandeau racontera magistralement l'histoire des amants diaboliques dans *Trois Crimes rituels*, un livre qu'Arletty recommandera ardemment à son entourage.

« Jouhandeau, c'est mon p'tit chéri. Un honnête homme. Il n'avait pas d'imagination, il le disait lui-même, mais il aurait pu être un très grand reporter comme Albert Londres [183]. Plus grand encore. J'lui dois de m'avoir fait aimer le bordeaux jeune. C'est lui qui, le premier, m'a conseillé d'en boire. »

Le pavillon de Choisy, où elle est hébergée fin août 1944, n'est pas celui du crime.

« Un drôle de mec, Evenou. Quand je suis arrivée, il a d'abord dit : "J'prends pas l'colis." Puis, en me montrant ma chambre : "Robespierre y a passé quelques nuits avant son arrestation." »

Logée à l'étage, Arletty jette un œil par la fenêtre, se dit qu'elle peut difficilement sauter sans se casser une jambe. Les bruits du rez-de-chaussée montent par la cage d'escalier, lui permettant de suivre l'activité de la maison, d'entendre à la fois les allées et venues des patients et les nuits étrangement mouvementées de ce chef de la Résistance. Sa pitance lui est déposée sur le seuil de sa porte, jusqu'au soir où Evenou l'invite à dîner. Il tombe sous le charme, lui parle de théâtre, lui apprend à jouer aux échecs.

« Ça a été ma première vraie leçon. Le jeu que je préfère. »

Son hôte cherche à savoir le nom du mystérieux Lord H. qui l'a accompagnée à Choisy. Il se révèle bien vite résistant d'opérette, un tantinet voyou, collectionneur de fausses identités. Une vingtaine au total. Rapidement démasqué, Lord H. sera désarmé avant d'être confié aux FFI.

Une dizaine de jours environ après l'arrivée d'Arletty chez lui, Evenou la conduit à l'hôtel Lancaster, occupé par un bon nombre de membres du gouvernement provisoire, et lui conseille d'attendre dans sa chambre, sans se faire remarquer. À quelque temps de là, le téléphone sonne : Jacques Bellanger à l'appareil. Arletty l'a rencontré fin 1943 avec sa femme Lélette, lors d'un déjeuner. Il lui propose de l'accueillir dans leur château de La Houssaye-en-Brie, près de Melun ; un endroit isolé, paisible et discret, elle y sera en sécurité. Ne voulant compromettre personne, Arletty décline l'invitation. Un mois passe... Un soir, Evenou vient l'avertir de l'imminence de son arrestation, prévue pour le lendemain à 15 heures. « J'ai eu envie de me raser les cheveux, persuadée que ça m'irait très bien [184]. »

Le rasage de crâne est, à la Libération, le châtiment des femmes coupables d'avoir couché avec l'occupant. Les « tondues » sont généralement exhibées nues à une foule injurieuse, quand elles ne sont pas maculées d'encre ou de Mercurochrome. Un peu partout en France, des cas sont signalés. En Auvergne, on les badigeonne de goudron ou de poix. Boulevard Saint-Michel à Paris, Jean-Paul Sartre en aperçoit une, seule au milieu des rires et des quolibets, âgée d'une cinquantaine d'années. « Quelques mèches pendaient autour de son visage boursouflé ; elle était sans souliers, une jambe recouverte d'un bas, et l'autre nue ; elle marchait lentement, elle secouait la tête de droite et de gauche, en répétant très bas : "Non, non, non ! [185]" »

Pour cacher la disgrâce de ce traitement vengeur, une solution : le port du turban, une coiffure adoptée dans les années vingt par Arletty qui n'aura heureusement pas à y recourir, personne ne touchant un seul de ses cheveux. La rumeur est pourtant tenace. « Arletty a les seins coupés », affirme ainsi, dès le lendemain de la Libération, un codétenu de Guitry au dépôt. Le Maître est « littéralement effondré ». Trois semaines plus tard, il se sent momentanément rasséréné après une visite aux prisonniers de la princesse de Broglie, en uniforme kaki des SSA. « Arletty est sauvée », lui glisse-t-elle à l'oreille. Répit de courte durée : le 3 octobre, « sans politesse aucune », le préfet de police déboule dans sa cellule :

« "Où est Arletty ? questionne-t-il, abrupt.

— Je l'ignore.

— Vous a-t-on dit qu'on l'avait arrêtée ?

— Oui.

— Qu'on lui avait rasé la tête?

— Oui.

— Qu'on lui avait coupé les seins?

— Oui.

— Qu'elle était morte?

— Oui.

— Qu'en pensez-vous?

— Je veux espérer que le destin n'a pas permis cela.

— Pourquoi?

— Parce que je l'adore.

— Allons donc?

— Oui, monsieur, c'est ainsi.

— Quel est son vrai nom?"

« J'ai dit alors ce nom.

"Est-ce qu'elle est à Drancy?

— Mais non.

— Pourquoi 'mais' non?

— Parce que, si elle était ici, je le saurais et je l'aurais vue.

— Et vous lui auriez parlé?

— Bien entendu, puisque je vous dis que je l'adore."

«Il m'a regardé bien dans les yeux, je l'ai regardé bien dans les yeux, puis il m'a tourné brusquement le dos. Alors, je l'ai rappelé :

"Monsieur!

— Plaît-il?

— Quand vous aurez des nouvelles de Mlle Arletty, est-ce que vous voudrez bien m'en donner?"

« Après une seconde de réflexion, il m'a répondu : "Je le ferai!" [186] »

Le préfet serait-il taquin? Manquerait-il d'informateurs fiables? Peut-il ignorer qu'Arletty est au Lancaster, au vu et au su de tous? Que diable ne lit-il pas le journal! «Arletty est veillée par un "ange gardien"», affirme en première page *Le Parisien libéré* des dimanche 15 et lundi 16 octobre. Les bruits les plus fantaisistes couraient sur Arletty. Non seulement on la disait morte, mais encore dans des tortures affreuses. Chacun connaissait un détail macabre. Et de hocher la tête... «J'ai eu Arletty hier matin au bout du fil, non sans mal, du reste, car elle se cache dans un hôtel voisin des Champs-Élysées, rapporte le journaliste. La police n'ignore pas où elle a trouvé refuge, puisqu'un "ange gardien" veille sur sa précieuse personne.

"Que vous reproche-t-on, mademoiselle Arletty?

— Oh! des questions touchant ma vie privée.

— Et du point de vue professionnel?

— J'ignore absolument. La Commission d'épuration doit bientôt statuer sur mon cas : un an, deux ans, cinq ans d'interdiction? Je m'inclinerai…"

«Au Comité national du cinéma, on est très net sur le compte de *Madame Sans-Gêne*.

"Elle s'est affichée avec des Allemands et avec… Mme de Chambrun [Josée Laval]. Elle a tenu sur le plateau, devant de nombreux techniciens, des propos tout à fait scandaleux sur la position de la France devant l'Allemagne.

— Qu'allez-vous décider à propos des films d'Arletty?

— Évidemment, il n'est pas question d'interdire une bande pour la faute d'une seule artiste. Le public ne sera pas privé des *Enfants du paradis*, qui doit sortir incessamment."

«Nous n'avons pas l'habitude de nous substituer à un tribunal. Arletty n'est du reste pas inculpée. Mais le moins qu'on puisse dire, c'est qu'Arletty nous a déçus», conclut *Le Parisien libéré*.

Le vendredi 20 octobre 1944, deux messieurs discrets viennent la cueillir à son hôtel, rue de Berri, en vertu d'une ordonnance de De Gaulle du 4 octobre, prévoyant «l'internement administratif des individus dangereux pour la défense nationale ou la sécurité publique». La définition juridique du texte est suffisamment imprécise pour ratisser large et permettre des arrestations en pagaille.

«Pour une belle prise, c'est une belle prise!» lance Madame Raymonde aux policiers, dans le film *Hôtel du Nord*, au moment de prendre place dans le panier à salade. Une réplique prémonitoire de Jeanson qu'Arletty a affirmé avoir ressortie le jour de son arrestation. Vraie ou supposée, l'anecdote est piquante. «Non menottée, je monte dans la voiture. Enfin arrêtée! Je me sentais plus en sûreté [187].»

Chapitre XII

L'indifférence est sans accès.

Marcel Jouhandeau

« J'suis pas courageuse devant les souffrances physiques. J'ai connu la peur pour les maladies. Là, j'suis pas plus brave qu'un autre. Devant l'cancer, j'crâne pas du tout. Mais pas en taule. Pas des peurs politiques. Froide. Ne narguant pas non plus. Rien ne peut m'atteindre. »

Sitôt arrivée dans les locaux de la préfecture de police investis par des escouades de jeunes FFI, Arletty est conduite pour un premier interrogatoire dans le bureau du préfet de police adjoint Kaouza, l'épurateur « *made in London* ». Hélas, il ne subsiste aucune trace des minutes du procès-verbal d'audition, si tant est que l'échange ait été consigné par un fonctionnaire. Dans la grande salle – la 92 – jouxtant le bureau, Arletty note la présence d'une quinzaine d'agents qui se relaient toutes les six heures pour entendre les personnes déférées. Elle sympathise avec l'un d'eux, un jeune étudiant en médecine entré à la préfecture pour échapper au Service du travail obligatoire (STO) qu'a instauré Vichy afin de répondre aux exigences de l'Allemagne.

« Alors Bathiat, comment ça va ? interroge l'épurateur.

— Pas très résistante. »

Arletty raconte volontiers l'insolence qu'elle affiche alors, l'entêtement avec lequel elle refuse de répondre au nom d'Arletty. « Je n'étais plus que Bathiat Léonie. Ils croyaient m'humilier. Bien au contraire, j'étais très fière de reprendre ce nom, je retrouvais ma jeunesse, mes parents et… la Seine [188]. »

Au besoin, elle en rajoute.

« Vous êtes de l'Intelligence Service ?

— Non, je suis au service de l'intelligence. »

Qu'importe l'authenticité du propos, qu'il ait été tenu dans le bureau du préfet, lors d'un aparté avec un prévenu, ou inventé après coup. Un bon mot vaut bien une légère entorse à la vérité historique. Hommes et femmes sont couchés côte à côte sur des paillasses, dans une promiscuité qui lui laisse un souvenir prégnant, avec ces visages inconnus, les uns pathétiques, les autres grotesques.

« Aucun n'avait vu d'Allemand, comme s'il n'y avait pas eu d'occupation. Y'en a un qui croyait que c'étaient des Anglais qu'avaient occupé Paris. Il y avait un type avec un accent à la Carette, l'genre les Batignolles, voyez. Il était fou d'être séparé de sa femme. Il disait : "J'la lave, j'la peigne, j'la frictionne. Elle peut rien faire sans moi." Tout en pleurant, il m'a montré une photo. Vous auriez vu la gonzesse, un vrai bijou de foire. Elle devait peser cent cinquante kilos.

« À la préfecture, ils fusillaient sans jugement. Je m'souviens d'un type très distingué, directeur d'un journal à Rouen. Il m'appelait "Madame Sans-Gêne". Il avait mal à la tête. Je lui ai donné un cachet. Je ne l'ai plus revu. Ils ont dû le passer par les armes. »

Un jour, deux garçons armés tentent de l'intimider : « T'as vu la mitraillette, hein, on va la faire marcher ! — Dépêchez-vous d'tirer, que je voie plus vos sales gueules ! » rétorque Arletty gouailleuse. Les deux fiers-à-bras tournent les talons, sans broncher.

Une figure familière émerge au loin, hors du périmètre de détention : Marie Bell, membre depuis peu de la Commission d'épuration à la Comédie-Française avec Madeleine Renaud et Pierre Dux. Soupçonnée de faire partie du deuxième bureau de Londres – celui du renseignement – sous l'Occupation, la sociétaire du Français, qui avait ses entrées rue de Lille, pouvait facilement jouer les agents doubles de sa scène d'observation privilégiée. « Elle passait de temps en temps chez l'épurateur… Je la trouvais assise sur le bureau, ses belles jambes croisées ! Je remarque qu'elle fume joliment. Depuis, elle raconte à qui veut l'entendre qu'elle m'a sauvée ! Je comprends maintenant pourquoi elle sortait avec un riz-pain-sel allemand et elle ouvrait et fermait l'ambassade : elle les aimait pas, les occupants, c'était pour me sauver [189] ! »

Au milieu des détenus anonymes, une tête connue d'Arletty : François Dupré, président de la Société des grands hôtels et administrateur de Ford, arrêté pour avoir organisé des déjeuners d'affaires – les déjeuners de la Table ronde [190] – réunissant, autour d'une délégation allemande, l'élite industrielle, financière, administrative et politique française.

« Mon copain. Une gueule de clergyman. »

L'adversité les lie : ils deviennent amis. Une fois purgés leurs ennuis respectifs de l'épuration, Dupré offre gîte et couvert à Arletty, qui, à la sortie de ses soixante-quinze semaines en résidence surveillée, élit domicile dans ses hôtels de luxe – d'abord au Plaza, avenue Montaigne, puis au George-V, voisin des Champs-Élysées.

« Il m'avait couchée sur son testament. Pour lui, j'étais un panier percé. Il disait : "Il faudra que, jusqu'à sa mort, Arletty ait chambre et nourriture. Elle paiera quand elle invitera ses amis. Pas de coucherie entre nous. Une amitié fidèle." »

Alors qu'elle est de passage à Montréal en novembre 1958, François Dupré l'accueille à l'aéroport pour la conduire à son hôtel – le Ritz. Sa Rolls est remplie de roses rouges, une façon on ne peut plus élégante de fêter l'anniversaire de leur rencontre dans la grande salle de la préfecture en 1944. « C'est l'épurateur qui en ferait une gueule ! » s'exclame Arletty.

Le sort réservé aux personnes arrêtées durant les premières semaines de la Libération, pour des faits de collaboration ou pour avoir frayé avec l'occupant, relève généralement du commissariat de police, puis du dépôt voisin de la préfecture, parfois du vélodrome d'Hiver, où les juifs ont été parqués lors de la grande rafle de juillet 1942 avant leur transfert dans des camps allemands. La détention se prolonge dans les bâtiments de l'ancienne caserne de gardes mobiles de Drancy, au nord de Paris, et, en bout de chaîne, dans une vraie prison. Arletty n'ira ni à Fresnes ni à la Santé. C'est dans les bas-fonds de la Conciergerie, au cœur de Paris, qu'elle connaît le cachot avec soupirail, les punaises de paillasse, l'air vicié de moisissure. Sur les murs de pierre des sinistres galeries voûtées qui conduisent aux cellules, les bougies grésillantes jettent les ombres silencieuses des gardiens en armes.

« J'suis allée très vite au Dépôt. Guitry en sortait comme j'y entrais. »

Contrairement à Guitry qui avait dû réclamer au juge d'instruction la faveur d'être seul dans sa cellule pour écrire, Arletty, elle, est placée d'office à l'isolement par le préfet épurateur, dans l'aile du quartier des femmes réservée aux « politiques ».

« Noblesse oblige. Les plus dangereux comme moi avaient une cellule à eux. C'était bien calculé. »

Dans la journée, elle retrouve ses codétenues. Une prisonnière de droit commun, menue, brune et malingre, coiffée à la garçonne, attire son attention lorsqu'elle fredonne. Arletty se souvient l'avoir entendue jadis au Concert Pacra, près de la Bastille. C'est Line Marsa, la mère d'Édith Piaf, tombée pour avoir vendu des cigarettes de contrebande, et qui chante le dernier succès de sa fille.

« On a la voix de sa mère, et pas le contraire. »

La férocité d'Arletty pour Piaf est aussi cinglante qu'opiniâtre :

« Le talent mis à part, c'est un monstre de l'âme. Et encore… elle chantait avec le sexe, faut bien le dire. Ça partait du bas-ventre. »

Le principal reproche qu'elle lui fait est d'avoir laissé sa mère dans un total dénuement – alcool, drogue, caniveau. Qu'elle-même ait été abandonnée enfant n'excuse rien. Il est un âge où la bonté de cœur, sinon l'intelligence, doit pardonner les offenses. C'est donc sans aménité qu'Arletty juge la conduite de Piaf, qui, à certains égards, lui renvoie l'image de ses dix-huit ans. Elle aussi a abandonné sa « pauvre petite maman » dans un garni de la rue de Turenne, préférant la grande vie avec Edelweiss, le compagnon du luxe, des voyages, du théâtre à discrétion. Un acte d'adolescence, égoïste, irréfléchi, qu'elle se reproche assez.

Aussi, plus tard, en octobre 1950, elle prendra un plaisir pernicieux à imiter l'interprète de *La Vie en rose* dans *La Revue de l'Empire*. Les photographies l'attestent, la ressemblance est saisissante, avec sa robe noire, longue et droite, ses frémissements. N'était sa haute taille, on se méprendrait.

« Une charge, sans agressivité. Le public ne l'aurait pas toléré. J'avais un faux crâne avec les cheveux plantés très hauts. J'arrivais, les bras collés au corps, les pieds en dedans, je repartais les pieds en dehors, en canard. Elle peut m'remercier, grâce à moi, elle est morte en beauté. Après ça, la Marlene [Dietrich] l'a emmenée en Amérique pour lui faire refaire les crocs. »

Pas de quartier non plus pour l'interprétation que Piaf, accrochée aux grilles du château, fait en 1952 de *La Carmagnole*, dans le film de Guitry, *Si Versailles m'était conté*.

« Une vraie connerie. Si elle avait vu ça, la Sévigné aurait été en deux… »

Les aigus plaintifs sont malvenus. Des accents rythmés, l'absence de roulades, un ton saccadé auraient suggéré avec davantage de véracité l'appel insurrectionnel au peuple. Pour créer l'émotion et rendre ce moment poignant, il aurait fallu une interprète citoyenne.

Retour au dépôt. Derrière les barreaux, Arletty affiche un moral d'acier et un sens poussé de la provocation.

« Le préfet épurateur avait promis de m'en faire voir. J'm'en foutais. »

Elle se découvre bientôt un parent éloigné, employé à l'intendance : Maurice Viple, chargé des équipements – menuiserie, plomberie, serrurerie, entretien. Un Auvergnat de souche. Il a le même âge qu'elle, se souvient l'avoir connue lorsqu'elle était élève sténodactylo chez Pigier. Le Puy-de-Dôme, Vercingétorix, les mines, les souvenirs des jeunes années les rapprochent d'emblée. Arletty lui rappelle que c'est chez sa mère, la tante Louise, concierge rue du Faubourg-Montmartre, qu'adolescente elle rencontra un autre cousin éloigné, Marius, lui aussi un Viple, figure de la SFIO devenue directeur du Bureau international du travail à Genève. À la Libération, Marius ne bougea pas d'un pouce pour tirer sa petite cousine d'affaire.

« C'était un sectaire. Il a dit : "Elle peut crever." De quel droit se permettait-il de me juger ? Je n'ai à recevoir de leçons de patriotisme de personne. »

Maurice est tout le contraire de Marius. Pouvant aller et venir à sa guise dans les sous-sols de la Conciergerie, il tente de lui adoucir la vie par ses visites, sa conversation, ses petites attentions. La standardiste de la préfecture fait de même. Marguerite Mousson, dite « Guiguite », qu'Arletty accueillera dans sa petite maison de Belle-Île dans les années cinquante, est originaire du Limousin, mais ses racines, à elle aussi, sont auvergnates. Tous deux la « bichonnent », lui apportent de petits colis de nourriture qu'elle partage aussitôt. « Quand deux femmes se disputaient, dès que l'une d'elles était en difficulté, Arletty la prenait sous son aile [191] », raconte Jean Viple, le fils de Maurice, qui logeait dans les combles de la préfecture avec ses parents, comme toutes les familles de chauffeurs, maîtres d'hôtel et artisans. Sa chambre donnait sur les tours de Notre-Dame. Il avait dix-huit ans.

Personne n'oublie la « pagaille » et la « rigolade » qu'Arletty provoque en détention, par son culot et ses formules. « Et alors, et où j'vais faire ma toilette ? C'est pas parce que j'suis en taule que j'vais pas m'laver l'train », lance-t-elle à ses geôlières décontenancées. Rien ne peut la désarçonner.

Comme un grillage sépare les hommes des femmes, elle observe les allées et venues des détenus mâles à travers le maillage. Parmi eux, Tino Rossi, accusé d'avoir chanté à un gala de la LVF en mai 1942 à l'Empire [192], et d'avoir entretenu des relations « très suivies » avec un chef de bande corse « en contact avec la Gestapo [193] ». La tenancière du One Two Two, le célèbre bordel parisien, confesse l'avoir vu dans sa maison « en compagnie d'un type de la Gestapo, très mince, tiré à quatre épingles [194] ».

« Pas étonnant qu'il ait passé du temps en taule. Le dimanche au dépôt, il chantait l'*Ave Maria* à la messe. Il a repoussé les bornes de la connerie, j'vous l'dis. Il les a déplacées lui-même. »

Un jour, Arletty est convoquée pour un nouvel interrogatoire chez le préfet épurateur. Un jeune homme insiste pour connaître avec précision la teneur de ses relations féminines : « Vous avez été avec la duchesse Untel ? » Silence. « Et avec la comtesse Untel ?

— Je ne dirai rien. Je suis un gentleman ! » lance-t-elle à l'inquisiteur.

Quelque temps avant son transfert, une religieuse lui apporte un ouvrage du père Teilhard de Chardin. Sœur Colombe croit sans doute qu'un auteur du Puy-de-Dôme parviendra plus facilement qu'un autre à pénétrer son âme. L'écrivain a une vision cosmique de l'univers et de Dieu ; Arletty, elle, est une sceptique convaincue que la Terre tourne et n'a point d'horloger. Résultat, le livre lui tombe des mains.

« Je lui ai dit : "Vous perdez votre temps. Avec Dieu on s'est connu, mais ça n'a pas collé." »

À son onzième jour de détention, Arletty est embarquée dans une voiture cellulaire. Direction Drancy, banlieue ouvrière sans caractère. Le camp d'internement forme trois blocs clôturés de barbelés : un corps central et deux ailes. Groupe d'immeubles de quatorze étages construit pour loger des ouvriers à des tarifs bon marché, le bâtiment aux murs gris paraît inachevé. Des lieux d'aisance délimitent la cour intérieure de promenade. Il y a de la place pour mille cinq cents personnes, mais, à l'automne 1944, le nombre des détenus soupçonnés de collaboration et attendant d'être fixés sur leur sort est bien supérieur – le double, le triple, plus encore peut-être. Libération ou prison sont à la clé du séjour. De jeunes FFI armés de mitraillettes, le calot fendu incliné sur l'oreille, montent la garde. À sa descente du fourgon, Arletty note la présence d'une ravissante jeune fille, longue et pâle, qui porte sa «tonsure» comme une auréole. À l'intérieur, les murs blanchis à la chaux des chambres, aussi exiguës que des cellules de prison et sommairement meublées d'un évier, d'une table, d'un tabouret et d'un lit de fer, suintent de crasse. On lui octroie le grabat de la grande artiste dramatique Germaine Lubin. «Il restait des pèse-or dans tous les coins. On se demande ce qu'ils faisaient là [195].» Sous l'Occupation, Drancy, comme le Vél'd'Hiv, servait de camp de transit aux juifs et aux résistants partant pour les camps de la mort. Il leur était recommandé de prendre argent, bijoux et or, avant le voyage – d'où la présence de ces instruments de mesure qui servaient aux geôliers lors de la mise sous écrou.

Dans le recoin d'une salle, quatre-vingts femmes sont entassées sans distinction de titre ni de rang. Arletty remarque une petite vieille au visage tordu de chagrin qui, à l'aide d'un foulard, cache la croix gammée qu'on lui a tatouée sur le front. «"Pourquoi est-ce qu'on t'a fait ça?" demande-t-elle.

— Parce que ma fille est partie travailler en Allemagne.

— Elle était belle, ta fille?

— Très belle."

«Je la prends dans mes bras, je l'embrasse, pensant à ma mère qui aurait pu connaître le même sort, si elle avait vécu [196].»

Arletty affirme que, ce jour-là, elle a demandé une paire de ciseaux afin de tailler une frange à la petite vieille et de dissimuler le signe d'infamie qui la frappait.

«C'est là que j'ai été la plus humaine», dit-elle avec constance.

L'apitoiement est contraire à sa nature. Aussi, pas de plaintes, pas de gémissements, encore moins de larmes, pour dénoncer la rigueur de l'épuration.

«Je n'en ai pas souffert. J'avais vu des gens vaches très tôt. Je n'étais pas triste, ni déçue, non, mais étonnée par le cœur de certaines personnes. J'me disais comme Voltaire : "Seigneur, préservez-moi des douleurs physiques, des morales, je m'en arrangerai." »

Au final, elle ne veut retenir de cette époque que les histoires cocasses glanées aussi bien pendant sa détention de près d'un mois et demi, que durant ses dix-huit mois de résidence surveillée, ou encore après, dans les dîners en ville.

Échantillons. Sacha Guitry est à Drancy. Quelqu'un lui annonce que sa première femme Charlotte Lysès vient, elle aussi, d'être incarcérée dans le quartier des femmes. « Un malheur n'arrive jamais seul », soupire le Maître.

Le régisseur Fernand Trignol, grand prêtre de la figuration sur les plateaux de cinéma, est lui aussi épuré. On lui reproche d'avoir fréquenté Arletty sous l'Occupation. Lui, grasseyant avec ses allures de maquignon, et forçant son accent parigot : « Évidemment, j'aurais préféré qu'elle soit avec de Laaattre de Tassigny ! »

Le rire, toujours le rire, comme une plainte, comme une diversion à cinquante-deux jours d'incarcération.

« On m'a fait sortir de taule pour un ultime raccord des *Enfants du paradis*. Un raccord-son, car il avait été assez abîmé. C'était un raccord assez important, une scène avec Brasseur. Sans ce raccord-son, je serais peut-être allée à Fresnes. »

Pathé a répertorié le 19 octobre 1944, la veille même de l'arrestation d'Arletty à son hôtel, les travaux restant à exécuter pour achever le film. Il est fait mention d'un raccord de montage à réaliser au studio Francœur avec Paul Frankeur [197] que « les événements avaient éloigné de Paris » et d'une scène de synchronisation avec Pierre Brasseur, sans qu'il soit précisé laquelle. Le nom d'Arletty n'est pas cité. Tout porte cependant à croire que c'est pour une de ces séquences qu'elle est extraite de sa cellule, le 9 décembre 1944. Arletty est conduite dans le bureau du préfet épurateur. Kaouza lui notifie son assignation à résidence fixée trois semaines plus tôt par un arrêté, et l'avise qu'elle est tenue de demeurer à cinquante kilomètres de Paris. Quand, pure fantaisie de sa part, elle suggère de se retirer à l'hôtel de la Reine Anne à Montfort-l'Amaury, Kaouza l'informe qu'un couple de Seine-et-Marne — les Bellanger — offre de l'héberger dans leur château de La Houssaye-en-Brie. « L'Épu me demande si Bel[langer] était un résistant. Il fallait faire vite. Une seconde de réflexion. Je réponds oui.

"Eh bien, c'est là que vous irez, ça vous fera les pieds."

« Leur maison était ouverte à tous, sans distinction d'opinion. L'Épu ignorait qu'il m'installait dans un château de verre [198]. »

Mais le conte de fées sera pour plus tard. L'époque est aventureuse, l'opportunisme sans vergogne, les mœurs policières plus troubles que jamais. Les épurateurs mandatés ont, il est vrai, fort à faire, à la Libération, pour distinguer les authentiques résistants des ralliés de la dernière heure — impitoyables et toujours prompts à se refaire une vertu —, les collaborateurs patentés des agents doubles ou triples, les personnes vraiment compromises des foules passives et indifférentes. La difficulté consiste à peser les fautes, au poids des engagements. Justice, injustice, la frontière est étroite dans ce climat de revanche et de règlements de compte. Le monde du spectacle est à l'image de la France libérée, même si ses serviteurs sont beaucoup plus exposés aux projecteurs et, partant, aux sanctions, que les représentants des autres professions, si haut placés soient-ils. L'artiste n'existe-t-il pas essentiellement à travers sa célébrité? On peut, sans exagérer, schématiser le comportement des vedettes de la scène et de l'écran sous l'Occupation. Deux figures se détachent clairement. D'un côté, Pierre Blanchar, qui décline systématiquement les propositions de l'occupant et refuse de jouer au théâtre pour ne pas avoir à saluer des parterres d'Allemands, de l'autre Robert Le Vigan, ravi d'offrir ses services à l'envahisseur. Engagé par la Continental pour le film *L'Assassinat du père Noël* de Christian-Jaque, il écrit à Greven le 31 janvier 1941 : « Je suis remonté avec ma famille à Paris parce que je voulais être un des facteurs participants au nouvel ordre des choses entre les hommes de race blanche que nous sommes... Aujourd'hui, monsieur, grâce à vous, je suis heureux d'avoir suivi mon jugement et mes sentiments puisque j'en suis à la collaboration bienfaisante où vous voulez bien m'accueillir [199]. »

Outre les réfugiés d'Hollywood comme Gabin, Michèle Morgan et Jean-Pierre Aumont, restent les autres, acteurs et actrices, de droite, de gauche, sans conviction, qui acceptent de jouer, de tourner à Paris, voire pour certains de participer à un voyage officiel dans l'Allemagne nazie. Il y a enfin Arletty, que la presse de la Résistance voue aux gémonies, à la veille de l'entrée des Alliés dans Paris. « Alice Cocéa et Arletty, nos ambassadrices auprès des puissances occupantes (ambassadrices couchées et nourries bien entendu !), préparent leurs valises. Et, cette fois, ce ne sont pas des couche-en-ville », ironise méchamment *Opéra*, organe des Comités de résistance de l'industrie cinématographique, du spectacle et des beaux-arts, dans son premier numéro d'avril-mai 1944.

Des listes de suspects sont publiées. Comme aux pires heures de l'Occupation où les feuilles collaborationnistes dénonçaient les juifs, la délation devient frénétique. Des arrestations désordonnées suivent. Quand Arletty est appréhendée le 20 octobre 1944, c'est en l'absence de tout mandat et de toute enquête préalable. Six jours plus tard, alors qu'elle couche au dépôt depuis près d'une semaine, la direction de la Police judiciaire charge officiellement ses services de recueillir des « renseignements » sur elle et, « s'il y a lieu », de procéder à son arrestation. Les investigations, qui ne dépasseront pas le stade policier, durent plus de deux ans. Le dossier sera *in fine* transmis au Comité national d'épuration des professions d'artistes dramatiques, lyriques et de musiciens exécutants, et non à un juge d'instruction comme dans le cas de Guitry, pour d'éventuelles sanctions.

Arletty ne tergiverse pas pour organiser sa défense. N'est-elle pas intervenue auprès des autorités allemandes pour la libération de Tristan Bernard, prisonnier de la Gestapo ? Quitte à ce que sa démarche soit interprétée par ses détracteurs comme la preuve de ses accointances avec l'ambassade. Ses amis s'activent. Le lendemain de son arrestation, Michelle Lahaye, une comédienne de trente-trois ans, adresse une lettre au préfet : « En réponse au souhait qui m'a été exprimé et pensant que mon témoignage peut avoir une utilité, je tiens à vous faire part des faits suivants : j'étais présente le jour où Arletty, étonnée d'apprendre que Sacha Guitry revendiquait pour lui seul le mérite de la libération de Tristan Bernard, eut avec celui-ci une conversation téléphonique que j'écoutai à sa demande. De cette conversation, il ressortait clairement qu'Arletty, ayant appris de Sacha Guitry l'arrestation de Tristan Bernard, et sur la volonté exprimée par Sacha Guitry de tout mettre en œuvre pour le faire libérer, lui proposa d'intervenir personnellement auprès d'une autorité allemande dont je n'ai pas retenu le nom. Sacha Guitry, acceptant aussitôt, vint la prendre en voiture pour l'assister dans sa démarche, à la suite de laquelle Tristan Bernard fut libéré. Arletty, ne s'étant jamais vantée de son geste, fut surprise d'apprendre que Sacha Guitry revendiquait le mérite du service rendu sans l'y associer. C'est dans un mouvement d'impatience qu'elle décida de donner le coup de téléphone. La conversation que j'ai entendue était un rappel des faits et un besoin de mettre les choses au point [200]. »

Un procès-verbal d'audition de la jeune femme, en date du 2 décembre 1944, précise que la conversation téléphonique entre Arletty et Sacha Guitry a eu lieu « quinze jours environ après la libération » de Tristan Bernard, en octobre 1943. « Je tenais l'écouteur du téléphone au cours de la conversation et j'ai pu entendre Sacha Guitry dire qu'il reconnaissait en effet qu'Arletty était intervenue aussi bien que lui pour cette libération. Arletty téléphonait pour remettre les choses au point et l'incident fut clos ainsi », persiste et signe la jeune femme devant l'inspecteur de police.

Qu'Arletty ait contribué à sauver la tête de l'auteur dramatique semble toutefois de peu de poids aux yeux des épurateurs, qui incriminent surtout ses relations politico-mondaines et sa liaison amoureuse avec Soehring. Si sa conduite peut paraître à certains répréhensible au nom de la morale, elle n'est pas punissable en soi au regard de la loi, à moins qu'elle ne se soit accompagnée de délits connexes — ce qui n'est pas précisément le cas. La police, pourtant, cherche des éléments à charge. Après six mois de recherches minutieuses, l'inspecteur Chastanet conclut que son enquête « n'a pu être favorablement poursuivie ». Dans un rapport du 30 avril 1945 à sa hiérarchie [201], le policier constate : « La nommée ARLETTI, artiste de cinéma, qui ne doit être autre que la nommée BATHIAT Léonie, née le 15 mai 1898 à Courbevoie (Seine), ayant logé en dernier lieu à l'hôtel Lancaster, 7, rue de Berri à Paris (VIIIᵉ), et qui, d'après les déclarations du sous-lieutenant Doléans du 131ᵉ régiment d'infanterie en garnison à Bourges (Cher), serait responsable de l'arrestation par les Allemands du nommé de Goupil, se trouve actuellement, pour faits de collaboration, astreinte à la résidence surveillée chez M. Bellanger à La Houssaye (Seine-et-Marne). En conséquence, cette localité se trouvant en dehors du ressort de la préfecture de police, la susnommée n'a pu être interpellée.

« D'une recherche faite à la sous-direction administrative du Cabinet, il résulte qu'une enquête a été effectuée au sujet de cette femme.

« Cette enquête a fait connaître que la nommée BATHIAT habitait pendant l'Occupation 13, quai de Conti à Paris (VIᵉ), et depuis la Libération jusqu'à son arrestation, le 20 octobre 1944, elle a logé à l'hôtel Lancaster, 7, rue de Berri à Paris (VIIIᵉ), sous le nom d'ARLETTY.

« Elle a été la maîtresse d'un officier de la Luftwaffe du nom de SOEHRING de septembre 1941 à mars 1943, date à laquelle ce dernier serait parti sur le front d'Italie.

« Elle a fréquenté de Chambrun, Laval, José [sic], la Comtesse d'Arcourt [sic] et serait intervenue pour la libération par les Allemands de Tristan Bernard, qui était interné comme juif.

« Par arrêté de M. le préfet de police, en date du 16 novembre 1944, en vertu de l'ordonnance du 4 octobre 1944, elle a été astreinte à la résidence surveillée chez M. Bellanger à La Houssaye (Seine-et-Marne), comme dangereuse pour la Défense nationale, et doit se présenter à la gendarmerie la plus proche, pour une signature hebdomadaire.

« La nommée BATHIAT ne figure pas au fichier de la Section spéciale de la Police judiciaire, chargée plus spécialement de la recherche des individus ayant travaillé pour un service de Gestapo, ou ayant aidé les agents de ces services, ou tout service militaire.

« Elle n'est pas autrement connue aux archives de la Police judiciaire et n'est pas notée aux sommiers judiciaires [202]. »

Déjà assorties d'un conditionnel dans le rapport de police, les accusations du sous-lieutenant Doléans à l'encontre d'Arletty tournent court. Vérifications faites et après confrontation des intéressés rue des Saussaies à Paris, aucun fait de dénonciation à l'occupant du dénommé Goupil ou de qui que ce soit d'autre ne peut être corroboré. Quant à l'approximation sur la durée du séjour de Soehring à Paris, l'inspecteur est excusable. Il ne pouvait pas deviner qu'un mois avant la libération de la capitale l'officier était encore quai de Conti. Pour le reste, Arletty peut se féliciter : on reconnaît qu'elle n'est ni de près ni de loin un agent de la Gestapo. Enfin, son casier judiciaire est bel et bien vierge.

Arletty réside à La Houssaye depuis quatre mois et demi quand le rapport de l'inspecteur Chastanet est transmis à la direction de la PJ. Son départ de Drancy s'est fait dans l'indifférence. Sa levée d'écrou n'a suscité ni actes de délation ni protestations comme en a connu Guitry. À la sortie du camp, la petite Marianne l'attend. « C'était discret. Vu mon âge je n'avais pas le droit d'aller la voir, je lui écrivais [203]. » Leurs retrouvailles, organisées par Prévert, sont brèves.

Durant les semaines d'internement d'Arletty, il a constamment pris de ses nouvelles, et a tout fait pour maintenir un lien entre elle et Marianne, de son vrai nom Raymonde Fichon. Lui aussi s'est attaché à l'enfant dont il est devenu le bienfaiteur. Ne l'a-t-il pas lui-même surnommée Marianne, le jour où Arletty la lui a présentée, joli pied de nez à l'occupant au temps où Paris vivait sous la botte nazie ?

« Elle avait un nom banal. C'est Prévert qui l'a baptisée du nom de la République. »

À sa sortie de Drancy, Arletty ne s'attarde pas. Il lui faut, avant la nuit, gagner son lieu de résidence surveillée. Pour atteindre La Houssaye, une route au cordeau traverse la plaine. Il n'y a ni voies rapides, ni centres commerciaux, ni nœuds autoroutiers, ni cités de béton. Les seuls alignements sont ceux des platanes. Le paysage se signale par sa monotonie, mais n'est pas encore enlaidi. Terres agricoles et domaines forestiers alternent à perte de vue. C'est au milieu d'un parc boisé de soixante hectares que surgit le château, majestueux en ce jour d'automne finissant. Arletty n'en distingue que la masse cyclopéenne éclairée d'une seule source de lumière blême pour cause de restrictions. À la lueur blafarde de la lune, qui se reflète dans l'eau des douves, se découpe la cour d'honneur balisée de deux tours d'angle et d'un donjon carré. La fraîcheur de l'air, en ce 11 décembre 1944, est saisissante.

Dans le vestibule illuminé de hauts candélabres, les Bellanger l'accueillent. L'homme est de belle stature, la soixantaine, le cheveu rare, le visage barré d'une fine moustache blanche. Sa femme, Henriette-Louise Meissirel-Marquot, dont les amis ne retiendront jamais que le diminutif « Lélette », a de la distinction, de beaux yeux mouillés, des traits masculins, une minceur frôlant la maigreur qu'accusent des joues creuses et un nez saillant. Arletty connaît le couple depuis un dîner de la fin 1943. Lui arbore une tête de plus que la moyenne des gens, un accent parisien qu'elle a immédiatement noté, et une bouffarde qu'il porte toujours aux lèvres ou à la main. Le nez est long et charnu. Elle, dans son éternelle tenue d'amazone, affiche un maintien aristocratique. Avec son œil légèrement cerné, son visage long, son menton pointu, elle pourrait presque prétendre à une lointaine descendance des Valois.

Les Bellanger entraînent Arletty dans une vaste salle gothique reconstituée, ornée de poutres en noyer et d'un dais : le cœur de la propriété. Là, le soir, tout le monde se retrouve autour de la haute cheminée de pierres frappées des armoiries des anciens seigneurs du château. Dans la plus grande convivialité, les heures s'écoulent près d'un feu de bois, un verre à la main, en discussions ininterrompues. La conversation roule sur le château que Jacques Bellanger a acheté avant guerre dans un état de délabrement avancé. Il a mis toute sa fortune, obtenue dans les travaux publics, et son savoir-faire d'ingénieur des Ponts et Chaussées pour le restaurer. Construit sur les ruines d'un château féodal, l'édifice est de facture Renaissance. Le corps principal, du XVe siècle, a souffert après la disparition du plus illustre de ses propriétaires, Pierre Augereau, maréchal d'Empire et duc de Castiglione. Il l'avait acquis à son retour des victorieuses campagnes napoléoniennes d'Autriche et de Prusse, pour y mourir en 1816, dans son lit.

Afin de redonner à son château ce qu'il croit être son cachet d'antan, Jacques Bellanger, grand amateur de décoration, recompose scrupuleusement un décor intérieur très nouveau riche, avec force moulures en stuc blanc et fausses boiseries rehaussées à la feuille d'or. Pour lui, les dorures de Versailles constituent le summum de l'Art. Les meubles, à La Houssaye, sont de style Louis XIII. Dans les salles de bains, le décor est pompéien – non pas en ruines, mais en trompe l'œil.

Arletty occupe, au premier étage, une vaste chambre aménagée dans une tour d'angle coiffée d'un capuchon d'ardoises. Sa croisée donne sur le parc. À ses pieds, les douves noires, un pont de pierres à quatre arches conduisant à la pelouse, et, plus loin, aux arbres centenaires qui longent l'étang. Son emploi du temps les premiers jours se borne à des sorties au village. La gare, la mairie, l'église desservie par les frères missionnaires des campagnes. Leur robe grise lui fait l'effet d'une touche moyenâgeuse dans le paysage. Tous les samedis, rendez-vous à la gendarmerie de Mortserf, la plus proche de La Houssaye bien que distante de six kilomètres, pour parapher, semaine après semaine, un registre aujourd'hui disparu. Résidence surveillée oblige. Arletty fait le voyage à pied ou à bicyclette, quel que soit le temps. Sa présence au château est une joie réelle pour les Bellanger. Discrète, sociable, spirituelle, drôle, caustique, elle n'a que des qualités. Vraiment charmante, tout le monde en convient. Mais il y a les nuits, cauchemardesques. Les réveils en sursaut. La moiteur des draps. Une sensation d'abandon. Un grand désir de mort.

288

Ordinairement, l'hiver, elle s'habille en gris, pantalon et chandail largement échancré sous une veste. Arletty ne craint pas le froid sec, seulement l'humidité.

« À cinq ans déjà j'souffrais d'l'humidité, j'ai pas attendu des décennies pour ça. »

Arletty éprouve une vraie tendresse pour Jacques Bellanger qu'elle appelle affectueusement « 'Cl'Jacques [204] » – oncle Jacques – eu égard à sa bonté et à sa générosité. Ce prospère industriel, qui aime à se présenter comme un simple cantonnier, a mis au point un bitume résistant aux intempéries dont il a revêtu les routes des départements, avant comme après guerre. Il apprécie le franc-parler d'Arletty, lui qui, à force de refréner son naturel, en est presque devenu compassé, un rien snob. Avec Lélette, ils forment un couple bizarrement assorti. Pas uniquement à cause de leur différence d'âge, ni parce qu'il est aussi solide et charpenté qu'elle est fine et déliée. Mais parce qu'ils semblent, tous les deux, vivre étrangers l'un à l'autre, quoique en bonne intelligence. Pas de passion, pas de scène, la raison a tout englouti, même l'ennui que la présence régulière d'amis, de vagues relations, d'invités occasionnels comble avantageusement.

« Villefosse [205] venait à La Houssaye. Il a écrit de très beaux livres sur Paris. C'était un ami des Bellanger. Berl [206] aussi. Il était comme un frère pour eux. »

Arletty n'est pas seule à profiter de l'hospitalité du couple au lendemain de la Libération. Pendant six mois, un industriel lyonnais milliardaire, Charles Gillet, grand ami de Jean-Pierre Dubost, est lui aussi hébergé à La Houssaye. L'homme est recherché, non pour avoir dîné chez Arletty quai de Conti sous l'Occupation, mais pour avoir pris une part active à la création en décembre 1940 de France-Rayonne, une société franco-allemande de fibres artificielles. Quand sonne la défaite, il règne déjà en maître sur l'industrie textile et chimique. Son groupe, un véritable trust familial, compte des intérêts multiples à l'étranger – États-Unis, Belgique, Suisse, Italie ; en France, c'est un pionnier dans la fabrication des matières synthétiques : viscose, rayonne, Fibranne. Président du Syndicat français des textiles artificiels, Gillet est donc tout désigné pour négocier avec l'occupant et répondre à ses exigences. Un rôle plus délicat et complexe qu'il n'y paraît. D'un côté, il accepte que France-Rayonne s'installe dans les bâtiments de son usine de Roanne de l'autre, il préserve les intérêts de grands industriels juifs auxquels il remet actions et espèces en zone libre, en attendant «la victoire finale» qui permettra la restitution de leurs biens. Son fils Renaud, lui, subventionne carrément les réseaux de Résistance avec les fonds de l'entreprise. À la Libération, lorsqu'un mandat d'amener est délivré contre Charles Gillet pour «intelligence avec l'ennemi», les grands patrons le dédouanent des soupçons de «collaboration économique». Dans un bel ensemble, ils soutiennent qu'il a empêché la mainmise des nazis sur l'industrie française. Tous, il est vrai, ont pendant quatre ans reçu du Reich les matières premières nécessaires à la marche de leurs usines, conformément aux accords industriels franco-allemands de décembre 1940. Les poursuites n'iront guère plus loin. Le 5 avril 1948, dans un exposé visant deux autres dirigeants de France-Rayonne, inculpés et incarcérés, le parquet de la cour de justice du département de la Seine conclut à l'absence de «charges suffisantes» contre eux, non sans relever : «Pourquoi a-t-on épargné Charles Gillet dont l'autorité dans le groupe n'était ignorée de personne?» Pas de réponse officielle. Apparemment, sa puissance industrielle et l'éclectisme de ses relations lui évitent d'être sérieusement inquiété. Pour finir, ses entreprises sont intégrées une à une au groupe chimique Rhône-Poulenc, dont il devient actionnaire minoritaire et administrateur [207]. «Lui s'appelait "Christian" dans cette clandestinité. Moi, dans "la résidence", je prends le prénom de ma mère : Marie. Dans le pays, j'étais et je reste Mlle Marie [208].»

À soixante-cinq ans, Gillet, qui fait plus vieux que son âge, est un homme chenu, à la courtoisie désuète, aux gestes comptés malgré sa robustesse. Sa dureté en affaires et sa probité sont la marque de ce provincial circonspect, héritier sans ostentation d'une fortune amassée par son père dans la teinturerie lyonnaise. Avec ses deux frères, il a su faire fructifier le patrimoine familial. Son intelligence est, dit-on, ordinaire. Avec ses lunettes, sa fine moustache, sa peau lisse et tendue, pellucide, ses quatre cheveux blancs, il ressemble aux poilus de la guerre de 1914. À La Houssaye, ni lui ni Arletty ne sont interdits de visites. Il reçoit de gros industriels, elle, une poignée de fidèles, célèbres ou anonymes. En premier lieu Marianne, qui vient aussi souvent que possible. La grande joie des Bellanger est d'accueillir Prévert et plus encore Guitry, beaucoup plus pittoresque à leurs yeux. À défaut de retenir l'un ou l'autre plusieurs jours de suite, ils se réjouissent de les régaler le temps d'un repas. Dix chambres de maîtres et de domestiques leur sont réservées en permanence au deuxième étage. Leur présence honore, amuse, divertit, flatte le couple de châtelains.

Guitry a toujours un cadeau pour eux, comme pour Arletty, particulièrement touchée par son sens éclatant de l'à-propos. Ainsi, dès sa première visite, il lui offre un livre rarissime : *Les Campagnes de Mlle Thérèse Figueur*, ex-dragon aux 15e et 19e régiments, la vraie « Madame Sans-Gêne », l'autre, celle qu'Arletty a interprétée étant une fantaisie de Victorien Sardou et Émile Moreau. Engagée volontaire dans la légion en 1793, cette aventurière, qui a combattu jusqu'à la chute de l'Empereur en 1815, a très vite reçu le nom de guerre de « Sans-Gêne » à cause de la hardiesse de son vocabulaire et de son courage déployé dans les campagnes d'Autriche et d'Italie. La retraite venue, elle sert de petit aide de camp à la femme d'Augereau, précisément à La Houssaye.

Spirituel, le clin d'œil ne saurait faire illusion. Le Maître est soucieux et las de se débattre pour sortir du mauvais rôle qu'on lui fait jouer depuis la Libération. La solitude lui pèse. Il est en instance de divorce avec Geneviève de Séréville ; la comédienne Yvette Lebon l'a quitté. Le jour où il a été arrêté, elle a regagné son domicile. Depuis, pas de nouvelles. Quant à la belle Lana Marconi, elle ne lui a pas encore été présentée. Ça ne saurait tarder.

C'est dans ce contexte que, début 1945, au cours d'un déjeuner mémorable réunissant une douzaine de convives autour de la grande table de marbre de la salle à manger, Guitry demande Arletty en mariage.

« Comme j'étais vouée au célibat, je lui ai répondu : "J'veux bien, mais à une condition, que le pape nous marie." C'était plus astucieux que de dire non. Lui, rapide : "Ce n'est pas impossible !" »

Témoin de la scène, Marie-Berthe Colcombet, veuve d'un soyeux de Lyon reconverti dans les fibres artificielles après guerre, certifie que Guitry était sincèrement disposé à l'épouser [209].

« Un mari rêvé, dit Arletty, à condition d'avoir deux appartements, deux chiottes, deux salles de bains. Moi, mon indépendance et lui la sienne. Le théâtre oui. Mais pas vingt-quatre heures sur vingt-quatre. Il était pas question que je sois la cinquième Mme Guitry. »

La raison ?

« Parce qu'il n'était pas à la hauteur physiquement... Le Manneken-Pis... Un jour que je disais ça, on m'a dit : "Vous l'avez donc vu ? — Je vaux bien une exhibition", qu'j'ai répondu. Il avait besoin d'la présence d'une femme, même pour pas s'en servir. Entre nous, si j'avais eu quelque chose physique avec Sacha, je n'me le pardonnerais pas… Il est venu à la résidence deux ou trois fois. Il couchait même. Dès les présentations avec la Marconi, je l'ai plus revu. »

À La Houssaye comme ailleurs, le prince du geste et de la parole ne saurait faillir à sa légende d'acteur permanent, possédé du don de se mettre en scène avec un naturel consommé. Quand, le matin, Guitry descend d'un pas majestueux au salon, c'est en robe de chambre en soie à rayures, égayée d'une pochette de lin, un chapeau mou sur le chef, légèrement de guingois. Comme au théâtre. Il a l'air de sortir des coulisses. Pas le moindre faux pli dans sa mise. À se demander s'il dort, et dans quelle position !

Un jour, une nouvelle pensionnaire débarque à La Houssaye : la générale Nicolle, amie intime de Lana Marconi, la première à avoir pris en charge Arletty durant ses semaines de cache-cache. La vie rocambolesque de la fondatrice des Sections sanitaires automobiles (SSA) mérite d'être contée, même en abrégé, puisqu'elle n'est qu'une suite d'aventures périlleuses et de rebondissements insensés.

Envoyée en mission à Londres en août 1940, pour obtenir que ses véhicules ravitaillent sans encombre les populations bloquées dans les ports français, elle est jetée dans les geôles de Sa Gracieuse Majesté, au seul fait d'être porteuse d'une lettre du ministre des Affaires étrangères de Vichy, Paul Baudouin. Neuf mois plus tard, elle est réexpédiée en France par voie maritime, sans un sou vaillant. Elle emprunte ici et là, un jour à un officier, un autre à un hôtelier, un troisième à un diplomate. Son périple la conduit de Liverpool à Lisbonne, *via* Gibraltar. « J'étais en pleine gloire. » De Paris, elle se rend en Allemagne, négocie avec succès l'échange de la femme d'un attaché d'ambassade allemand retenue avec elle en Angleterre contre un détenu anglais, puis visite un camp de prisonniers français d'où elle rapporte des centaines de lettres pour les familles. C'était en 1940 et 1941. « Avec 1943, en raison de l'atmosphère de suspicion et de haine qui pesait sur nous [210], commença pour moi une étrange activité, aux antipodes de mes goûts, mais qui était la seule possible après l'interdiction qui m'avait été faite [par les occupants] d'agir ouvertement. Je travaillais dans l'ombre, au propre comme au figuré, employant mes journées à jouer au bridge pour donner le change aux Français et aux Allemands qui se partageaient ma surveillance, et utilisant la signature de la princesse de Broglie pour les papiers indispensables. Je continuais à inspecter nos formations qui n'avaient pas été prises en charge par les municipalités côtières et jamais, fort heureusement, nous ne fûmes arrêtées sur les routes, bien que nous ayons dû trop souvent passer la nuit dehors par suite de pannes nombreuses de notre voiture à gazogène», écrit-elle dans un livre de mémoires, *J'étais un général*, qui dort dans ses tiroirs.

Une semaine après l'arrivée des troupes de Leclerc place de l'Hôtel-de-Ville à Paris, Edmée Nicolle est jetée en prison sur ordre express de l'éphémère ministre de la Santé du Gouvernement provisoire, Pasteur Vallery-Radot. «C'est une espionne, assure-t-il. Quant aux preuves, nous n'en avons pas, mais nous en trouverons.» Du dépôt au fort de Noisy, *via* Fresnes, elle côtoie le gratin de la détention : Mary Marquet, Charlotte Lysès, Sacha Guitry, Robert Brasillach. Plus de deux mois passent. Elle ressort libre, faute de charges. Pour peu de temps. Inculpée d'atteinte à la sûreté extérieure de l'État en février 1945, elle est de nouveau appréhendée, de nouveau incarcérée – deux mois –, le temps pour la justice de relever que, sous l'Occupation, elle a rendu d'éminents services comme agent de renseignement gaulliste, et sauvé des juifs en les faisant passer en Espagne. Le 25 juin 1945, le commissaire du Gouvernement classe son dossier.

Comment cette aventurière, qu'Arletty recevait quai de Conti, échoue-t-elle à La Houssaye où elle est, elle, parfaitement libre de ses mouvements et peut se rendre à Paris comme elle veut? «J'habitais chez la princesse Daisy de Broglie, au 35, avenue Montaigne, raconte-t-elle. Un soir, les Bellanger et les Colcombet sont venus dîner. Au cours du repas, j'ai dit : "J'en ai assez de vivre ici, je veux m'en aller." Ils m'ont invitée dans leur château. J'ai emmené Lucie, ma femme de chambre. Je logeais sur le même palier qu'Arletty. Tous les soirs, j'assistais à la partie d'échecs qu'elle faisait avec Jacques ou Lélette [211]. »

La générale, qui revendique ouvertement son inclination pour les femmes, s'attendrit quand elle évoque la déclaration d'amour qu'elle a faite à Arletty, un soir à La Houssaye : «Ça se passait dans ma voiture, en bas du château. Je lui ai dit : "Je vous aime, Arletty." Elle m'a répondu : "Je ne suis pas une femme que l'on aime. On ne me fait pas la cour." C'est là que se sont arrêtées mes avances.»

Version plus succincte, plus crue d'Arletty, davantage dans son ton :

« Un jour, la générale est arrivée dans ma chambre en calsif. Elle voulait me tomber. Ça n'a rien donné… C'était une meneuse de femmes, à la trique. Elle se prenait pour Jeanne d'Arc. »

Arletty la revoit surtout pêchant le gros dans les fossés du château, en cuissardes, ciré et bonnet de pêcheur en toile. Elle se souvient aussi qu'elle avait toujours un basset dans les jambes ou sur les genoux baptisé « Cocon ».

Arletty aime les raccourcis. *Tempête sur Paris* est à l'affiche d'un cinéma des Champs-Élysées quand les Allemands les remontent en 1940. Cinq ans plus tard, ce sont *Les Enfants du paradis* qui y sont projetés en exclusivité quand les Alliés les descendent. Chaque fois, un portrait orne l'avenue : le sien. Le film de Prévert et Carné, le premier de la Libération, sort sur les écrans le 15 mars 1945, alors que les combats s'éternisent en Lorraine et dans les Ardennes. La guerre pourtant tire à sa fin. Deux mois à peine, et Hitler se sera suicidé, l'Allemagne en ruines aura capitulé. Dans ses souvenirs écrits bien après la sortie du film, Carné affirme que son seul désir, lorsqu'il a appris la nouvelle du débarquement allié en Normandie, était de laisser traîner en longueur les travaux de finition afin que *Les Enfants du paradis* soit la première réalisation cinématographique de la paix retrouvée. « Tout me sera bon pour prendre du retard : les pannes de courant, la pénurie des transports, la recherche d'effets sonores introuvables, etc. [212] »

Le cinéaste exige en outre que, malgré ses trois heures quinze, le film, présenté en deux époques – *Le Boulevard du Crime* et *L'Homme blanc* –, sorte simultanément dans deux salles – à la Madeleine et au Colisée – dans sa version intégrale.

En raison de la durée inhabituelle du spectacle, le prix des places est doublé. Mais rien ne freine l'enthousiasme des spectateurs, pas plus la longueur des files d'attente dans le froid et la pluie, que les vingt minutes de pantomime de Deburau/Barrault. Défiant toutes les prévisions des producteurs et des distributeurs, le film reste à l'affiche plus de cinq mois.

C'est de loin qu'Arletty, confinée à La Houssaye, suit le succès des *Enfants*. Les échos qui lui parviennent sont ceux que lui répercutent ses visiteurs et amis. « Quelle chance que vous ayez réussi ce grand film qui marque une date pour le cinéma français », lui écrit Josée de Chambrun, le 19 avril, en se félicitant de « l'absence de toute méchanceté » de la part des critiques. Pires que les remarques désobligeantes pour un comédien sont les silences qui frôlent, en l'occurrence, l'abus de confiance. Une majorité de chroniqueurs se garde de parler d'Arletty, d'évoquer même le personnage de Garance. Gaston Modot, en revanche, dans son rôle anecdotique du malfrat Fil de Soie, a abondamment les honneurs d'une gazette. Dans un joyeux galimatias, une foule de folliculaires s'emploie à vanter, qui le parti pris d'esthétisme des auteurs du film, qui la reconstitution historique du boulevard du Crime. *Combat* donne le 20 mars le coup de pied de l'âne, lorsqu'il écrit que la représentation filmée de *L'Auberge des Adrets*, consacrant Frédérick Lemaître comédien de théâtre, atteint son but : « la vérité dans la caricature ». Le tour de force des critiques n'est pas tant de parler du film et de ce qu'il raconte, que de faire comprendre aux lecteurs que la France, convalescente, peut faire aussi bien sinon mieux que les Américains en matière de fresque historique. Leur superproduction *Autant en emporte le vent* date de 1939.

D'Arletty/Garance, pivot de l'action en femme fatale et inaccessible, pas un mot, à de rares exceptions. Dans *Les Lettres françaises* du 17 mars, Georges Sadoul, qui salue sans retenue le « chef-d'œuvre » de Carné et Prévert, écrit : « Arletty aura fait ses adieux au public avec la meilleure création de sa carrière. » Une façon polie et pertinente d'insinuer que ses ennuis lui sont un coup fatal. Dans *Les Nouvelles littéraires* du 12 avril, Georges Charensol pallie l'absence de réflexion critique par un compliment : « Hardiment stylisé est le personnage de Garance, à qui Arletty prête une allure, une distinction étonnantes. » *Gavroche* du 22 mars relève les beautés du film : « Arletty blottie dans sa loge, comme on sent la brûlure de son amour malheureux ! »

Les fonds, les décors, les acteurs, les talents, tout était réuni pour un grand film. Hélas, l'échec est patent, tranche en substance le critique de *Carrefour*, le 17 mars, dans un éreintement au style alambiqué. Quelques mois plus tard, confronté à l'accueil triomphal des *Enfants du paradis* à Londres, le même s'excusera de son erreur de jugement.

François Mauriac, lui, administre une grande leçon de sagacité dans sa préface au catalogue de l'Exposition *Portraits français* (galerie

Charpentier), le 26 juin 1945 : « L'esthétique du film ne m'a jamais beaucoup retenu, je l'avoue. Devant un film, je crois d'avance pouvoir dire s'il sera blâmé ou admiré par Cocteau, mais le problème posé ne correspond à rien d'essentiel pour moi : "Je ne l'ai pas à cœur", comme on dit.

« Sauf pourtant lorsque sur l'écran apparaît tout à coup, hors de la durée, ce visage mystérieux que, de génération en génération, les maîtres ont interrogé, dont les plus grands ont parfois dérobé le secret pour le fixer à jamais, grâce à des toiles et des couleurs terriblement périssables, et qui demeure le meilleur témoignage que nous puissions donner de la dignité. Ainsi, dans *Les Enfants du paradis*, Jean-Louis Barrault immobile contre le mur des Funambules et surtout, au fond d'une loge, sous le tulle d'une voilette, ces traits d'Arletty, émergés d'on ne sait quelle incorruptible enfance, cette face immobile, cette Joconde, ce lac vivant, où affleure le drame d'une vie, de plusieurs vies. »

Esquisse d'une analyse que Jacques Siclier complète, vingt-neuf ans plus tard, dans *Le Monde* du 4 janvier 1974, à la faveur d'une reprise du film au cinéma La Pagode. « C'est une histoire d'amour. Un jour de 1827 ou 1828 sur le boulevard du Temple, un homme, un acteur encore inconnu, Frédérick Lemaître, aborde, dans la foule, une jolie femme. Elle s'appelle Garance. C'est le nom d'une fleur, une fleur rouge. [...] Garance, c'est-à-dire Arletty — la seule femme mythique du cinéma français —, est la clé de l'œuvre, la fresque se crée autour d'elle, à partir d'elle. [...] Garance surgit, lourde d'un passé assez imprécis, femme libre. »

Le temps a fait son œuvre. Les tabous sont levés. Justice est enfin rendue pleinement à la principale interprète féminine d'un chef-d'œuvre, qui se voit ainsi associée à un succès auquel le producteur a cru dès le départ. « *Les Enfants du paradis* est non seulement le film de l'élite, mais aussi celui des spectateurs des salles populaires », affirme dans une circulaire aux agences Pathé un responsable de la maison de production, avant même sa diffusion. « C'est un film commercial dans toute l'acception du mot.

« Marcel Carné est vraiment un grand bonhomme. Ce dernier film le sacre définitivement comme le premier metteur en scène français.

« Jamais interprétation n'a été aussi homogène, le dialogue est remarquable, la musique est de tout premier ordre, à la portée de tous. Je ne vous parle pas de la photographie, elle est de [Roger] Hubert, le maître incontesté de la lumière.

« Encore une fois, je ne vous le dirai jamais assez, jamais un film n'a été une réussite aussi 100 % [213]. »

La note de Pathé, du 28 décembre 1944, précède la sortie sur les écrans. Le reste, réticences, chicanes et volte-face des critiques, appartient à la petite histoire. *Les Enfants du paradis* n'a jamais été désavoué par le public, pas plus que Garance/Arletty, à qui un admirateur a avoué un jour : « Vous avez souffert réellement devant la caméra, les spectateurs l'ont compris. »

« *Les Enfants du paradis*, c'est un cas. Bien sûr, on peut le refaire, mais il n'y aura pas derrière chacun une histoire. Chacun avait son petit problème derrière la tête. Moi, le mien. Le climat de l'époque, on ne peut pas le retrouver, c'est unique. »

Le soir de la première, Arletty n'est pas à la corbeille. Une absence qui, rétrospectivement, ne fait qu'ajouter à la légende.

Chapitre XIII

On a fait de moi un exilé et non un esclave.

DANTE

De tous les événements de 1945, Arletty retient une chose. Non le triomphe des *Enfants du paradis*, dont elle a été tenue écartée par la rigueur des ordonnance et décret du Gouvernement provisoire, mais une date inoubliable : celle du 8 mai. Ce jour-là, à 23 heures 01, la guerre, la deuxième en moins de vingt-cinq ans, prend fin. Pas plus celle-là que les autres ne les lui fera aimer. Sa révolte à en dénoncer «la stupidité» est la même qu'à seize ans, son mépris des politiques, des hauts fonctionnaires, intact et souverain. Jean Jardin, qu'elle connaît bien, en est l'archétype. Homme de réseaux, formé à Sciences-Po, puis aux chemins de fer, il a servi tous les régimes — République et État français — avec la même constance et la même loyauté, se glissant des cabinets ministériels au quai d'Orsay. Passe-muraille? Caméléon? C'est un homme de l'ombre, gris, opportuniste, assez peu chevaleresque, qui, par goût du secret, a su se rendre indispensable. Arletty l'a souvent observé sous l'Occupation lors de dîners chez les Chambrun.

«Quand on pense que c'est pour des mecs comme ça que des millions d'hommes se font tuer...»

De grands pontes de la politique et de la finance, qui avaient les moyens de contrer le fascisme, ont laissé celui-ci gouverner le monde avec une passivité coupable, quand ils ne l'ont pas encouragé en sous-main. Tant de complaisance, de manœuvres, de cynisme la scandalisent. « Un peintre en bâtiment [Hitler] et un maçon [Mussolini] ont bouleversé le monde, note Saturnin Fabre dans *Douche écossaise*. Des millions d'êtres s'en sont allés où les ont conduits le peintre en bâtiment et le maçon [214]. » Arletty approuve la justesse de l'observation, et lance impétueuse :

« Et pas un pour les fusiller !... C'était un curieux type en politique, Saturnin. Sans couleur. Il n'a jamais été un résistant, du reste. Moi, on ne pourrait me mettre aucune étiquette. Dranem, Victor Boucher non plus... Faut dire qu'aucun de nous n'aura rien fait pour défendre le pays. »

Pourtant, s'il est une vertu qu'Arletty revendique, c'est son patriotisme, un patriotisme, il est vrai, qui n'irait pas jusqu'au sacrifice.

« J'ai l'âme française, en ce sens, je suis chauvine. J'aurais voulu vivre au temps des Encyclopédistes, à côté d'hommes comme Diderot, Voltaire, Rousseau, qui ont ouvert les frontières de la connaissance. Du reste, quand mon chauvinisme fout le camp, je relis *Discours sur l'universalité de la langue française* de Rivarol. »

Au patriotisme des armes, elle préfère celui de l'esprit. Son amour pour la patrie est dénué de toute notion belliqueuse. Il s'exprime dans l'orgueil de ses découvertes et de ses innovations artistiques, littéraires, philosophiques, scientifiques, que la libre circulation des idées et des hommes a toujours fait prospérer.

Patriote, Arletty ? Oui, foncièrement. Mais absolument pas nationaliste, concept trop étriqué, trop vindicatif, trop revanchard, trop xénophobe. Quelles que soient les épreuves endurées par son pays, elle choisit d'y rester à ses risques et périls : la France, de préférence à l'exil, fût-il volontaire. De même qu'elle décline la proposition d'aller à Hollywood au début de l'Occupation, malgré la chance qui s'offre à elle d'en revenir auréolée d'une gloire internationale, de même elle refuse de suivre Soehring en Allemagne à la Libération, consciente des menaces qu'elle encourt. Vivre et mourir dans le pays qui l'a vue naître, tel est son credo. « Les acteurs *made in USA*, je les avais vus au moment de la débâcle en 1940, ils n'avaient qu'une frousse : celle de rater le dernier avion pour New York. Ils se foutaient pas mal de la France. Leurs performances : avoir passé les carreaux au bleu dans les casernes. Comment les résistants ont-ils pu se laisser incarner par des acteurs qui avaient passé quatre ans dans les paradis hollywoodiens [215] ! »

Pensait-elle que l'Occupation serait brève ?

« Je n'avais aucune optique. Ça ne pouvait pas durer longtemps. »

La France libérée, le ministre de l'Intérieur Adrien Texier aurait pu faire preuve de clémence à l'égard d'Arletty, astreinte, après sa détention à Drancy, à la résidence surveillée. Pour deux raisons. *Primo*, le préfet épurateur avait dès le départ prévenu que la mesure coercitive prise à son encontre serait de quinze jours. *Secundo*, l'ordonnance visant « les individus dangereux » – motif de sa captivité – prévoyait clairement l'internement administratif des suspects jusqu'à la « cessation légale des hostilités ». Or, l'Allemagne a capitulé depuis près de trois semaines quand Texier décide, le 30 mai 1945, de la maintenir en résidence surveillée. L'arrêté ministériel du 11 avril qui frappe Arletty se fonde sur un avis de la Commission de vérification des internements administratifs (CVIA) pour le département de la Seine, un document que la cadence effrénée des événements a bien vite rendu obsolète.

En attendant, Arletty se morfond à La Houssaye. Tout comme Soehring en Allemagne. En janvier, il a cependant repris espoir de la revoir, lui qui, durant des semaines d'abattement, croyait l'avoir perdue à jamais. Un jour, un officier français stationné dans Berlin se présente à son domicile, avec une lettre d'elle. Quel fantastique cadeau du ciel ! Par réflexe plus que par superstition, il saisit la petite pierre précieuse rouge qu'il porte sur lui comme un talisman, un présent qu'elle lui a offert peu après leur rencontre. Il la serre sur son cœur, comme pour son baptême du feu en novembre 1943 dans le ciel d'Italie. C'était quelques mois avant la bataille de Cassino. Jusque-là, le joyau lui a plutôt porté bonheur.

Le messager des cœurs, l'homme chargé d'amoureuses missions secrètes, est le commandant Nogrette. Officier d'intendance parfaitement bilingue, il assure la liaison entre les services d'approvisionnement des troupes américaines – auxquelles il est affecté – et françaises. À ce titre, et fort des laissez-passer indispensables pour se déplacer dans l'Allemagne quadripartite d'immédiat après-guerre, il peut circuler à loisir. Son efficacité est éprouvée, sa discrétion exemplaire. L'homme a trente-trois ans. Il est grand, solidement bâti, mais comme encombré par sa stature herculéenne, quand on se reporte au regard où se devine, sous le front haut, une nature timide, presque effacée. On l'imagine mal jouant des muscles. La voix est douce, le visage glabre, large et long, barré de lourdes arcades sourcilières. Les oreilles évasées se signalent par un lobe aussi charnu que le nez qui surplombe des lèvres estafilées. «J'ai connu Arletty par mon père, René Nogrette. Il était directeur du quotidien financier *Le Journal de la Bourse*, l'équivalent des *Échos* aujourd'hui, se souvient Jean Nogrette, quatre-vingt-quatre ans. Ils s'étaient rencontrés avant guerre, vers 1935. Il aimait beaucoup le monde du théâtre. Comme la grand-mère d'Arletty et celle de mon père étaient toutes deux des Auvergnates qui portaient le même nom – Dautreix –, ils se sont inventés un lien de parenté, qui a peut-être existé il y a long-temps [216]. »

Foin de la généalogie. Qu'ils soient ou non cousins à la mode de Bretagne, ou plutôt d'Auvergne, Arletty ne se réfère au père qu'en l'appelant affectueusement «mon cousin Nogrette», un viveur jovial, amateur de coups en Bourse, de restaurants à la mode, de petites femmes de Paris. En tout bien tout honneur, pour ce qui la concerne.

«Pour me charrier, il disait toujours vingt-quatre heures ou l'avis d'Arletty, parce que j'avais réponse à tout. »

Parodier Stefan Zweig, auteur du roman *Vingt-Quatre heures de la vie d'une femme*, à seule fin de brocarder Arletty, est une liberté que Jean Nogrette n'aurait jamais osé s'autoriser. «Je ne voulais pas entrer en compétition avec mon père. J'étais plus réservé. Un jour donc, Arlette m'a demandé d'aller voir Soehring. Il était réfugié en basse Bavière chez l'ancien chancelier Brüning, qui n'était pas un homme très âgé, et qui racontait très bien la montée au pouvoir d'Hitler [217]. J'ai rencontré ce garçon, Soehring, que j'ai trouvé charmant. J'ai transmis quelques lettres, mon rôle s'est limité à ça. Moi-même à l'époque, j'étais dans les embêtements. J'avais été rappelé sous les drapeaux, j'étais encore inculpé d'intelligence avec l'ennemi. Je l'ai été à l'automne 1944. On me reprochait d'avoir pris la direction du *Journal de la Bourse* en 1940. Le général de La Laurencie [218] nous avait dit à mon père et à moi : "Reprenez votre journal, sinon les Allemands mettront la main dessus." C'est le tort que j'ai eu, j'aurais dû me saborder. Sous l'Occupation, on publiait même les cours de New York et de Londres. À la Libération, le journal a été mis sous séquestre. Didier Lambert, un homme de Chaban [219], a obtenu la réquisition des locaux pour créer *La Vie française*. Il a pris notre liste d'abonnés. L'instruction de mon dossier n'a rien donné. En 1958, j'ai bénéficié d'un non-lieu [220]. »

Chargé de protéger les intérêts économiques français outre-Rhin,

Jean Nogrette se révèle le trait d'union idéal entre Arletty et Soehring. Il porte les lettres, qui ne mettraient pas moins de vingt-sept jours par voie normale, permet, par sa diligence, d'éviter la censure militaire omniprésente, informe rigoureusement Arletty du moral de son amant comme de ses déplacements à Francfort et à Wiesbaden. Cet homme sûr est, en quelque sorte, leur conseil de prudence. Lorsque, à la veille de la victoire alliée, il est envisagé qu'Arletty fuie à l'étranger, René Nogrette propose que son fils l'escorte. C'est Soehring qui, au cours d'un déjeuner à Paris, renonce à utiliser ses services de crainte de l'exposer. La Libération venue, le commandant Nogrette se révèle être une véritable planche de salut, leur sort étant littéralement entre ses mains. Au fil des semaines, puis des mois, son rôle devient essentiel pour faciliter le passage du courrier, brouiller les pistes, organiser d'exceptionnels rendez-vous téléphoniques.

Les Chambrun aussi usent de subterfuges afin de communiquer avec Arletty cloîtrée à La Houssaye ; ils lui expriment leur anxiété liée à l'équipée de Pierre Laval ramené *manu militari* à Paris en plein procès de Pétain ou, plus prosaïquement, ils lui demandent des nouvelles de l'ânesse des Bellanger. Ils voudraient lui apporter soutien et réconfort, l'aider à surmonter ses phases d'abattement, aménager une rencontre dans le plus grand secret. Mais, traqués, ils doivent se cacher. Josée n'est-elle pas la fille de Laval, l'homme le plus honni de la France libre, et René de Chambrun son gendre ? Pendant quatre ans, qui plus est, ils ont reçu à leur table la fine fleur de la collaboration. Mais pas uniquement. À présent qu'ils ont déménagé à la cloche de bois, ils se terrent à la campagne où lui fait pousser petits pois et radis, elle lit Saint-Simon entre ses travaux d'aiguille.

« Tricoter, pour elle, c'était une évasion. Il lui manquait l'émotion. Ça ne s'achète pas. Du reste, on ne la voyait pas actrice. Elle se prenait pour une divinité… Néfertiti. Mais elle était loin d'être idiote. J'garde pas quelque chose de tendre pour eux. C'est pas des marrants. Pour Laval, oui, une chose un peu bête, l'amour de son pays. Il avait une âme, pas un cœur de pierre. »

Bravant le danger, René de Chambrun se rend pratiquement tous les jours à Paris à bicyclette pour voir ses amis. À l'ambassade américaine, un inspecteur de police, originaire d'Auvergne, le renseigne sur les conditions de détention de ses beaux-parents à Fresnes, l'avertit de l'imminence des poursuites qui le guettent. Accusé, lui aussi, d'intelligence avec l'ennemi, il échappe à la prison, son dossier étant rapidement classé. Arletty affirme, avec raison, que de hautes protections liées à une noble extraction évitent au couple d'avoir de graves ennuis à la Libération. Tous deux possèdent la double nationalité, française et américaine, qui leur garantit l'immunité. Descendant de La Fayette, cet avocat d'affaires international, inscrit aux barreaux de New York et de Paris, n'a-t-il pas défendu les intérêts américains dans la capitale sous l'Occupation ? La mission lui avait été confiée par le président Roosevelt en personne. Au reste, Chambrun n'a jamais inspiré confiance aux Allemands. Eugène Feihl, l'attaché de presse de l'ambassade pendant les années noires, en témoigne : « René de Chambrun était le gendre de Laval et était surtout considéré à cause de cela. Nous l'avons toujours considéré comme un homme ennuyeux qui voulait se mêler de politique alors qu'il n'y entendait rien. La majorité des milieux allemands à Paris soutenait plutôt les tenants du PPF [Doriot], jugés plus dynamiques que les lavalistes, et critiquait fortement M. de Chambrun de qui elle disait que l'on devait se méfier par suite de ses attaches américaines. [...] Les interceptions téléphoniques nous ont révélé, d'autre part, que M. de Chambrun cherchait à donner des conseils à son beau-père, conseils qui étaient toujours une invite à se retenir et à être circonspect dans la politique de collaboration [221]. »

Laval, en revanche, c'est du gros gibier, le symbole abhorré de la collaboration. Son procès a lieu moins de deux mois après celui de Pétain. Contrairement au maréchal, dont la condamnation à mort est commuée en détention perpétuelle par de Gaulle, le président du Conseil déchu ne bénéficie d'aucune clémence. Parce qu'« il faut que j'aie tort pour qu'ils aient raison [222] », soutient-il dans sa dernière lettre à sa femme. La justice est expéditive. Instruction et audiences sont diligentées avec une célérité inaccoutumée, comme si les trois magistrats de la Haute Cour cherchaient par leur zèle à se dédouaner du serment prêté à Pétain quelques années plus tôt. L'imminence des premières élections législatives depuis la fin de la guerre, le marchandage entre gaullistes et communistes expliqueraient aussi l'empressement des juges. Outre les facteurs purement électoralistes, il y en a un autre, plus politique : le maintien de la cohésion nationale chère à de Gaulle. Laval doit payer pour laver les crimes de Vichy et faire oublier la lâcheté et les compromissions de juin 1940. Une forme d'expiation, un exutoire comme l'Histoire les aime, qui trouve d'autant plus sa justification qu'après la capitulation de l'Allemagne l'horreur des camps de concentration est étalée au grand jour. Devant les baraques, derrière les barbelés, les visages faméliques de millions de déportés hagards s'imposent peu à peu comme le témoignage inouï de la honte. Journaux et radios rapportent le spectacle de ces survivants décharnés, en défroques de bagnards, avec des accents qui n'atteindront jamais la portée des images télévisées déversées longtemps après.

Convaincu d'intelligence avec l'ennemi et de complot contre la sûreté intérieure de l'État, Laval est condamné à mort. Le 15 octobre 1945 à l'aube, des centaines de gardes sont déployés dans la cour de la maison d'arrêt de Fresnes. Près du mur d'enceinte, entre deux peupliers, le poteau d'exécution est dressé, sur un tertre. De grandes draperies en cachent la vue aux détenus. Corbillard et peloton attendent. Soudain, une vague d'agitation court la prison : Laval a avalé du cyanure. Orgueil ou défi, il a, moribond, lancé l'ampoule vide au pied du procureur général André Mornet. À l'infirmerie, où il est transporté pour un lavage d'estomac, les médecins diagnostiquent : « Il est sauvé. » Une heure plus tard, à midi tapante, Laval descend du fourgon cellulaire. Nu-tête, son éternelle cravate de soie blanche autour de cou, les mains dans les poches de son manteau, il marche d'un pas hésitant, s'adosse au poteau. « En joue ! » crie un adjudant debout sur une chaise. « Vive la France ! » s'époumone Laval. « Feu ! » Le corps du fusillé glisse le long du poteau, inerte, face contre terre. L'arme à la main, l'adjudant s'approche, vise la tempe gauche. C'est le coup de grâce.

« Quoi qu'on pense de Laval, sa mort a été ignoble. On a beau être dur, c'est bouleversant, la façon dont il a été tué. La réanimation, ça c'est dégoûtant, c'est affreux. Le père Laval, c'était un vrai homme politique. Un manœuvrier de grande classe. Il pouvait discuter avec Staline. On aime ou on n'aime pas, ça c'est autre chose. Il avait de très beaux yeux, une belle voix. Portant la tragédie en lui, pas le bonheur… Dire s'il s'est enrichi pendant l'Occupation ? Sûrement, les affaires, c'était plus fort que lui. Il avait la télévision de Lyon, la plus grande de France. Tout ce pognon pour quoi ?… Mais j'dirais jamais rien [de mal] sur Laval. C'est un personnage, un très grand personnage. Dire que l'Histoire lui rendra justice, ça c'est autre chose. J'y crois pas du tout. »

Le cousin Nogrette a raison : Arletty a un avis sur tout. Pourtant, du fond de sa thébaïde, plus que ses propos, ce sont ses silences qui expriment avec éloquence le désespoir qui l'envahit lorsqu'elle songe à son statut de prisonnière. Une prison dorée, dira-t-on. Une prison quand même. Le confinement, l'oisiveté, l'absence de perspective la minent. Sa santé s'altère, nécessitant des soins. La postière, amie dévouée des Bellanger, vient régulièrement lui faire des piqûres. Car dès que l'effort de convivialité se relâche, qu'Arletty s'abandonne en secret à son sort, un mal cuisant la brise, et la laisse tétanisée. Dans ces moments de prostration triomphent les idées noires.

« Condamnée à vivre, c'est souvent plus grave qu'une condamnation à mort. »

Sérénité, quiétude, repos lui sont alors interdits. La lecture même est impuissante à calmer sa détresse. Au contraire, elle aurait plutôt tendance à la décupler. Qu'elle relise Tacite, Dante, Racine, La Fontaine, Voltaire, Schopenhauer, Baudelaire, tous sans exception la confortent dans l'idée que « le monde est un vaste bordel ». Et aucune perspective d'en sortir, pas même un contrat qui la détournerait de ses funestes pensées. D'autant qu'autour d'elle les conseils sont à la prudence. Au lieu de dédramatiser sa situation, on la dissuade de reprendre un imprésario, de penser à l'avenir. Seulement, l'attente s'éternise. Arletty s'exaspère, s'en ouvre à Me Georges Chresteil. L'avocat de Guitry est prié de faire les démarches nécessaires à son élargissement, en excipant de la durée inexplicable de son séjour à La Houssaye. Les Bellanger doivent se rendre en Afrique du Nord, lui dit-elle, et, pendant leur absence, le château sera fermé. « Je vois ce maître, il me conseille de rester dans l'ombre. Je l'avertis, à sa stupéfaction, que, si l'affaire venait devant la justice, je jouerais les mauvaises chèvres et j'aurais le dernier mot [223]. »

« Je suis même pas allée devant un tribunal. On n'a pas eu à me juger. J'avais prévenu que je me mettrais à table. Il fallait me tuer pour que je ne parle pas. On aurait pu me tuer, ça aurait fait du bruit. J'avais dit que j'avais des listes. Sacha m'a dit : "Vous êtes redoutable." »

Dès les premières semaines de 1946, l'impatience d'Arletty atteint son paroxysme. Les Bellanger sont des gens charmants, mais l'astreinte, elle, est intenable. Arletty presse un avocat parisien, Me Jacques Moutet, d'agir. Il intervient auprès du président de la Commission de vérification des internements administratifs, seule autorité habilitée à statuer sur le cas de sa cliente, puisque plus d'un an après son internement la justice n'a toujours pas été saisie. Aucune poursuite n'a été engagée par le parquet. Pas la moindre information judiciaire n'a été ouverte, pas de juge d'instruction désigné, pas même de citation délivrée devant une chambre civique – ces instances spécialement créées pour prononcer «l'indignité nationale» contre les personnes reconnues coupables de délits relativement mineurs. L'avocat d'Arletty est catégorique : en l'état du dossier, aucun grief sérieux ne peut être retenu contre sa cliente, la mesure de résidence forcée qui l'assujettit doit être levée. Autre argument développé : s'il faut gager que sa présence hors de La Houssaye n'occasionnera pas de troubles, il suffit pour s'en convaincre d'apprécier le parfait déroulement de son internement. Me Moutet s'en porte garant. Bref, tout plaide en faveur de l'élargissement d'Arletty.

«Mai 1946. Le ministre de l'Intérieur [224], ami de Viple, meurt en exercice. Je ne lui en demandais pas tant!

«Son successeur [André] Le Troquer signe mon exeat, à la demande de mon avocat [225].»

Son «18 Brumaire», comme elle qualifie la date de l'annonce de sa remise en liberté, tombe le 18 mars 1946. Ce lundi-là, son avocat l'informe que quarante-huit heures plus tôt Edgar Pisani, directeur de cabinet du ministre de l'Intérieur, a adressé la lettre suivante au ministre des Colonies Marius Moutet :

«Monsieur le Ministre,
Vous avez bien voulu me faire tenir une petite note relative à Mlle Arlette BATHIAT [sic], dite ARLETTY, et me demander la levée de l'assignation à résidence dont elle fait l'objet.
Je suis heureux de vous informer que j'ai donné toutes instructions utiles pour que la mesure prise à l'encontre de Mlle ARLETTY soit rapportée.
Veuillez agréer je vous prie, Monsieur le Ministre, l'assurance de mon respectueux dévouement et cordial.»

Marius Moutet est mort en octobre 1968, ce qui complique singulièrement la quête d'explications directes à son intervention en faveur d'Arletty. On peut tout de même penser que cet ancien ministre du Front populaire et des gouvernements d'après-guerre, qui fut parmi les quatre-vingts députés à refuser les pleins pouvoirs à Pétain en juillet 1940, a agi sur les instances de son fils Jacques, lui aussi décédé. On ne lui connaît pas d'attaches auvergnates, mais cet humaniste, avocat de formation et militant à la SFIO, a pu avoir pour ami Marius Viple, le cousin éloigné d'Arletty qui, assure-t-elle pourtant, n'a pas levé le petit doigt pour l'aider. Ou alors sans lui en faire part.

Reste Pisani. Chef de cabinet du premier préfet de police de Paris à l'été 1944, l'ancien ministre de De Gaulle, qui a longtemps été conseiller de François Mitterrand à l'Élysée, refuse de répondre. Au motif qu'il n'a vu Arletty «qu'une fois», fait-il dire. Dommage, ses explications auraient été précieuses pour comprendre les différents niveaux d'intercession en faveur d'Arletty. Pisani est déjà au cabinet de son beau-père André Le Troquer, quand sont données les instructions pour qu'elle soit élargie. La démarche du ministre de l'Intérieur, en date du 26 février, précède de plus de deux semaines celle de Marius Moutet, mais apparemment l'intéressée n'en est pas informée. Enfin, le 5 avril, le préfet de police de Paris, Charles Luizet, qui avait été nommé précédemment préfet de police d'Alger par Vichy, signe un arrêté autorisant la remise en liberté d'Arletty. Cette fois, la fin du purgatoire est proche.

Douze jours plus tard, elle boucle ses valises et prend congé des Bellanger. À la fois triste et soulagée, elle quitte La Houssaye-en-Brie pour l'hôtel Regina, 2, place des Pyramides à Paris. L'établissement est rempli d'Américains.

«Quand je ne joue pas, l'humanité me donne la comédie.»

Ouvrir sa fenêtre, respirer l'air de Paris, regarder le ciel, sortir sans but, sans entraves, juste pour le plaisir, revoir les quais, la Seine, l'Institut, fouler la passerelle des Arts, n'avoir envie de rien, que de se griser de la beauté de la ville : c'est aussi cela, revivre! Le Louvre, les Tuileries, la statue de Jeanne d'Arc sont à un jet de pierre de sa chambre. Arletty devrait exulter. Elle en serait presque à regretter sa résidence. «À quoi sert la liberté quand on ne peut rien en faire? C'est comme un permis de conduire sans voiture [226].»

Son propre véhicule circule à Lyon. Réquisitionnée environ deux semaines avant son arrestation, sa Packard de 22 chevaux achetée avec le cachet de *Circonstances atténuantes* est au service du Commissariat de la République de la région Rhône-Alpes. Il est prévu de la lui restituer à deux conditions : 1) qu'Arletty la récupère en l'état et renonce à toute indemnité de dédommagement pour son utilisation par la police; 2) qu'elle justifie que ses biens n'ont pas été placés sous séquestre pour faits de collaboration. Ces deux conditions étant remplies, elle reprend possession de sa voiture.

Quant à son retour à la liberté, il s'accompagne d'une frénésie de sorties. Un peu au théâtre et à l'opéra, beaucoup à dîner — dont un soir mémorable avec Tino Rossi où ils ne manquent pas d'évoquer leur séjour au dépôt, et un autre avec Marcel Pagnol, Immortel de fraîche date, qu'elle n'a pas revu depuis 1927. Arletty reprend, en somme, sa vie d'avant. Dans son emploi du temps, la lecture occupe encore et toujours une place de choix. Les nouvelles de Sacher-Masoch l'amusent pour l'anecdote, et la lassent. Trop baroque. L'inventeur du masochisme la laisse fondamentalement de marbre. Taraudée par l'idée d'aller voir Soehring qui, trop rarement, lui téléphone, elle se remet à l'anglais, une, deux, trois fois par semaine, afin de se débrouiller en zone d'occupation américaine une fois franchie la frontière. Et puis, quel n'est pas son plaisir de lire Wilde et Shelley dans le texte, de décortiquer Shakespeare !

Pour la première fois depuis longtemps, elle, qui a jadis posé pour Kisling et Van Dongen, renoue avec la peinture. Juste le temps d'un dessin légèrement maniériste que Marie Laurencin crayonne à l'occasion d'un déjeuner avec Dunoyer de Segonzac et Thérèse Dorny, sa femme, une vieille camarade de théâtre d'Arletty. Le visage trop rond, auréolé d'un béret basque, a tout d'un masque de porcelaine avec deux grosses billes noires à la place des yeux. Le regard apparaît plus absent que rêveur, et, à part ce long cou de cygne, le modèle a disparu sous le fusain de l'artiste qui lui a fait une bouche petite, un nez exagérément retroussé, des épaules tombantes. Longtemps, le portrait a appartenu à Pasteur Vallery-Radot, le petit-fils de Louis Pasteur, pour qui Arletty éprouve une réelle sympathie, réciproque.

« C'est Vondas qui lui avait commandé mon portrait. Marie a pastellisé tout ce qu'elle voyait avec son regard de myope. C'était un être fragile, comme un p'tit serpent. Une femme d'ordre. Dans un sens, elle était petite-bourgeoise. Moi, qui suis une femme de désordre, j'ai toujours été éblouie par l'ordre. »

Vondas est un producteur de cinéma sexagénaire, prénommé Nicolas, qui rêve de travailler avec Arletty. Un jour d'août 1946, il vient la trouver à son hôtel, lui offre de tourner un film sinistré en 1940 par la déclaration de guerre, *Dernier Refuge*, que la compagnie d'assurances veut bien dédommager intégralement à condition que le titre reste le même. Arletty refuse, mais obtient que l'équipe des *Enfants du paradis* soit à nouveau réunie. Prévert s'attelle à une idée, *L'Épée de Damoclès*, rapidement abandonnée pour un projet d'avant-guerre sur la jeunesse délinquante destiné à Danielle Darrieux, *L'Île des enfants perdus*. Arletty est engagée pour le principal rôle féminin, et un forfait de 2 200 000 francs, soit près d'un demi-million de plus que pour *Les Enfants du paradis*, lui est garanti pour quatre mois de tournage.

« Arletty tourne le prochain film de Marcel Carné », annonce *Pour Tous*, le 20 août, saluant sa rentrée avec un portrait de couverture. Ce que la célèbre revue de cinéma en noir et blanc ne dit pas, c'est qu'Arletty ne peut tourner. Car, comme nombre de vedettes de la scène et de l'écran à la Libération, elle doit, avant de pouvoir rejouer, passer préalablement devant un comité d'épuration. Un impératif qu'elle semble ignorer et dont elle ne paraît pas s'être souciée. Si, pour l'engager, un producteur ne s'était pas assuré qu'elle était en règle avec la loi, le dossier d'Arletty aurait pu croupir aux oubliettes. On ignore qui, de Vondas ou d'André Paulvé, les deux producteurs à s'intéresser alors à elle, s'est inquiété de son sort auprès des autorités compétentes. Toujours est-il que, dès le 18 juillet 1946, le directeur général de la Cinématographie française écrit au président du Comité d'épuration du spectacle :

> « Monsieur le Président,
> Une société de production me demandant l'autorisation de tourner un film dans lequel Mme Arletty serait engagée, je vous serais reconnaissant de bien vouloir me faire connaître le plus rapidement possible la situation de cette artiste vis-à-vis de l'Épuration. Est-elle passée devant le Comité d'épuration du spectacle? Si oui, quelle sanction a été prise à son égard [227]? »

Près de quatre mois passeront avant qu'Arletty ne soit convoquée afin de connaître sa situation et les griefs retenus contre elle.

Dans les premiers temps de la Libération, les commissions d'épuration du monde du spectacle sont légion. Presque chaque corporation possède la sienne, composée le plus souvent de professionnels. Celle des comédiens est présidée par le dramaturge Édouard Bourdet, cinquante-sept ans, une vieille connaissance d'Arletty à qui elle doit *Fric-Frac*, son premier grand succès théâtral. Leur amitié n'a en rien été affectée par les aléas de l'Occupation, mais faire jouer ses appuis est contraire à ses principes. Arletty se garde d'une telle démarche, quitte à s'exposer, le moment venu, aux rigueurs de ces tribunaux d'exception réservés aux artistes suspectés à un titre ou un autre de collaboration.

De toute façon, lorsque, à l'automne 1946, son tour vient de s'expliquer sur sa conduite, Bourdet ne peut plus rien pour elle – il a été emporté par une embolie pulmonaire en janvier 1945 –, et les commissions d'épuration ont depuis des mois été réformées pour mettre fin aux nombreux abus et règlements de compte caractérisés. Pour examiner les différents dossiers et prononcer, s'il y a lieu, des sanctions, lorsque la justice pénale n'a pas été saisie, le Gouvernement provisoire a instauré un Comité national d'épuration des professions d'artistes dramatiques, lyriques et de musiciens exécutants, dont les membres sont très majoritairement affiliés à la CGT. Cette coloration politique provoque, dès le 16 août 1945, une vigoureuse réaction du syndicat des artistes de variété CFTC [228] auprès de De Gaulle, afin d'attirer son attention « sur des faits qui, sous le couvert de la légalité et du patriotisme, cachent des haines personnelles et des rancunes professionnelles ». La CFTC dénonce en outre « un abus de pouvoir que seuls des tribunaux fascistes peuvent se permettre d'exercer [229] ».

Les épurateurs ont le choix entre le classement pur et simple d'un dossier ou le prononcé d'une sanction. L'échelle des peines va du blâme – degré le plus faible – à l'interdiction professionnelle pouvant aller de un mois à un an. L'application rétroactive de cette mesure empêche parfois qu'un artiste soit réellement interdit d'exercer son métier. Ce sera notamment le cas de l'actrice Suzy Delair, accusée d'avoir entre autres « manifesté des sentiments pro-allemands » et participé en 1942 à « un voyage de propagande en Allemagne » au cours duquel Joseph Goebbels, ministre de l'Information du Reich, l'a reçue en compagnie de Danielle Darrieux, Junie Astor et d'Albert Préjean. Le 17 janvier 1945, la Commission d'épuration lui notifie une suspension de trois mois, prenant effet... le 1er octobre 1944. Les trois mois sont d'ores et déjà écoulés [230].

L'arsenal des sanctions prévoit aussi de la prison ferme pour quiconque outrepasserait une interdiction prononcée à son encontre. L'équité, pas plus que la logique, ne préside aux critères de répression appliqués. Ainsi, un acteur ayant réalisé un film pour la Continental subira-t-il les foudres des épurateurs, tandis qu'un autre en ayant tourné trois sera blanchi. Il est vrai qu'aux faits bruts s'ajoutent souvent les impondérables que constituent la rumeur publique et le poids des relations. Résultat, tous les artistes ne sont pas logés à la même enseigne. Dix mois d'interdiction professionnelle sont infligés à Charles Trenet pour avoir chanté à l'ambassade d'Allemagne, tandis qu'aucune sanction n'est prise contre Édith Piaf, accusée de s'être produite au même endroit, dans les mêmes conditions. Quoique l'interprète de *Non, je ne regrette rien* se soit montrée « en excellents termes » avec Jean Luchaire, le directeur des *Nouveaux Temps*, surnommé Louche Herr [231], elle échappe aux sanctions et reçoit les félicitations des épurateurs. Pour sa défense, Piaf, à qui il est aussi reproché d'avoir chanté en Allemagne, fait valoir que c'était « au profit exclusif des prisonniers français », et qu'elle a « facilité l'évasion » de cent quarante-sept d'entre eux en leur fourguant des cartes d'identité dissimulées dans « une valise truquée [232] ».

Comparée à Cécile Sorel et Charlotte Lysès qu'un an d'interdiction professionnelle éloigne de la scène, Mistinguett s'en tire beaucoup mieux – un blâme –, elle qui semblait entretenir de très amicales relations avec un officier allemand. Forts « des actes de courage civique » qu'ils sauront mettre en avant [233], certains artistes ne sont pas même inquiétés. D'autres, comme Suzy Solidor, bénéficient d'une sorte de séance de rattrapage. L'interdiction professionnelle d'un an qui lui est assénée dans un premier temps, pour avoir interprété sur Radio-Paris, le poste allemand, une chanson décoiffant la reine d'Angleterre, est finalement transformée en simple blâme par le ministère de l'Éducation nationale. En revanche, aucun grief ne lui est fait d'avoir accueilli des officiers allemands dans son cabaret de la rue Sainte-Anne, *La Vie parisienne*. C'était pour la bonne cause. Son audace radiophonique lui ayant fait « gagner la confiance de l'occupant », elle a pu, par un double jeu galant, informer à loisir les agents français de l'Intelligence Service, le contre-espionnage britannique [234].

« Elle a chanté *Lili Marlene* comme personne. On l'admirait pour sa voix, sa gueule. La peau dorée, les cheveux bistres. Derain, Kisling, Van Dongen ont fait son portrait. Elle en tirait pas vanité. C'était une femme qu'on venait choisir. Elle adorait sa mère. Chez elle, j'avais vu Mermoz avant guerre, une espèce d'archange. Il en était fou. »

L'épuration des comédiens n'est pas un sport exempt de ces petites jalousies, aigres et cruelles, que les emplois secondaires ressentent parfois pour les premiers rôles. «Collaborateur, c'est bien vite dit», tonne Sacha Guitry, figure emblématique de l'épuration, dans sa défense étincelante rédigée à Drancy le 7 octobre 1944. «A-t-on l'intention de réunir sous ce vocable damné tous ceux qui, de 1940 à 1944, manifestèrent leur activité professionnelle? Si c'est cela, que tous les auteurs dramatiques représentés, que tous les acteurs ayant joué, que tous les écrivains ayant écrit, que tous les conférenciers ayant parlé, que tous les prêtres ayant prêché, que tous les danseurs ayant dansé, que tous les pianistes, que tous les violonistes soient à Drancy eux-mêmes. Et je vais plus loin, que tous ceux qui tentèrent en vain de publier leurs ouvrages, de faire représenter leurs pièces ou de tourner des films pendant l'Occupation soient arrêtés aussi.

«Ce n'est pas parce que des Allemands les ont tenus à l'écart, qu'ils doivent être considérés comme des résistants volontaires [235]. »

Arletty reste, pour sa part, persuadée qu'une cabale est la cause de ses déboires.

«J'étais la femme la plus invitée, je suis la plus évitée.»

Comédienne adulée, touchant probablement les plus gros cachets, elle a pu attiser des convoitises, des haines sourdes, des rancœurs tenaces. Sa liaison avec Soehring, de notoriété publique, a, sinon fait des jaloux, du moins exaspéré des esprits vengeurs. Quoi qu'il en soit, l'arbitraire qui, à la Libération, dicte son arrestation, son incarcération, puis son assignation à résidence, sans qu'aucun jugement ne soit prononcé, lui laisse, malgré les apparences crânement affichées, un goût amer. «Dans toutes les professions, les épurateurs se sont déshonorés. L'épuration au théâtre : il a du talent, je n'en ai pas ; faut que ça change [236]. »

Sur un plan strictement judiciaire, le dossier d'Arletty est inconsistant. Il se limite au rapport de police rédigé le 30 avril 1945, soit six mois après son arrestation, et à une note de la cour de justice de Paris diligentant l'enquête de l'inspecteur Chastanet. De fait, quand le successeur d'Édouard Bourdet à la tête du Comité national d'épuration, Maurice Côme, avocat général près la cour d'appel de Paris, cherche à en prendre connaissance, il est forcé de constater qu'aucune poursuite ne s'impose. D'ailleurs, le 10 octobre 1946, le commissaire du gouvernement près la cour de justice de la Seine l'informe, par retour du courrier, que les «pièces» concernant Arletty ont été «classées purement et simplement» aux archives du parquet [237].

Aussi, lorsqu'elle est convoquée devant le Comité national d'épuration, le plus dur est fait, pour ainsi dire. L'exercice revient alors à régulariser son dossier laissé en suspens. Une formalité.

L'audience se déroule le 6 novembre 1946 à 10 heures. Arletty se présente avec son avocat 3, rue de Valois à Paris Ier, dans les locaux de l'actuel ministère de la Culture, alors ministère des Beaux-Arts. D'un coup d'œil circulaire, elle note le décor dépouillé de la salle, style révolutionnaire, le peuple en moins. «Je me crois Charlotte Corday, jugée non par mes pairs, mais par des sous-acabits en bras de chemise [238].» Armand Lurville, de l'Union des artistes, préside la séance. Il est flanqué de trois délégués de la CGT – Morelly, Quinault, Got, représentant respectivement, l'un, le syndicat des artistes du cirque, des variétés, du music-hall, l'autre celui de la danse, le troisième, celui des musiciens.

Un seul des trois témoins a répondu à la convocation du Comité : Marie, la gouvernante du quai de Conti. Miss Wiborg, la propriétaire de l'appartement, a fait faux bond. Quant à Michelle Lahaye, la comédienne ayant précisé à la police la nature exacte de l'intervention d'Arletty en faveur de Tristan Bernard, elle n'a tout bonnement pas reçu sa lettre. L'enveloppe est revenue à l'expéditeur avec le tampon : «Retour à l'envoyeur, partie sans laisser d'adresse.»

L'essentiel de la séance tient en une feuille. Voici l'intégralité du compte rendu manuscrit du Comité national d'épuration rédigé dans un style télégraphique :

«Arletty : interrogatoire.
— Pas d'émissions à la radio.
— Pas de galas. Pas Continental. Pas de voyage en Allemagne.
— Connaissait Me de Chambrun avant guerre.
— A connu officier allemand en 1941. Liaison amoureuse avec ce dernier.
— Nie avoir tenu propos antialliés aux Bouffes-Parisiens.
— A demandé, en compagnie de Sacha Guitry, la grâce de Tristan Bernard à M. Schleier, consul d'Allemagne.
«À ce moment-là, n'avait rien demandé aux Allemands, ni Ausweis, ni appartement, ni auto, etc., n'a pas travaillé depuis trois ans – est actuellement sollicitée par producteurs.

« Témoin : Mme [Marie] Lelizour, 13, quai Conti [*sic*] Paris. Trois ans au service d'Arletty. Rien à dire contre Arletty. Cette dernière a pris soin de l'appartement de l'Américaine chez qui elle habitait.

« Plaidoirie : Me Moutet Jacques.

« Reconnaît faute d'Arletty pour relations avec officier allemand. Accepte blâme et pense qu'il ne peut être question d'une décision à partir de ce jour.

« Décision = un blâme. »

La sentence peut *a posteriori* paraître bénigne. Arletty, elle, la vit autrement. L'interdiction professionnelle lui est effectivement épargnée, mais ses vingt mois de privation de liberté s'apparentent à un châtiment équivalent.

« Trois ans de défense de travailler, qui ça privait ? Pas moi ! Quitte à être prétentieuse, j'vais vous dire, au fond, ils y perdaient... »

De retour à son hôtel, un message l'attend. Une vague de dépit l'envahit : « Comment ? un coup de téléphone de Faune et je n'étais pas là ! »

Dès le lendemain, un pli lui notifie la sanction arrêtée la veille à son encontre :

« Le Comité national d'épuration des professions d'artistes dramatiques, lyriques, et de musiciens exécutants après délibération et à la majorité a décidé : un blâme.
Étaient présents : MM. Lurville, Morelly, Quinault, Got [239]. »

Il est adressé à Mme Arletti [*sic*], hôtel Plaza, avenue Montaigne, Paris.

Contrairement à Guitry, cible de lettres d'insultes et de dénonciations adressées au juge d'instruction chargé de son dossier, Arletty est l'objet de rumeurs insidieuses, d'articles venimeux, d'allusions calomnieuses. Dans une lettre du 13 décembre 1946 visant à incriminer l'auteur dramatique, son nom apparaît, toutefois, incidemment :

« Monsieur le juge,
J'ai l'honneur de vous signaler, pour le cas où vous ne l'auriez pas encore dans votre dossier, qu'un film longtemps projeté, et qui doit être conservé à la filmothèque, représente Sacha Guitry inaugurant à Paris, aux bras de Mme Arletty, le salon des Humoristes.

Veuillez agréer, Monsieur le juge, l'assurance de mon entier dévouement [240]. »

Étant donné l'âpreté vengeresse de l'époque, le libellé, à en-tête de l'Assemblée nationale constituante, n'est pas insignifiant. Son auteur s'appelle Robert Pimienta, comme le juré récusé au procès Pétain qui, avant de quitter le prétoire, s'était exclamé : « Cela n'empêchera pas le traître Pétain de recevoir douze balles dans la peau. » Mais rien n'atteste formellement qu'il s'agisse de la même personne.

Tandis qu'au plus fort des accusations portées contre lui Guitry prend le public à témoin de la farce détestable dont il est le sujet, invoquant son rôle irremplaçable d'artiste porte-drapeau de l'esprit français dans un pays oppressé, Arletty, elle, accepte sans mot dire d'être bannie, aiguisant ses reparties, sans chercher à se cacher derrière de quelconques exigences professionnelles. Qu'on suppute à la Libération qu'on l'a tondue ou qu'on lui a coupé les seins, elle se gausse.

« Ma recette pour garder de beaux seins, faites-les couper », dit-elle.

D'un mépris souverain, elle se tait sur l'essentiel, se remémorant le conseil paternel : « Quand on t'insulte, compte tout bas jusqu'à dix avant de répondre. Tu verras, il est bien rare que tu n'éclates pas de rire à cinq ou six. »

« Mon père m'a donné une leçon, je m'suis jamais bagarrée. »

Les injures et les menaces, anonymes, peuvent pleuvoir, Arletty s'en tient à ce principe. Nulle riposte. Jamais de communiqués, jamais de démentis. À quoi bon confirmer, infirmer, informer, déformer ? Quand on lui mentionne un journal la traînant dans la boue, sa réaction ne se fait pas attendre : « Je ne rencontre ce genre de journaux qu'aux chiottes, et mon cul sait pas lire. » Soupçonnable ni de haine ni de trahison, elle traîne pourtant, du fait de ses compromissions sous l'Occupation, une réputation de femme de droite, sinon d'extrême droite, voire d'antisémite. Qu'en est-il au juste ?

Arletty est née en pleine affaire Dreyfus, quelques mois après la publication du retentissant *J'accuse* de Zola, plaidant pour la réhabilitation du capitaine injustement accusé de trahison ; mais, chez ses parents, on n'en parlait pas. Ni son père ni sa mère, pourtant antidreyfusarde, ne professaient d'opinions politiques. Elle a été élevée dans la religion catholique, mais surtout dans la compréhension d'autrui, jamais dans le dogmatisme. Certes, à ses débuts au théâtre à l'aube des années vingt, il est de bon ton de tourner les juifs en dérision sur les scènes de boulevard, mais sa préférence va à l'esprit parisien incarné par Rip. Dans sa pièce *Félix*, en 1926, le dramaturge le plus fêté, Henry Bernstein lui-même, prête à son héros des propos bien aigus à l'adresse de ses coreligionnaires. Furieux de l'infidélité de sa femme (Gaby Morlay) avec un rival juif, son héros traite l'amant de « sale petit youpin ». « Tendez la main à un juif, il vous récompensera par une saleté », fait-il dire au mari trompé. À l'époque, on rit dans la salle, comme on rirait de nos jours d'une vilaine blague belge ou arabe. Malaise cependant chez certains spectateurs. Les répliques disparaîtront dans l'édition du texte trois ans plus tard ainsi que lors de sa reprise en 1930, à l'aube d'une décennie marquée par la contagion de l'antisémitisme et l'avènement du Front populaire.

À l'été 1937, sur la scène du théâtre de la Madeleine, Arletty parodie Trenet en chantant : « Blum, mon petit cœur fait Blum ! » dans la revue *Crions-le sur les toits*. D'humeur badine, les chansonniers brocardent le gouvernement socialiste de Léon Blum, en proie aux pires difficultés, qui effraie toujours le bourgeois. Ces années-là, d'un voyage à Berlin, elle ramène une copie de *Mein Kampf* [241], ouvrage dans lequel Hitler expose sa doctrine nationale-socialiste et raciste.

« Je l'ai apporté d'Allemagne pour Sacha. Y collectionnait tous ces machins-là, les livres, les tableaux… »

Au lendemain de la défaite, dans la France occupée, la propagande antijuive bat son plein, avec la bénédiction de Vichy.

Le film de Veit Harlan, *Le Juif Süss*, concentré des poisons antisémites que l'Allemagne nazie se complaît à propager, se taille, d'après Jacques Siclier dans *La France de Pétain et son cinéma* [242], un « succès de curiosité » auprès du public français. Arletty va le voir, elle aussi par curiosité, sans être convaincue par le propos.

« C'est du mauvais cinéma », dit-elle.

Sa motivation est la même lorsqu'elle se déplace pour visiter la grande exposition antisémite « Le Juif et la France », organisée sous l'égide de l'Institut d'études des questions juives, au Palais Berlitz, boulevard des Italiens. L'inauguration a eu lieu très solennellement le 20 août 1941. Une myriade de personnalités françaises et étrangères des arts et des lettres, des corps constitués et diplomatiques, a répondu à l'invitation. « De cette exposition, nous avons voulu que les visiteurs puissent sortir avec l'horreur de tout ce qui avilit l'humanité, avec le dégoût de ces malhonnêtes qui commencent à la "combine" et au "système D" pour aboutir aux escroqueries les plus gigantesques », avertit, sans ambages, la préface du catalogue. Sans dégoût apparent, les visiteurs – « ouvriers, employés, membres de l'armée d'occupation et juifs », selon les rapports d'affluence quotidiens – s'y rendent [243]. Les plus attentifs prennent des notes.

« Un matin, j'y vais, seule. C'était à côté de la Paramount. Y avait ma photo et celle de Fresnay. Sacha [Guitry] l'appelait toujours "Monsieur Fresnay", en prononçant le S, parce qu'il lui avait fauché Yvonne Printemps. En voyant ma photo sur un panneau montrant des acteurs aryens, j'ai détallé. »

Les fréquentations d'Arletty sous l'Occupation, d'abord celle de Laval, artisan de la collaboration, puis son amitié pour Céline, auteur de trois pamphlets antisémites, ont pu accréditer l'idée qu'elle adhérait à la politique de l'un ou aux thèses de l'autre. Sans parler de ses amours avec Soehring. En réalité, Arletty est, la quarantaine révolue, la même qu'à vingt ans, adolescente dans l'âme, d'une curiosité insatiable, d'une imprudence à tout va. Irréductible. « Mon instinct est mon meilleur guide. Seulement, voilà, je me laisse attendrir et on m'a à l'usure. De là tous mes malheurs. En revanche, je ne subis aucune influence [244]. »

Ses amis Prévert et Trauner, peu suspects de sympathies pour l'occupant, ne s'y méprennent pas, qui lui restent indéfectiblement fidèles, avant, pendant, comme après guerre.

« Ne pas se tromper serait un calcul permanent. »

Aussi, c'est sans la moindre arrière-pensée qu'elle accepte de dîner chez les Chambrun en compagnie de Fernand de Brinon, ambassadeur de Pétain auprès de l'occupant, et de sa femme Lisette, d'origine juive, comme de tourner les films de Carné, voué aux gémonies par Lucien Rebatet, journaliste que l'attaché de presse de l'ambassade d'Allemagne Eugène Feihl présente comme un « exalté de la collaboration [245] ». « Carné est aryen. Mais il a été imprégné de toutes les influences juives, il n'a dû qu'à des juifs son succès, il a été choyé par eux, tous ses ouvrages ont été tournés sous leur étiquette, en particulier celle du producteur Pressburger. Carné, qui ne manquait pas de dons, a été le type de talent enjuivé », profère *ad nauseam* en 1941 l'auteur des *Décombres*, dans *Les Tribus du cinéma et du théâtre* [246].

Arletty n'accorde guère de crédit aux pamphlets de Céline. La lecture des *Beaux Draps* dans les années quatre-vingt suscite en elle de la lassitude et ce commentaire :

« Il était allé loin, franchement, je ne savais pas ça à l'époque où je l'ai connu. Des juifs, il en parlait jamais. Après l'Danemark, y bougonnait plus. Il avait sauvé sa peau. Quelle horreur tout de même que ses textes ! C'est incroyable, un fou !... Un malade !... Un paranoïaque !... Enfin, on vous enferme pas parce que vous êtes paranoïaque, à moins qu'vous foutiez l'feu à la maison... Tiens, j'lui ai jamais demandé s'il avait une arme... Faut dire qu'il n'aurait pas été Céline s'il avait été dans la banalité. »

Quand se produit la grande rafle du Vél'd'Hiv en juillet 1942 à Paris et qu'avec la chasse aux résistants et aux communistes s'intensifient les persécutions raciales, Arletty est à Nice pour *Les Visiteurs du soir*. Entre deux journées de tournage aux studios de la Victorine, elle dîne avec ses amis Prévert et Trauner.

La politique de Vichy n'entre pas dans ses préoccupations, d'autant que le gouvernement se garde bien de publicité sur ses exactions et que l'opposition, pratiquement réduite à néant, est impuissante à en dénoncer la honte, y compris en zone « nono » (non occupée). « La France essayait de vivre le plus tranquillement du monde, elle ne s'occupait que du ravitaillement [247] », relève Alain Armengaud, le cousin de Jean-Pierre Dubost.

Difficile *a posteriori* de se poser en censeur d'un comportement qu'on aurait souhaité plus héroïque. Tentant, le rôle est aisé. Des années après, à la question : « Vous avez eu de la pitié ? » formulée comme un reproche, elle coupe court :

« Oui, j'en ai eu... Sur le moment, j'savais rien de tout ça. Qu'est-ce que vous voulez qu'j'vous dise ! »

De même, Arletty ignore que l'ancien président du Conseil radical-socialiste Édouard Daladier [248], signataire de l'accord de Munich en 1938 et de la déclaration de guerre à l'Allemagne l'année suivante, a été emprisonné à Riom sous l'Occupation, puis déporté. Elle l'apprend, dans les années soixante-dix, au détour d'une lecture.

« J'ai jamais entendu dire qu'il avait été en taule, ni même déporté. Peut-être un jour de prison ! »

Secrètement meurtrie d'avoir été traitée comme une pestiférée à la Libération, Arletty refuse crânement de s'apitoyer, mais raille les élans de commisération envers quelques comédiens, comédiennes ou écrivains, plus ou moins compromis sous l'Occupation et sortis indemnes de l'épuration.

Exemple Danielle Darrieux dont elle admire le talent. Héroïne de trois films de la Continental, la vedette de *Premier Rendez-Vous*, le film d'Henri Decoin produit en 1941 par les Allemands, se rend à l'invitation de Goebbels à Berlin en 1942 avec un groupe d'acteurs. C'était pour «faire libérer mon fiancé», Porfirio Rubirosa, assigné à résidence en Allemagne, soutient-elle devant les épurateurs. Pas de sanction [249].

«Pensez si elle était folle de c'mec-là, un maquereau international! À la Libération, rien du tout!»

Le jour où son ami magistrat Alain Bourla prend fait et cause pour Marcel Jouhandeau, contraint de se cacher quelque temps à la fin de la guerre, mais qui, fort d'appuis littéraires, échappe à la prison, Arletty est verte de rage. La scène se passe à Belle-Île où, depuis qu'elle a fait la connaissance de cet étudiant en droit au début des années soixante-dix, Bourla est un invité permanent. Il n'a pas vingt ans. Avec son indépendance d'esprit, son humour, sa passion du théâtre, ce jeune homme à la longue silhouette filiforme, au sens aigu de l'observation, a tout pour plaire à Arletty. Ensemble, ils restent des heures à bavarder, jusqu'à l'épuisement. Assis dans des transats déployés au milieu de la pelouse, Alain Bourla, familier de Jouhandeau et subrogé tuteur de son fils adoptif Marc, s'aventure à plaindre l'auteur de *Chaminadour* : «Qu'est-ce qu'il a souffert à la Libération!» Arletty bondit : «Si y a quelqu'un qui a souffert, c'est moi!» Il insiste. Elle se cabre. Il s'entête. Elle s'étrangle. Le sang lui monte au visage où, gonflée à se rompre, sa veine frontale palpite de colère, bleue, verte, effrayante. «Je me suis arrêté car j'ai cru qu'elle mourait d'une attaque [250]», raconte Alain Bourla.

Pas d'apitoiement, telle est la règle. Le Vigan, à la rigueur, pourrait prétendre à un semblant de compassion, lui qui a connu l'exil et la mort hors de France.

Arletty s'exprime de façon directe, sans tabou et sans animosité : «Je suis incomplète, je ne connais pas la haine.»

Cependant sa conversation surprend parfois le visiteur non averti qu'elle questionne à brûle-pourpoint pour connaître ses origines : «Vous êtes juif?», ou lorsqu'elle dit de Bernstein : «C'était un très grand juif.» «Arletty disait ces choses, mais ça ne lui tenait pas vraiment à cœur. C'était des choses qui ne sortaient pas de sa conscience profonde, analyse l'écrivain américain James Lord. L'affaire Dreyfus n'a été terminée que quand elle avait sept ou huit ans [251]. Dans les classes populaires, on devait être beaucoup plus antidreyfusard que pro. À cet âge-là, ça marchait. » Françoise Giroud, qui a rencontré Arletty pour la première fois en 1951 pour *L'Amour, Madame*, ajoute : « Je ne crois pas qu'elle était antisémite avec virulence. C'était un antisémitisme de parole qui, peut-être, s'est aggravé au contact de son amant allemand. C'est pas le côté le plus sympathique d'Arletty. Elle était amoureuse, ça peut arriver à tout le monde. Mais je n'ai pas d'indulgence pour les gens qui se sont mal comportés. En soi, ça ne méritait pas qu'on la punisse gravement [252]. »

Que Soehring, en opportuniste ambitieux quoique velléitaire, se soit accommodé du régime nazi pour vivre en France, ne fait aucun doute. En revanche, son goût pour les jolies femmes, déjà au temps où il étudiait à la Sorbonne, l'emporte nettement sur des convictions condamnables. D'Edelweiss, l'amant juif de ses vingt ans, elle dit, au soir de sa vie, lorsqu'elle repense à ses jeunes années :

« C'était un destructeur. »

Parce que son amant a brisé le lien qui l'attachait à sa mère, le jour où elle a choisi de le suivre. Une fois la séparation consommée, Edelweiss marié et père de famille, Arletty célèbre et exilée à La Houssaye, ils restent en contacts étroits. L'estime des premiers jours a survécu, et une tendre affection subsiste.

De tous les amis et les camarades de théâtre, juifs ou non, qu'elle a côtoyés et qui l'ont aimée avant l'Occupation, le seul à ne plus lui faire signe après la guerre est Henry Bernstein.

« On lui a sûrement raconté des saloperies sur moi. Il a dû le croire. C'est humain. »

Tout à son sublime isolement, Arletty dédaigne de se justifier en quoi que ce soit. Son refus de s'expliquer, ici comme ailleurs, n'empêche pas qu'on lui attribue, à tort ou à raison, des mots qui gonflent, s'envolent, se transforment, de ces petites phrases qui courent les ruelles et font le bonheur de la chronique parisienne. « Mon cœur est français, mais mon cul est international ! » est de celles-là. La légende veut qu'Arletty l'ait inventée pour couper court aux indiscrétions sur sa liaison avec Soehring. Or, dans *Mon journal depuis la Libération*, Jean Galtier-Boissière en gratifie « une femme tondue » qui « a protesté de son patriotisme » le 30 août 1944 [253]. Certes le fondateur du *Crapouillot* inverse les propositions – «Mon cul est international, mais mon cœur est français!» –, mais il se peut qu'il ait recueilli la formule de la bouche d'Arletty, un soir où il la recevait à dîner chez lui.

Une semaine plus tard, à la date du 6 septembre 1944, Galtier-Boissière note à propos d'Arletty : «La charmante Gavroche a été arrêtée. On lui reproche d'avoir eu une faiblesse pour un beau frido-lin. "Qu'est-ce que c'est que ce gouvernement, s'est-elle écriée, outrée, qui s'occupe de nos affaires de cul [254]!" » En fait, le mémo-rialiste devance l'événement de plus d'un mois. À cette date, Arletty est en vadrouille.

Tout bien pesé, la paternité des reparties importe moins que l'acidité naturelle avec laquelle elle les assaisonne pour les personna-liser, et le cas échéant pour se faire pardonner ses élans passionnels malencontreux, en particulier par Moïse Kisling. «Après guerre, il y a eu un petit froid entre eux parce qu'elle avait eu un amant alle-mand, témoigne Jean Kisling, le fils du peintre de Montparnasse. Mon père était violemment antiallemand, mais il comprenait que son cul ait été international. C'était pas parce que quelqu'un était resté en France sous l'Occupation qu'il était collaborateur. Il fallait bien vivre [255].»

La duchesse d'Harcourt, elle aussi, sait trop qu'Arletty préfère un mot d'esprit à une pensée engagée, et l'anarchie à tout autre système social, pour lui battre froid longtemps. Jusqu'à sa mort en sep-tembre 1958 à Antibes, à quarante-huit ans, elle l'accueille souvent dans les salons de son hôtel particulier du 53, rue Verneuil à Paris dans le VIIᵉ arrondissement [256], donnant sur un petit jardin. «Ma mère avait une grande admiration pour Arletty. Elle considérait que sa liaison avec l'Allemand était juste une affaire sentimentale, qui n'avait rien à voir avec la politique. Il n'y a jamais eu trahison de sa part. Pour elle, le talent effaçait les erreurs. Elle était fidèle en amitié. La seule personne avec qui elle ait rompu à cause de la guerre, c'est Chanel, qui jouait un double ou triple jeu [257]», rapporte son fils Jean d'Harcourt. Après guerre, plus encore qu'avant, Antoinette d'Harcourt est une femme angoissée, vivant un perpétuel décalage entre ses aspirations et la réalité de sa vie. Ses mois de détention à Fresnes, puis au camp de Romainville sous l'Occupation, la hantent aussi vivement que durant ce mois de juin 1944, quand, de sa cellule, elle écrit des poèmes.

« Pour Arletty, savoir si untel ou unetelle est de Tel-Aviv, de Riom ou de Courbevoie est uniquement une façon de situer les gens », explique André Beaupaire. Les réponses qu'on lui fait ne conditionnent ni son comportement ni ses affections. Aucune malveillance dans la question. De la même manière, elle s'interroge sur la libido de ses visiteurs, sollicite, égrillarde, des confidences intimes, et spécule en cas de refus sur les inclinations érotiques de l'un ou de l'autre. Son sentiment est que, juif ou homo, tout le monde l'est, l'a été ou est appelé à le devenir ; de Napoléon à de Gaulle — « toujours entourés de beaux militaires » —, à Sacha Guitry qui, lui, « braguettait ». Ce sont ses toquades. « Quand on me dit : il n'en est pas. Je ne pense jamais "de l'Académie" ; je pense "de la philopédie". Il est vrai que l'un n'empêche pas l'autre [258] ! »

Arletty n'est pas une personne comme il faut. Sa liberté de langage, comme l'insolence de son corps, aussi bien avec les hommes que les femmes, déconcertent. Inclassable, elle entretient l'équivoque. Elle se flatte qu'on ne lui connaisse pas de « M. Arletty », et dira après un déjeuner d'adeptes des plaisirs de Sapho :

« Y'avait que des dames... Ces bonnes femmes qui sont des bons-hommes, c'est des gendarmes... Si vous leur demandez leurs papiers, tope là, elles mettent la main à la poche arrière du pantalon. (Joignant le geste à la parole, elle fait un mouvement de supination et se tape sur la fesse.) Là-d'dans, moi, j'suis comme une papesse... Quand Sacha organisait des déjeuners avec ces bonnes femmes-là, lui, c'était la gonzesse ! »

Sa liberté de ton lui vaut parfois une drôle de réputation dans les salons parisiens. Un jour, on la dit lesbienne de choc.

« Réfléchissez, si c'était tellement l'cas, j'aurais pas été arrêtée pour des mecs. Attention, je n'ai eu que le mien ! »

Le lendemain, on la taxe d'antisémitisme.

« C'est dégueulasse, mais faut en rire. »

Néanmoins, son entêtement à voir en Guitry, contraint de justifier de son aryénité sous l'Occupation, un juif honteux de ses origines agace. Se peut-il que, comme Monsieur Jourdain avec la prose, elle, qui intervint pour sortir Tristan Bernard des griffes de la Gestapo, fasse de l'antisémitisme sans le savoir ?

« Non. Arletty n'était pas du tout antisémite, autrement, mon père, qui était juif, ne serait jamais retourné la voir quand il est revenu des États-Unis où il s'était réfugié en 1940 [259] », tranche Jean

Kisling. « Si elle avait été antisémite, Lazareff n'aurait jamais produit *Un tramway nommé Désir*, renchérit le comédien Daniel Ivernel. S'il avait jugé qu'elle avait commis des actes répréhensibles, il ne l'aurait pas monté avec elle [260]. » Robert Petit, constructeur de décors de théâtre, s'indigne : « Ce n'est pas quelqu'un d'antisémite. Je l'ai connue j'avais dix-huit ans. Elle aurait pu me faire la morale, me dire : "Faut vous méfier des juifs." Je n'ai jamais rien entendu de tel. Je ferais plutôt un parallèle avec Genet qui a chapardé parce qu'on le traitait de voleur. Elle, c'est pareil, à partir du moment où on l'a mise en taule, où on lui a dit "salope", elle a revendiqué d'être une salope. Ça s'arrête là. »

À Arletty, le mot de la fin :

« Je ne suis ni anti ni pro. Je ne regarde que les individus. Après ça, j'aime ou j'aime pas, mais avec humour. »

« Venez au Plaza, vous y serez plus en sécurité. » Sur ces mots, Arletty quitte son hôtel de la rue des Pyramides pour emménager un matin de septembre 1946 dans celui de son ami François Dupré, avenue Montaigne. Après la vie de château, la vie de palace. Porte 312. Là, dans sa grande belle chambre du troisième étage donnant sur l'avenue des grands couturiers, elle reçoit ses visiteurs installés, qui sur un coin du Récamier, qui sur un tabouret, qui sur un fauteuil, qui, par terre, à ses genoux. Instants rares, car ce qu'elle préfère, c'est le tête-à-tête, l'exclusivité de l'interlocuteur. Rejetée contre le chevet de son divan, les jambes repliées, les genoux tenus par les doigts croisés, le corps en zigzag, flexible, Arletty régente, la tête légèrement renversée, l'esprit aux aguets, une pensée ailleurs. Dans son for intérieur, tout chez elle tend vers un seul but : rendre visite à Soehring, à présent établi comme écrivain à Marquartstein, un petit village du district de Munich, en Bavière. Là, dans un appartement coquet, quoique modeste, décoré des photos d'Arletty découpées dans *Pour Tous*, il tue l'attente de la retrouver, en écrivant, tantôt des nouvelles, tantôt un roman dont l'action se déroule à Paris. C'est sa façon de garder courage et confiance en leurs retrouvailles qu'il souhaite définitives, n'importe où, n'importe quand. Il est prêt à lui fixer un rendez-vous discret à La Houssaye dès que possible, ne serait-ce que pour fuir les difficultés d'approvisionnement et le froid effrayant qui sévit en Allemagne. Hélas, sans un certificat d'hébergement français, impossible de revoir Paris, où il a laissé manteaux et costumes qui lui seraient d'un secours urgent. Mais voilà, à qui peut-il s'adresser pour voyager? Arletty? Elle aurait les pires ennuis. Mais qu'on lui donne un nom, un seul, et alors, adieu Marquartstein, ses montagnes, sa vallée dominée par un château fort!

Hélas, d'un côté comme de l'autre de la frontière, la bureaucratie tatillonne et brouillonne triomphe. Tout déplacement est soumis aux autorités civiles et militaires. De leur bon vouloir dépend l'étreinte des amants. À Paris, Arletty doit, elle aussi, passer sous les fourches Caudines de l'administration, dont les lenteurs l'insupportent. Un soir, la situation se débloque, au cours d'un dîner avec Nicolas Vondas, le producteur de cinéma, et un officier de l'armée française, le colonel Thomas. Sitôt l'horizon éclairci, le 23 décembre 1946, elle prend un wagon couchette gare de l'Est, sa valise sous le bras, bourrée de vivres, de lainages, de livres, de rubans pour machine à écrire. Le lendemain, au réveil, Soehring l'attend à sa descente du train. Ils passent Noël ensemble, dans une maison ravissante où Richard Strauss composa *Le Chevalier à la rose*. Huit jours dans un site enchanteur. Le jour, ils se promènent longuement dans les bois enneigés, le soir, sortent contempler le ciel magnifique, d'un bleu de violette. Soehring revit. Arletty découvre qu'il a une vie sociale animée. Il fréquente un petit cercle littéraire – dénommé les Conjurés – formé de jeunes auteurs qui lisent des poèmes, interprètent des pièces de théâtre, discutent de l'actualité romanesque, allemande et étrangère, autour d'un verre de rhum. Une jeune femme blonde, discrète, douce et charmante, Hansi, le dévore des yeux. D'admiration, peut-être même un peu plus. Lui aimerait se lancer dans la traduction d'écrivains comme Hemingway, Steinbeck, Maugham, Anouilh, Sartre. Arletty est d'emblée adoptée par tous ses amis, en particulier par un capitaine d'infanterie de l'armée américaine, A. G. Prondzinski, un modèle de courtoisie et de serviabilité. Quand le commandant Nogrette aura définitivement regagné Paris, il jouera les bons samaritains, offrant de les héberger, le cas échéant, facilitant leurs échanges épistolaires.

C'est au cours de ce séjour que, le plus sérieusement du monde, Soehring s'offre une nouvelle fois de l'épouser. «Là, j'allais encore dire non au mariage; ce n'était pourtant pas une aventure car rien au monde ne m'enlèvera "l'événement" que fut cet amour [261].»

Chapitre XIV

And forget me, for I can never be thine.
(Et oublie-moi, car je ne serai jamais à toi.)

SHELLEY

Soehring lui propose le mariage pour la première fois en 1943, avant son départ pour le front dont il ne sait s'il reviendra. Avec un formalisme teinté de romantisme et, pour ne pas l'effrayer, d'une pointe de désinvolture, il lui écrit, sur une feuille arrachée d'un agenda de poche : « Vous ne voulez pas devenir ma femme. Pourquoi ne se marie-t-on pas ? » Arletty trouve le papier, posé sur sa table de nuit quai de Conti, à son retour d'une journée de tournage. Touchée par cette preuve d'amour jetée au débotté, elle rit tendrement, sans en être, avoue-t-elle, ébranlée outre mesure. La proposition en reste là. Des années plus tard, pour complaire aux folliculaires friands d'anecdotes et de sensationnel, elle accréditera l'idée qu'Hitler en personne s'était opposé à cette union. Avec un sens consommé de l'espièglerie et de la provocation, elle « en rajoute ».

La deuxième fois, le ton de Soehring est plus solennel. « Ne ris pas », prévient-il, au détour d'un billet acheminé jusqu'à elle mystérieusement, au début de l'été 1946. Ils ne se sont pas revus depuis deux ans, lors de la visite éclair de Soehring à Paris un mois avant l'entrée des troupes alliées dans la capitale. Cette séparation forcée, suivie de mois d'un silence interminable, ne font qu'aiguiser leur amour. Chacun de son côté. Lui, de manière romantique, elle, plus tragique. Chacune des actions qu'il entreprend lui est dédiée, comme si Arletty, de sa thébaïde, les lui dictait. Pour elle, sa raison de vivre, unique objet de ses souffrances morales, il se met à écrire — notamment une pièce de théâtre un peu sombre, *Heureux les morts* — et croit pouvoir faire mentir le proverbe «loin des yeux, loin du cœur». Elle, en revanche, s'abandonne à sa douleur, muette, suffocante, sans issue, un vague pressentiment lui disant tout bas que cet amour-là aussi est impossible. Peut-il avoir conservé l'intensité des premiers instants à présent que plus rien, ni les hommes ni la guerre, n'y font obstacle? Les circonstances déterminent les individus, les événements les forment, les révèlent, les changent, imperceptiblement. Elle redoute en fait que, à l'abri du danger, son amant devienne un être ordinaire, trop fait pour le confort d'une vie bourgeoise.

La troisième fois non plus n'est pas la bonne. À l'approche de Noël 1946, Soehring, plus pressant, effectue les démarches administratives requises. Au consulat général de France à Munich, on le prie de présenter une déclaration stipulant que sa promise a bien déposé auprès de son maire une attestation selon laquelle elle est prête à épouser un Allemand. La pièce tarde à venir. Arletty n'a-t-elle pas reçu le message? Des années après, elle ne saurait dire. Pourtant, il ne manque que le document français pour que le certificat de mariage soit établi. Soehring se démène. Son souhait le plus cher est que l'an VI de leur union soit celui de leur réunion.

L'année 1946 s'achevant dans l'émotion des retrouvailles passagères, 1947 commence sous les meilleurs auspices. On peut de nouveau téléphoner d'un pays à l'autre, expédier de Paris des colis de foie gras, de café, de beurre salé en boîte de fer-blanc, de sucre américain, de riz, et même envoyer des lainages et un béret basque histoire d'affronter le froid. Toutes choses bonnes à apaiser l'attente d'un amoureux.

Rassérénée, Arletty part début mai pour Belle-Île-en-Mer tourner *L'Île des enfants perdus*, bientôt rebaptisé *La Fleur de l'âge*. «Dans le train, une jeune fille : Anouk Aimée, un jeune garçon, Claude Romain, les "Fleurs de l'âge"; Micheline l'habilleuse.

«Quiberon, tempête. Les bateaux ne partaient pas. Nous passons la journée à l'hôtel de l'Océan. Vers 22 heures, la vedette des Ponts et Chaussées nous embarque. À nous deux, le mal de mer! Eh bien, non; mes camarades sont malades; pas moi.

«Nous tournons autour de l'île, sans pouvoir entrer dans le port, la forteresse de Vauban balayée par les éclairs. Un spectacle inoubliable. Nuit tragique pour les marins. Au petit jour, au Palais, Vondas et Carné nous attendaient. Le premier, pâle et défait. Le second, au milieu de toutes les catastrophes, brillant comme un sou neuf [262]. »

Carné affirme, dans ses souvenirs, que cette occasion offerte à son interprète favorite «d'effectuer une rentrée que beaucoup, alors, lui refusaient [263]» décide Prévert à se remettre au cinéma. Le poète-scénariste avait été écœuré par l'accueil réservé, l'année précédente, aux *Portes de la nuit*, avec Yves Montand.

«À sa sortie, on les appelait : "Les portes de l'ennui", dira plus tard Arletty. C'est là qu'le futur président de la République chantait *Les Feuilles mortes* [264]. »

Arletty a été au cœur d'un autre projet signé Carné/Prévert, celui de *Jour de sortie*, initié en 1943, puis repris deux ans plus tard sous le titre *La Lanterne magique*, avec l'équipe presque au complet des *Enfants du paradis* : Kosma pour la musique, Trauner pour les décors, Pierre Brasseur et Louis Salou parmi les acteurs. Un film abandonné dès 1945, après défection du producteur.

Dans *L'Île des enfants perdus*, dont l'histoire se déroule, sur fond de révolte, dans une colonie pénitentiaire de garçons, Arletty campe une femme mariée qui se lie d'affection avec un jeune détenu fugueur (Serge Reggiani) rencontré sur la côte sauvage. Un rôle qu'elle sera empêchée de mener à bien puisqu'une série de calamités s'abat sur le film : tempêtes, naufrage du yacht de l'héroïne, mal de mer de l'équipe – y compris Carné –, paralysie subite du berger allemand chargé de dépister Reggiani, noyade d'un figurant, et accident de voiture de Maurice Teynac, un des interprètes avec Martine Carol, Paul Meurisse, Carette, Jean Tissier et la débutante de quinze ans et demi, Anouk Aimée.

«Bel homme, ce Teynac. C'est lui qu'a acheté ma Packard, pour rien. Il avait été représentant de champagne Heidsieck. Un inconditionnel de Sacha [Guitry]. »

Devant l'accumulation des incidents, le tournage est ralenti, l'équipe contrainte au repos forcé. Confronté aux plus noires difficultés financières, le film restera inachevé. Les jours chômés, alors que Prévert se perd en grandes discussions avec un Carné soucieux, Arletty se détend en lisant et en écrivant, notamment à Josée de Chambrun :

«J'aurais aimé inaugurer la Cadillac, mais *La Fleur de l'âge* se passe sur un yacht, et dans une maison de redressement, et pour l'instant le film est "stoppé". Le pays est si beau que je vis en dehors de tous les événements. Je pense rentrer dans quelques jours, et vous appellerai dès mon retour. […] Toute mon affection.

Arlette. »

Béret noir, lunettes de soleil, short ultracourt échancré et corsage blanc, Arletty reste des heures entières à lire, allongée sur les rochers. Telle est sa tenue jusqu'au jour où elle opte pour le maillot blanc rayé bleu des marins. Pétrone, Robert Brasillach, Arthur Koestler, et surtout Jean-Jacques Rousseau – les *Rêveries du promeneur solitaire* et les *Confessions* – sont ses auteurs du moment. Auprès de ceux que Carette appelle pour rire «les indigènes», elle s'exerce à prononcer «Comment allez-vous?» et «parfait!» dans le dialecte local qu'elle ressert durant ses promenades sur l'île, à la Citadelle, ou dans les crêperies de Sauzon et de Locmaria.

«Ça m'a fait six mois de grandes vacances. »

À Donnant, elle a le coup de foudre pour une maison de pêcheur abandonnée, qu'elle décide d'acheter avant de regagner Paris. Pour la remettre en état, un homme rencontré par hasard chez Manouche, restaurant à la mode situé rue Chambiges à Paris tenu par la veuve du gangster marseillais Carbone, lui offre ses services : René Bolloré. Ce Breton de trente-cinq ans, bouille ronde, ton de paysan gaillardement primesautier, a fait la campagne de Normandie. Engagé volontaire dans les Forces françaises libres en mars 1943 à Londres par le réseau «Alliance», il a repris ses activités dans l'entreprise familiale de papier à cigarettes implantée sur les rives de l'Odet, en Bretagne, et restée en demi-sommeil pendant l'Occupation. «J'ai connu Arletty en 1947. C'est Gaby Morlay qui me l'a présentée. Elle était extrêmement amusante et intelligente. Très typique, très parisienne, très perspicace, riant beaucoup. Plus Auvergnate qu'on ne le croit. Je l'ai rencontrée une année à La Chaise-Dieu, elle m'a dit : "L'Auvergne, c'est mon vrai pays." C'était une femme très remarquable, qui avait des jugements très personnels et très drôles. À l'époque, elle ne pouvait pas circuler librement. Des types qui la prenaient pour une collaboratrice la menaçaient. Des officiers résistants, dont le colonel Rémy, un ami de Guitry, ont fait en sorte qu'on lui foute la paix [265]. Comme j'avais été agent de liaison entre le SHAEF – *Supreme Headquarters Allied Expeditionary Forces* [266] d'Eisenhower et la Sécurité française, j'ai pu lui faciliter ses déplacements à Belle-Île [267]. »

Bolloré lui présente un ami peintre de Pont-Aven qu'il charge de superviser l'installation de la petite maison, sans prétention même si les murs blancs et les volets bleu turquoise lui donnent du cachet. Au rez-de-chaussée, Bolloré fait aménager une haute cheminée en granit qui fait la fierté d'Arletty et, sous la charpente, un «dortoir» cloisonné de paravents, avec poutres apparentes vernissées. «Dites-moi un jour les fleurs que vous aimez et celles que vous n'aimez pas, car il y a trop de danger à naviguer sans cartes marines», lui glisse-t-il incidemment dans un billet.

Arletty est de quatorze ans son aînée, mais René Bolloré, jeune homme énergique, n'est pas insensible à sa personnalité. Son «secteur sentimental est au plus mal», comme il le lui confie. Le sien, à elle, est douloureusement stationnaire.

«Bolloré, un très chic type. Il fournissait l'papier chez Gallimard. Avec lui, j'suis allée à Istanbul vendre des cigarettes. "Si vous les aimez bien roulées, papier OCB", disait la réclame. C'était l'nom de la marque. Il avait le béguin. Il voulait m'épouser.»

«L'épouser? non, j'étais marié avec Lyne Clevas et j'avais deux jeunes enfants! se défend amusé René Bolloré. Elle était plus âgée que moi. Je me considérais comme un jeune homme vis-à-vis d'elle [268]. » Au fil des entretiens pourtant, ses dénégations s'effilochent : «J'étais jeune. Peut-être qu'au fond j'ai eu le béguin pour elle, mais elle n'avait aucun intérêt pour les hommes. Au Plaza, elle recevait ses amis, des hommes pas très masculins, des femmes pas très féminines. Elle s'intéressait surtout à son métier [269]. »

Cela ne l'empêche pas de le suivre dans un voyage d'affaires d'une semaine à Istanbul où elle joue, pour ainsi dire, l'agent commercial de luxe. «Son prestige était considérable [270]», reconnaît René Bolloré. Elle présente deux films à une société de distribution turque, visite une école française. Là, stupéfaction : les élèves connaissent les répliques d'*Hôtel du Nord*. Mais une large partie de son emploi du temps est consacrée au tourisme et à l'émerveillement. Quelle sensation, pour elle, de se trouver au carrefour de l'Orient et de l'Occident, dans la ville qui a vu naître Soehring! Quelle émotion de découvrir le dôme de Sainte-Sophie hérissé de minarets, de flâner dans les jardins de Topkapi, de respirer les parfums épicés du grand bazar! Le programme des réjouissances la conduit à goûter la fraîcheur de la citerne de Constantin, à arpenter la grande mosquée Bleue, à parcourir le musée des Armées, à contempler les eaux du Bosphore du haut du café Loti, à fumer le narguilé. Leur dernière soirée est consacrée à une revue turque. Divertissement assuré.

À l'aller comme au retour, deux courtes escales lui permettent, à Rome, d'aller manger un plat de pâtes chez Alfredo, où Guitry l'avait emmenée en 1937 ; à Athènes, d'admirer les splendeurs antiques du Parthénon.

« Là-bas, c'est pas le dieu, c'est les dieux. J'ai vu une bande de dieux. Ils font corps avec le ciel. J'suis restée que quarante-huit heures à Athènes, malheureusement... Des fortiches les Grecs, les Auvergnats, à côté, ils sont en dernière ligne. »

De retour à Paris, l'isolement qu'Arletty a ressenti durant l'épuration s'estompe au rythme des visites qu'elle reçoit dans sa chambre d'hôtel du Plaza. « Elle voyait beaucoup de monde, Geneviève Fath, Mistinguett et le danseur Roland Petit, se souvient Bolloré. C'était amusant pour moi qui étais un campagnard [271]. » L'épouse-mannequin du couturier Jacques Fath, dont les magazines américains *Life* et *Vogue* publient à chaque collection la jolie silhouette, se révèle une mondaine à la dent si dure qu'écouter le récit de ses soirées hollywoodiennes ou cannoises, les jours de gala ou de festival, est un vrai régal. Le ton est direct, un rien snob. Elle houspille son monde, se désole du manque d'ardeur de ses galants, se paie des audaces qui feraient rosir un couvent de jeunes filles. Ses commérages, colorés et piquants, sur des soirées à Beverly Hills, déclenchent de francs fous rires. Elle juge que Charles Boyer ressemble à « un marchand de marrons » avec son sempiternel chapeau, Barbara Stanwyck à une « sécularisée » – « *O dear, dear*, quelle déception ! » –, son mari Robert Taylor à « un mannequin *for* cartes postales ». De Ginger Rogers, elle retient la « laideur » et la « vulgarité », de James Cagney « le visage d'un gros poupon un peu nain », etc.

Avec Mistinguett, Arletty s'amuse autant. Notamment des jugements à l'emporte-pièce sur les beaux garçons qu'elle remarque, à plus de soixante-dix ans, avec la même gourmandise qu'au temps où elle dévalait, empanachée de plumes d'autruches, le grand escalier du Casino de Paris.

« D'Athènes, elle m'avait envoyé une carte postale d'un jeune et bel evzone quand j'étais au Plaza. Au dos, elle avait marqué : "un échantillon de mon nouveau flirt". Elle était jamais vulgaire Miss...

Elle souriait, mais s'marrait pas… Elle avait, il faut dire, aucun sens de l'Art. Spinelly, elle, avait le sens de l'Art. »

Roland Petit, lui, est pratiquement le voisin de palier d'Arletty dans le palace. Descendu au Plaza Athénée, avec l'argent de papa et maman, il a à peine vingt ans, l'élégance de la jeunesse, une grâce ailée. Elle le prend en sympathie, l'entraîne dans sa petite Simca 5 crème sur les traces de son enfance à Puteaux, Courbevoie, la Défense. « Mon cher danseur, si vous avez des économies, investissez ici, achetez une de ces vilaines maisons, elle vaudra bientôt de l'or [272] », lui dit-elle. Ensemble, ils jouent aux échecs, assistent aux adieux pénibles de la Miss sur la scène de l'ABC, se rendent aux obsèques de Léon-Paul Fargue, poète noctambule assidu des cabarets de Montmartre dans les Années folles, qu'Arletty a souvent croisé.

« Il louait un taxi pour la nuit, et parcourait Paris en tous sens. À l'époque, fallait pas être très riche pour s'offrir ça. J'aimais le personnage, sa gentillesse. J'admirais sa culture. »

André Malraux et Jules Romains ont bravé le froid sibérien pour être présents à la cérémonie religieuse de Saint-François-Xavier, tout comme les patrons des grands bistrots : Moyses du Bœuf sur le Toit, Cazes de chez Lipp. En robe noire très courte, bottes et manteau blanc à capuchon, Arletty se tient un peu en retrait, comme une apparition.

Avec Roland Petit, elle fait aussi le tour des restaurants les plus chics et les plus pittoresques de la capitale. « Notre lieu de prédilection était *Chez Manouche*, où les habitués s'interpellaient d'une table à l'autre pour se raconter les histoires drôles de la vie parisienne, écrit-t-il dans son livre de souvenirs. Manouche avait une langue très aiguisée qui faisait mouche à tous les coups. Arlette, avec son côté madone des faubourgs, lui donnait la réplique, l'ambiance était plutôt joyeuse. Seul, assis au bar, un tout jeune homme, avec gourmette et chevalière en or, ne riait pas et ne participait pas à la gaieté générale. C'était un jeune chanteur, qui pensait à la grandeur de son art, pendant que Manouche lui servait de *public relation* et vantait ses talents artistiques. C'est vrai qu'il était beau gosse, bien astiqué, déjà sûr de lui, le futur crooner de la chanson française. Manouche, avec un clin d'œil qui en disait long, vantait pour finir ses dons d'accent marseillais, "pas une petite chose" [273]. »

Montand, puisque c'est de lui qu'il s'agit, se déride une fois au moins, en mars 1949. Il est à la table d'Arletty, hilare, avec Mistinguett et Tino Rossi.

De fait, Arletty aime la compagnie des jeunes gens, leur disponibilité, leur fougue, leur enthousiasme, leur goût de la liberté, cette idée que tout est possible tout le temps ; bref, le souvenir de ses vingt ans. Par Roland Petit, elle fait la connaissance de trois garçons de moins de vingt-cinq ans : Robert Petit, alors chef machiniste du chorégraphe, sans lien de parenté avec son homonyme.

« Un cœur ! »

James Lord, écrivain américain établi à Quimper qui deviendra le modèle d'Alberto Giacometti.

« C'est lui qui m'a apporté *Le Procès* de Kafka. C'est Alexandre Vialatte, un Auvergnat, qui l'a découvert et le premier traduit en France. »

André Beaurepaire, peintre-décorateur en vogue né à Paris, dans un hôtel particulier proche de celui du célèbre docteur Petiot, de sinistre mémoire.

« Beaurepaire, c'est mon p'tit chéri. Son grand-père avait les usines de papiers Navarre à Ambert. Là, on est dans les deux cents familles pleines de fric. »

Tous trois lui servent à tour de rôle de compagnons de sorties, au théâtre, à dîner, à Belle-Île, à Collioure. Elle leur restera attachée jusqu'à sa mort.

Mais la diversion que lui procure leur compagnie, aussi agréable soit-elle, ne compense pas, loin s'en faut, l'absence cruelle de Soehring, à qui elle rapporte, pour le détourner de sa délectation morose, de petits échanges captés ici et là. Comme celui-ci, un soir, lors d'un entracte.

« 24 janvier 1948

Faune,
au fumoir :
Durand : Jouez-vous au bridge ?
Dupont : Non.
Durand : Faites-vous mimi ?
Dupont : Non.
Durand : Vous vous préparez une drôle de vieillesse !
Bonsoir. Biche. »

Tout est bon pour se rappeler à son souvenir, pour se rapprocher de lui, ne serait-ce que par procuration. Roland Petit, qu'elle suit dans ses créations de ballets à Paris – *Les Forains*, *Le Jeune Homme et la mort*, *Le Rendez-Vous* –, doit partir en tournée en Allemagne. Elle le recommande à son amant. Depuis qu'il a lu dans la presse que des volontaires allemands de la zone d'occupation américaine pourraient être autorisés à travailler en France, Soehring est prêt à devenir mécanicien auto, jardinier – l'hypothèse de son embauche au château de La Houssaye chez les Bellanger est envisagée – que sais-je encore. À Paris, Arletty peut compter sur des amis sûrs qui se donnent beaucoup de peine afin de favoriser sa venue. Elle s'active auprès de Jean-Paul Sartre pour le placer comme traducteur allemand de son œuvre, en prenant garde de lui cacher son identité. Crainte de menaces, de représailles, elle ne veut en aucun cas qu'on soupçonne qu'il s'agit de Soehring. De son côté, lui voudrait qu'elle vienne à Munich, où *Les Enfants du paradis* triomphent, jouer *La Putain respectueuse* de Sartre, célébré outre-Rhin.

« J'lui ai répondu : *"money talking only* [274]*"*. S'ils veulent m'engager, qu'ils voient d'abord ma cote en Amérique », dit-elle, pensant à Geneviève Fath qui, de retour de New York, venait de lui parler du succès extraordinaire de Garance outre-Atlantique.

L'insolence des apparences dissimule mal l'angoisse de la séparation qui s'éternise, malgré le répit que lui offre le bref séjour qu'Arletty effectue au nouvel an 1948 auprès de Soehring, un séjour endeuillé par la mort de sa mère. Sitôt rentrée à Paris, l'impression de vide reprend le dessus, en ces mois où, professionnellement, elle tangue au creux de la vague.

« Lundi 8 mars

Faune,
À voir défiler ces dates, j'ai le cafard ! Pour Lélette, l'amitié de cette femme dépasse les petits ennuis que ces démarches ont pu causer. Il est évident que nous aurions dû demander ce questionnaire [275] avant que de les entreprendre.
Sar[tre]... Heureuse si tu pouvais réussir auprès de ton éditeur et aussi d'adapter ses pièces. Mais, je te répète, il fait partie d'un réseau ju[if] Fr[ançais]. Aussi, tiens-moi au courant de ses réponses. Il m'avait donné *Huis clos* à tourner ; mais la censure... Ici, il a des disciples, mais on le prend à la rigolade ! Tes projets pour Munich, de jouer au théâtre avec

toi, j'en serais ravie (malgré mon peu de goût pour les cabots!); mais je crois que tu vas aussi vite que pour Yalta [276]! Car, si tu peux t'exprimer librement dans ton pays, moi, tout m'est interdit, et ce, parce qu'on me jette perpétuellement ton nom à la tête! C'est un cas unique! Je ne désespère pas de te voir arriver à Paris – *via* littérature, théâtre, etc. – et moi, toujours à l'index… Aussi, souviens-toi de ce que je t'ai dit en te quittant sur le quai : je ne peux plus agir… toi seul… peux venir à mon aide.

J'ai fait encore deux tentatives pour un film qui ont échoué. Je crois que mon tour est venu du secours de la "pierre [277]".

Ici, grand mouvement au théâtre. J'ai déjeuné avec Sartre et Jean Genet, type assez bizarre. Sartre est en plein dans les répétitions de sa nouvelle pièce [278] qui passera à Antoine chez Simone Berriau, la gonzesse d'Yves Mir[ande] de triste mémoire (c'est sa fille [279] qui a créé *La Putain respectueuse*). C'est un sujet politique… Vu *Le Maître de Santiago* de ce masturbé de Montherlant! Pièce grotesque! la mode est aux *Reines mortes*… *Ruy Blas* et autres conneries! Je m'intéresse beaucoup aux ballets, là au moins il y a de la beauté!

[…] À propos as-tu reçu la chemise bleue? Si, par hasard, tu venais à Paris dans d'autres conditions, descends chez Lélette à La Houssaye, ou chez Christiane [280]. Beau sujet de roman policier que *Drôle de jardinier*. Tu es toujours celui pour qui rien au monde…

Biche. »

Que Sartre se serve du théâtre comme expression politique agace Arletty. Au message philosophico-idéologique, à la vogue existentialiste, elle préfère, sinon le divertissement qui lui a apporté la reconnaissance du public, du moins les textes indémodables des grands classiques : Racine, Corneille, Molière, Beaumarchais, Musset. Des auteurs qui parlent à ses sens autant qu'à son intelligence, et, pour certains, usent volontiers du comique pour exprimer la nature de l'homme, sa bonté, ses petitesses, son courage, sa lâcheté, son humanité. La laideur de Sartre, qu'elle détaille un jour où il lui rend visite à son hôtel, l'épouvante.

« Quand je suis descendue, j'ai dit : "Où il est, M. Sartre?" Je me suis retournée. Il était tout petit… Un physique d'avorton. Mais un type épatant, généreux. Pas sectaire. Il m'a demandé de jouer dans *Huis clos*, sachant que je connaissais Céline. L'autre l'appelait "l'agité du bocal". Mais il s'en foutait de c'que disait l'autre. »

On ne sait quand, précisément, Sartre lui propose de reprendre au cinéma le rôle d'Inès, cette employée de poste lesbienne, confinée pour l'éternité dans l'enfer d'une salle calfeutrée avec un homme et une femme.

Créée en 1944 au théâtre du Vieux-Colombier, quelques semaines avant la Libération – «J'y étais. Un énorme succès» –, la pièce est tournée dix ans plus tard par Jacqueline Audry, avec Frank Villard (Garcin) et Gaby Silvia (Estelle). «La direction des acteurs [est] inexistante, jamais Arletty n'avait été mauvaise avant ce film», sabre, à droite, Claude Mauriac, dans *Le Figaro littéraire*. À gauche, André Bazin constate dans *France-Observateur* : «À l'exception d'Arletty à qui l'ancien rôle de T[ania] Balachova ne va guère (mais qui chante *La Rue des Blancs-Manteaux* de façon inoubliable), la distribution me satisfait [281]. »

Avec Genet, l'écorché vif à la gloire naissante, ballotté de maisons de correction en prisons pour chapardages, elle se sent instantanément à l'unisson.

«Pour lui, j'étais l'troisième sexe. Il était très correct avec moi. J'crois sans m'vanter qu'il m'aimait bien. On sortait parfois ensemble. Il venait me chercher à l'hôtel pour aller dîner. Un jour après un bon repas bien arrosé, ça devait être en janvier 1948, on est allé sur les toboggans à une fête foraine, boulevard de Clichy. J'ai été malade !... À en avaler mon acte. Il m'a raccompagnée au Plaza, m'a déshabillée, m'a couchée, a appelé le médecin. Il était numéro Un, Genet. »

Peu de temps après, ils vont ensemble à une réception mondaine. Arletty promène la boîte en or de chez Cartier que Guitry lui a offerte pour la remercier de sa prestation dans *Les Perles de la Couronne*. On l'invite à danser. Encombrée par sa cassette qui renferme son tube de rouge à lèvres, elle la pose sur la table où il est assis, et, s'en remettant à la vigilance de l'auteur du *Journal d'un voleur*, lâche d'un regard complice : «J'vous la confie. » Genet éclate de rire.

Le soir de la création du ballet de l'écrivain, *Adame Miroir*, en mai 1948 au théâtre Marigny, Arletty, de noir vêtue, un turban de perles nacrées sur la tête, est à son bras. Sur la scène, Roland Petit danse, dans des décors de Paul Delvaux et des costumes de Léonor Fini. Musique : Darius Milhaud.

Jouer les pièces de Genet? Pourquoi pas? En mai 1957, le metteur en scène britannique Peter Brook lui propose d'être Irma dans *Le Balcon*, dont la création, cette année-là à Londres, scandalise l'auteur qui dénonce l'«assassinat de la pièce». Arletty apprend le rôle, s'applique à y mettre les accents toniques, mais les discussions entre le producteur, Genet et le directeur du théâtre s'enlisent et le projet capote. Trois ans plus tard, Brook monte finalement *Le Balcon*, non au théâtre Antoine de Simone Berriau, mais au Gymnase, avec Marie Bell dans le rôle d'Irma.

Ce qu'Arletty aime chez Genet, gosse de l'Assistance publique marqué au fer de la vie, c'est l'insurgé, avec sa «belle gueule» au nez cassé de boxeur, son regard d'une extrême douceur, son indépendance farouche, son caractère entier. Sa mémoire, prodigieuse, la fascine, comme son goût pour la liberté qu'elle partage et son aversion des bourgeois. Genet, qui a de la sympathie pour les voyous et les déclassés, aime les garçons. Arletty remarque le regard concupiscent qu'il jette sur Serge de Laroche, un jeune et beau producteur désireux de la faire tourner dans un film de son cru : *Buffalo Bill et la bergère.*

«Un film de tout repos, d'un conventionnel, pouvez pas savoir! Fallait bien que je recommence… Un marrant ce de Laroche, un astucieux. Un tombeur. Beaucoup de charme, russe apatride. Il avait séduit Genet qui m'avait avoué qu'il était triste de voir qu'entre eux deux ça ne marcherait pas. Il donnait l'impression que s'il ne se le tapait pas, c'était à cause de son âge qui le préoccupait.»

Tourné sur la Côte d'Azur à l'été 1948, le film, rebaptisé entre-temps *Madame et ses cow-boys*, ne sortira pas sur les écrans, faute d'argent, et sera longtemps porté disparu. Jusqu'à la découverte des bobines en 1987 [282] dans les archives de la cinémathèque de Porto-Vecchio. On y voit Arletty, directrice d'une colonie de vacances, recueillir des enfants jetés sur les routes de l'exode pendant la guerre.

Avec Genet, qui a la réputation d'un vagabond, elle s'amuse, lorsqu'il lui téléphone ou lui rend visite, à lui demander sa dernière adresse. Outre le rire, il y a entre eux une très grande estime. Quand Genet lui exprime la sienne, c'est avec humour, admiration, tendresse :

«Arlette bien-aimée,
Vous devez connaître aussi la difficulté d'écrire et vous me pardonnerez. Préoccuppée [*sic*] par votre travail – admirable préparations [*sic*] d'envoûtements massifs. J'ai cru que vous n'auriez pas le temps de lire une lettre de moi. Beaurepaire me dit que vous voulez mon adresse : donc vous ne m'avez pas oublié. Manouche me dit aussi que vous lui avez parlé de moi : donc vous m'aimez bien. Me voici tout fier. Si, par tant de gosses vous devenez maternelle, je rêve de me faire dorloter par vous.

Grasse doit vous fêter. Si je vais à Cannes ma première visite sera pour vous. Je vous emmènerai voir, à Nice, le cimetière… [ici le nom de ceux que nous nous avertissons de ne pas nommer quand nous allons chez des inconnus]. Je vous ferai connaître aussi mon petit gars, le petit Lucien [283]. Avant, je vous aurai dit bonjour, et je vous aurai embrassée. J'ai à peine le courage de vous demander des nouvelles de votre film. Votre beau visage, vos images feront passer les arêtes.

Je vous embrasse, mon Arlette bien-aimée, et j'ai le sentiment malheureux que ma lettre ne vous a pas dit mon cœur. Je vous aime.

Jean Genet. »

Qu'Arletty soit à Paris ou en déplacement sur un tournage, si l'écrivain vadrouille dans les parages, il fait un crochet par son hôtel, et invariablement lui laisse le même message pudique et amical à la réception : « Je suis passé vous dire bonjour. »

Son affection pour elle, empreinte de respect, est d'une teneur autre que celle que Céline lui témoigne. D'abord par personnes interposées, puis directement, du Danemark. Arletty reçoit de ses nouvelles par trois personnes : Marie Canavaggia, la fidèle secrétaire de l'auteur de *Voyage au bout de la nuit*, avec qui elle déjeune de temps à autre ; Thorvald Mikkelsen, son avocat danois qui parle un français parfait ; Albert Paraz, le romancier libertaire qui se démène comme un diable pour réhabiliter l'exilé.

« Embrasse Arletty pour moi. Je l'aime. On s'est dit au revoir sans grand espoir de se revoir… mais on a l'esprit du pays entre nous, l'âme des choses et de la Rampe. J'ai des nouvelles… Il paraît que ça va bien… J'en suis heureux… elle est au bout de ma chanson si déchirée. Qu'elle pense à moi passant par le rebord de la Seine… j'y suis toujours », écrit Céline, le 13 novembre 1947 à Paraz. Cinq jours plus tard, Paraz contacte Arletty, lui transmet le message et l'invite à lui rendre visite à Vence où, à quarante-huit ans, il s'est retiré pour raisons de santé.

« Il était tubard. Il avait la strepto[coccie]. Un brave type. Pas de talent. J'ai refusé de jouer des trucs de lui tellement c'était mauvais. »

L'ancien fakir au regard matois, né à Constantine et devenu littérateur de fortune après avoir exercé mille et un métiers, voue une admiration si entière à Céline, qu'il est prêt à tout pour le tirer des bords de la Baltique où il se morfond avec sa femme et ses chats. Il lui envoie des livres – en premier lieu les siens –, des coupures de journaux polémiques pour provoquer sa réaction, et l'informe de ses initiatives pour le faire à nouveau publier en France. Fort en gueule, Paraz s'improvise avocat afin de rallier l'opinion à la cause de son modèle en littérature. Arletty, d'abord, loue son courage.

Quand, en mars 1948, Céline lui expédie un synopsis de huit pages intitulé *Comme il peut*, qui, pour des motifs commerciaux, sera ultérieurement rebaptisé *Arletty, jeune fille dauphinoise*, cette dernière le dépose à la Société des auteurs et compositeurs de musique, sous son propre nom. Le subterfuge vise à éviter le tollé que ne manquerait pas de provoquer pareille initiative de la part de l'auteur de pamphlets antisémites avant guerre, aux prises avec la justice.

Résumé du scénario esquissé : un jeune couple parti évangéliser les tribus d'Afrique se retrouve la proie de forces démoniaques. Il s'enfuit en Amérique, mais le diable corrupteur le poursuit. Retour à Paris dans une boîte de nuit pour une joyeuse mascarade endiablée. Ici comme ailleurs, le Mal rôde, encore et toujours. La misère est partout, l'issue salvatrice improbable. Du pur Céline.

« On voit d'abord Arletty, jeune fille dauphinoise… de ce pays où l'on fabrique des petites jeunes filles jolies et fanatiques et huguenotes encore… Et puis allant à Paris… gagner sa vie… »

Arletty tente de placer le texte auprès de producteurs, sans succès. Son geste désintéressé lui attire les sollicitations de Paraz, qui l'incite à promouvoir son livre *Le Gala des vaches*, dans lequel il publie, aux éditions Deleplanque, des lettres de Céline. La main sur le cœur, Paraz jure que le but de l'opération est de sortir l'écrivain proscrit de sa captivité, de l'aider dans la perspective de son procès à venir. Divergences d'appréciation. Arletty pense qu'il cherche en fait à l'utiliser, prend ombrage de son insistance.

« Il vivait sur Céline et aurait bien voulu m'exploiter. On l'appelait le parasite. J'avais été le voir à Vence, il avait l'air d'un mendigot. C'est pour ça que j'ai accepté de vendre son livre. La presse s'en est emparée. Ça a fait un scandale. On m'a boycottée, j'ai été le bouc émissaire dans cette affaire-là. Ça m'a dégoûtée. »

Le 1er décembre 1948, dans un article titré « Les libraires de la trahison », le quotidien communiste *L'Humanité* menace Arletty de « la faire tondre ». Voyant cela, elle se ravise, adressant aussitôt à Paraz une mise au point :

« Je m'aperçois que les meilleures intentions sont défigurées, car ma pensée a été déformée. Certes, j'ai une grande admiration pour Céline (né, comme moi, à Courbevoie), que je tiens pour un très grand écrivain. Mais je n'irai pas au procès de Céline, dont je ne savais pas qu'il allait avoir lieu, pas plus que je ne suis allée ou n'irai assister à aucun procès. Je suis apolitique d'une façon absolue. Dans la vie, je vais assez souvent le nez au vent. J'ai eu, en présence de l'éditeur de Paraz, un mouvement de cœur, mais j'ai tout de suite vu que cela desservait Céline — et il est assez grand pour se défendre.

Enfin, mes amis, tous mes amis, me déconseillent vivement de présenter ce livre dans les librairies. Ils me "kidnapperaient" même, au besoin. En définitive, je veux vivre tranquillement, travailler en paix. J'y ai droit. N'en parlons plus. Salut. »

Informé presque au jour le jour des remous de l'affaire et du revirement d'Arletty, Céline lui donne raison : «Arletty a joliment bien fait de [se] planquer. Quand sonne le cor de la curée... C'est faire le jeu de la meute que d'aller cabrioler en plaine [284]. » Paraz tente de comprendre, de justifier sa conduite, de fléchir Arletty, d'apaiser son courroux. Elle réagit sans détours :

«Vendredi 23 décembre 1948

Mon cher Paraz,
Non, je ne suis pas d'accord... Vous, vous n'avez pas été touché... Tandis que moi : deux mois d'arrestation, soixante-quinze semaines de résidence surveillée à cinquante kilomètres de Paris, signature chez les gendarmes tous les huit jours (trois ans d'interdiction de travailler) épurée en juillet 1947 [285]. <u>Vous l'ignoriez, probablement</u> [286]. Car, je ne me suis pas fait de réclame avec cela, ni mémoires, ni chercher à attendrir le public! Alors qu'on ne parlait plus de moi, cette publicité de Deleplanque, "Arletty vendra le livre de Paraz où Céline reprend la parole", c'était une provocation! et vraiment, la défense de l'aveugle par le paralytique!
Les jaloux m'importent peu — et je ne suis <u>aucunement</u> influençable. J'ai eu tort de ne pas prendre l'avis de l'avocat de Louis-Ferdinand et de mon avocat avant d'accepter ces ventes. Pour moi, Céline est le plus grand écrivain contemporain et je l'aide plus en maintenant ce point de vue qu'en allant "cabotiner" dans les librairies.
Passez de bonnes fêtes et ne pensons plus à cela. Il n'y a que du cœur vis-à-vis de notre ami.
Amitiés. »

À l'occasion de sa visite à Vence, effectuée entre deux prises de vue de *Buffalo Bill et la bergère* tourné dans le Midi, Arletty répond à l'invitation d'Henri Matisse, le grand peintre âgé de soixante-dix-neuf ans, qui travaille à l'édification et au décor de la chapelle des Dominicaines de la ville.

« Il m'avait demandé de venir poser pour un portrait. Il travaillait de son lit à la maquette de sa chapelle. Il était déjà très malade, mais conservait une grande tenue. Il avait l'air sérieux des gens du Nord. Je portais un foulard dessiné par sa belle-fille. Il a fait des croquis de moi qu'il a gardés. Je n'ai pas osé lui en demander un. »

Quant à l'épisode fâcheux avec Paraz, il l'indigne et plus encore la lasse. Parce qu'il risque d'anéantir ses efforts pour être à nouveau avec Soehring. Comble de malchance, sa demande de visa pour Baden-Baden, ville où ils projetaient de se retrouver, est rejetée. Seule satisfaction : la publication à Munich du premier roman de Soehring, *Cordélia*, inspiré de leur liaison parisienne sous l'Occupation, qui lui est dédié de cette phrase en français : « Pour celle qui m'a dit d'écrire. » La dédicace fait sa fierté.

Arletty vit, durant ces jours, suspendue à son attente partagée par de rares intimes. En premier lieu, les Bellanger, toujours disposés à se porter garants, si nécessaire, d'un emploi de jardinier pour son amant. Depuis qu'elle a quitté sa résidence surveillée, pas une semaine ne s'écoule sans qu'Arletty ne passe un ou deux jours au château de La Houssaye. Pour le repos, la quiétude, l'affection qu'elle y trouve. Lélette, qui devine son désarroi, l'entoure discrètement de ses soins, l'aide à conserver son équilibre. Le jardinage, bien sûr, serait un expédient pour Soehring. À présent qu'il est devenu auteur publié – les autorités américaines basées en Allemagne lui avaient accordé un visa de censure –, il entend se consacrer à la littérature. La petite maison de Belle-Île, située à deux pas de la plage de Donnant, lui servirait de cadre idéal. Exposée plein sud pour jouir de l'ensoleillement, elle est entourée d'arpents de terrain boisé. Si seulement l'avancée des travaux pouvait la rendre habitable rapidement ! Encore faudrait-il que Soehring obtienne des Américains l'autorisation de sortir d'Allemagne, et des Français celle d'entrer dans l'Hexagone.

Auprès d'Arletty, quatre femmes s'activent sans relâche pour faciliter le retour de l'absent. Il y a d'abord Éliane Soutar, secrétaire générale de la société de réassurance internationale « Le Soleil », amenée à effectuer de fréquents voyages à l'étranger, notamment à Munich.

« Une grande belle fille très intelligente, la tête bien garnie. Première classe. Un peu le genre gars. Une grosse situation, très bien placée au gouvernement, des relations politiques importantes. Les Bellanger lui avaient donné un bout de terrain sur le parc du château pour qu'elle se fasse construire une petite maison. Une femme très forte. Elle a fini conseillère municipale de La Houssaye. C'était mon meilleur agent. »

La jeune femme se renseigne auprès du ministère de l'Intérieur pour savoir s'il existe un dossier concernant l'ancien officier de la Luftwaffe, rétrogradé au rang de sous-officier en 1943, en raison de sa liaison avec « une actrice française ». Dans les archives, elle ne retrouve qu'une demande de passage en zone libre sollicitée par Soehring en 1941 pour aller voir Arletty. Le document est signé Fernand de Brinon, représentant de Pétain auprès de l'occupant.

Avec son amie Simone Feissolle, avocate à la Cour de Paris, Éliane Soutar se dépense sans compter. La juriste qu'Arletty appelle « le petit maître » sert en quelque sorte de couverture officielle pour accélérer l'obtention de visas pour Soehring. Esprit délié et femme expérimentée, Simone Feissolle fait jouer ses entrées auprès du consul britannique à Munich, Philip Rosenthal, et, le cas échéant, ses relations à Paris, parmi lesquelles le grand résistant André Labarthe. Réfugié à Londres dès la signature de l'armistice, ce dernier fut très vite évincé du clan gaulliste en raison de ses idées d'extrême gauche. Il était soupçonné d'être un agent soviétique. Directeur de la revue *Constellation* à la Libération, cet ancien professeur de mécanique des fluides a rédigé un livre, *La Vérité sur la bombe atomique ou le Statu quo de la peur* que Soehring entreprend de traduire en 1948. Pour s'assurer de la justesse des termes techniques en version allemande, ne devrait-il pas demander à rencontrer l'auteur à Paris ? Telle est la suggestion que lui fait Simone Feissolle pour débloquer sa situation.

« Une femme parfaite. »

Jamais, dans ces démarches, le nom d'Arletty n'apparaît, ni ne doit apparaître. En ces temps mouvementés où des personnes malintentionnées font des offres de service pour mieux détecter les officiers allemands ayant occupé Paris, sa méfiance est extrême.

Fin 1948, peu avant la fin des prises de vue de *Buffalo Bill*, en proie à des difficultés budgétaires importantes, Arletty constate la dissipation de ses économies. C'est alors que, pour elle, Simone Feissolle se met en quête d'un appartement du côté du Trocadéro.

« J'étais complètement raide. La production n'avait plus de fric. À l'hôtel, je ne pouvais plus tenir le coup. Il fallait que je déménage. »

François Dupré, le patron du Plaza, lui ménage un an de sursis dans son palace, le temps de lui dénicher une chambre moins onéreuse au George-V. Là, au dernier étage de ce caravansérail, comme pour signifier qu'elle n'est que de passage, Arletty laisse toujours la clé sur la porte qui ouvre sur une pièce immense, meublée d'une grande table, de fauteuils et, une fois n'est pas coutume, d'un lit à deux places. À gauche en entrant, il y a la kitchenette et la salle de bains. Arletty ne possède qu'un petit guéridon Empire, un poste de radio et, posée sur un secrétaire, une machine à écrire pour son rare courrier. Elle préfère envoyer des photos dédicacées. Par la fenêtre, on aperçoit des milliers de cheminées, quelques marronniers. Les oiseaux sont à l'intérieur, sur le mur, peints en espalier au-dessus du divan sur lequel elle s'assied d'une façon qui sent le provisoire. À chacun de ses séjours à Belle-Île, elle libère la chambre, rangeant ses effets dans un débarras. Au loin, elle distingue le phare de la tour Eiffel et le carillon aigrelet de l'église américaine de l'avenue.

Ses ressources s'étant réduites comme peau de chagrin, Arletty exclut de subvenir aux besoins de Soehring s'il venait en France. À Éliane Soutar incombe la mission de lui trouver une situation lucrative – pourquoi pas dans les assurances ? Quant à l'héberger au George-V, c'est hors de question, étant donné le scandale qui éclaterait s'ils étaient vus ensemble. Il sera un moment envisagé de le loger chez Christiane Néré, une jolie femme avec de beaux grands yeux, sûre de ses charmes, et qui plaît aux hommes. Une coquette au théâtre. Elle a tenu un rôle épisodique dans *Crions-le sur les toits*, la revue montée à l'instigation de Guitry en 1937 avec un tas de vedettes dont Arletty. Le malheur de Christiane Néré a été de se produire chez Suzy Solidor et sur Radio-Paris sous l'Occupation, deux imprudences qui lui valent à la Libération un mois d'interdiction professionnelle [287]. Il faut dire qu'entre-temps elle était devenue intime de Rudolf Schleier, le ministre plénipotentiaire de l'ambassade d'Allemagne, qui n'hésitera pas, au moment de son procès en dénazification, à passer par elle pour recueillir des certificats de moralité auprès de diverses personnalités, Arletty comprise.

Du quatuor de femmes qui œuvrent pour venir en aide à Soehring, Christiane Néré est celle à qui est dévolue l'intendance, c'est-à-dire l'achat et l'envoi de colis de beurre et autres denrées introuvables après guerre en Allemagne.

Il y a enfin Mlle Yvonne Sériès, secrétaire de direction chez Cartier, le grand joaillier de la rue de la Paix. Elle a trente ans, des lunettes, le physique d'une jeune femme discrète et décidée, la confiance absolue d'Arletty, qui l'a surnommée Dominique en raison de ses activités secrètes durant les années d'Occupation et de guerre. « Elle trouvait que j'avais un côté diabolique comme la Dominique des *Visiteurs du soir*. Sauf que mon rôle n'était pas de déjouer les amours, mais de les rafistoler. Je travaillais à rapprocher les amoureux [288]. » C'est chez elle, dans son modeste appartement de la rue Sivel, à Denfert-Rochereau, que Soehring, débarqué discrètement à Paris à la veille des fêtes de Pâques 1949, habite durant une partie de son séjour de deux mois, sous le nom de M. Faune. Arletty, qui lui a offert son billet de chemin de fer, a été le chercher à la gare pour le conduire à la bonne adresse. Malgré la discrétion requise, elle rate l'effet recherché lorsque, majestueuse dans sa grande cape noire, elle descend de sa voiture au cœur de ce quartier populeux. Soehring s'installe incognito dans l'appartement situé au quatrième étage de l'immeuble. « Il se comportait en très grand seigneur, très gentil, très convivial, très élégant, très strict. Un soir qu'on dînait d'asperges tous les trois, elle était gouailleuse, lui raide. Je voyais bien que son accent "titi" le peinait quelque peu. Mais je ne lui posai pas de questions, par pudeur [289] », raconte Yvonne Sériès.

Seuls quelques fidèles, entièrement acquis, sont au courant de sa présence à Paris. « C'était ultrasecret. Mlle Arletty risquait gros, assure André Beaurepaire. Elle m'a dit : "Si on se parle, on se dit tout." Elle m'a tout dit puisqu'elle m'a fait rencontrer Soehring. Le peu que je me rappelle de lui est qu'il avait une certaine morgue. Un bel homme. La belle virilité, mais pas époustouflant de beauté. Un jour, il est venu à la maison, Mlle Arletty voulait voir comment il réagissait à mes dessins [290]. » Est-ce un manque de prudence de leur part ou la plainte d'un voisin qui, dans le climat de suspicion de l'après-guerre, éveille la curiosité du commissaire de police du quartier ? Soehring répond à la convocation qui lui est notifiée, le préfet intervient. Bien qu'en règle, il prend peur, boucle ses valises et gagne sur-le-champ La Houssaye, meilleur gage de confort et de sécurité.

Chez les Bellanger, Soehring est accueilli à bras ouverts. Ses hôtes sont parfaits, la journée radieuse. Une table recouverte d'une grande nappe blanche à carreaux et des transats sont tirés sur le large pont de pierre qui enjambe les douves. Rafraîchissements, détente ; le temps, d'un coup, s'est aboli. Les heures s'écoulent, calmes et tranquilles, à l'ombre de la façade en meulière du château. Jamais le rose des briques qui festonnent les ouvertures donnant sur le parc, et le bleu des ardoises de la toiture ne sont ressortis avec autant d'éclat. Soehring porte un chapeau de paille à larges bords et jugulaire pour se protéger du soleil de mai. Quelle drôle d'allure il a avec ses manches de polo retroussées, ses lunettes de soleil, sa pipe, ses manières mâles. Arletty, pantalon de lin et chemisier blanc, un turban entortillé au sommet du crâne, est assise à même le sol, à ses pieds, pareille à une biche terrassée. À l'occasion de son anniversaire, il lui a remis un exemplaire de *Cordélia*, assurant d'une dédicace : « Ce qui est à moi est à nous. » Elle devrait le croire, être confortée, rayonner. Au contraire, elle semble préoccupée, absente, triste lorsqu'on la surprend perdue dans ses pensées. Serait-ce les bouffées de souvenirs qui l'étreignent, la déception des retrouvailles qui la gagne, la perspective de vivre ensemble un jour qui l'effraie, ou le constat tout bête que quelque chose est définitivement brisé ? La vie simplement a repris ses droits. Une page est tournée. Soehring peut bien lui jurer que rien n'a changé, que rien au monde ne peut désormais les séparer, ses accents romantiques résonnent de manière nouvelle, inouïe. Lui, le « vilain petit canard » qui, jeune homme tourmenté, laissait son père désemparé face à sa vie sentimentale tumultueuse, ses hésitations, ses accès de dépression, a beau clamer son horreur des valeurs bourgeoises, se targuer de son nihilisme, proclamer sa passion pour l'écriture, Arletty éprouve le sentiment confus qu'un abîme les sépare, que, malgré leur amour mutuel, une force supérieure, faite de détachement, d'égoïsme, de solitude, lui interdit d'être à lui, et lui à elle.

Le 10 juillet 1949, une fois Soehring reparti, elle lui écrit :

« Faune
J'arrive de La Houssaye. Les Bellanger me chargent d'amitiés pour toi. Journée chaude. Je me promenais solitaire et je pensais à nos incompréhensions. Ce voyage que j'avais longuement préparé, désiré, cette tenue à laquelle j'étais astreinte.
La "confiance" qu'obligatoirement je devais donner à mes amis. Tu sais que je ris toujours quand j'emploie ce possessif !
Et puis de tout cela il résulte une froideur, une méfiance ! C'est drôle ! Es-tu satisfait de Réa ? Où en est le nouveau roman ? Elyane [*sic*] apprécie beaucoup la Bavière, l'été. Je suis sûre que c'est très beau. Je n'ai plus

besoin de te dire de la séduire pour ton "business". Bravo. Tu es champion comme dirait Freder[ic Général] [291]!

Fais mes amours à la tendre Hansi. Je ne sais pas orthographier son nom.

Oui, restons complices.

Je te vois, tu sais! et je ris de tous ces pitres puisque envers et contre tout je t'aime.

Simplement Biche. »

La rupture ne sera jamais consommée. La complicité, l'affection, la tendresse, le souvenir, demeureront. L'éloignement viendra bien sûr tout naturellement, entrecoupé à intervalles réguliers de coups de téléphone, de rencontres, que seule la mort de Soehring, le 10 octobre 1960 au Congo, interrompra.

Chapitre XV

Je m'occupe trop peu de l'offense pour m'occuper
beaucoup de l'offenseur.

ROUSSEAU

Il est une question récurrente que se pose l'entourage d'Arletty vers la fin des années quarante : de quoi vit-elle ? Comment fait-elle pour régler les factures du Plaza ? Chacun a sa petite idée. André Beaurepaire : « Elle avait mis de l'argent de côté. Elle était farouchement indépendante et ne voulait pas dépendre de qui que ce soit. À Belle-Île, moi qui ouvrais son courrier, je voyais passer des sommes rondelettes. Comme toutes ces Auvergnates, elle avait ce côté bas de laine [292]. » L'industriel papetier René Bolloré : « Elle était pratiquement hébergée par Dupré, le patron de l'hôtel. Chacun payait sa part comme pour les noces en Bretagne où on est trois cents. C'est un très bon système. Ça fait des choses très gaies [293]. »

Pour les cinquante ans d'Arletty, un important déjeuner est organisé dans la cour centrale du Plaza, réservée aux grandes réceptions.

« Très chic, c'est Bolloré qui me l'a offert. Y devait y avoir une dizaine de personnes… Chez mes parents, on n'fêtait pas ça, seulement la fête religieuse, la sainte Léonie, la saint Pierre… Très sobrement, avec un gâteau, une carte quand j'étais en pension en Auvergne. Les anniversaires, on a commencé à les fêter après la guerre de 1914. »

Le seul à ne pas apporter de réponse sur ses moyens de subsistance, c'est l'écrivain américain James Lord : « Je me suis toujours demandé comment Arletty pouvait vivre au Plaza en sortant de résidence surveillée [294]. »

Le décorateur Robert Petit, lui, est à court d'explication : « Pour moi, c'était un mystère. J'avais dix-huit, vingt ans. On s'voyait l'vendredi soir parce que c'était le jour de la paie hebdomadaire. Elle me disait : "On va à la cantine." La cantine, c'était chez Maxim's. J'réglais l'addition. Après, pour manger le reste de la semaine, j'achetais un litre de lait et deux cents grammes de viande hachée. De temps en temps, toutefois, au moment de payer, elle disait : "Ce soir Robert, en garçon !" Et elle me glissait un billet sous la table [295]. »

Arletty connaît certes trois ans d'inactivité, mais à la Libération ses biens ne sont ni saisis ni séquestrés. Ses dépenses sont réduites au strict minimum, sa seule acquisition conséquente a été sa petite maison belliloise à retaper. Son pécule, amassé au temps de sa gloire cinématographique, s'amenuise pourtant. Ainsi, lorsqu'elle trouve l'hôtel trop cher, malgré les conditions avantageuses d'hébergement qui lui sont faites, c'est pour envisager un moment d'acheter une garçonnière. Dans le même temps, elle sollicite du percepteur une déduction de ses frais engagés pour « tenir son rang » et des délais pour acquitter ses impôts. Rejet formel. Rien n'est simple. Arletty n'est pas aussi riche qu'on le croit, elle est aussi moins pauvre qu'elle le laisse à penser. « À cette époque, étoile sans film ni public, le portefeuille à plat, sa garde-robe se composait de modestes vêtements, constate Roland Petit. Seul luxe : cette chambre d'hôtel hors de prix, des draps de satin brodés d'un grand A, terminé par de sensuelles volutes et, au mur, Arletty par Van Dongen [296]. » Si la période est aux vaches maigres, les contrats de ses deux films inachevés, *La Fleur de l'âge* et *Buffalo Bill et la bergère*, sont honorés. Même si le producteur du premier, Nicolas Vondas, se fait tirer l'oreille pour verser le solde. Arletty menace de l'assigner. Avec Serge de Laroche, tout aussi infortuné à boucler sa production, pas l'ombre d'un nuage. Elle a un faible pour le personnage, charmeur et joueur, qui paie ses dettes. Pour ne pas rester sur l'échec de *Buffalo Bill*, il caresse le projet de lui faire interpréter une *Madame Bovary*, puis finalement lui offre une nouvelle chance de revenir − « sur la pointe des pieds » − dans *Portrait d'un assassin*, un film dont il est le conseiller technique. Arletty (Martha) interprète la femme de Brasseur (Fabius), petit motocycliste de foire mis au défi d'exécuter un double looping périlleux par une vamp ensorceleuse (Maria Montez). Pour ne pas survivre seule à la mort inéluctable de son mari chéri, elle se lance dans un numéro de casse-cou et se tue. Vengeance du jeune homme. D'un coup de revolver, il abat la femme fatale. Sans enthousiasme, la critique use de péri-phrases pour éreinter le scénario et ses prétentions dramatiques, sans trop esquinter les acteurs. «L'admirable Arletty lutte de son mieux contre une absence totale de caractère [297]», relève l'écrivain Henri Troyat dans *La Bataille*.

«Orson Welles devait superviser le film, mais il ne passait que pour critiquer. En définitive, c'est un type, Bernard Roland, qui l'a réalisé. Je m'accrochais, parce que si ça avait raté, je pouvais aller planter mes choux ailleurs… Y avait là-dedans von Stroheim avec qui j'avais tourné *Tempête* avant guerre, mais on n'avait pas de scène ensemble. Là, j'ai fait sa connaissance, y m'regardait d'un air de dire : "Celle-là, elle est pas claire…" comme si c'était moi qu'avais déclaré la guerre !… Je n'ai vraiment recommencé à jouer qu'en 1949, l'année de *Portrait d'un assassin* et du *Tramway*.»

C'est Simone Berriau, directrice de théâtre, qui au cours d'une rencontre fortuite, un après-midi rue de la Paix, lui remet le manus-crit de l'œuvre de Tennessee Williams, *Un tramway nommé Désir*, adaptée de l'anglais par Jean Cocteau. «J'aimerais ton opinion sur cette pièce, lui dit-elle. Je t'avertis : elle n'est pas pour toi, c'est une tragédie [298].»

Ah ! ces tramways !… Que d'émotions ils éveillent en elle. Tous les paysages de son enfance resurgissent soudain : le bruit de ferraille des machines dans la cour du dépôt à Puteaux, les jeux partagés avec les gosses d'immigrés italiens, la mort du père conducteur écrasé par son engin ; autant d'images, attendrissantes ou douloureuses.

D'une traite, Arletty lit la pièce, repère trois bonnes scènes mélo-dramatiques : une avec un télégraphiste, un monologue, et le final avec le docteur. Elle décroche son téléphone : «Tu as là une très bonne pièce ; elle me plaît ; si tu veux, je la joue», dit-elle à Simone Berriau éberluée. La productrice, qui jusqu'à présent n'avait pu la convaincre de faire sa rentrée au théâtre, reçoit le soutien immédiat de ses partenaires financiers, André Bernheim, un imprésario, Pierre Lazareff et Hervé Mille, directeurs respectifs de *France Soir* et de *Paris-Match*.

Le jour de la première répétition, fin août 1949, Arletty est nouée d'anxiété. Voilà six ans qu'elle n'a pas rejoué au théâtre. C'était en

1943, lors des soirées houleuses de la pièce d'Achard, *Voulez-vous jouer avec moâ*. Sa sortie sous les huées lui fait encore mal. Malgré le temps écoulé. Sans la bienveillance de Raymond Rouleau, le metteur en scène, et de ses camarades, Arletty affirme qu'elle se serait enfuie. D'autant qu'une phrase du texte l'indispose : « J'ai toujours été à la merci d'étrangers. » Redoutant que des spectateurs s'en saisissent pour la chahuter, elle suggère de la remplacer par : « J'ai toujours été à la merci d'inconnus. » Cocteau accepte.

Daniel Ivernel, jeune comédien de vingt-huit ans alors assez peu connu, la revoit aujourd'hui encore à son arrivée au théâtre Édouard-VII : « Il était deux heures moins le quart, les répétitions commençaient à deux heures. Y avait personne dans la salle. À un moment, je l'ai aperçue dans les coulisses, elle a traversé le plateau pour venir vers moi : "Bonjour, j'm'appelle Arletty." J'la connaissais par ses films. Elle savait pas qui j'étais, ne s'occupait pas d'théâtre. Elle avait l'air de vivre hors du temps. Elle était d'une extraordinaire obéissance aux indications de mise en scène, écoutait Rouleau comme une petite élève. Elle avait un genre populaire, et c'est très rare. Son rire était prodigieux. Je jouais son amoureux. Personne ne donnait du talent à ses camarades comme elle. J'étais impressionné. Trois personnes ont compté dans ma vie : Albert Camus, Gérard Philipe et Arletty. J'ai été frappé chez elle par cette façon de donner la réplique, tellement juste qu'on en devenait juste nous aussi. Elle donnait du talent aux autres, valorisait ses partenaires par sa générosité. Avant les représentations, j'passais dans sa loge. Ça m'faisait du bien. Un jour, elle m'a reçu en slip, avec juste un truc sur les seins. Elle était comme une déesse. À cinquante et un ans, pas un poil de graisse [299] ! »

Sur scène, les épaules nues, Arletty porte une robe longue en tulle signée Pierre Balmain. Le visage est grave, le rôle qu'elle incarne à cent lieues de ceux légers et comiques qu'elle a jusque-là interprétés au théâtre. Blanche Dubois apparaît en effet comme une sorte de déséquilibrée, épouvantée de constater que les rêves de luxe qu'elle a poursuivis sa vie durant se fracassent les uns après les autres. Le ressort mélodramatique des dialogues est si fort qu'il faut toute la retenue naturelle d'Arletty pour donner une certaine vérité au personnage. Pas d'emphase, de la sécheresse. Nul effet, de la sobriété. Une économie de gestes, qui ôte à l'héroïne tout caractère hystérique. C'est ainsi qu'Arletty conçoit l'art de la tragédie et le sert, avec ce côté énigmatique si personnel.

« Le masque de la tragédie, c'est plus fort que moi, ça me fait rire. C'est comme les gonzesses qui chialent au théâtre, on peut pas le croire. Ça ne peut pas même marcher, c'est absolument fini. La grande émotion n'a pas besoin de larmes. Les larmes, c'est un truc. Gaby Morlay maîtrisait ça comme elle voulait. Yvonne Printemps pleurait sur commande. Yvonne de Bray, la maîtresse d'Henry Bataille, aussi. À chaque pièce qu'il lui écrivait, il mettait dans la marge : "À ce moment-là, tu pisses." Moi, j'ai dû pleurer une fois dans un film, avec des gouttes artificielles. Faire rire les gens, c'est bien plus difficile. Dans la vie, je ne pleure pas, à la différence d'une Marie Laurencin. La dernière fois qu'j'ai versé une larme, ça devait être physique, nerveux... Impossible de m'avoir, sauf avec de l'oignon. »

Dans la pièce de Tennessee Williams, le déséquilibre qu'Arletty exprime par touches successives croît jusqu'au vertige. Funambule, elle avance sur un fil invisible, prêt de se rompre, qui séparerait la raison de la démence. Elle joue, sans composer. Pour colorer son interprétation, il lui suffit d'être elle-même, égarée, sincère avec, dans le regard, ces ombres noires qui rembrunissent son visage.

Le soir de la générale, une femme vieillie frappe à la porte de sa loge : Mme Gérard d'Houville, la mère de son ami Tigre de Régnier, merveilleux compagnon de ses sorties nocturnes à Montmartre dans les Années folles. Émotion. Un peu plus tard, Georges Braque se présente et lui demande de poser pour un film consacré à sa technique picturale. Sur la pellicule, Arletty choisit d'apparaître nue, de trois quarts dos, alanguie dans une orgie de velours et de satin drapés dont un pan lui recouvre joliment les hanches. L'indolence de la scène est concentrée dans l'expression du visage que réfracte un miroir ovale qu'elle tient dans sa main droite. La pose rappelle à la fois l'*Odalisque* de Manet et *Les Baigneuses* d'Ingres.

« Il était très joli garçon, Braque. Sans doute le plus beau des peintres que j'aie rencontrés. »

Pour la remercier, l'inventeur du cubisme, alors âgé de soixante-sept ans, lui offre une eau-forte dédicacée représentant un bouquet de fleurs posé sur un guéridon.

Un autre soir, un garçon d'une vingtaine d'années surgit sans s'annoncer dans les coulisses du théâtre. C'est un petit marchand d'ail rencontré sous l'Occupation, dans les couloirs de la station de métro Opéra. Il avait alors quatorze ans, pas de domicile, une photo d'Arletty glissée à l'intérieur de sa casquette, dans le galon. Elle l'avait immédiatement invité à venir quai de Conti, lui offrant le gîte et le couvert. Sa vivacité de colibri a fait le reste : il est parti comme il est venu.

« Ce sont des aventures de guerre à Paris. Il était vendeur à la sauvette. Charmant physiquement, un vrai p'tit Parisien. Il est venu me voir dans *Un tramway*. Après, on s'est peut-être revu pendant vingt ans. Puis, plus rien, je n'ai plus jamais eu de nouvelles. »

Marlon Brando, qui, à la création mondiale de la pièce à New York, a écrasé, par son talent, les autres personnages, vient, lui aussi, applaudir Arletty. L'admiration est réciproque, les sourires, qu'immortalise le grand photographe de presse Walter Carone, complices. Elle est assise dans l'herbe, lui tend une main chaleureuse pour l'aider à se relever. À l'écrivain américain Truman Capote, Brando confesse : « Bon Dieu, quel film merveilleux, *Les Enfants du paradis*! Peut-être le meilleur film qu'on ait jamais fait. Vous savez, c'est la seule fois où je suis tombé amoureux d'une actrice rien qu'à la voir sur l'écran. J'étais fou d'Arletty. […] J'étais vraiment amoureux d'elle. La première chose que j'aie faite lors de mon voyage à Paris fut de demander à rencontrer Arletty. Je suis allé la voir comme on part en pèlerinage. La femme idéale. Pouah! » Il frappa sur la table. « Quelle horreur, quelle désillusion! C'était de la camelote [300]. »

Un tramway nommé Désir reçoit un accueil fantastique. La mode, en cette période d'après-guerre, est à la découverte du théâtre américain. Tennessee Williams a du savoir-faire et des interprètes renommées. À Londres, le rôle tenu par Arletty revient à Vivian Leigh, la jeune et jolie Scarlett O'Hara d'*Autant en emporte le vent*. Un mardi, jour de relâche, Arletty va l'admirer au Sadler's Wells.

« Extraordinaire sur scène, elle avait l'air d'une lady déchue. Elle était pleine de drogue à ce moment-là. Je suis allée dans sa loge, où se trouvait Laurence Olivier qui vivait encore avec elle. Je lui ai demandé un autographe, je crois bien que c'est la seule fois de ma vie que j'ai fait signer une photo à un acteur. »

Une fois achevées les représentations du *Tramway*, resté une saison à l'affiche à Paris, Arletty renoue avec la revue, dont elle s'était détournée plus de dix ans auparavant, juste avant que le genre ne s'essouffle complètement. Un choix qui surprend et déroute les critiques ayant assisté à l'éclosion d'une tragédienne.

« Je ne voulais rien prouver, juste me faire plaisir. »

La Revue de l'Empire, donnée dans la salle du même nom avenue de Wagram, est un spectacle, dans la pure tradition d'avant-guerre, en deux actes et vingt tableaux. Devant un kiosque à journaux où s'étalent les mauvaises nouvelles, Arletty chante, optimiste, sur des paroles de Willemetz et une musique de Maurice Yvain :

> « *La femme d'aujourd'hui a le droit de voter*
> *Ell' peut êtr'ministre, avocat', député*
> *Et même le progrès lui permet, c'est inouï,*
> *Sans amant ni mari,*
> *De fabriquer un baby...*
> *Mais en attendant... Mais en attendant*
> *Ce truc épatant*
> *Sauf pour l'agrément*
> *On continue à bien s'aimer quand même*
> *On a recours encore au vieux système* [301]*... »*

Elle joue aussi des sketches d'André Roussin et de Ded Rysel, fait des imitations – une d'Édith Piaf dans *La Vie en rose* qu'elle parodie avec mordant, une autre d'Ingrid Bergman, qu'elle campe, vêtue d'une cotte de mailles dorée, en Jeanne d'Arc, dans *La Biennale de Venise*. Un retour aux sources en quelque sorte puisque, à ses débuts, au temps des images sautillantes du muet, Arletty a participé à un concours en vue d'un film sur la Pucelle.

« Jeanne d'Arc ou Napoléon, faut pas attaquer ces personnages-là. Ni au théâtre ni au cinéma, ou alors à la rigolade, comme dans *Madame Sans-Gêne*. Tous ces types-là, pour les dégommer, faut les imaginer en train de chier. Vous avez déjà essayé ? C'est très amusant de déshabiller les gens. Très drôle. C'est tout à fait mon truc. Ça m'est arrivé de le faire, surtout dans des cas graves... Le Vigan a fait le Christ dans un film de Duvivier [302], ça lui a porté la poisse. Moi, mon rayon, ce serait plutôt les rois fainéants... »

Joseph Delteil, coscénariste avec Carl Dreyer de *La Passion de Jeanne d'Arc*, joué par Falconetti en 1930, croit, en revanche, qu'Arletty possède le physique de son héroïne. « Ayant longuement contemplé Arletty (ce dont je devrais peut-être m'excuser), je reste d'avis, plus que jamais, qu'elle sera une <u>véritable</u> Jeanne d'Arc (elle en a notamment l'œil perdu), écrit-il à la fin des années trente à un ami d'Arletty. Un jour viendra, comme dit la chanson... » La lettre de l'écrivain est postérieure à l'interprétation de Falconetti.

La revue, pour Arletty, c'est l'art du déguisement, le divertissement majeur des gens fortunés des Années folles, époque où le couturier Paul Poiret organisait des fêtes somptueuses. Chaque soirée avait son thème. Pour celle des « agapes », les invités, parés des costumes les plus fous, s'étaient habillés, qui en poire, qui en écrevisse, qui en bouteille de champagne. Dans les années cinquante, Arletty garde encore ce goût prononcé pour la fantaisie vestimentaire. Un soir, elle entraîne le décorateur de théâtre Beaurepaire au bal d'Orcel, grande fête extravagante de l'après-guerre organisée dans l'hôtel particulier d'une demi-mondaine entretenue par le patron des magasins du Bon Marché. Thème de la soirée : l'Olympe. Pour être au diapason des duchesses et des artistes qui, sous les traits de héros mythologiques, se bousculent dans les salons, ils se sont fait la tête de Castor et Pollux, les jumeaux célestes, nés des amours de Zeus et de Léda. Affublé chacun d'une cape à collerette froncée et d'un casque en feutrine romain à jugulaire, les jambes moulées dans des collants et des bottes blanches à talons, ils sont unis par un long ruban de soie. Les autres invités, hommes et femmes, indifféremment, sont soit en tunique courte, les pieds sanglés dans des sandales à lacets, soit enveloppés dans de larges étoffes chatoyantes qui balaient le sol. Ce sont les guerriers, déesses, demi-dieux d'un soir, un peu grotesques. Les anachronismes sont tolérés : un chapeau melon est orné d'ailes de chérubin. Le couturier Pierre Cardin parade ; Orson Welles, le réalisateur de *Citizen Kane*, se distingue autant par un nœud papillon et un costume sombre qui détonnent sur le reste des accoutrements que par son visage poupin encore imberbe. « La Rolls du Plaza nous dépose faubourg Saint-Honoré ! Le lendemain, nous avons les honneurs de *Life* [303]. »

À cause de son esprit farceur, un peu fou, prêt à tout, Arletty apprécie Beaurepaire, jeune homme disponible et rieur qui fond d'adoration pour elle et lui lance des regards éperdus. Son surnom : « King ». Un jour, de Collioure, Arletty l'emmène en voiture jusqu'à Font-Romeu, puis Barcelone. Soudain, elle s'arrête au bord de la route, lui propose d'échanger ses vêtements contre les siens. Sitôt dit, sitôt fait. Il enfile son pantalon, son maillot marin, coiffe son béret basque. Elle met sa chemise blanche, noue son ascot en soie autour du cou, passe son habit de dandy. Ils arrivent à l'hôtel Plaza. Clients et réceptionniste en étaient médusés.

Auteur des décors de *L'Aigle à deux têtes* de Cocteau ainsi que de

Haute surveillance de Genet, Beaurepaire partage ses fous rires et dessine à peu près tous ses costumes. Celui de Jeanne d'Arc à l'Empire, celui du bal d'Orcel, celui du 23ᵉ gala de l'Union des artistes de mars 1953, au cirque d'Hiver, où, en sari de cornac satiné avec turban, elle présente un numéro avec des éléphants. Une nuit d'attractions extraordinaires. Gérard Philipe en Monsieur Loyal, Kirk Douglas en photographe amateur, François Périer et Marie Daems, le couple de jeunes mariés en acrobates cyclistes, font leur numéro, tandis que Nicole Courcel, suspendue à un trapèze, exécute un tour de force. D'un bond en arrière, elle se jette dans le vide et se rattrape *in extremis* par les pieds. Cris d'angoisse, salve d'applaudissements.

La jeune comédienne donne des sueurs froides au public, deux ans après avoir offert à Arletty des peines de cœur cinématographiques dans *Gibier de potence*, un film de Richebé adapté du roman de Jean-Louis Curtis. Pour sa première vraie grande création au cinéma depuis longtemps, Garance joue Madame Alice, une entremetteuse qui monnaie les charmes, auprès des dames, d'un jeune dévoyé joué par Georges Marchal. Celui-ci, tombé amoureux d'une héritière de petite noblesse, Nicole Courcel, veut reprendre sa liberté. Madame Alice se rebiffe. Dispute, menaces, gifles, un revolver est brandi. Elle trébuche, heurte une console en marbre, meurt. Scène intense, scène tragique. Dont le tournage fut douloureux.

Marchal saisit Arletty à la gorge et, de rage, comme l'indique son rôle, la projette contre le meuble. Au lieu de tomber dans les bras de l'assistant de Richebé, Pierre Gaspard-Huit, elle chute sur le sol et s'assomme. On la transporte sur un lit. Une fois revenue à elle, elle console Marchal, décomposé, et exige la reprise du tournage.

« Plus de peur que de mal. J'étais en rabiot. »

« J'aime beaucoup le personnage de Madame Alice, original et insolite. Le titre dessert le film [304]. » Il sort sur les écrans en octobre 1951. Une date qui met fin au purgatoire d'Arletty.

Malgré son absence prolongée des écrans, l'artiste n'est pas dévalorisée. Les producteurs continuent de lui signer des contrats de vedette de premier plan, aux conditions aussi avantageuses qu'avant-guerre. Pour *L'Amour, Madame*, de Gilles Grangier, réalisé juste après *Gibier de potence*, il est établi qu'en cas de défection du cinéaste, elle pourra donner son avis sur le nom du successeur. *Idem* pour le choix du chef opérateur qui ne peut être arrêté sans son accord. Reste que, des dix-neuf productions tournées au lendemain de la Libération, aucune ne lui permet de retrouver le génie de ses heures de gloire, même si son étoile n'en sort pas ternie. Le charme est rompu. Le duo Carné/Prévert, qui avait tenté de se reconstituer avec *La Fleur de l'âge*, est séparé. Depuis une chute accidentelle, en 1948, le poète-scénariste a perdu sa verve créatrice. Tombé d'une porte-fenêtre des bureaux de la Radio diffusion française sur les Champs-Élysées, il est resté trois mois dans le coma. Avait-il voulu se livrer à une de ses pitreries dont il avait le secret? Des années plus tard, alors qu'il rend visite à Arletty, il observe le crépuscule par la fenêtre grande ouverte et demande : «Quelle heure est-il?

— Dix heures et demie.

— Fermez la fenêtre, c'est l'heure où j'tombe.»

Analyser la filmographie d'Arletty des années cinquante comme des années soixante, c'est s'exposer à une litanie de films moyens, rehaussés seulement par sa présence, parfois drôle, parfois mélancolique, toujours acide. À l'exception du sérieux philosophique de *Huis clos* en 1954 et du pathos historique de la superproduction américaine *Le Jour le plus long* en 1962, tiré du livre de Cornelius Ryan, le reste se résume à une suite de comédies légères et sympathiques, jamais vulgaires, mais de facture médiocre, où les gags, jetés à la diable, apparaissent comme des figures imposées. Inutile d'ailleurs de lui demander d'en faire l'exposé, ou de s'étendre sur ses rôles, souvent anecdotiques. Ils ont glissé sur elle. À son habitude, Arletty se souvient surtout des raisons impérieuses – les impôts à payer – qui l'ont conduite à les accepter, ou des agréments qui ont accompagné les tournages.

Dans la première catégorie entrent *Le Grand Jeu* de Robert Siodmak (1953), *Mon curé chez les pauvres* d'Henri Diamant-Berger (1956), *La Gamberge* de Norbert Carbonnaux (1961), *La Loi des hommes* de Charles Gérard (1962), sans oublier *Vacances explosives* de Christian Stengel (1956), *Et ta sœur* de Maurice Delbez (1958), ou *Les Petits Matins* de Jacqueline Audry (1961).

Dans la seconde, on trouve *L'Amour, Madame* de Gilles Grangier (1951), *Le Passager clandestin* de Ralph Habib (1957), *Tempo di Roma* de Denys de La Patellière (1962).

Dans *L'Amour, Madame*, le charme de François Périer (François) a compté. Pour éveiller la jalousie d'une belle indifférente, il se prétend l'amant d'Arletty, distribuée dans son propre rôle. Les dialogues de Françoise Giroud, émaillés d'un nombre incroyable de titres de films de l'héroïne – *Un chien qui rapporte*, *Hôtel du Nord*, etc. –, relèvent du jeu de piste, ludique et charmant. Réalité et fiction s'entrecroisent. La présentation du film au Festival du cinéma de Punta del Este en Uruguay, en 1952, est pour Arletty l'occasion d'effectuer un périple d'un mois en Amérique du Sud.

« Y avait la Giroud avec qui j'ai partagé un bungalow pendant dix jours. Y avait aussi Daniel Gélin, beau gosse, qui m'amusait beaucoup. À notre arrivée à l'hôtel à Rio, une Brésilienne vient nous accueillir. Je vais pour me reposer dans le hall. J'étais pas assise que je me retourne, ils étaient tous les deux comme des ventouses avec leurs bouches. J'dis à Gélin : "Vous la connaissez ?" Y m'répond : "Non, on fait connaissance !" Un drôle de numéro, sympathique ! »

« J'étais déchaîné », reconnaît aujourd'hui Gélin, mandaté pour la promotion d'*Édouard et Caroline*, un film de Jacques Becker, également du voyage. « Au Brésil, Arletty était une ambassadrice aussi importante que Maurice Chevalier. De quoi on parlait… ? De cul. Fallait que je lui détaille mes fredaines. Quand je la retrouvais à l'hôtel ou ailleurs, elle me disait : "Alors, p'tit coq, raconte !" Elle était amoureuse de l'amour [305]. »

Après l'escale de Punta del Este, où les festivités se déroulent sur une plage de sable pour milliardaires, puis un autre arrêt à Montevideo, la troupe s'envole vers Buenos Aires. Sitôt débarqués à l'hôtel, surgit Le Vigan à qui Arletty a téléphoné et que Becker avait hébergé un an avant sa fuite en Argentine. Le marchand d'habits des *Enfants du paradis*, qui avait abandonné le tournage pour fuir à Sigmaringen, paraît plus ahuri que jamais. Il fond sur le groupe, sert la main des uns, des autres, puis, désignant d'un coup de menton les producteurs, lance : « Vous êtes avec les montreurs d'ours ? » Bientôt il entraîne Arletty à l'écart pour bavarder tranquillement, lui parler de sa mère, de l'Argentine, de sa proscription, de ses projets de radio et de théâtre, de son dépérissement loin des berges de la Seine, de son chat Bébert recueilli par Céline.

L'écrivain maudit, après son exil, a regagné sa petite maison de Meudon avec jardinet. Il s'y terre avec ses chiens, ses chats, son perroquet et sa femme Lucette. Le tribunal militaire permanent de Paris l'a amnistié du crime de trahison, plus d'un an après sa condamnation par contumace à douze mois de prison. Lors de son procès, son avocat Albert Naud avait sollicité des témoignages en sa faveur, y compris celui d'Arletty.

« J'avais fait un mot comme tout l'monde. J'ai écrit : "On peut pas être traître à sa patrie quand on est de Courbevoie", ou quelque chose comme ça. Ça avait bien fait rire. »

Pour connaître la teneur exacte de sa déposition, à supposer qu'elle ait été conservée avec les autres pièces du dossier, il faudra attendre l'année 2051, le délai légal de communication des archives militaires au public étant de cent ans. Toutefois, dans une lettre du 24 mai 1995, le Dépôt central d'archives de la justice militaire, sous tutelle du ministère de la Défense, indique que « de l'étude du dossier, de l'arrêt de la cour de justice et de la minute du jugement du tribunal militaire, il n'apparaît pas que la comédienne Arletty ait été appelée à témoigner devant ces deux juridictions militaires ».

Céline s'est remis à écrire, accrochant ses feuillets raturés à un fil à linge, comme au bon vieux temps. Il vit en ermite, à l'abri des curieux, au milieu de sa ménagerie. Quelques visiteurs sont admis dans son antre, les écrivains Marcel Aymé et Roger Nimier, le journaliste Lucien Rebatet, la comédienne Marie Bell et Arletty, qui se rend chez lui dans sa petite Simca 5.

« Quand il voulait me voir, il m'appelait. J'y allais que quand il m'appelait. Dès que vous sonniez à la grille, la meute de chiens arrivait. Il avait des chiens d'une bêtise… incroyable ! Nous parlions de tout… de ses chiens, des femmes, de tout et de rien. Il aimait les femmes. Il aimait LA femme, Céline. Pour ce qui est de la sexualité, il avait des fantasmes à lui, l'genre à regarder une partouze à trois. Pas un malade du sexe. Un raisonneur. D'ailleurs, y a très peu de femmes qu'on sait avoir coïté avec lui. Il a eu la Lucette Delforge, une pianiste que j'allais voir à Gaveau pendant l'Occupation. Elle ressemblait à Beethoven, avec sa grosse tête. Quand elle jouait du piano, son professeur disait : "J'la préfère à la gymnastique." »

« Il parlait de médecine, mais rarement de littérature. Sauf peut-être un jour comme ça où, par curiosité, je lui ai dit : "Et Colette ?" Il a répondu : "Colette, c'est un monsieur." À mon avis, le grand regret de sa vie était de ne pas être devenu un grand médecin. Il avait du reste une très grande admiration pour Mondor [306]. Il n'avait aucune connaissance de l'art dramatique. Moi, y m'voyait pour la comédie, Marie [Bell] pour la tragédie. Pour lui, elle était plus que la

Sarah [Bernhardt]. Je pense qu'il aurait aimé être un grand auteur dramatique.

« Avec moi, y faisait pas de frais. Jamais d'baise-pogne, cordial *shake-hand* [307]. Jamais il offrait quoi que ce soit, jamais un verre de bière, même pas un verre de vin. Jamais un chocolat. Il aurait pas fait un gâteau. C'est pas un reproche, une constatation… La peur de manquer, c'est triste à dire… Je n'aurais pas pu fréquenter des pingres.

« Il offrait du thé. Des p'tits gâteaux et du thé, oui, peut-être… Jamais d'champagne, y buvait de l'eau. On pourrait pas dire qu'il était pas fin gourmet, il avait pas d'besoin. Un pur esprit. Le type fort justement est celui qui n'a pas de besoin… La possibilité qu'il ait été mon frère existait dans l'âme. J'dis pas ça parce que j'aimais pas l'mien, pas du tout ! Mais j'l'aimais bien, et entre nous c'était pas du tout biblique.

« Au mur, il n'avait qu'un tableau, c'était de Dabit qu'a écrit *Hôtel du Nord*. Un paysage. Dire que c'était l'Île-de-France ou autre chose, c'était pas défini. Même pas une litho de Gauguin !… Il avait de l'ordre dans ses papiers. Il avait aussi un perroquet, il lui donnait des p'tits-beurre. Il lui avait appris *Y a du bon tabac* [308]. Avec ça, il voulait pas s'compromettre ! Il l'avait acheté à la Samaritaine. Moi, j'en ai rapporté un du Brésil à mes amis Bellanger. Dès qu'il est arrivé en France, il parlait plus. Un jour, il a filé. Il s'appelait "Bla-Bla". »

C'est à Rio de Janeiro, juste avant le vol retour sur Paris, qu'Arletty achète ce psittacidé arc-en-ciel. Mais, c'est quelques jours plus tôt à Buenos Aires, la veille de quitter l'Argentine, qu'elle est de nouveau en présence de Soehring. Rare et troublant moment d'émotion, semblable à un adieu, que jamais elle n'oubliera. Ils s'étaient revus une seule fois depuis mai 1949 en France : l'été de la même année en Allemagne. Sa venue à Paris avait été le révélateur de l'impasse à leur amour. Depuis lors, l'un et l'autre savent que la passion, insensiblement, s'est transformée, que la vivre corps et âme serait la tuer, que, les obstacles et les illusions levés, aucun absolu ne saurait tenir.

Mais, que fait Soehring dans ces contrées, refuge de ceux qui se cachent pour éviter d'avoir à expliquer leur comportement pendant la guerre, lui à qui rien n'est reproché ? Cherche-t-il la fortune, la consolation, l'oubli, lui qui escomptait un redressement économique rapide de son pays, lui qui a pu croire au couronnement de son union avec «Biche»? «Est-ce que ça doit vraiment rester comme ça?» lui avait-il jeté un jour de désespoir. Le succès d'estime rencontré en Allemagne et en Italie pour son premier roman *Cordélia* a été sans lendemain. Son deuxième ouvrage, *Casaducale*, publié en novembre 1949, a été boudé du public. Le troisième est inachevé. L'inspiration lui manque, il se reproche sa veulerie, sa paresse, son égoïsme, sa dépendance des femmes – d'une femme. Les années de pénurie et de misère outre-Rhin ont eu raison de ses chimères. Il est parti courir l'Amérique, en parfait multilingue. Outre l'allemand, le français, l'anglais, il parle espagnol. Au bout de deux ans d'errance, il regagnera son pays, reconstruit, prospère, pour se marier comme Arletty dit l'avoir alors incité à le faire, avant de se lancer dans la carrière diplomatique.

«M. Hans Jürgen Soehring a été nommé consul de la République fédérale d'Allemagne à Loanda, Afrique occidentale portugaise», rapporte en juin 1954 la revue des *Archives diplomatiques et consulaires suisses* qui, sous la rubrique «Monde officiel», recense les mouvements des hauts fonctionnaires dans tous les ministères des Affaires étrangères. Trois paragraphes plus bas, il est signalé qu'Otto Abetz, «ancien ambassadeur d'Allemagne à Paris, qui avait été condamné en 1949 à vingt ans de travaux forcés, vient d'être gracié par S.E. M. René Coty, président de la République française». Il avait été arrêté à la Libération. Au terme de huit ans et demi de prison, il regagne Düsseldorf en homme libre. Outre-Rhin, avec sa femme originaire de Lille, il va régulièrement au cinéma voir les films français en version doublée. Parmi eux, *Le Grand Jeu* (1953), un mélo de Robert Siodmak narrant les amours contrariées d'un légionnaire, où Gina Lollobrigida, Jean-Claude Pascal, Raymond Pellegrin et Arletty, en patronne d'hôtel occupée à tirer les cartes à ses clients, tiennent l'affiche.

Sans attendre que l'ancien représentant d'Hitler à Paris l'ait congratulée pour sa prestation à l'écran, elle lui envoie un message le félicitant pour la mesure de clémence dont il a bénéficié. Un geste plus mondain que politique. Arletty a, du reste, dès 1949, repris sa carte à la CGT. Le Syndicat national des acteurs l'a mandatée pour représenter ses camarades durant le tournage du *Grand Jeu* aux studios de Boulogne. Elle a accepté, mais, faute de conflit, n'a pas eu l'occasion de négocier.

À Buenos Aires, les quelques heures qu'Arletty partage avec Soehring sont comme les derniers feux d'un amour dompté par la raison. Il parle de ses projets, vagues et incertains, elle de son retour timide au théâtre, et surtout de Lélette Bellanger, l'amie dévouée, morte brutalement quelques mois plus tôt alors qu'elle était sortie promener ses chiens à la nuit tombée. Son cadavre a été découvert flottant dans la mare située dans le parc du château. Elle a dû se débattre puisque, sur les bords de la pièce d'eau, la terre a été labourée de griffures, comme si une lutte désespérée avait précédé la noyade. Avait-elle voulu sauver un chien ? A-t-elle glissé ? L'a-t-on poussée ? Autant de questions qui troublent Arletty, laquelle est allée se recueillir sur sa dépouille à La Houssaye, peu avant la mise en bière.

« Ça devait être en plein été, genre fin juillet 1951. Je venais de faire un essai pour *Gibier de potence*. Il faisait très chaud, tellement chaud qu'on a été obligé de protéger son visage avec de la gaze pour empêcher les mouches de s'y poser. Elle a été enterrée deux jours plus tard. Ça a pas traîné. »

Lors de son voyage sous les tropiques, Arletty manque de peu la mythique Evita Perón, épouse du président de la République d'Argentine, vénérée par les *descaminados*, ces déshérités des bidonvilles où s'étalent des portraits grandeur nature du couple présidentiel « toutes dents dehors ». Souffrante, l'idole des Argentins se décommande au dîner officiel organisé à la Casa Rosada. Sa belle-sœur la représente. Au Brésil, en revanche, à une réception, Arletty reçoit les hommages du président Getúlio Vargas, qui lui dit avoir aimé *Les Visiteurs du soir*.

« C'était peu de temps avant sa mort [309]. »

Après l'Amérique du Sud, New York et le grand bal annuel du Waldorf Astoria, « *April in Paris* ». Hôtes d'honneur de la soirée : la reine Juliana des Pays-Bas et son mari. Vêtue d'un tailleur Balenciaga clair, Arletty sourit poliment aux photographes, observe la moue épanouie d'une grosse dame boudinée, Elsa Maxwell, la plus féroce commère des gazettes américaines. À côté d'elle, charmeuse et à l'aise, robe et cheveux d'ébène, Juliette Gréco, la coqueluche des nuits chaudes de Saint-Germain-des-Prés, moins maigre que Mauriac l'a décrite à ses débuts. Maurice Chevalier, Jean Sablon, Pierre Balmain et les Chambrun, eux, sont hors du cadre. Ruée de journalistes : « Mademoiselle Arletty, vos impressions sur les gratte-ciel ? — Faut vraiment avoir vu c'truc là!» Mais, pour elle, de tous les monuments entrevus, le plus spectaculaire reste Greta Garbo.

« J'l'avais vue dans *La Rue sans joie*. J'lui fais des compliments… Aaaah!… aaaah!… aaaah!… C'est tout c'qu'elle a répondu. Elle riait dans un verre de lampe. À part ça une beauté… Immarcescible. Une gueule!… La bouche plate et des yeux extraordinaires. Elle avait un châssis, des méplats, superbes! Sa supériorité physique, c'était son cou de cygne. Elle pouvait porter le béret comme l'aigrette, cette poule-là! Seulement, elle avait une foulée de cheval de course. Elle devait mesurer 1 mètre 80, chausser du 42. On la voyait mal dans *N'te promène donc pas toute nue!* La Metro Goldwyn Mayer a voulu en faire une espèce de Notre-Dame de Lourdes du Mystère, une vraie connerie!»

Amériques, Espagne, Maroc, Grande-Bretagne, Portugal, Canada, Italie… Arletty est aux cinq cents diables. Les années cinquante lui offrent de nombreux voyages à l'étranger, entrecoupés de longues plages de répit à Collioure, vendu en 1954, et plus encore à Belle-Île, où elle s'attache autant à la simplicité des habitants qu'à la rigueur du climat. Les premiers temps, elle loge dans une pension de famille, à Sauzon, tout près de Donnant. Une fois les travaux de sa maison terminés, lorsque tout est installé, la barrière d'entrée peinte en bleu pâle, les lambris de sapin de la soupente vernissés, Arletty l'occupe à plein temps, gardant toujours au rez-de-chaussée un coin pour les invités. Dans le village, ses manières directes de faire connaissance la font aimer. «Les amis de Belle-Île» la désignent bientôt membre du comité d'honneur de leur association. Au Palais, le seul cinéma du village est rebaptisé *L'Arletty*. À Bangor, son nom est donné à une rue. Malou Lanco, «princesse des algues» car experte dans la science des plantes aquatiques, un vieux monsieur excentrique, petit-fils putatif de Jules Verne, Marie Lemouroux, femme marin aux airs de garçon manqué dite Marie Culotte, Mlle Clément, gardienne du musée pleine d'humour identifiable à son éternel béret basque et à ses enjambées de marathonien, peuplent son paysage. Ses journées s'écoulent à lire, à faire des ablutions à l'eau de mer glacée, à regarder flamber des bûches, à cuisiner sardines ou homards du dernier arrivage, à partager un verre de pastis avec les Bellilois et les gens de passage. Déjeuner mémorable en plein air, un 14 juillet, à l'ombre des arbres. À la fin du repas, Francis Carco, chroniqueur de

Montmartre et auteur de *Jésus la caille*, entonne son célèbre refrain *Le Doux Caboulot* (blotti sous les branches…), et la chanteuse Yvonne Darle, propriétaire du cabaret de la Butte, *Le Lapin agile*, *Aux marches du Palais*.

«Le seul déjeuner officiel que j'ai fait à Belle-Île, ça a été pour Carco que j'adorais. J'le mets dans les très grands. Il était avec sa femme, une juive égyptienne, charmante. Il chantait merveilleusement.»

Ce jour-là, pas plus que les autres, le menu ne croûle sous la variété des mets. Arletty est «pour le plat unique», à raison d'un repas par jour, déjeuner ou dîner. Langouste, boudin noir, foie gras à profusion garnissent à tour de rôle sa table, plats qu'elle accompagne généralement d'une salade et d'un morceau de cantal, de fourme d'Ambert ou de saint-nectaire. Le tout arrosé d'un des meilleurs crus de Bordeaux millésimé.

Les convives sont au même régime. La comédienne Dominique Marcas, née Napoléone Perrigault, se rappelle avoir été invitée un jour à partager en tout et pour tout six côtelettes à elles deux. Et un autre jour, une livre de marrons glacés. Cette ancienne institutrice, renvoyée à vingt-neuf ans de l'institution catholique qui l'employait au motif qu'elle fréquentait Maria Casarès, fait la connaissance d'Arletty en décembre 1949, dans sa loge du théâtre Édouard-VII où elle jouait *Un tramway nommé Désir*. «J'étais sans travail. Je voulais faire du théâtre. Maria m'a dit : "Allez voir la plus grande. Vous irez la saluer de ma part." À partir de cet instant-là, je suis allée la voir tous les soirs [310].» L'interprète de Blanche Dubois fascine la jeune femme menue et austère, élevée dans le culte de l'Empereur. Au moment de troquer son nom de baptême pour un pseudonyme de théâtre, elle choisit le prénom de Dominique, par admiration pour l'étrange beauté glacée d'Arletty dans *Les Visiteurs du soir*, et le patronyme de Marcas, pour Maria Casarès, en reconnaissance de la générosité de l'interprète de Nathalie, la femme de Baptiste, dans *Les Enfants du paradis*.

À Belle-Île, le poète fantaisiste André Salmon vient aussi en voisin.

«Un écrivain très bien, physiquement très beau. Il était dans le petit hôtel de la plage de Donnant, qui a depuis été fermé. Il lisait les lignes de la main. Apollinaire lui a dédié des poèmes.»

Autre passe-temps d'Arletty, le jardinage. Elle bine, ratisse, arrache les mauvaises herbes, soigne ses géraniums, arrose sa haie de tamaris et de belles-de-jour, bichonne son massif de lys blancs. Un rythme de vie qu'elle s'octroie par intermittence six mois sur douze, principalement à la belle saison, c'est-à-dire en dehors des tournages et des représentations de théâtre.

Ces années-là, Arletty «cachetonne [311]». Dans une douzaine de films, et, si l'on excepte *La Revue de l'Empire*, dans trois pièces – *Les Compagnons de la Marjolaine* de Marcel Achard, *Gigi* de Colette, *La Descente d'Orphée* de Tennessee Williams. On l'entend à la radio, on la voit à la télévision où elle participe à l'émission «Les incollables du cinéma». Elle enregistre aussi des disques de textes de Céline avec Michel Simon, Pierre Brasseur et l'auteur lui-même, ainsi que des chansons. *Deux Sous de violette* de Jean Anouilh et Georges Van Parys est un air tiré du film du même nom – où elle n'apparaît pas –, et *Viens, viens Mad'leine!*, un refrain chanté en duo avec Georges Ulmer. En 1953, son visage lisse, soyeux, enturbanné prête la fraîcheur de son teint aux affiches publicitaires d'un savon de toilette d'une blancheur qu'on ne saurait confondre avec les concurrents. Pour la seconde fois depuis 1935, Arletty vante les vertus du «savon des stars» : «Je tiens à ma peau, aussi ai-je adopté "Lux" pour le bain et la toilette… Pas folle la guêpe.» Aux États-Unis, à cette époque, c'est Joan Crawford, qui après Claudette Colbert, Barbara Stanwyck, Elizabeth Taylor et avant Marilyn Monroe, fait mousser la savonnette.

Au cinéma, *L'Air de Paris* de Marcel Carné (1954) et *Maxime* d'Henri Verneuil (1958) figurent parmi ses films les plus réussis. Dans le premier, à l'exception notable de Prévert, plusieurs protagonistes ayant participé du succès à retardement du *Jour se lève* sont réunis. Outre Carné, il y a le scénariste Jacques Viot. Les deux atouts majeurs du film sont ses têtes d'affiche : Gabin interprète un patron de salle d'entraînement de boxe plus rogue que jamais et Arletty une épouse appliquée derrière sa machine à coudre Singer. Le film, présenté à la Biennale de Venise, raconte l'histoire d'un jeune manœuvre (Roland Lesaffre) que Gabin épaule, forme, encourage, aide à sortir de sa condition ouvrière, et sur qui il reporte ses ambitions déçues de boxeur. Une riche antiquaire (Marie Daems) s'éprend du poulain. L'amour va-t-il tout compromettre ?

«Le film n'a pas eu de succès. Trop conventionnel. Gabin n'était pas assez équivoque. On ne voyait pas qu'il avait un *look* [312] pour

Lesaffre. Carné n'a pas voulu. Il aurait dû le faire jouer en plus pédoque. Le public aurait marché. »

Le second, *Maxime*, aux dialogues ciselés par Henri Jeanson, est un film pour elle, bien que le héros en soit un séducteur quinquagénaire (Charles Boyer) réduit à enseigner les bonnes manières à des plus jeunes. Dans cette évocation joyeuse du théâtre des Capucines, des revues de Rip et du prestigieux restaurant de la rue Royale, Arletty (Gazelle), ancienne vedette de théâtre de la Belle Époque, fait des étincelles. Les reparties fusent. « Je suis H-H-H- avare », lâche-t-elle à Boyer pour excuser son refus de lui prêter de l'argent, en y mettant au moins trois H aspirés. Son entrain, sa bonne humeur, son esprit enchantent la critique nostalgique d'*Hôtel du Nord* qui croit réentendre ici ou là Madame Raymonde. Elle ira présenter le film à New York.

« C'est Blanche Van Parys, la femme de Georges, qui a fait les costumes. J'étais déguisée. C'était affreux. Elle m'avait déjà habillée dans *L'Amour, Madame.* »

Durant le tournage, elle relève la propension de Charles Boyer à rechercher les effets, d'un froncement de sourcils, d'une moue, d'une œillade, d'un rictus un peu appuyé, et à s'arroger la dernière repartie d'un dialogue.

« Il avait une très belle gueule. Pas un méchant type. Avec moi, spécialement gentil, faucheur de répliques. Vous savez c'que c'est l'cabotinage. Verneuil n'osait rien dire… C'est pas Michel Simon qu'aurait fait ça ! »

Au théâtre, Arletty joue de malchance dans *Les Compagnons de la Marjolaine*, une comédie de Marcel Achard créée en octobre 1952 chez Simone Berriau au théâtre Antoine. Elle incarne la femme d'un gendarme (Bernard Blier), un rôle très vite oublié. Allusions grivoises, sous-entendus salaces constituent à peu près les seuls ressorts de cette fantaisie boulevardière. Après *Mistigri* en 1930, et *Voulez-vous jouer avec moâ?* en 1943, *Les Compagnons de la Marjolaine* ne tiennent que trois mois l'affiche. « Ce n'était pas une bonne pièce, confirme Yves Robert qui l'a mise en scène, la preuve, elle n'a jamais été rejouée [313]. »

C'est égal. Arletty observe, amusée, une jeune première de vingt-sept ans, Mélina Mercouri, pour laquelle Achard a eu le coup de foudre le jour où, sur une scène d'Athènes, il a remarqué sa crinière rousse, sa voix de basse rocailleuse, ses yeux de braise. Pour la deuxième fois depuis qu'il l'a fait venir à Paris, il lui a dédié sa pièce : *Encore pour Mélina*...

« Elle l'avait bluffé, pensez, fille de député et petite-fille du maire d'Athènes ! Une gonzesse de la très haute société. Elle avait un joli corps, extraplate des deux côtés. Une beauté osseuse. On aurait dit qu'elle avait cent quarante-sept dents, des mâchoires de rechange. Chez Maxim's, elle était tordante tellement elle était à l'aise. Une culottée marrante. Achard en était tombé amoureux. Qu'est-ce qu'elle lui a bouffé comme fric... Juliette [Achard], sa légitime, n'était pas contente. C'est pour se refaire financièrement qu'après ça il a écrit *Patate*... Un triomphe... »

C'était bien avant que la vedette de *Jamais le dimanche*, le film de Jules Dassin, ne s'engage avec passion dans la lutte contre la dictature militaire arrivée au pouvoir en Grèce en 1967.

« Quand j'l'ai revue plus tard, elle était braquée contre les colonels. Depuis, j'l'appelle la Jeanne d'Arc grecque. À l'annonce de son retour au théâtre [314], je me suis dit : "La pauvre, elle se décourage pas." »

Dans son recueil de souvenirs, Yves Robert note les efforts de la belle Hellène pour corriger son accent lors des répétitions des *Compagnons de la Marjolaine* [315]. Aujourd'hui, il se souvient d'Arletty, de son calme impérial, de sa ponctualité exemplaire : « Elle était à l'heure comme une ouvrière de manufacture, dix minutes avant comme les gens qui pointent, et d'une discrétion déroutante. Elle était extrêmement studieuse, et très, très, très, très silencieuse. Dès qu'elle jouait, elle créait le silence. Elle devenait un petit peu rouge aux épaules. Elle avait toujours l'œil formidablement ironique, toujours en train de juger ce qu'elle faisait. De temps en temps, Michel Simon venait la chercher au théâtre. On dînait tous les quatre avec Blier à la fin du spectacle dans un restaurant de la rue du Faubourg-Saint-Martin. Arlette parlait très très peu. Simon racontait des histoires scatologiques, déconnait sur tout. Il ne l'effrayait pas du tout. Elle avait un rire formidable. Un jour, je me suis aperçu qu'elle était solitaire. Je n'ai jamais su si elle l'était parce qu'elle ne voulait voir personne ou parce que la guerre... Chacun avait droit à une vingtaine de places pour ses invités. Arlette me les a rendues en m'disant : « Je ne sais pas quoi en faire [316]. »

Arletty n'est pas seule, mais éprouve le poids de la solitude. Au Plaza, au George-V, tout comme rue Raynouard, dans le XVIᵉ arrondissement de Paris où elle emménage peu avant Noël 1952. « Donner une si longue rue à l'auteur des Templiers que plus personne ne lit, et une impasse à Beethoven !

« Entre trois gros blocs d'immeubles passent des lambeaux de Seine. Je retrouve les péniches.

« En face, l'île des Cygnes, à gauche le pont de Passy. À droite, la statue de la Liberté (modèle réduit !) accueille les bateaux venant de Rouen. En toile de fond les dômes des Invalides, du Panthéon... une cheminée se profile à droite : celle de Citroën [317]. »

Composé de trois grandes pièces et d'une immense entrée, l'appartement, lumineux et cossu, est sobrement meublé : un divan spartiate, deux fauteuils cabriolets signés Delaunay [318], un secrétaire en bois naturel aux pieds cambrés, une table ronde à damiers avec dessus un jeu d'échecs.

« Je suis pour le style retour d'Égypte, un truc à moi. D'ailleurs j'ai toujours eu un petit lit. »

Au mur, une huile de Dufy représentant la plage arrière du vapeur reliant Le Havre à Deauville, achetée en souvenir de ses premières vacances à la mer avec ses parents, et deux dessins. « Dans cet appartement, je n'aurai que des étudiantes de l'Alliance française : Isolde, Barbara, Wilou, Koch, Chresta. C'est ma nouvelle famille. J'allais vivre là dix-sept ans, solitaire et sans bonheur [319]. »

La noria de visites quotidiennes ne peut rien changer à son sentiment d'abandon, déjà ancien. La convivialité, la gaieté, la vivacité d'esprit qu'elle manifeste avec éclat non plus.

« L'esprit, c'est supporter celui des autres. »

Aucune aigreur dans le propos, pas de rancœur. Rien ne saurait entamer son orgueil démesuré, ni les épreuves endurées à la Libération, ni les manifestations de haine éprouvées après. À l'inverse, elles auraient même plutôt tendance à conforter son moral. Au lieu de courber l'échine, Arletty se dresse, aiguë, altière, combative.

Le réconfort lui vient d'Auvergne. Son ami d'enfance Jean Puyau, à qui elle rend visite à chacun de ses voyages dans les terres de ses ancêtres, lui retourne régulièrement la politesse à Paris.

« Il était curé de Châtelguyon. Mon meilleur ami, mon plus vieil et mon plus sincère ami. »

Le saint homme est sans illusions quant à ses chances de la convertir à sa vision de Dieu. En aurait-il qu'il ne s'y hasarderait pas, puisque sa religion, c'est la tolérance. Son parti pris, la bonne vie, paisible, ronde, tranquille. Il se recommande par sa bonté résignée que soulignent les traits du visage plein, empâté, aux joues molles. De l'habit ecclésiastique émerge une longue tête sans cou au crâne ovoïde et lisse, surmonté de chaque côté de deux crêtes de cheveux. Les sourcils, déployés comme les ailes agitées d'un moineau au-dessus d'un regard calme, sont par leur froncement le seul signe d'un caractère capable d'emportement. Il ne faut pas juger Jean Puyau sur la gifle qu'il administra, gamin, à la petite Léonie au couvent du Bon Pasteur à Montferrand. Il avait cinq ans, elle en avait onze. Par insolence, par taquinerie, pour jouer les affranchies, elle le mit au défi de lui dire qui avait créé Dieu. Arletty lui a depuis longtemps pardonné son geste intempestif. L'incident est devenu matière à faire revivre avec délices le bon vieux temps de Sauxillanges, la personnalité de l'abbé Dautreix, oncle bon et original avec ses lunettes de rat de bibliothèque et sa culture encyclopédique. Autant que le passé, le présent occupe leurs conversations. Quand Arletty lui raconte ses voyages exotiques, le chanoine Puyau lui donne des nouvelles de l'Auvergne, en priorité du Puy-de-Dôme, et de leurs connaissances. Henri Pourrat, le romancier régionaliste, en fait partie.

« Un très grand écrivain du Massif central. Il a même eu le prix Goncourt [320]. Un ami de Mondor. »

Autre figure de la chronique locale : Jean Villot, intime du curé de Châtelguyon et de l'oncle prêtre d'Arletty, promis à une remarquable ascension au sein de l'Église. Lorsque, le 12 octobre 1954, il est consacré évêque, elle est invitée à la cérémonie en la cathédrale Notre-Dame de Paris, parmi une foule de cardinaux et d'archevêques. Il y a aussi Georges Bidault (ancien président du Conseil national de la Résistance et ex-ministre des Affaires étrangères du général de Gaulle), qu'elle voit occasionnellement, et Christian Fouchet, ministre des Affaires marocaines et tunisiennes. Quand, en 1965, Mgr Villot est nommé archevêque de Lyon et primat des Gaules par le pape Paul VI, puis cardinal, elle lui télégraphie un mot de félicitations : « Chapeau ! »

« Il m'a dit qu'il n'avait pas eu besoin de regarder la signature pour savoir d'où ça venait... Un très grand Auvergnat. C'était le seul évêque français papable ! »

Les années passant, à aucun moment, Arletty ne perd de vue Marianne. La gosse qu'elle avait recueillie sous l'Occupation a grandi. C'est une jeune femme brune, sérieuse, au beau visage carré, réconciliée avec son père et à qui Prévert décroche de petits emplois de figurante au cinéma. De quoi vivoter. «Avec Arletty, j'avais toujours de l'argent. Elle s'occupait de moi comme de sa fille. Elle m'emmenait partout, chez le coiffeur, chez le pédicure, aux cocktails. La seule chose : elle ne voulait pas que je boive d'alcool. Les soirs, quand on rentrait, on discutait toutes les deux jusqu'à trois heures du matin, en mangeant du fromage [321]. »

«J'ai eu ma période chinchilla, comme j'ai eu ma période fromage. »

Un jour, peu avant l'enregistrement sur disque d'extraits de *Mort à crédit* par Arletty, Céline se présente rue Raynouard. Tout en débouchant une bouteille pour lui servir un verre, Marianne, d'ordinaire timide, cherche ostensiblement à capter son attention car, le matin même, elle s'est fait coiffer. Sa nouvelle coupe la flatte. De petites mèches de cheveux en accroche-cœurs plaquées sur le front et les joues, encadrent son visage, comme les héros antiques emperruqués des films à grand spectacle de Cécil B. de Mille. Céline lève les yeux vers elle, le compliment tombe : « T'as l'air de sortir d'un tombeau égyptien. »

Plus que jamais, Arletty veut rire, d'une situation, d'un mot, d'une phrase, à défaut de s'amuser. Dans le fond, c'est une femme profondément blessée qui n'a pas compris ce qui lui était arrivé à la Libération. Probable que des personnes beaucoup plus compromises mais moins en vue n'ont pas été autant exposées à la vindicte. Populaire, Arletty a cristallisé des haines farouches, en raison précisément de cette popularité que certains ont voulu lui faire payer à proportion de la déception ressentie. Quelle folie de croire à la perfection des idoles et de les vouloir telles qu'on les rêve. Aussi paradoxal que cela paraisse, de grands résistants ont compris son attitude. Comme le papetier René Bolloré ou Alain Armengaud, le cousin germain de Jean-Pierre Dubost entré dans la Résistance active dès 1940. «C'est une artiste, dit-il. Elle avait accepté d'être aux lumières; quand vous y êtes exposé, vous n'êtes plus libre. Arletty vivait dans un milieu où la vie était facile; la bande Laval l'avait absorbée. Elle avait sûrement le jugement sain, mais elle était parfois déroutante. C'était une femme bien. Son épuration, c'est le côté moche des hommes. C'est la bassesse. Elle avait trouvé l'amour avec son type. Si elle avait eu un coup de foudre pour un résistant, elle se serait retrouvée du côté des maquisards et toute la France dite résistante aurait voulu en faire son héroïne. » Ancien chef du réseau militaire Brick, Alain Armengaud a servi de courrier quand, de Londres, le général de Gaulle tenta de rallier Georges Mandel à sa cause, puis dans la clandestinité œuvra, entre autres, à organiser la résistance parisienne. « Un jour, j'ai vu un Allemand arriver en moto et faire deux cents prisonniers, raconte-t-il. J'ai été horrifié. Je voulais qu'on continue la guerre jusqu'à la victoire. Si vous voulez mon avis, Arletty, elle, s'en contrefoutait [322]. »

« Salope », « Collabo », « On aura ta peau ». Ces insultes, combien de fois Arletty les a-t-elle entendues, dans la rue, venant de passants, ou chez elle, lors de coups de fil anonymes. Si elles sont pratiquement son lot quotidien dans les années cinquante, leur fréquence ira s'estompant ; cependant, jusqu'au soir de sa vie, de mauvais plaisants continueront leur harcèlement. À sa mort, deux ou trois journalistes se déchaîneront dans des articles nécrologiques et, au-delà, un comédien de troisième ordre s'étonnera publiquement, lors de la pose d'une plaque à sa mémoire sur la façade de l'immeuble de son dernier domicile parisien, qu'on ose lui rendre un hommage posthume.

Cette hostilité affecte Arletty plus qu'elle ne l'avoue, tout comme les distances que prend son ami Jean-Pierre Dubost au plus fort de ses ennuis, en 1944. « Oui, il a subi l'hystérie collective [323]. » Leur brouille, trop longue aux yeux d'Arletty, sera néanmoins de courte durée. Jean-Pierre, qu'elle appelle Bayard pour taquiner sa tiédeur passagère, peut en définitive tout endurer, foucades, vexations, égoïsme, de celle qu'il aime obstinément. « Un après-midi, Sacha me dit : "Quelqu'un vous attend au salon."

« J'entre et me trouve devant Jean-Pierre.

« Sacha : "Bayard vous demande pardon de tout ce que vous lui avez fait."

« Ce drame finit dans un éclat de rire. Depuis, notre affection n'en fut que plus solide [324]. »

Guitry se fait l'artisan de leur réconciliation, peu de temps avant qu'Arletty ne coupe les ponts avec lui, à cause de sa version qu'il donne, dans *Quatre Ans d'occupations*, des conditions de libération par les Allemands de Tristan Bernard.

« On ne s'est plus revu avec Sacha, mais il continuait d'entendre

372

tous les cancans de Jean-Pierre qui l'a vu jusqu'à sa mort. Comme on déjeunait ensemble, ça lui était facile de cancaner. »

Arletty ne rencontrera plus Guitry, ni ne cherchera à glaner de ses nouvelles au hasard d'une conversation, fût-ce avec Jean-Pierre Dubost. Aussi atteint qu'elle a pu l'être dans son amour-propre par les rigueurs de l'épuration, l'auteur dramatique sort également ébranlé des épreuves subies à la Libération. En butte à toutes sortes d'acrimonies, il s'efforce de garder sa superbe, mais l'humour tourne à vide. Son œuvre s'en ressent. Mis à part le film *La Poison* (1950), ses grandes créations appartiennent au passé. Ses « mots » ont un air de déjà-vu, l'humeur n'y est plus. L'homme est brisé, physiquement atteint. Sa santé décline. Jouer était sa vie, une vie rendue chaque jour plus insupportable par la maladie. À ses côtés, sa cinquième femme Lana Marconi, superbe créature au sourire factice, veille jalousement sur lui. Elle l'a épousé, encouragée par son ex-compagne, la générale Nicolle, qui affirme l'avoir incitée à s'assurer la sécurité matérielle qu'elle ne pouvait lui garantir [325].

« La Marconi l'a très bien soigné, faut dire. Elle avait été dans le plus grand collège de poules à fric, à Bouffémont. Sa mère était la maîtresse de Carol de Roumanie, un Hohenzollern. Elle avait du reste un tout petit accent, imperceptible... de très jolies mains, très longues. Quand elle lui a été présentée, j'ai dit : "Elle lui fermera les yeux et elle ouvrira ses tiroirs." »

À l'annonce de la mort de Sacha Guitry, qui succombe le 23 juillet 1957 à son domicile parisien des suites d'une polynévrite, Arletty pense d'abord à la peine de l'ami qu'il laisse, Albert Willemetz, le librettiste, d'un dévouement constant envers le dramaturge, et ce au plus fort de ses déboires à la Libération.

Chapitre XVI

Je crois que ma vie a été damnée dès le commencement
et qu'elle l'est pour toujours.

BAUDELAIRE

Un nouvel ordre mondial s'instaure sur les ruines de Berlin. L'Europe, saignée à blanc, se relève lentement des années noires tandis qu'Américains et Soviétiques se repaissent de ses dépouilles. Le partage du monde en zones d'influence devient synonyme de guerre froide, la course effrénée à l'atome, d'équilibre de la terreur. Français et Britanniques doivent se rendre à l'évidence : une page de l'Histoire est tournée. D'Extrême-Orient en Afrique, ils ont perdu leur empire sur des colonies séculaires en train de s'émanciper. Le plus souvent dans le feu, le sang, la torture et la mort. À l'aube des années cinquante, le siècle entre de plein fouet dans un cycle de guerres d'indépendance ou de décolonisation, simple affaire de vocabulaire.

Jour après jour, les grandes places financières répercutent soubresauts et faits d'armes planétaires. À cause de ses entrées dans les milieux boursiers, Arletty a le fâcheux travers de prendre la corbeille – l'espace où se brassaient les affaires jusqu'à l'informatisation des marchés par ordinateurs – pour le baromètre du monde. Sans être experte. Quand, en juillet 1956, éclate la crise de Suez après la nationalisation du canal par l'Égypte de Nasser et l'envoi d'un corps expéditionnaire franco-britannique dans la région, les cours des sociétés pétrolières et industrielles s'effondrent. Suez et Royal Dutch, deux titres de son portefeuille de valeurs, plongent. Une constatation s'impose :

«J'me suis encore gourée!»

Même chose en 1979, au moment de la flambée de l'or. Sur les conseils d'un jeune mondain mal avisé, elle liquide ses derniers lingots, juste avant les records historiques de hausse du métal jaune.

«Quand j'pense à mon manque à gagner... J'aurais pu m'louer une Rolls pour qu'on aille en Auvergne. Connasse!...»

Heureusement pour elle, une charge d'agents de change, la plus ancienne de la place de Paris, défend le gros de ses intérêts. Car, pas plus qu'en politique, Arletty n'est douée en affaires.

«Les types qui réussissent en affaires, qu'est-c'qu'ils doivent s'ennuyer!»

Alors qu'en Algérie la guerre se profile, Arletty fait la rencontre d'un homme à la barbe de patriarche : Messali Hadj, chef indépendantiste algérien.

«C'était la grande attraction de Belle-Île. Il nageait le crawl entouré de CRS. Beaucoup de classe.»

Le fondateur du Mouvement pour le triomphe des libertés démocratiques (MTLD), parti nationaliste algérien qui servira de creuset aux principales figures du Front de libération nationale, vit en France en résidence surveillée. L'amnistie votée après le retour du général de Gaulle au pouvoir en 1958, au terme d'une traversée du désert de douze ans, et la proclamation de la Ve République, le délient de toute entrave. «Messali Hadj pourra désormais circuler librement dans toute la France», annonce *Ouest-France* le 14 janvier 1959. Une photo le représente en djellaba noire, incliné devant Arletty coiffée d'un calot, l'instant d'un baisemain. «Messali Hadj fait ses adieux à l'île et à Arletty», écrit *Le Télégramme de Brest*.

Une fois achevé son séjour «d'un ordre particulier», selon son expression, et retrouvée sa pleine liberté de mouvements, Messali Hadj l'invite dans son manoir de Toutevoie, près de Chantilly, pour un thé et un couscous.

François Mitterrand, de son côté, ne montrera jamais autant d'empressement à l'égard d'Arletty. Ni comme garde des Sceaux lors du dîner de gala du IXe Festival de Cannes en 1956 qu'il passe à ses côtés, ni comme président de la République lorsqu'elle meurt en 1992, puisqu'il s'abstient du moindre hommage à sa mémoire. Sur la

Croisette, la conversation entre eux est polie, banale, de circonstance. Il a l'air compassé.

« Il avait une belle gueule de croupier : faites vos jeux, messieurs, rien ne va plus. »

Arletty fait partie des membres du jury, au même titre que le cinéaste Otto Preminger, le directeur de théâtre et producteur Maurice Lehmann, son ami dialoguiste Henri Jeanson et l'écrivain Louise de Vilmorin. Épaules nues dans une robe fourreau blanche sans bretelles ou drapée d'un manteau de faille noire lorsqu'elle descend le grand escalier du Palais, elle ne quitte son diadème qu'aux heures de plage. « Je prends mes fonctions très au sérieux. Nous couronnons le film suédois : *Sourires d'une nuit d'été* [326]. » Une satire de la société contemporaine du grand réalisateur Ingmar Bergman, construite sur le mode d'un vaudeville 1900. Sa qualité ne saurait souffrir la comparaison avec les comédies falotes qu'elle interprète à l'écran, en ces années de piètre créativité du cinéma français.

Consolation : à l'automne 1957, Arletty passe un mois sous les cocotiers pour le tournage du film de Ralph Habib, adapté d'un roman de Georges Simenon, *Le Passager clandestin*, avec Martine Carol, sex-symbol des années cinquante que détrônera Brigitte Bardot, Karl Heinz Böhm, le fils du célèbre chef d'orchestre allemand, et Serge Reggiani. « Là, c'était en partie pour le voyage que j'ai tourné ce film. Je n'ai lu le scénario que dans l'avion et tout ce qui me concernait se passait à Paris, alors c'était vraiment une fleur qu'on me faisait de m'emmener à Tahiti [327]. » Séjour enchanteur. Partout où elle va, l'esprit de Gauguin l'accompagne. Comme le peintre, plus d'un demi-siècle plus tôt, elle a le sentiment de voir la fin de ce paradis océanique, avec ses métis amènes, ses plages de sable blanc et noir, la mer d'opale. Sous ce « ciel sans hiver », comme disait Gauguin, où la température ne descend pas au-dessous de 20 degrés, elle participe à une soirée organisée à la belle étoile avec la descendante du roi Pomaré V, imposante dans sa robe louis-philipparde. Bengt Danielsson, membre de l'expédition du Kon Tiki, lui est présenté. Elle fait le tour des célébrités locales : Aurora, la conservatrice du musée, le fils de Gauguin, artiste peintre primitif, Yves Martin, un riche collectionneur.

« Il avait proposé à Céline de venir s'installer à Tahiti avec Lucette et sa ménagerie. J'l'aurais assez bien vu prendre la relève de Gauguin.

L'autre a répondu : j'veux bien, à condition que vous m'déposiez cinquante millions à la Banque du Canada. »

Plus que son rôle squelettique dans *Le Passager clandestin*, Arletty se remémore la beauté des paysages et l'agrément du séjour. *Idem* pour *Tempo di Roma*, son avant-dernier film, tourné en mai 1962 à Rome avec Charles Aznavour. « "Émue par la Rome païenne, pas touchée par la Rome chrétienne. Promenade dans le Forum. Avec un peu d'imagination, on croit frôler César. Plaignons les grands destins qui sont toujours punis." (Encore un alexandrin [328]!) » Inoubliable promenade, la nuit, sur la via Appia, moins sur les traces des Romains en sandales et en toge de l'Antiquité que sur les pas de Soehring qui, en 1943, avait essuyé une offensive meurtrière des armées alliées, au-dessus des oliviers. La découverte du corps déchiqueté d'un soldat sans tête l'avait horrifié.

D'*Un drôle de dimanche* de Marc Allégret (1958), qu'Arletty traverse avec «sa drôlerie habituelle», selon le critique du journal *Le Monde*, Jean de Baroncelli, elle se souvient seulement qu'il y avait Danielle Darrieux et un débutant, Jean-Paul Belmondo. « *Un drôle de dimanche* est d'un inintérêt total. Le texte est lamentable, les acteurs aussi. Quand le rôti ne vaut rien, on se rattrape sur la sauce ; mais ce n'est pas avec Bourvil qu'on sauve un scénario de Serge de Boissac… Avec Jean-Paul Belmondo peut-être, puisque c'est le Michel Simon et le Jules Berry de demain, mais encore faudrait-il utiliser ce génial acteur autrement et ailleurs [329]. » Une descente en flammes de la revue *Arts* signée Jean-Luc Godard, qui, l'année suivante, en 1959, lance Belmondo, son héros traqué, dans une course-poursuite à travers les rues de Paris. C'est *À bout de souffle*, un film assaisonné d'une histoire d'amour à l'eau de rose, avec Jean Seberg. François Truffaut, lui, fait *Les Quatre Cents Coups*, Claude Chabrol *Le Beau Serge*. Trois productions qui sortent le cinéma des studios et du carton-pâte, et lui donnent le coup de jeune de la Nouvelle Vague, dont l'adversaire le plus résolu sera… Henri Jeanson.

Il faut se rendre à l'évidence, la carrière triomphale d'Arletty au cinéma s'arrête avec le rôle de Garance. Tous ceux qu'on lui propose ensuite, et tous ceux qu'elle accepte, sont des ersatz des personnages légers, sympathiques, spirituels et drôles qui ont fait sa fortune, et dans lesquels les scénaristes, à court d'imagination, la cantonnent. À tort, sans doute. Qu'en aurait-il été si un cinéaste s'était avisé de la sortir de ces emplois clichés pour en faire l'héroïne, passionnée, tourmentée, habitée, d'un film ? Quitter les sentiers battus pour l'audace est rarement le fort des producteurs. Quand la nouvelle génération se proposera de le faire, Arletty, quasiment aveugle, refusera.

Au théâtre, le hasard veut que, de la comédie, elle saute à la tragédie avec *Un tramway nommé Désir*. On peut regretter que ses prestations dans les textes classiques – *Le Bourgeois gentilhomme* où elle interprète Mme Jourdain, et *Phèdre* – en soient restées au stade de la lecture radiophonique, qu'un metteur en scène ne lui ait pas donné sa chance. Est-il si absurde de la rêver dans l'increvable chef-d'œuvre d'Eugène Ionesco, *La Cantatrice chauve*, créé en 1950, ou dans *Les Chaises*, monté deux ans plus tard ? On peut déplorer que le projet de Peter Brook de lui faire jouer *Le Balcon* ait tourné court, que Germaine de France, et non elle, ait interprété le seul rôle féminin de *Fin de partie* de Samuel Beckett, en 1957.

Au lieu de cela, au tout début de l'année 1955, Arletty prend la route à bord d'un autocar Pullman, pour une tournée de près de quatre mois organisée par les galas Karsenty, avec *Gigi* de Colette. Départ sur le parvis de la cathédrale de Notre-Dame à Paris, pour une première étape à Reims, suivie d'autres à Strasbourg, Nancy, Ostende, Lausanne, Zurich, Tunis, Oran, Casablanca, Bruxelles, Berne, Genève, Monte-Carlo, Alger, etc. Sa première vraie grande tournée, si l'on excepte les représentations de *Fric-Frac* données avec Michel Simon dans plusieurs pays francophones en 1939 au titre de la propagande.

« Colette m'avait demandé de créer *Gigi* au théâtre. J'étais occupée à l'époque. Quand, après sa mort, en 1954, son mari Maurice Goudeket m'a offert de la reprendre, j'ai immédiatement accepté, par admiration pour elle. J'l'appelais Madame Colette. J'lui avais rendu visite en 1949 chez elle au Palais-Royal. J'avais été très émue. C'était la première fois que je la revoyais depuis ma pendaison de crémaillère, quai de Conti. »

Dans le rôle d'Alicia de Saint-Efflam, Arletty apparaît en demi-mondaine, telle que le public, comblé de la voir en chair et en os au fil des matinées et des soirées, l'a souvent aimée à l'écran. Tante de Gilberte – *Gigi* –, jeune fille de bonne famille en âge de se marier, elle essaie de la sortir de son cocon, de lui montrer comment conquérir les hommes sans trop abdiquer de sa personne. Une leçon de débrouillardise. Du tout cuit.

La Descente d'Orphée en mars 1959 à l'Athénée, dix ans après son retour sur scène, est une réédition, un cran en dessous, d'*Un tramway nommé Désir*. L'ouvrage – «mélo-mélo» – est de Tennessee Williams, la mise en scène de Raymond Rouleau. Mais le phénomène de curiosité qu'avait pu susciter la rentrée d'Arletty au théâtre après ses ennuis de la Libération ne se reproduit pas. Malgré la belle prestance de son partenaire, le danseur Jean Babilée, le succès est très relatif, sans doute en raison des faiblesses intrinsèques de la pièce.

«Une bonne carrière, sans plus. J'l'ai aimé malgré ses broussailles... J'étais cloquée là-dedans, non?

— Oui, parfaitement.

— Vous vous rendez compte! Quel âge j'avais?

— La pièce a été créée en 59.

— Soixante et un ans!... Soixante et un ans et en cloque, ça c'est une performance!»

Arletty est impressionnée par le regard de la grande comédienne italienne Anna Magnani, qui lui rend visite un soir dans sa loge avec Tennessee Williams, et, la même année, incarne son personnage dans la version filmée *L'Homme à la peau de serpent* de Sidney Lumet avec Marlon Brando.

Un autre soir, le prince Félix Ioussoupov, qui assassina Raspoutine en 1916 pour débarrasser la cour de Russie de l'emprise maléfique de ce moine lubrique sur Nicolas II et la tsarine, vient dans les coulisses. Arletty, qui a fait sa connaissance avant la guerre, déjeune de temps à autre avec lui. «Intéressé seulement par Babilée. C'est peut-être dans ses yeux bleu acier qui fascinaient Raspoutine que s'est joué le sort d'un monde [330].»

«Il avait eu le dixième de la Russie. Moi, à côté, avec ma petite maison de Belle-Île, c'était à s'marrer...»

L'année suivante, en novembre, elle crée au théâtre de la Renaissance *L'Étouffe-Chrétien*, une comédie bien nommée de Félicien Marceau.

«Il a fait qu'des trucs alimentaires, ce type-là. *L'Étouffe-Chrétien*, *L'Œuf*, *La Bonne Soupe*... En 1944, il a eu des ennuis en Belgique. On l'a accusé d'avoir collaboré avec les fritz. Aujourd'hui, il est à l'Académie. Très sympathique. Il suivait les répétitions. Pas un succès, ça a été étouffé en quarante représentations, malgré Francis Blanche qui faisait un irrésistible Néron.»

Elle incarne Agrippine, pour la deuxième fois de sa carrière, après

Les Joies du Capitole, en 1935 aux côtés de Michel Simon jouant l'empereur Claude. « Malgré la tristesse du prétexte, j'ai admiré Mme Arletty, sa silhouette, sa tenue, sa dignité », écrit dans *Le Figaro* Jean-Jacques Gautier, critique réputé pour remplir ou vider les salles par ses éloges ou ses éreintements. « [...] Arletty parle faux, je dirais presque : systématiquement faux ; la voix se casse sur certaines notes, s'éraille sur d'autres ; elle a des intonations parigotes, un ton traînant, traînard ; [...] et, avec cela, cette femme qui a une ligne extraordinaire, cette femme sur laquelle son âge futur n'aura jamais de prise, cette femme possède un genre de beauté, une présence unique, et détient le secret d'une espèce de noblesse, d'une sorte de haute race qui, ici, n'est pas loin d'introduire quelque grandeur vaguement tragique dans les jeux de clowns de ce cirque en gros mots. »

Les répétitions avaient commencé début septembre. Arletty ne saurait dire s'il y en a eu une le 9 octobre 1960. Un dimanche tragique. Ce jour-là, Soehring, ambassadeur d'Allemagne fédérale à Léopoldville, meurt noyé dans le fleuve Congo. À la brutalité de la nouvelle, elle frémit. L'horreur ! Le cœur comprimé de douleur, livide et les yeux ardents, elle a mal.

« J'étais dans un état second. »

Elle revoit le regard tendre et fauve qu'il lui lança le jour de leur rencontre lors d'un concert, salle du Conservatoire à Paris. Vingt ans déjà ou presque de passés...

Précisions de *Paris-Presse-L'Intransigeant* deux jours plus tard sur les circonstances de la disparition de Soehring : « Son bateau avait jeté l'ancre à quelques encablures de la rive. L'ambassadeur se baignait avec son fils de douze ans, et s'amusait avec lui à se laisser glisser sur l'eau en se tenant à la corde qui amarrait le bateau. Soudain, il disparut et l'enfant, en se retournant, n'aperçut plus que son chapeau de paille qui flottait sur l'eau. Pendant deux heures, on a vainement sondé le fleuve. Le corps n'a pas été retrouvé. »

Le 11 octobre 1960, *France-Soir* rapporte : « Des bateaux et des hélicoptères ont exploré les eaux limoneuses du Congo pendant six heures sans résultat, hier [331] jusqu'à la tombée de la nuit, pour tenter de retrouver Hans Jürgen Soehring, ambassadeur de la République fédérale allemande à Léopoldville, qui a disparu au cours d'une baignade dans le fleuve. M. Soehring, cinquante-deux ans, était allé pique-niquer sur une île située en amont de Léopoldville, avec sa famille et quelques amis. C'est à 12 h 30, alors qu'il se baignait, que l'ambassadeur a soudain disparu. Les recherches ont repris ce matin », ajoute le quotidien.

Son ami Régnier de Wykerslooth, alors directeur de la Sabena au Congo, la compagnie d'aviation belge, confirme en tout point la version des journaux. Ils étaient ensemble ce jour-là [332]. « *Gut Appetit* », titre non sans humour noir *Le Canard enchaîné* du 18 janvier 1961. « Mon Adenaouère avait naguère envoyé au Congo, pour faire joli, un ambassadeur à part entière.

« Ce diplomate, sportif à ses heures, se mit un jour en tête d'aller faire un tour de barque sur le Congo et, comme il avait chaud aux pieds, s'assit sur le bord du bateau et glissa les jambes dans l'eau, histoire de se les rafraîchir. Un crocodile passait par là, happa les jambes diplomatiques, tira et croqua Son Excellence. Ce n'est pas tous les jours qu'un caïman peut s'offrir un diplomate.

« Depuis, Adenaouère a eu les plus grandes difficultés à trouver un remplaçant à feu son ambassadeur au Congo », conclut l'hebdomadaire.

Aucun de ces trois entrefilets ne fait mention, ni allusion, à ses années de service dans la France occupée, ni à son engagement dans la Luftwaffe durant la campagne d'Italie, ni même à ses amours avec Arletty.

Après sa mort, plusieurs de ses amis assurent que, si Soehring a été le premier Allemand à obtenir un visa du gouvernement français après guerre, c'est que, premier juge militaire à Paris sous l'Occupation, il a plus fait pour les Français que bien des magistrats ayant prêté serment à Pétain. Homme du monde, il aspirait à jouer un rôle, comme officier, comme écrivain, comme diplomate, au gré des occasions qui se présentaient. La vie des écrivains-diplomates à la Giraudoux le fascinait. Garçon séduisant et volage à vingt ans, il rêvait de devenir quelqu'un, de se démarquer de ses frères, l'un médecin à Hambourg, l'autre militaire de carrière. Mais il n'était pas prêt à tout sacrifier pour ses ambitions. Plus tard, à la fin de la guerre, sa façon de regarder les beaux vêtements, une voiture flambant neuve, une maison cossue, un ami ayant décroché une belle situation, traduisait, non la convoitise, mais l'impatience d'y parvenir lui aussi. Un détail de sa tenue vestimentaire a frappé Claude Imbert, directeur du journal *Le Point*, qui l'a bien connu en Afrique : l'élégance tapageuse de ses chaussures en crocodile. Son fournisseur, Malfroid, bottier avenue de La Motte-Picquet à Paris, lui fabriquait aussi des bottes de cheval sur mesure, car l'équitation était le seul sport qu'il pratiquait au Congo. Pour des raisons de commodité, Arletty veillait à ce qu'elles soient confectionnées dans les délais et, si besoin, les lui expédiait. Basé lui aussi à Léopoldville, Claude Imbert, qui était alors correspondant de l'Agence France-Presse, se souvient : « Avec Soehring, nous avions sympathisé ma femme et moi. C'était un assez bel homme dont on se doutait qu'il avait été très beau. Il était bavard, un peu voyant, assez péremptoire. Il s'affichait comme l'ami des Français. Il aimait bien le champagne. Nous avions un très bon cuisinier, et il appréciait beaucoup les petits dîners qu'on faisait à la maison. Il parlait magnifiquement le français. J'en avais déduit qu'il l'avait appris à Paris sous l'Occupation. Il fuyait la conversation là-dessus. Quand il venait à la maison et qu'on le mettait en boîte sur son français impeccable, il plongeait le nez dans son verre. Si on était à la plage, il retournait s'occuper de ses affaires de bain. Il biaisait. "Oh tout ça, c'est loin", disait-il. Lors d'un voyage en Angola que nous avons fait ensemble, il m'a emmené dans un café/boîte de nuit à Luanda, qui était plein d'Allemands. Malgré cette espèce de rétraction à parler de la guerre, il m'a dit que des Allemands en "situation difficile" (d'anciens nazis) s'y étaient réfugiés. À la fin de la soirée, ils chantaient tous *Lili Marlene*.

« Quand j'ai quitté Léopoldville en 1959, c'est lui qui a repris, pour un temps, l'appartement climatisé donnant sur le fleuve. À l'époque, je ne savais pas qu'il avait été l'amant d'Arletty. Je n'ai jamais rien soupçonné de tel. Je ne l'ai su que bien plus tard. Il faisait un grand mystère de toute cette période de sa vie [333]. »

Sont-ce les élans bourgeois de Soehring qui, en définitive, ont eu raison de la passion d'Arletty ? S'est-elle vraiment jamais guérie de cet amour impossible ? Jalouse de la moindre confidence susceptible de lever le mystère, elle conservera à cet égard un secret absolu. À une vieille amie en deuil de son mari venue chercher auprès d'elle compassion et réconfort, elle dira simplement : « T'es une veuve régulière, toi. Tu peux pleurer, moi, j'peux pas. »

Personnage assez ordinaire, Soehring n'était pas un mauvais homme. C'était un « vrai homme », mâle, élégant et preste, qui avait gardé quelque chose de crissant dans la démarche, comme si, pour les avoir portées trop longtemps, ses bottes d'officier l'entravaient encore des années après les avoir quittées. Il portait sa petite cinquantaine, imprimée à hauteur des yeux par des pattes-d'oie rieuses, avec distinction et un charme indéniable. Sur les conseils d'Arletty, lucide et résignée, Soehring s'est marié pour fonder un foyer.

Deux beaux enfants blonds, d'une aussi bonne santé que la sienne à l'époque où il faisait du cheval à bascule, sont nés de leur union, Olivier et Claudio. Sa femme est la parfaite antithèse d'Arletty, qui l'a rencontrée lors de son voyage à Marquartstein fin 1947. C'est Hansi, la jeune fille qui le dévorait des yeux lorsqu'il lisait ses nouvelles à son petit cercle littéraire, le soir à la veillée. Architecte, elle est aussi blonde qu'Arletty est naturellement brune, assez peu tourmentée par la métaphysique, plutôt mignonne avec ses grands yeux clairs, ses lèvres purpurines figées dans de larges sourires dévoilant la blancheur éclatante d'une denture impeccable. « Typiquement allemande [334] », dit d'elle Régnier de Wykerslooth, l'ancien directeur de la Sabena. Le nez, mutin, tout entier contient sa joliesse, avec son bout rond, ses ailes délicatement dessinées, son je-ne-sais-quoi de velouté. Ses regards admiratifs ont l'étonnement émerveillé des jeunes filles qui ignorent l'existence du Mal, et ne croient qu'à une vie candide. La complicité éternelle entre Arletty et Soehring ne lui sera jamais un tracas. Face à ces insondables mystères de la vie, elle préfère remercier le ciel qu'il l'ait épousée, et lui ait donné des garçons si tendres. Aussi, son affection sincère pour Arletty se prolongera au-delà de la mort de son mari. Elle l'invite chez elle à Bad Godesberg, à la périphérie de Bonn, vient la voir à Paris, sollicite son aide dans la recherche d'un acquéreur du bungalow qu'elle possède sur la Costa Blanca en Espagne. Elle l'entoure de ses vœux amicaux avec une chaleur qui n'est pas de pure forme lorsque l'état de ses yeux se dégrade. Puis, ce seront les enfants, adultes, qui cultiveront cette amitié rare, surprenante, exceptionnelle. Arletty fait partie de la famille.

« La vérité, c'est une agonie qui n'en finit pas [335] », a écrit Céline. Celle de l'écrivain s'achève le samedi 1er juillet 1961. À cause de la chaleur suffocante de son pavillon de Meudon, le matin même, pris d'un malaise, Céline descend dans sa cave à la recherche d'un peu de fraîcheur. La journée passe. Il refuse qu'on lui prodigue des soins. Le soleil n'est pas couché qu'une hémorragie cérébrale l'emporte, sans qu'il ait eu le temps de recevoir l'extrême-onction. Fin du voyage et des souffrances. À Belle-Île, où elle est arrivée quatre jours plus tôt,

Arletty reçoit un télégramme de sa veuve Lucie dite Lucette. Beaurepaire l'ouvre et le lui lit. «C'est la première et la seule fois où j'ai vu Arletty pleurer, là, comme pouvait pleurer Arletty. Pas théâtrale. Le coup, un gros coup. Elle m'a dit : "Mon seul regret, Pollux, c'est de ne pas vous avoir fait rencontrer Céline." [336]» «Céline décédée», avait noté d'office le préposé aux postes, peu regardant sur le sexe du défunt.

«J'ai r'çu mon télégramme comme si j'avais été d'la famille. J'avais été lui rendre visite deux jours avant de partir pour Belle-Île. Sachant qu'il allait mourir, je serais peut-être restée quelques jours de plus à Paris. Il est mort d'une congestion. Peut-être que Lucette pensait que j'viendrais aux obsèques qui avaient lieu le mardi suivant. Je n'me suis pas déplacée. J'ai juste passé un coup de téléphone. »

Une cinquantaine de personnes à peine accompagnent l'écrivain à son avant-dernière demeure. Le 22 août, quelques intimes dont Arletty, revenue de son rocher, assistent à l'inhumation dans le caveau définitif.

«J'suivais ça froidement. Y avait un gentil p'tit garçon avec un tablier vichy qui arrosait les fleurs à côté du caveau. Personne l'a vu. Y a qu'moi. Et y avait un chat roux qu'a failli tomber dans le trou. J'ai jeté un peu de terre de Courbevoie dans sa tombe... Céline mort, Lucette est venue à Belle-Île. »

Des visites de politesse plus que de franche camaraderie qu'Arletty lui rend occasionnellement à Meudon. Elle s'ennuie en sa compagnie, à cause du sérieux affecté de sa conversation.

«C'est les métamorphoses du vide, l'genre à apprendre par cœur les feuilles roses du Larousse et à les ressortir au petit bonheur, entre la poire et le fromage. Pour Céline, c'était un témoin, il avait besoin d'un témoin. Une présence. La femme-objet parfaite, claire et lisse comme un personnage de Vermeer. Pas intelligente, pas non plus bête. Un instrument. Elle donnait des cours de danse à l'étage. J'suis intervenue auprès de Pasteur Vallery-Radot pour faire entrer une de ses élèves à l'Opéra de Paris, peu avant la mort de Céline... Lui, il aimait ça, les muscles, les danseuses, les cuisses, les guiboles. C'était le théâtre de sa vie. »

Arletty se sent si peu d'affinités avec la veuve de l'écrivain que, dès les années soixante-dix, elle l'égratigne. Leurs liens se distendent, mais malgré ces coups de griffe qui lui sont rapportés Lucette, bonne

fille, reste fidèle, notamment quand la vue de sa « chère Arletty »
décline dangereusement.

« Janvier 1962. Jean-Louis Barrault m'offre *Un otage* de Bredan
Behan au Théâtre de France [337]. Je dis offrir, car, pour une actrice,
une pièce vaut un bijou. J'allais finir là où j'aurais pu commencer.

« Un long poème ! L'Irlande ! Un peuple qui ne se bat pas pour du
pétrole, mais pour une messe [338]. » Ses partenaires sont Madeleine
Renaud, Georges Wilson, chargé de la mise en scène, Pierre
Blanchar, qu'Arletty retrouve pour la première fois depuis *Knock
Out*, dont il partageait la vedette avec Spinelly en 1927.

« Un très gentil type, Wilson, il jouait mon mari. Une gueule
d'Irlandais. Il buvait beaucoup de bière pendant la pièce. Comme
Brel que j'ai été voir à l'Olympia l'année de ses adieux. Il en avait un
tonneau dans sa loge. Il m'en a même offert un verre. »

Sur fond de guerre de religion entre Irlandais et Anglais, Bredan
Behan raconte la capture d'un jeune soldat de Sa Majesté par des
membres de l'IRA, l'Armée républicaine irlandaise, fer de lance de la
lutte contre les Anglais d'Irlande du Nord. Séquestré dans la maison
de passe de Meg (Arletty), il est pris en otage pour empêcher qu'un
jeune patriote irlandais, condamné à mort, soit exécuté. L'argument
n'est qu'un prétexte à des intermèdes, des chansons, une galerie de
portraits de personnages baroques, vivants, truculents. Pour Arletty,
dont le grand retour se faisait attendre, c'est une nouvelle consécration que salue la critique. « Mme Arletty retrouve pour la première
fois depuis longtemps sa gouaille impériale d'*Hôtel du Nord* », écrit
Bertrand Poirot-Delpech dans *Le Monde* [339]. « Merveilleuse Arletty »,
titre l'écrivain Roger Nimier dans *Candide* : « La beauté d'Arletty fait
pâlir les étoiles. Marie-Aline Monroe n'est plus qu'une excroissance
de bonne humeur sur fond de bouillie lactée. Brigitte Bardot, un
gentil petit chiffon un peu dodu. Sarah Bernhardt un nasillement
charbonneux. Les robes du soir, les duchesses de Langeais, les longs
soupirs, n'auront jamais l'élégance d'Arletty croisant ses jambes et ses
bas noirs. Du parler des faubourgs, [elle] tire une voix suprêmement
raffinée : argot cristallin. Toute petite, [elle] jouait des rôles d'entraî-
neuse. Elle continue, entraînant les pièces dans son sillage. Malherbe
disait que, pour apprendre à parler français, il fallait écouter les cro-
cheteurs. Pour jouer *Phèdre*, *Athalie* et toute chose, il faut suivre
Arletty à l'école de Courbevoie. »

La pièce est un tel succès qu'à la fermeture du théâtre, le 15 mai, il est prévu de la reprendre à la rentrée d'automne. Arletty enchaîne avec le tournage en Italie de *Tempo di Roma*, puis part se reposer à la mi-juillet à Belle-Île. En chemise sans manches et short ou pantalon de coton blanc orné d'un liseré ocre rapportés de Tahiti avec un chapeau de paille – «mon Gauguin» –, elle reprend ses longues marches à pied matinales sur la grève, salue les rares promeneurs qu'elle croise d'un «c'est bon pour le tonus!». La contemplation du lever du soleil, la lecture, les achats de victuailles, les feux de bois, la dégustation d'un verre de bon vin, les conversations sans fin avec les amis de passage et les Bellilois, scandent ses jours. Cet été-là, Pierrot, son frère, est près d'elle. Il loge dans un appentis jouxtant la maison qu'elle a fait construire. Un soir, après un dîner chez le bâtonnier Marcel Grente pour fêter les jeunes secrétaires de la Conférence des avocats, elle regagne sa chambre. «Je rentre fatiguée; je me trompe de gouttes, mets celles pour l'œil droit dans l'œil gauche et vice versa. Comme il arrive dans ces cas-là, je me laisse mourir. Ce n'est que soixante heures plus tard après ce drame que le docteur [Henri] Lucas me transporte en avion à Nantes chez le docteur [André] Baron. Sauvée encore une fois [340]!» Si l'on peut dire.

La première fois, Arletty a perdu l'œil gauche. C'était dix ans plus tôt à peu de chose près, en décembre 1953 exactement. Le plus stupéfiant est que, durant tout ce temps, personne n'ait rien relevé d'anormal dans son regard, au cours des multiples apparitions publiques – dîners, séances de photos, tournages, représentations théâtrales – qu'elle a honorées. Quatre jours avant Noël 1953, elle est admise à la clinique Bizet, rue Georges-Bizet, à Paris dans le XVIᵉ arrondissement, pour être opérée d'un glaucome, une maladie oculaire causée par l'hypertension, capable de provoquer une baisse de l'acuité visuelle et pouvant conduire à la cécité. Inutile d'être grand clerc pour imaginer combien les épreuves endurées ont affecté sa santé physique et nerveuse. Arletty, elle, préfère incriminer la teinture qu'elle utilise pour garder ses cheveux d'un noir «aile-de-corbeau». Non par légèreté ou par inconséquence, mais par stoïcisme. Lectrice assidue d'Épictète, elle se mordrait les lèvres jusqu'au sang pour étouffer ses plaintes plutôt que de s'abandonner à des épanchements. Elle ne recherche ni n'attend aucune indulgence de quiconque à son égard pour ses malheurs subis. Les seuls comptes qu'elle ait à régler, c'est avec elle-même. Ils remontent à l'adolescence et n'appartiennent qu'à elle. Aussi, les moments de prostration qui la clouent au lit, tant quai de Conti sous l'Occupation qu'à La Houssaye durant sa résidence surveillée, elle les vit non comme un symptôme de l'orgueil suprême, mais comme la manifestation de l'inanité sidérante de la vie. Si elle s'endurcit sans cesse, pour devenir toujours plus forte et plus sûre d'elle-même, c'est au détriment de son organisme. Sa vue était d'ailleurs si excellente qu'elle s'en prévalait, négligeant de consulter le moindre ophtalmologiste, jusqu'à son hospitalisation de décembre 1953. Le chirurgien Louis Guillaumat, ponte de la clinique des Quinze-Vingts à Paris, parvient à libérer son œil droit du gel qui l'obstrue, mais l'œil gauche ne peut être sauvé. L'intervention est pratiquée dans le plus grand secret. « Seul Jean-Pierre est au courant [341]. » Et quelques fidèles, telle la comédienne Dominique Marcas.

Il en va différemment en 1962. Cette fois, Arletty risque de devenir définitivement aveugle. L'instillation dans son œil droit d'un médicament particulièrement contre-indiqué a causé, en quelques heures, un glaucome aigu, doublé d'une cataracte. Son hospitalisation en urgence à Nantes, répercutée par les journaux, suscite l'émoi de ses proches comme de ses admirateurs.

« Tout le monde me plaint, ça fait dix ans que je suis borgne ! » s'étonne-t-elle.

Arletty ne peut plus lire. Son écriture, d'ordinaire déjà large, est à présent formée de lettres encore plus grosses tracées au feutre. Il faudra un premier traitement, puis une intervention chirurgicale pour qu'elle retrouve une acuité de l'ordre de deux dixièmes et parvienne à distinguer les sous-titres des journaux. Ce n'est que très progressivement que sa calligraphie redevient normale. Malgré ce handicap, l'espoir qu'elle reprenne *Un otage* à la rentrée n'est pas totalement écarté par les médecins. Mais, en septembre, il lui faut renoncer. Le mois suivant, cependant, elle tourne *Le Voyage à Biarritz* de Gilles Grangier, avec Fernandel, vedette avec elle et Michel Simon de *Fric-Frac* en 1939 au cinéma. Rellys, Michel Galabru, Daniel Ceccaldi complètent la distribution. Le film, tiré d'une pièce de Jean Sarment, un auteur de boulevard de l'entre-deux-guerres, est son dernier. Elle s'y montre gracieuse, chic, mélancolique. Roger Hubert, le chef opérateur des *Enfants du paradis*, soigne la photo.

« Tout le monde a été épatant avec moi. On me guidait, on dirigeait chacun de mes regards – à droite, à gauche, plus haut, plus bas... –, chacun de mes pas. Je ne distinguais pratiquement plus rien, que des masses et le rouge. Fernandel était adorable. Il me faisait répéter mon rôle. Il tournait pour le pognon. Il faisait n'importe quoi, c'est pour ça qu'il était si riche. Avant guerre, il avait fait une publicité sur l'air de *Fleur bleue* de Trenet : "La meilleure des brillantines, c'est Forvil, la brillantine ti la li, c'est Forvil..."

« Hubert avait un talent fou. Il s'arrangeait toujours pour faire paraître les gonzesses plus jeunes que leur âge. Il a mis tout son cœur à m'photographier pour pas qu'j'ai l'air trop toc. Après ça, je ne devais plus tourner. »

Qu'Arletty ait interprété quatorze films après la perte de son œil gauche en 1953 relève pratiquement de l'incroyable, vu la teneur de ses contrats. « Vous vous engagez si nos assureurs l'exigent à vous soumettre au début des prises de vue à une visite médicale », est-il généralement stipulé. S'il est exceptionnel qu'un producteur biffe cette clause, il est heureux, pour elle, que les compagnies d'assurances aient visiblement négligé de la faire appliquer. D'où la plus entière discrétion entretenue lors de sa première opération :

« Je n'ai jamais su engranger comme tant d'autres. J'avais besoin de travailler. »

« Des amis me font la lecture. Ne dormant que cinq heures par nuit depuis toujours, j'écoute la radio, je deviens experte. Je passe d'un poste à l'autre : anglais, allemand, italien, etc. Je consomme tout ce qu'ils m'offrent [342]. »

On lui lit Baudelaire, on lui lit Rimbaud, les poèmes, la correspondance. « Puissions-nous jouir de quelques années de repos dans cette vie, et heureusement que cette vie est la seule, et que cela est évident, puisqu'on ne peut imaginer une autre vie avec un ennui plus grand que celle-ci. » La nuit, une fois seule chez elle, Arletty se redit cette phrase, parmi d'autres, du poète de Charleville, entendue quelques instants plus tôt de la bouche d'un ami lecteur. À ce moment-là, ce sont surtout des femmes qui lui font la lecture. Parmi elles, Rosemonde Pissarro, une de ses amies les plus chères. Épouse du petit-neveu du peintre impressionniste Camille Pissarro, elle a jadis joué la comédie au théâtre. À la scène, avant guerre, elle a tenu deux petits rôles aux côtés d'Arletty dans la revue *Crions-le sur les toits*. À la ville, elle constituait, avec Jean-Pierre Dubost et Danièle Parola, le petit groupe d'intimes.

Vingt-cinq ans plus tard, Rosemonde a le même visage, peut-être un peu plus tourmenté, la peau un peu plus tannée. La douceur du regard, où se lit un mal-être, atténue une certaine dureté des traits que les pommettes ne parviennent pas tout à fait à estomper. À tout âge et en toutes saisons, elle porte les cheveux courts, denses et frisés. Chemises à col ouvert et pantalons composent son habillement. D'un dévouement admirable, Rosemonde assiste Arletty prisonnière d'un monde réduit à des ombres, des voix, et de vagues couleurs quand le temps s'y prête, c'est-à-dire les jours où le ciel n'est ni trop obscurci par les nuages, ni trop vaporeux à cause du soleil.

«Avec la petite Pissarro, on s'était juré d'abréger nos souffrances, elle les miennes et moi les siennes, en cas de coup dur. Ça n'a pas tenu longtemps, elle s'est suicidée vers la fin des années soixante.»

Les exercices mnémotechniques qu'Arletty s'impose quotidiennement, à partir de grands textes qu'on lui lit, lui seront d'un secours inestimable quand elle apprendra *Les Monstres sacrés*, la dernière pièce qu'elle jouera au théâtre en 1966. La lumière idéale pour esquisser des formes, retrouver la netteté des lignes, c'est le bleu indigo, frais et limpide, en toile de fond.

Les nerfs optiques sont, semble-t-il, atrophiés, mais sa vue n'est pas pour autant perdue. Pas irrémédiablement. Les plus grands spécialistes, consultés en France et en Suisse, partagent cet avis, sans pour autant minimiser la gravité de son état. Arletty multiplie les examens ophtalmologiques. Son fidèle Jean-Pierre Dubost se renseigne auprès de praticiens renommés de Barcelone. Une nouvelle intervention chirurgicale est possible, mais Arletty a soixante-cinq ans. Le repos le plus strict, une surveillance médicale, un régime sans graisse, l'absence totale de contrariétés qui ne manqueraient pas d'aggraver sa tension, lui sont prescrits. Environ cinq mois avant son hospitalisation à Lyon pour être opérée, elle entre en clinique en Suisse. À «La Prairie» de Paul Niehans à Clarens-Montreux, elle fait une cure de jouvence. Son traitement, basé sur l'injection de cellules animales vivantes, est censé ralentir le processus de vieillissement des tissus organiques. D'illustres patients fortunés fréquentent l'établissement à la réputation mondiale. Le médecin-chef Walter Michel prend Arletty en charge.

«C'est Paul Morand qui m'a fait soigner chez Niehans. Il y allait souvent avec sa femme. J'le voyais chez Josée [de Chambrun] pendant l'Occupation. L'père Laval l'avait nommé ambassadeur à Bucarest pour faire plaisir à Josée. J'aimais beaucoup Morand [343]. J'aimais pas la bonne femme. Lui a été très chic avec moi. Les cures de rajeunissement chez Niehans lui ont pas si mal réussi. On lui injectait des cellules d'agneau. Tous les grands types y allaient, Pie XII y est passé. Ça l'a pas empêché d'claquer.»

C'est en 1953 que le pape, en proie à un hoquet incoercible, est traité avec succès par le docteur Niehans, désigné en retour membre de l'Académie pontificale des sciences, bien que protestant. De quoi conforter son industrie et sa légende, même si le remède administré reste mystérieux. Autres curistes célèbres à «La Prairie» : le chancelier allemand Konrad Adenauer et le duc de Windsor.

Dix ans plus tard, un dépliant lève quelques-uns des secrets de ce «Centre de recherche pour thérapie cellulaire» niché dans un parc boisé des bords du Léman. La méthode consiste à injecter par voie intramusculaire des cellules – œil, hypothalamus, thyroïde, cœur, artères, moelle, etc. – prélevées sur des animaux jeunes ou des fœtus soumis à des analyses vétérinaires. Niehans garantit leur parfaite santé. Des maîtres bouchers stérilisent les bêtes dans les abattoirs de Clarens, puis extraient les organes qui sont broyés en fines particules. Simple avertissement : si un animal se révèle malade à l'opération, il est facturé au client.

«C'est Josée qui a payé mon premier traitement, peut-être même le deuxième. Le troisième, le docteur Michel me l'a fait gratuitement.»

Confit d'adoration pour Arletty, le médecin-chef de «La Prairie» est un personnage curieux, grand, corpulent, solide. Il a été pilote d'assaut.

«Un admirateur de Göring.»

Amateur de parties de chasse et des jeux cruels de la corrida, il traite les femmes avec une supériorité mâle et une familiarité qui confine à la malséance. À vouloir systématiquement mettre ses patientes à l'aise, il peut être fruste dans ses manières. C'est un homme d'action qui a pu croire son heure arrivée en 1940, lorsqu'il fonde, avec l'appui du SD, le service de sécurité nazi, le Mouvement national suisse, rapidement frappé d'interdiction par les autorités helvétiques. Après guerre, il est condamné à trois ans de prison pour activisme brun. Niehans, lui-même, n'est pas en reste. La Wehrmacht défaite, il s'efforce de venir en aide à des soldats et des officiers allemands détenus en France. Dans leur fuite à l'étranger, certains dignitaires nazis se seraient, dit-on, réfugiés à «La Prairie». «Selon certains témoignages, des collègues des docteurs Niehans et Michel, spécialisés dans la chirurgie faciale, ont eux aussi rendu des services aux fuyards... en leur modifiant le visage, et en leur offrant non pas une cure de jouvence, mais une nouvelle identité [344]», écrit le journaliste Karl Laske dans *Le Banquier noir, François Genoud*.

Aux mois de repos total auxquels Arletty, qui doit impérativement s'éviter toute corvée, est assujettie, s'ajoute un petit traitement préopératoire, huit jours avant son entrée à la clinique Saint-Maurice de Lyon. Le 9 octobre 1963 enfin, elle subit sa troisième intervention aux yeux. À l'heure de passer sur le billard, elle plaisante avec le professeur Louis Paufique, qui admire son courage : «Mourir dans vos bras, c'est un privilège!» lui dit-elle. L'intervention est une réussite. À son réveil, une fois ôté l'épais bandage qui protège ses yeux, elle distingue les contours vaporeux d'une gerbe de roses envoyée par Jean-Pierre Dubost. «Des fleurs! Je vois!» Son champ visuel enregistre une légère amélioration. Un miracle. Soulagée, elle adresse télégrammes et coups de téléphone à ses amis pour leur annoncer la bonne nouvelle. «Je vois le gazon!» s'exclame-t-elle de son lit donnant sur le parc, lorsque, adossée à un mur d'oreillers, elle appelle son ami Robert Petit, retenu à Paris. «La prochaine fois, je compose le numéro moi-même!»

«J'ai baisé la main d'un seul homme, par admiration et par reconnaissance, cette main qui a tiré de la nuit tant de malheureux : Louis Paufique, Lyon [345].» À défaut de recouvrer complètement la vue, Arletty va pouvoir retrouver son autonomie, vivre normalement, et surtout refaire du théâtre. Question de soins, de patience, de prudence et de temps. Une lentille cornéenne, qu'elle casse dès les premiers jours par inadvertance, ne sachant la manipuler, lui est ordonnée. Elle doit la porter en alternance avec une paire de lunettes, qu'elle exhibe bientôt sur de gros plans photographiques placés dans les vitrines de l'opticien Lissac. Son amie Rosemonde Pissarro, auprès d'elle lors de l'opération puis durant sa convalescence à la station thermale de Divonne-les-Bains, ne la quitte guère. Jean-Pierre Dubost, le premier, se précipite pour lui tenir compagnie. Comme à l'accoutumée, Arletty est très entourée. Les seules mondanités qu'elle s'accorde en 1965 sont la remise de la coupe de l'Optimiste qui lui est décernée en février et le banquet de la Ligue auvergnate et du Massif central en décembre. La coupe, transmise les années suivantes à l'aviatrice Jacqueline Auriol, puis à Maurice Chevalier, récompense «son courage et son indéfectible optimisme», elle qui est «revenue des affreuses menaces de la cécité». À «La Nuit arverne», organisée porte de Versailles pour fêter les Auvergnats de Paris, elle crée l'événement en acceptant d'être la première femme depuis 1886 à présider la manifestation. «Au dessert, je me taille un petit succès, dans le speech, signé Henri Jeanson [346].»

Arletty doit une fière chandelle au professeur Paufique. Elle en a conscience. Ses attentions, d'ailleurs, à son égard sont nombreuses. Pour le remercier de l'avoir sauvée des ténèbres, elle lui offre l'album de luxe que Sacha Guitry a consacré aux grands noms de la France : *De Jeanne d'Arc à Philippe Pétain, 1492-1942*, un ouvrage à tirage limité qu'il lui a offert lors de sa parution, puis un stylo de chez Cartier. Sa reconnaissance comme son amitié pour le chirurgien, longtemps après qu'il eut cessé de la suivre médicalement, est sans faille.

«Avant d'aller à des Guitry, mon admiration va d'abord aux grands médecins qui soignent le corps. Paufique, c'est le grand professeur de mes yeux.»

En janvier 1966, ils déjeunent ensemble à Lyon où Arletty est en tournée avec *Les Monstres sacrés*, dans une mise en scène d'Henri Rollan et des décors de Christian Bérard. Elle voulait rejouer. Marcel Karsenty, l'homme des galas qui réussit à lui faire jouer *Gigi* hors de Paris, lui soumet plusieurs projets. Elle retient la pièce de Cocteau, en hommage à Yvonne de Bray, la glorieuse interprète des drames d'amour d'Henry Bataille, qui avait créé le rôle d'Esther, sans grand succès, sous l'Occupation. Avec Arletty, le public accroche à l'histoire de cette comédienne de renom déjà mûre, poussée vers la sortie par une débutante, un thème qui rappelle vaguement le film de Joseph Mankiewicz, *All about Eve* [347]. À l'automne, la pièce ouvre la saison au théâtre des Ambassadeurs [348], avec Yves Vincent, Huguette Hüe, Simone Paris, Nicole Chollet.

«C'est là qu'j'ai fini ma carrière.»

Par un triomphe. Maurice Chevalier, qu'elle voit régulièrement depuis 1948, la félicite, parmi tant d'autres, pour sa prestation. La beauté dramatique d'Arletty, plus grave et plus absente que jamais, donne une densité incroyable à son personnage. «La symphonie en blanc d'Yves Saint Laurent était un merveilleux écrin pour Esther [349]. » Le tailleur, le turban, les bijoux, tout est blanc, en contraste saisissant avec l'expression du visage, sombre. Les sourcils charbonneux, les lèvres sculptées, son regard fixe et meurtri ajoutent au tragique. Dans la salle, tout le monde pense à ses yeux, retient son souffle les rares fois où elle se déplace d'un endroit à l'autre de la scène. À chacune de ses répliques, un silence de mort fige le public. Analyse de Jean-Jacques Gautier dans Le Figaro [350] : «La pièce de Jean Cocteau nous fournit l'occasion d'assister au phénomène d'Arletty. [...] Arletty souffre dans la blancheur, dans l'immaculé. Une passion l'anime, une passion sans éclat, qui se traduit par des secousses, des sursauts. Oui, de temps en temps, elle tressaute, et c'est lorsqu'on lui enfonce ce couteau dans le cœur. Le reste du temps, elle module à nu. Elle joue, elle vit dans une sorte de mouvement filé, se débat dans la fixité, s'assied, se relève, mais comme dans un univers de fantômes qui est le rêve éveillé, l'extralucidité de son amour. [...]

« Toutes les Arletty, toutes nos Arletty de spectateurs sont passées devant nous. Esprit, acuité ; on pense au fil d'une lame, à quelque chose d'incisif, de violent sous l'enveloppe impassible. On voit la silhouette étonnante ; on mesure le pouvoir ; on assiste ; on croit avoir décrit. Et puis non, il reste le mystère Arletty. »

Dans Le Nouveau Candide du 10 octobre 1966, beaucoup plus juste encore, Pierre Marcabru ajoute : «On n'a jamais fini de parler d'Arletty. C'est une comédienne si transparente que son mystère est dans cette transparence même. On ne sait ce que cache une telle clarté. [...] Mme Arletty n'est pas de celles qui s'arrachent les cheveux à pleines mains pour se prouver qu'elles souffrent. La douleur morale, comme un petit point dur, reste au centre de la chair. L'infection ne gagne pas la surface du corps. Elle peut en mourir, mais sans convulsions.

«De ce stoïcisme, si rare chez les comédiens dès qu'il s'agit du cœur, elle tire un naturel aristocrate où il n'entre aucune complaisance. On a dit qu'elle était peuple, c'est vrai. Mais de la noblesse de ce peuple : sans pose ni vulgarité. Sans contamination bourgeoise.

«Il en est des comédiens comme du style : certains sont surchargés ; d'autres, économes. Arletty ne fait pas un geste de trop. Elle se rature. De là, dans la fantaisie comme dans l'émotion, une rigueur quasi classique. »

Le jeudi 10 novembre, le rideau tombe. Comme chaque fois après le spectacle, Arletty va souper. En compagnie, ce soir-là, de Nicole Chollet, ex-pensionnaire de la Comédie-Française. Chez Francis, place de l'Alma, elle ne s'attarde pas. Elle se sent «à plat». Seule, elle regagne son domicile, enfile ses mules et son peignoir, se démaquille, se glisse dans ses draps, lit quelques pages avant de s'endormir – *Le Marchand de Venise* de Shakespeare : «L'homme qui n'a pas de musique en lui, que n'émeut point le concert des doux sons, est propre aux trahisons, aux stratagèmes et aux rapines. Les mouvements de son âme sont mornes comme la nuit et ses affections sombres comme l'Érèbe. Défiez-vous d'un tel homme.»

C'est sa dernière lecture. Le lendemain matin, 11 novembre, fête de la Victoire, à son réveil, c'est le trou noir; une angoisse irrépressible la saisit :

«Je n'y voyais plus.»

Chapitre XVII

En rendant un faux nom, vous reprendrez le vôtre.

RACINE

Arletty a les yeux blessés. Un abcès intraoculaire obscurcit sa vue. Après avoir accusé le choc, Arletty se resaisit, Arletty chante. Pas des arias, des zarzuelas, de ces grands airs d'opéras qui font frémir les parterres, mais des petits couplets, troussés, gaulois, dans la veine de ceux qui enthousiasment le poulailler.

À son habitude, elle fredonne. Le matin au lever en prenant son café sucré, à midi en sirotant son Campari, le soir en appliquant son démaquillant. Elle s'accompagne en pianotant du bout des doigts sur un coin de table. Le divan, ses cuisses, le mur lui servent pareillement de clavier. Déjà toute gosse au pensionnat à Montferrand, où la discipline était pourtant stricte, elle s'en donnait à cœur joie, sans crainte du qu'en-dira-t-on. De préférence les jeudis, jour de sortie lorsque les jeunes filles du couvent empruntaient, en uniforme, la route de Riom sous l'œil sévère d'une religieuse. Un jour qu'elles marchaient toutes en rang serré, les yeux baissés, pour la sacro-sainte promenade, la petite Léonie se met à entonner : « Viens Poupoule ! viens Poupoule ! viens ! » Consternation des écolières, vapeurs de la supérieure qui tance vertement l'effrontée. Sans l'oncle aumônier, elle était renvoyée.

« Je suis mélomane, pas musicienne. Incapable de jouer une note. Je suis plutôt pour la musique légère. La grande musique, je n'ai pas les qualités pour en parler. J'aime Beethoven, Bach et Mozart, comme tout le monde j'imagine. J'étais très camarade avec Munch [351]. J'ai eu le privilège de voir diriger les plus grands chefs, mais au fond, je ne le méritais pas. »

Edelweiss, l'amant de ses vingt ans, a été le premier à veiller à son éveil musical. Sa vie durant, elle a été à l'opéra, aux concerts des plus grands compositeurs et chefs d'orchestre : Richard Strauss à Berlin, Arturo Toscanini à Salzbourg, Herbert von Karajan à Paris. Invitée par Igor Stravinski aux répétitions de *L'Oiseau de feu* au théâtre des Champs-Élysées, elle s'y rend, en coup de vent.

Quand Horowitz se produit dans le salon de Jeanne Dubost, dans les Années folles, Arletty est là. C'est Arthur Honegger qui tient le pupitre lors des représentations au théâtre de la Madeleine de *Crions-le sur les toits* en 1937. Soehring lui a fait aimer Mozart et Beethoven. Mais, ce qu'elle apprécie, c'est moins la mélodie abstraite des accords musicaux que la charge émotionnelle du souvenir partagé.

L'ennui qu'elle éprouve à une représentation des *Maîtres chanteurs* de Wagner, dans l'opéra nouvellement reconstruit de Berlin après guerre, est réel :

« Ça durait cinq heures. On pouvait pas la ramener. J'étais avec Favre Le Bret [352]. Il a cru que j'allais y rester. Je suis sortie de là, je me suis affalée sur un banc Parizer Platz. J'étais liquéfiée. »

S'il est acquis qu'à ses tout débuts Arletty connaît surtout les opéras à travers les parodies des revuistes, au fil des ans, son oreille se forme à la musique de chambre. Et, dans les années cinquante, après son premier accident oculaire, aux œuvres de Rameau, Schumann, Ravel, Poulenc, Sauguet qu'elle écoute assidûment. Sans en raffoler. Lorsqu'elle sifflote, c'est plus volontiers *J'en ai marre* de Maurice Yvain, que *Les Quatre Saisons* de Vivaldi.

Elle ne saurait reproduire la musique de *Moulin-Rouge*, le film de John Huston retraçant la vie de Toulouse-Lautrec à Montmartre. Néanmoins, en décembre 1957, elle accepte de témoigner sur l'honneur en faveur du compositeur Georges Auric, qu'un Américain accuse de plagiat. Les enjeux financiers sont importants : la chanson du *Moulin-Rouge* est sur tous les phonos et sur toutes les lèvres. En prévision du procès prévu le mois suivant à Washington, Arletty jure devant le consulat américain à Paris qu'elle agit de son plein gré. « Au début de l'année 1940, j'ai dû tourner un film et dans ce film chanter une chanson intitulée *Adieu mon copain,* dont M. Georges Auric avait écrit la musique sur des paroles de M. Henri Jeanson, attestet-elle. À l'époque, j'ai rencontré les auteurs à plusieurs reprises en vue de l'interprétation de ladite chanson dont j'ai eu, à ce moment-là, le texte et la musique.

« Le film ne s'étant pas tourné, je n'ai jamais eu l'occasion de la chanter. Les années ont passé. J'avais totalement oublié ce projet, et c'est lors d'une projection du film *Moulin-Rouge* à Paris, à laquelle j'assistais, que j'ai retrouvé et reconnu très exactement l'air de la chanson qu'en 1940 je devais interpréter. »

Soumise à un questionnaire détaillé sur ses rapports avec Auric, Arletty, qui a plusieurs fois passé des vacances à la montagne avec le couple avant guerre, souligne qu'elle connaît le compositeur français depuis 1935. Elle est même en mesure de préciser que la chanson litigieuse dure trois minutes, compte une vingtaine de croches et autant de barres. C'est une valse lente, chacun peut en juger.

« Auric a gagné son procès. Pour me r'mercier, il m'a offert une timbale en émail garnie d'un bouquet de violettes. Il avait dû l'acheter dix balles à la Maison de Russie, alors que j'lui avais fait gagner 300 millions [de centimes]. Mais faut s'en foutre, polope ! Quand il me l'a donnée, j'lui ai dit : "Mais la fleur avec le pot, c'est beaucoup trop !" »

Ce 11 novembre 1966, Arletty s'arrache de son lit, tapote du bout des doigts sur sa table de chevet équipée d'une lampe articulée, cherche à tâtons un repère, un appui, une source de lumière. Devant elle, ce n'est qu'un champ d'ombres. Rude punition pour quelqu'un d'aussi observateur, que d'être ainsi privée de la vue. Elle qui aimait tant arpenter Paris le nez au vent, admirer l'instant du soleil couchant où le ciel passe du bleu au gris, caresser du regard les courbes de la Seine ! Elle songe au suicide. Sérieusement ?

« J'y ai pensé, mais pas plus que les autres jours. Jamais je ne me serais supprimée. Je suis curieuse de tout. Pourtant, j'ai du suicide en moi. Toujours, même infiniment jeune, j'en ai eu le goût. J'ai lutté, dictée par ma curiosité de la vie. Je me serais peut-être suicidée dans un moment de souffrance horrible. Mais non, y a rien à faire, j'ai la curiosité de l'espèce humaine. Je me serais plutôt laissée glisser [dans la mort]. Je m'suis dit : j'vais attendre la fin du monde. Ça va être marrant. C'est pour ça que j'me suis pas suicidée. »

Il lui reste l'effroi, calme, stoïque, sans panique. Et ses démons d'adolescente qui l'assaillent chaque fois qu'elle est seule, face à la douleur. Ce sont les images du père ensanglanté sur la civière, mais peut-être plus encore la vision de la mère, l'écume aux lèvres, révulsée de colère lors de leur rupture.

« Par mes yeux, j'ai payé ma mauvaise conduite. Quand mon père est mort en 1916, j'ai filé à Garches avec Edelweiss. J'ai été dégueulasse avec ma mère. C'est pour ça que y a de l'autodestruction en moi. Mes yeux… tout ça. Y a un côté célinien. »

« L'autodestruction », « tout ça »… c'est bien sûr l'accident des yeux qu'elle interprète comme le châtiment d'une justice immanente, mais aussi son irrépressible aspiration à brûler la vie pour atteindre à la connaissance suprême, dût-elle en souffrir et se torturer moralement.

Son souvenir le plus ancien, relatif à cette impulsion de savoir, violente et irrationnelle, remonte à 1904. Arletty/Léonie a six ans, une mine réjouie, les joues pomme d'api. Elle est assise dans le train à vapeur qui l'emporte de Clermont à Paris. Sa grand-mère Mariette, engoncée dans son éternelle robe noire semblable à une aube de bure, le visage buriné de pénitente, est près d'elle. Entre Moulins et Nevers, Léonie lui demande de tirer la sonnette d'alarme. La grand-mère, illettrée, s'exécute sans penser. Arrive le contrôleur :

« Qui a tiré l'alarme ?

— Moi, mon bon monsieur, répond Mariette penaude.

— Non, c'est moi. Elle, elle sait pas lire », interrompt Léonie.

Un acte de polissonnerie qui vaut une réprimande à la pauvre grand-mère, honteuse de s'entendre dire que sa gosse « finira à Cayenne ». Un test pour jauger les hommes dans leur réaction primaire, et se conforter dans l'idée que rien n'est ni blanc ni noir, fors l'illusion.

Autre exemple dans les années vingt, lorsque Arletty, petite femme de revue, joue les affranchies. « Dans certains milieux, tout le monde prenait de la drogue. Chez une jeune milliardaire de l'avenue du Bois, à table, le sel et le poivre étaient avantageusement remplacés par la "coco" et l'héroïne. Les pique-fleurs de son Hispano cachaient ces précieuses "épices". Pendant six mois, je fais une cure d'intoxication : coco, éther, opium, héroïne [353]. »

« J'avais vingt-huit ans. Un jour je prends mon miroir, j'm'examine, en six mois, j'avais pris dix ans. Et pas de poussée d'intelligence ! J'ai tout de suite compris. »

Instinct de survie, Arletty stoppe net ces excès.

À la même époque, avec son amie Danièle Parola, elle se lance un nouveau défi : se faire inviter dans la rue par un inconnu *first class* évidemment, pour la soirée. De restaurant en cabaret, le manège consiste à le faire « cracher » au maximum, sans lui concéder l'essentiel : la nuit à l'hôtel. C'est un franc succès.

Insaisissable Arletty, despotique car elle mène le jeu, imprévisible si l'on n'y prend garde.

Sujette à des foucades, elle est capable de porter un jour quelqu'un aux nues et de le déboulonner le lendemain de son piédestal. Avec énergie, humour, non sans de bonnes raisons : pour un mot de travers, un signe d'avarice, un accès de jalousie, plus souvent encore pour le seul plaisir de faire un bon mot.

Ses coups de tête la portent à des actions insensées. Comme la vente de sa maison de Collioure en 1954, ou celle de Belle-Île vingt ans plus tard. Elle les cède meublées, étagères garnies, rideaux aux fenêtres, draps dans les lits. Des occasions de rêve pour les acquéreurs. De Donnant, elle rapporte juste quelques livres, une selle en bois à trois pieds — de celles que les paysans utilisaient naguère pour la traite des vaches — et, dans une enveloppe, un peu de lavande cueillie sous sa fenêtre.

Explication d'Arletty à ses comportements fantasques : l'hérédité — son père et sa mère étaient des cousins auvergnats éloignés —, et sa crise de nerfs infantile, cause de ses séjours prolongés dans le Puy-de-Dôme pour la guérir du haut mal. Depuis lors elle restera convaincue d'être épileptique, bien qu'aucun traitement ne lui ait jamais été ordonné. À l'époque, les personnes atteintes de convulsions étaient plus volontiers regardées comme des possédées du démon que comme des malades souffrants. La connaissance de cette affection multiforme s'est précisée depuis, avec les progrès techniques. Si son siège demeure le cerveau, ses formes peuvent varier et les troubles engendrés se révéler moins spectaculaires que dans l'imagerie populaire du XIXe siècle.

Selon Arletty, l'expression de ses débordements psychiques en actes irréfléchis reflète son côté célinien. Elle en conçoit, au-delà de Courbevoie, un lien de parenté avec l'auteur du *Voyage*.

« Il y avait chez Céline une cingloterie. J'l'comprends très bien. Il était hérédo, comme moi. Quand il parlait, il avait un petit peu de bave au coin des lèvres, j'm'en souviens. Pas à exagérer. Il rattrapait la salive, voyez.

« [Jules] Berry était de la même famille que nous, des cinglés.

Attention, les épileptiques sont pas des fadas. Ma mère était épileptique. »

D'une nature vigoureuse, Arletty apprend très jeune à dominer ses nerfs, à contenir son énergie qui, parfois, se décharge en mouvements incontrôlés et à deux ou trois reprises, durant ses dernières années, en « passages à vide ». Ils résultent pourtant davantage d'un repas copieusement arrosé que d'un dérèglement organique. Ces absences d'une bonne douzaine d'heures l'alarment. Une fois retrouvés ses esprits, elle en rit, ravie de découvrir le nom de ces amnésies soudaines et fugaces, propres aux personnes âgées : l'ictus.

La discipline qu'elle s'impose, la maîtrise qu'elle affiche, l'athéisme qu'elle proclame ne sont qu'une facette du personnage, enclin, de tout temps, à des comportements irrationnels. Superstitieuse, Arletty ?

« J'l'ai peut-être été pour des petits trucs à moi, quand des choses n'étaient pas à leur place. Mais rien de grave. Les superstitieux invétérés, c'est pénible. Là j'dirais comme Jeanson : "La superstition, ça porte malheur !" »

Cependant, sur ses vieux jours, lorsque la grosse montre de poche de son père tombe en panne, elle y verra comme la prémonition de sa fin prochaine :

« C'est un signe. »

De même à ses débuts, au hasard des boulevards, il lui arrive de consulter une cartomancienne dans sa roulotte. Bien qu'elle se défende de redouter les maléfices, Arletty, une carte à jouer glissée dans la poche intérieure de son sac à main, bannit rigoureusement le vert de sa garde-robe et les bouquets d'œillets de ses vases de fleurs. Si elle considère invariablement les maisons d'angle comme étant d'un mauvais présage depuis la mort de son père ramené sur une civière à domicile, au coin de deux rues transversales à Puteaux, elle retient moins systématiquement de ses rencontres qu'« il y a les "P.-M." et les "P.-B." », autrement dit les porte-malheur et les porte-bonheur.

Le 11 novembre 1966, le théâtre des Ambassadeurs fait relâche. Arletty a la grippe, rapportent les journaux, qui omettent ou ignorent qu'elle est quasi aveugle. Avant elle, à peu près tous les acteurs jouant dans *Les Monstres sacrés* ont été affectés par le virus.

« J'ai attrapé les staphylocoques dans l'œil. C'est Simone Paris qui avait dû m'les refiler. Une vraie putain, marrante. Elle avait la grippe.

C'est un peu à cause d'elle que je suis infirme. La pauvre, elle y était pour rien. »

Arletty est transportée d'urgence à la clinique Eugène-Gibez, à Paris dans le XVe arrondissement, aujourd'hui disparue. Traitement de choc. Des calmants lui sont administrés. On lui fait trois piqûres dans l'œil droit purulent. Le lendemain, Henri Calvet, son ophtalmologiste, lui injecte des antibiotiques intraoculaires puissants. « Depuis l'intervention de Paufique, Arletty vivait avec l'œil droit perforé, explique le praticien. Une valve de sécrétion avait permis de rétablir l'équilibre de son tonus oculaire. Pour jouer *Les Monstres sacrés*, elle mettait une lentille cornéenne. Le frottement de la lentille sur l'œil a diminué la protection conjonctivale. Les germes se sont infiltrés par la fistule, provoquant une panophtalmie [354]. Arletty a eu cette complication parce qu'elle refusait de manquer à sa tâche [355]. »

Panique dans le bloc opératoire où, admise vers vingt heures, Arletty, placée sous anesthésie, est victime d'une défaillance cardiaque. Ses pieds et ses mains bleuissent aux extrémités. Un groupe de réanimation de l'hôpital Laennec est dépêché d'urgence. Médecins et infirmières se relaient à son chevet pour surveiller son pouls alors qu'elle est sous respiration artificielle. Vers cinq heures du matin, elle revient à elle. « La seconde du passage de la mort à la vie : effort indicible comme si, enseveli, on voulait lever la pierre du tombeau. Après cette expérience, je souhaite être incinérée [356]. »

L'opération porte en partie ses fruits. Arletty en sort diminuée, mais pas totalement aveugle. Si la perception lumineuse de son œil gauche, opéré en décembre 1953, n'est plus mesurable, l'acuité de son œil droit se stabilise à un dixième environ, presque le niveau antérieur à l'intervention pratiquée à Lyon trois ans plus tôt, mais uniquement en vision centrale. Son champ visuel étant détruit sur toute la périphérie, Arletty voit comme dans une paille. Il est désormais hors de question qu'elle rejoue, son inaptitude à travailler étant totale et définitive. Une nouvelle intervention chirurgicale du docteur Paufique, dix mois plus tard à Lyon, destinée à rematelasser à froid son fond d'œil et à conforter les premiers soins n'y changera rien.

« J'aurais pas voulu être une charge pour mes camarades. On a vu des actrices avec des jambes de bois, on n'a jamais vu d'aveugle. »

Dès ce jour, elle renonce aux propositions qui lui sont soumises, comme elle le faisait déjà au cinéma depuis 1963 après avoir refusé de tourner *Du mouron pour les petits oiseaux* de Carné par crainte d'une rechute. Nul ne parviendra à la faire fléchir. Pas même Léos Carax, qui lui écrit, en avril 1983, en vue de la réalisation de son premier long métrage *Boys Meet Girls* :

> « Chère Mademoiselle admirée,
> Je ne sais plus si je vous ai découvert à travers Céline ou vice versa, mais vous êtes liés tous les deux dans mes pensées. Votre musique et la sienne, chacune si particulière, se mélangent souvent en moi avec beaucoup d'émotion.
> Pour ne pas vous ennuyer, je me permets d'écrire bref : voilà, j'ai vingt-deux ans et je prépare mon premier long métrage, *Si j'étais toi.* Tout le projet tourne autour de garçons et de filles de vingt ans, un âge où l'on veut tout signer, histoires d'amour et œuvres d'art. Mais, dans une scène, mon jeune héros Alex se retrouve assis près d'un "vieux couple", au cours d'une réception. Lui est sourd-muet et aborde Alex avec le langage gestuel. Elle est aveugle et doit lui entourer les mains des siennes propres afin de pouvoir traduire ses propos.
> [...] Bien sûr, je sais que vous n'envisagez absolument pas de rejouer, mais lorsqu'on vous aime comme moi on imagine l'impossible. Toute cette séquence a été composée pour vous et sans votre musique elle perd son âme.
> Ce que j'espère, si fort, si fort, c'est que vous ne trouverez pas ces lignes trop insolentes ou directes et que vous m'autoriserez à vous reparler de tout ça de vive voix.
> Je vous envoie aussi quelques coupures de presse sur mon dernier film [357], pas par prétention, mais pour "faire sérieux".
> Quoi qu'il en soit, vous resterez, chère Mademoiselle, ma musique favorite et respectée.
> Et surtout, s'il vous plaît, soyez heureuse.
>
> L. C [*]. »

Au théâtre, après Françoise Sagan, Pierre Cardin lui offre en 1978 de faire sa rentrée à l'Espace Cardin [358] avec un spectacle tiré de l'œuvre de Cocteau.

« Bientôt, vous allez exhumer les mecs des cimetières, lui dit-elle. Vous m'voyez, avec une canne blanche ? R'marquez, c'est gentil. »

Idem lorsque Daniel Gélin lui propose, au début des années quatre-vingt, un rôle de grabataire « superbe », selon lui. « Elle m'a répondu : "Le corps médical m'interdit la lumière. Et puis, quand tu

---

[*] Publiée avec l'aimable autorisation de Léos Carax.

vas jouer, quand tu vas me parler, je ne te verrai pas. On n'a pas le droit de tricher." Son honnêteté était très émouvante. La pièce n'a jamais été montée [359]. »

Amis et connaissances se succèdent au chevet d'Arletty : Rosemonde Pissarro et Josée de Chambrun parmi les femmes, nombreuses. Jean-Pierre Dubost, l'indéfectible, parmi les hommes. Bien que son état de santé nécessite une présence constante, elle ne tolère que les visites, personne à demeure.

« Les yeux, c'est un mal noble, c'était celui d'Œdipe. Aveugle, on ne voit pas les choses, on les voit en soi. À mes débuts, j'allais au Louvre admirer le portrait de Charles VII par Fouquet. Le visage glabre, le chapeau. Pas un cheveu ne sort de la "coëffure". J'l'avais photographié dans ma tête, j'pouvais me l'repasser comme je voulais. Pareil avec un Lautrec. »

Devant elle, des ombres passent, qu'elle pare des couleurs du souvenir pour les égayer. Arletty réapprend à vivre. D'abord chez elle, des mois durant, attentive aux variations du ciel et de la lumière du jour qui inonde son appartement. Elle prête l'oreille aux moindres bruits, s'exerce à déceler l'humeur et la nature de ses visiteurs au son de leur voix, s'efforce à décrypter le titre d'un livre, s'entraîne, seule, à aller du salon à la chambre, de la chambre à la salle de bains; une main légèrement en avant, presque à hauteur du visage, pour se protéger des éventuels obstacles, l'autre pour se guider. Très vite, elle connaît par cœur l'emplacement des choses, le contenu de ses tiroirs, la taille de ses rares objets. Il lui suffit de palper une étoffe pour savoir quel vêtement on lui tend. Ses amis admirent et louent son courage, sa sérénité, son stoïcisme aimable. Quelle leçon pour les pleurnichards!

« Une journée sans rire est une journée perdue. »

Dans la rue, son pas est mal assuré. Un bras secourable lui est nécessaire : « Faut pas que j'me casse un abattis. » À Bagatelle, dans le parc bordant le bois de Boulogne où il lui est arrivé de répéter certains de ses rôles, elle se sent davantage en sécurité pour les promenades. Ici, pas de voitures, ni de trottoirs à monter ou à descendre, ni de crottes de chiens. Une étendue de verdure. Au hasard des allées de la roseraie, elle s'entraîne à reconnaître la couleur des fleurs. Du belvédère, la Défense qu'elle devine plus qu'elle ne la distingue au loin, image fidèle de son enfance, n'a pas encore érigé ses tours. « Elle a toujours très bien vu les couleurs [360]», assure Nicole Chollet, petite femme ronde et énergique, au parler dru, qui l'escorte et lui fait la lecture : *Le Journal* de Jules Renard, les *Entretiens de Goethe et d'Eckermann* captent son intérêt, mais moins que *Le Petit Livre rouge* de Mao, alors en cours chez les futurs notaires encore sur les bancs de l'université. «Enfoncez-vous ça dans la tête!» martèle Arletty, chaque fois que le grand timonier réitère un de ses principes d'airain de sa révolution culturelle.

Après son opération et la fin des séances de soins quotidiennes, son premier voyage à Belle-Île, les beaux jours revenus, n'est qu'une source de chagrin. Jean-Pierre Dubost, son vieux compagnon qui l'a rejointe à Donnant, est au plus mal. «Le marquis de la Bourse plate», ainsi qu'on le surnomme dans les milieux d'affaires, présente un visage flétri, ravagé par la maladie. Amaigri et jaunâtre, il a perdu l'air jovial qu'elle lui a toujours connu. Comme s'ils pressentaient l'un et l'autre l'imminence d'un drame, ils taisent par pudeur les anicroches de leur relation, évoquent les bons coups de fusil partagés en Bourse. Elle amenait les fonds, lui jouait. Ses tuyaux sont fiables. En 1967 encore, il anticipe la lassitude croissante des Français pour le Général. «C'est le glas», lui dit-il. Quelques mois plus tard, de violentes bagarres éclatent à Caen au cours d'une manifestation ouvrière, prélude aux nuits des barricades de mai 1968.

Aujourd'hui comme hier, Jean-Pierre, incorrigible, aime Arletty. On ne lui connaîtra d'ailleurs jamais aucune autre femme. Pas un jour ne passe sans qu'il ait une pensée affectueuse pour elle. Son espoir, sa joie de vivre reposent entièrement sur l'amélioration de sa vue. Et pourtant, quelle solitude entre eux…

«Un jour à Belle-Île, ça devait être début août [1967], il m'a dit : "Tes désirs sont des ordres. Je partirai quand tu voudras." »

Trois jours plus tard, Jean-Pierre repart pour le continent. Ce sera son dernier voyage, un adieu en quelque sorte. Il meurt le dimanche 20 août 1967, peu après son admission à l'hôpital Beaujon. Il avait sombré dans un coma diabétique quarante-huit heures plus tôt. Une insuffisance cardiaque lui sera fatale.

À Donnant, Arletty n'a pas le téléphone. Ce n'est que le lendemain qu'elle reçoit le télégramme d'Alain Armengaud, le cousin de Jean-Pierre, lui annonçant le décès. La nouvelle la glace. «Jean-Pierre!» Son cri de stupeur est autant un appel au secours. Le jeudi suivant, à 8h45, elle est parmi les premiers à l'église Saint-Vincentde-Paul pour la cérémonie religieuse, suivie de l'inhumation au cimetière de Passy. « On dépose sur sa tombe une couronne offerte par les employés du Cercle X… Sa dernière bouée !

« Je laisse Jean-Pierre entouré de gisants.

« Il est en très belle compagnie : Léon Volterra [361], Édouard Manet, Debussy, Giraudoux, Henry Bernstein, Tristan Bernard, etc. Une salle bien parisienne [362]. »

Arletty ne dort plus. Jean-Pierre l'a quittée. Jean-Pierre l'a aimée. Elle revoit l'enfant habillé en fille dans son tilbury attelé à son petit shetland ; la moue tendre de l'adolescent adoré sous son grand chapeau à bord relevé, au bras de sa mère ; le garçon plein de vie qui l'avait conquise le soir de Noël 1928 aux Halles. Sa façon gaillarde d'enfourcher un cheval l'avait ravie. Les chevaux, c'était sa passion. Arletty se souvient des larmes qu'il a versées pour son poney Saba, vieux et aveugle, lors de la vente de la propriété patricienne de Champrosay en 1936. C'était peu après la mort de sa grand-mère, Mme Adrien Bénard, dont le portrait par Vuillard trône au musée d'Orsay.

« C'est la seule fois où il a perdu son contrôle. »

Il était la jeunesse dorée, toujours bien mis, toujours fauché, ne regardant jamais à la dépense. Il était de ces gens qui s'achètent un chapeau, quand des souliers neufs leur feraient bien meilleur usage. Bourgeois assez peu ordinaire, toujours locataire, jamais propriétaire. Un garçon généreux, pince-sans-rire, d'une fidélité granitique. À ses amis juifs pourchassés sous l'Occupation, à Arletty bannie à la Libération. Leur fâcherie passagère, alors, sera de son fait, à elle. Il lui tend la main, cherche à la réconcilier avec le genre humain, lui parle de Pierrot, son frère. « Ma famille ne m'est qu'un devoir, mes amis, rien ! » se voit-il répondre. Arletty se cabre, toute à sa révolte contre la guerre et les drames lamentables qu'elle pressentait. Comme elle a eu raison de ne pas s'attendrir le jour où il lui a proposé d'adopter un enfant. Elle était à deux doigts de dire « oui ». C'était avant 1939.

Jean-Pierre mort, Arletty vit dans le remords de n'avoir pas su ou pas pu répondre de manière adaptée à son amour. Comme pour compenser ce manquement, longtemps les dimanches elle imaginera ses derniers instants solitaires, puis, accompagnée, ira régulièrement se recueillir sur sa tombe.

« J'aurais voulu tenir sa main, avoir son dernier regard. »

Un an après, deux questions la taraudent : « Je n'ai pas su l'heure de sa mort » et « A-t-il souffert ? ».

Elle fait l'impossible pour savoir. On la rassure sur le dernier point. Le diabète qui l'a emporté ne lui a pas été douloureux.

« C'est vrai, il avait l'air d'avoir trente ans. »

La voilà apaisée. Elle en oubliera de demander le moment précis où Jean-Pierre s'est éteint.

« Peut-être devines-tu cette fidélité de cœur que je te garde.

Le seul qui m'ait aimée, et ce, jusqu'à la fin. Je le croyais éternel.

Sa mort a dominé mon mal.

J'ai perdu le fidèle, le témoin, celui qui, à cause de moi, a raté sa vie.

Je n'ai découvert la plénitude de ses sentiments qu'à sa mort.

Qui se connaît un ami, de se poser la question : "Si je le perdais ?"

Hélas ! je ne m'étais pas posé la question [363] ! »

Jean-Pierre Dubost lui laisse un portrait au crayon de sa mère, Jeanne Dubost, par Laprade qu'elle accrochera au-dessus de son divan, le destinant au musée d'Orsay, et, dans une châsse en verre, un petit oiseau empaillé faisant face à une balle de golf. Le moineau a une histoire :

« Il a été tué sous ses yeux par la balle de golf. Jean-Pierre avait cinq ans. Ça lui avait fait tellement de peine qu'il s'était juré de ne jamais y jouer de sa vie. Son père avait fait naturaliser l'oiseau pour qu'il le garde auprès de lui. Jean-Pierre me l'a donné. C'était un de ses souvenirs d'enfance. »

Jean-Pierre Dubost était le plus vieil ami d'Arletty, le plus vieux témoin de sa vie, le plus disponible, parce que sans foyer, sans enfant. Il avait soixante-trois ans.

« Mon impression : on regrette plus ceux qui vous ont aimé que ceux qu'on a aimés. Au fond, on ne pleure que sur soi [364]. »

Le chapitre Dubost ne sera jamais clos. Trois ans et demi plus tard, c'est « À Jean-Pierre Dubost, un Français de Paris », qu'Arletty dédie son livre de souvenirs *La Défense*, publié en janvier 1971 aux éditions de La Table ronde.

« On m'a dit : "Avec un titre comme ça, on va penser que vous voulez vous défendre." J'ai répondu : "Si ça avait été le cas, j'l'aurais appelé *L'Attaque*." J'ai toujours fait face. Jamais eu besoin de me défendre de quoi que ce soit, contre qui que ce soit. »

408

Pour lever toute ambiguïté, elle exige qu'une reproduction de la statue de Barrias, figure emblématique du quartier de son enfance à l'ouest de Paris, illustre la couverture. C'est un livre codé, tout en ellipses, un peu sec, imagé, dont elle donnera les clés à ceux qui voudront bien les lui demander. C'est une somme de propos et de réflexions spirituels et caustiques, qu'elle dicte sur un mode impressionniste à un magnétophone entre fin 1969 et mai 1970, faute de pouvoir se relire. La comédienne Nicole Chollet emploie ses soirées à retranscrire, mettre au propre, donner cohérence à l'ensemble. La bande originale malheureusement sera détruite.

Stimulée par le succès de ce qu'elle nomme son « incunable », vendu à plus de 15 000 exemplaires, Arletty songe à une suite. Un recueil de pensées. Deux titres la séduisent, *Fluctuat nec mergitur* [365] et *Cristal*. La devise de la Ville de Paris symbolisée par un vaisseau aurait reflété sa vie jalonnée d'écueils ; le cristal, la transparence de son âme, et peut-être même son apparente dureté. Maximes, aphorismes, bons mots auraient été rassemblés, ainsi que des citations, revues et corrigées. « Être adulte, c'est avoir compris ses parents et leur avoir pardonné », a écrit Goethe.

« Pardonné de vous avoir mis au monde », se proposait-elle d'ajouter.

Pour d'obscures raisons, le projet avorte.

Le 16 septembre 1967, moins d'un mois après les obsèques de Jean-Pierre Dubost, alors qu'elle est à nouveau hospitalisée à Lyon dans le service du docteur Paufique, Rosemonde Pissarro se suicide. Nicole Chollet se rend spécialement auprès d'elle pour lui faire part de la triste nouvelle. Les bras levés au ciel, Arletty s'emporte de rage et d'impuissance : « Vous êtes un oiseau de mauvais augure ! » Déjà à Belle-Île, c'est elle qui lui avait lu le télégramme lui annonçant la mort de Jean-Pierre.

Avec Rosemonde, Arletty perd une amie dévouée qui, en 1963, avait organisé une chaîne de solidarité en sa faveur au lendemain de son opération des yeux. L'idée était de se cotiser à plusieurs afin de lui assurer une rente mensuelle. Josée de Chambrun, Madeleine Renaud apportent leur contribution. De même que la chanteuse réaliste Colette Mars, directrice du cabaret *La Vie parisienne*, qui eut après guerre son heure de gloire avec *Mon cœur est un violon*. Outre ces donateurs, des admirateurs moins connus sortent spontanément leur carnet de chèque, tel Guy de La Frégonnière. Ami de Florence Gould, l'héritière des chemins de fer américains, il est immensément riche. Propriétaire de chevaux de course, il a donné le nom d'Arletty à une de ses pouliches, née dans sa ferme de Virginie en 1953 et qui courra sous le dossard numéro 7 à Longchamp, avant d'être vendue à un colonel américain du Kentucky.

Homme d'action, toujours en mouvement, jamais à l'écoute, «La Frégo» traite Arletty avec la désinvolture des nantis persuadés de l'intérêt supérieur de leur personne dès lors qu'ils allongent la monnaie. Même si c'est, en l'occurrence, uniquement pour «le téléphone» et «le rouge à lèvres», comme il le lui dit. La célébrité de celle qu'il croit son obligée le flatte tant qu'il s'étonne de la connaître si peu; l'avoir à sa table comble sa vanité. Globe-trotter de luxe, toujours bronzé, le regard d'acier sous les sourcils en buissons, il est un jour à New York, un autre aux Bahamas, le lendemain en Inde ou en Australie, au Mexique ou aux îles Fidji. Mais les séjours qu'il préfère, c'est à Pégomas, dans son mas de Provence, et à Quiberon, dans un centre de cure. Il a épousé une milliardaire, Priscilla, dite Dickie, qu'il divertit par ses pitreries. Ses préférées : se faire photograghier grimaçant derrière les silhouettes sans visage rencontrées sur les fêtes foraines. À Delphes, il batifole de même avec les statues décapitées des dieux. «La Frégo» trouve ça spirituel. Arletty trouve ça «con»; tout comme ses bordées d'humour. Lorsqu'elle lui annonce que des staphylocoques dorés sont la cause de sa cécité, lui s'esclaffe d'un rire gras : «Il fallait que tu en prennes des dorés!»

Un jour, alors que tous deux sont déjà âgés, il l'invite à déjeuner au Plaza. Arletty arrive. Lui, peinant à marcher, vient à sa rencontre. «C'est l'aveugle et le paralytique!» s'exclame-t-il en guise de bienvenue.

Autre bienfaiteur spontané, Charles Gillet, compagnon d'infortune à La Houssaye. En souvenir des mois pénibles de réclusion qu'il a vécus à la Libération, il veut la remercier du réconfort que sa présence enjouée, sa bonne humeur, sa parfaite équanimité lui ont apporté. Un viatique pour cet homme en peine de ressort moral dans l'épreuve, dont seule la mort, en 1972, tarira les largesses.

Arletty serait-elle dans le besoin? Certes, elle n'a plus de rentrées d'argent. Son dernier film *Le Voyage à Biarritz* remonte à 1962 et sa dernière pièce *Les Monstres sacrés* à 1966. Sa pension de vieillesse est dérisoire et les jetons de présence que lui verse la Société de La

Houssaye de son ami Jacques Bellanger, symboliques. Élue membre du conseil d'administration en juillet 1962, elle est renouvelée à ce poste cinq ans plus tard ; mais, treize mois après la mort de « 'Cl'Jacques » en décembre 1969, elle démissionne.

Si, entre-temps, son train de vie s'est réduit substantiellement, ses frais sont constants, avec l'entretien de la maison de Belle-Île, le loyer de la rue Raynouard, les factures, les impôts et les taxes diverses. Sait-elle au juste de quoi se compose son portefeuille de valeurs à la fin des années soixante, quand la Bourse déprime face à la révolte estudiantine et aux grèves à répétition dans les usines ? Stimulée par le spectacle des barricades, Arletty, tout de blanc vêtue, descend le boulevard Saint-Michel au bras d'une amie qui lui décrit les carcasses de voiture calcinées et les arbres abattus. Devant les graffiti, elle s'arrête pour tester sa vue et rire de bon cœur. La radio rapporte comment, à l'entrée des ateliers de montage, Sartre exhorte les ouvriers de chez Renault à la contestation. Elle, s'amuse :

« Un tordu, il allait prendre froid devant les usines avec ses mandarines. »

Quelque temps après, toujours accompagnée, elle se rend à l'église d'Auteuil pour encourager les prostituées en colère qui s'y sont retranchées afin que leur soient accordés les droits sociaux élémentaires.

Arletty suit son bonhomme de chemin, solitaire, gaie et détachée, sans se lamenter sur son infirmité. Mais, que se produise un abus quelconque comme celui qui l'amène à quitter la rue Raynouard pour la rue de Rémusat, elle sort de ses gonds.

En plein mois d'août, alors qu'elle se repose à Belle-Île, le groupe des Assurances nationales lui notifie une augmentation de loyer de 120 %. À prendre ou à laisser dans les huit jours. Prise de court, Arletty s'affole, accepte dans un premier temps les conditions de son propriétaire, puis, après réflexion et ses comptes faits, se ravise :

« Je ne voulais rien devoir à personne. »

Subodore-t-elle alors les démarches entreprises par son ami Robert Petit auprès de personnalités du spectacle comme Jacques Charon, sociétaire de la Comédie-Française, pour lui venir en aide ?

Quoi qu'il en soit, la méthode employée par la compagnie d'assurances et le ton comminatoire de la lettre l'écœurent. Elle redoute l'expulsion. Résolue à partir, elle négocie un sursis et le gel de son loyer jusqu'à son départ. La télévision commente ses déboires.

Réaction instantanée d'un admirateur qui, sous couvert de l'anonymat, lui fait envoyer 5 000 francs par une banque.

Une téléspectatrice s'adresse au journaliste : «Combien faudrait-il pour qu'Arletty puisse garder son appartement?» La question n'est pas de pure forme. La jeune femme, Dominique Lambilliotte, veut profiter de l'occasion pour la remercier de la visite qu'elle lui a rendue en juin 1944 à l'hôpital Marmottan, où, grièvement blessée par des éclats d'obus, elle était soignée. «C'est Sacha Guitry qui l'avait amenée, raconte-t-elle. Il venait chercher une de ses amies. J'avais dix-neuf ans. Guitry, c'était mon dieu. De mon lit, je l'ai vu passer à travers le hublot de la porte. J'ai dit à ma mère qui était à mes côtés : "Amène-le-moi." Il a fait une entrée théâtrale. Avant de partir, il m'a demandé de sa voix de bronze : "Me permettez-vous de revenir vous voir?" Avec un sourire d'extase, j'ai bien sûr dit oui. Le lendemain, un dimanche. Rien. Le lundi, il est arrivé avec une gerbe de roses, en m'expliquant que la veille il n'avait pas eu la permission de circuler et que, les fleuristes étant fermés, il avait dû en héler une qu'il connaissait, à sa fenêtre. Il voulait m'apporter un poste [366]. Comme j'étais à l'étage des grands blessés où c'était interdit, il m'a dit : "Je vais vous apporter le cinéma et le théâtre à domicile." Le lendemain, il m'amenait Elvire Popesco, dans une robe de soie noire très moulante. Puis Yvette Lebon. Puis Arletty, délicieuse, très faubourienne. Elle avait une tenue très décontractée. Il faisait une chaleur folle. On était en plein mois de juin. Je ne sais plus si le débarquement avait commencé. Lui portait un pantalon bleu marine, une chemise vert pomme, une cravate rouge, pas de veste. Arletty m'a apporté une grande photo d'elle dans *Les Visiteurs du soir* qu'elle m'a dédicacée : "Vite, portez-vous mieux. Je le veux." Jusqu'à ma sortie, ça a été un défilé permanent dans ma chambre. Guitry est venu tous les jours pendant trois semaines [367].»

Les élans de générosité envers Arletty atteignent parfois des sommets. Ainsi cet habitant d'Albertville qui propose de lui faire don d'un œil pour lui permettre, au moyen d'une greffe, de recouvrer la vue. Si elle refuse tout net ce qui s'apparente à des sacrifices de la part de donateurs, elle accepte en revanche sans scrupules les faveurs sonnantes et trébuchantes des nantis. Avec philosophie : «Quand un riche ne travaille pas, c'est un bon vivant. Quand un pauvre ne travaille pas, c'est un bon à rien», dit une vieille chanson anglaise. Arletty ne se souvient ni de l'air ni du nom de l'auteur, juste qu'elle traduit « l'injustice des repus » qu'elle raillait sur scène à ses débuts. D'où l'acceptation des prodigalités d'une Josée Laval, comtesse René de Chambrun.

« Elle donnait un p'tit verre de Baccarat de temps en temps. Elle en aurait pas donné deux. »

Pour Arletty, elle dépense pourtant sans compter, lui offrant aussi bien une cure de jouvence en Suisse qu'une paire de souliers, ou du café moulu de chez Fauchon. « Arletty a vécu avec nous dans une sorte d'intimité affectueuse, spontanée. Tout était simple. On évitait juste d'organiser des dîners avec elle et Raimu qui était de nos amis. Arletty n'aurait pas aimé ça parce qu'elle était possessive [368] », se souvient René de Chambrun.

Elliptique à l'oral, Arletty est à l'écrit aussi peu prolixe. Les mots qu'elle envoie à Josée sont généralement brefs. Genre « Belle nuit José [*sic*] », dans les années cinquante, ou « J'ai été touchée par votre présence à Strasbourg », à l'occasion de la tournée de *Gigi* en Alsace. Et, en 1969 : « Combien je comprends votre volonté d'être seule, mais je veux que cet an neuf vous garde le bonheur et remette Josée sur ses jolis pieds. Tendrement. » Aucune raison de douter de sa sincérité, malgré le ton femme du monde. Arletty peut être féline à midi, sortir les griffes à une heure. Entre elles, pas de familiarité. « Elles se vouvoyaient, souligne René de Chambrun. Moi, je la tutoyais toujours [369]. »

L'attachement qui les lie par-dessus tout, c'est l'Auvergne, où le 21 juillet 1968 « la présence de la gde [grande] actrice Arletty » est annoncée par voie d'affichage dans la région à l'occasion de la commémoration du bicentenaire de la naissance du général Desaix à Ayat-sur-Sioule, la patrie de son père. L'Amicale laïque de la commune lui remet douze verres à l'effigie du conquérant de la campagne d'Égypte, mort en 1800 à trente-deux ans. Tous sont depuis cassés. Au milieu des sommités locales, elle assiste à la messe, égayée par les cuivres de la fanfare du 92e régiment d'infanterie, puis aux discours et au dépôt de gerbe au pied du monument. Et, pour finir, au défilé, à l'exposition à la mairie-école, au concert. Honneur au « Sultan juste », qui, pour se distinguer de ses frères, se faisait appeler Desaix de Veygoux. « Le *de* est tombé, la noblesse est restée [370]. »

Auvergnate en juillet, bretonne en août, Arletty incarne et reste parisienne pour l'éternité.

Le 13 février 1969, elle quitte la «villa Raynouard» pour le 14, rue de Rémusat, son dernier domicile à Paris. L'immeuble en béton, sans grand caractère et perméable aux bruits, est d'un gris pisseux. Des balcons courent sur la façade.

«J'habite une caserne.»

Ainsi se résume sa description du bâtiment. Au seuil de la porte, deux indices établissent sa présence : un paillasson imprimé d'un grand A rouge fané et des effluves de Guerlain. L'appartement, d'une cinquantaine de mètres carrés recouvert d'une moquette grège et aux murs défraîchis, se décompose en une petite entrée encombrée de livres mal dissimulés par un paravent, ouvrant sur une salle de séjour. Là, dans cette pièce, près de la baie vitrée, de son divan tapissé d'une toile rayée rouge et blanc, s'écoule le plus clair de ses journées, le téléphone et la radio à portée de main. Assise recroquevillée contre des coussins ou les jambes allongées, Arletty reçoit, chante, écoute les échos de la rue et les lectures qu'on veut bien lui faire. Au-dessus d'elle, dans un cadre de bois doré, la silhouette alanguie de Jeanne Dubost, la mère de Jean-Pierre, par Laprade.

De rares meubles, mais de goût et de lignes sobres, occupent l'espace : une commode en acajou Louis XVI avec dessus en marbre blanc, un fauteuil Louis XVI en bois laqué gris mouluré et trois tabourets. Tout près d'elle, sur une table de coursive ronde et basse, la montre du père. Sur le secrétaire jonché de papiers, un buste en plâtre de Néfertiti sert de porte-turbans. Des cartes postales de la reine d'Égypte ornent ses quatre grands miroirs identiques accrochés aux murs.

«Je suis une iconoclaste, mais j'fais une exception pour Néfertiti.»

À cause de sa beauté. Arletty aime la symétrie du visage, la pureté altière des traits, le long cou princier, l'éternelle adolescence de la reine d'Égypte et son programme politique révolutionnaire, tel que décrit par l'égyptologue Howard Carter. «C'est sous son influence qu'Aménophis [IV] entreprit une réforme qui consistait notamment à faire travailler les prêtres, jusqu'alors tout-puissants ; à faire bâtonner les percepteurs d'impôts par les contribuables et à contraindre les médecins à donner leurs soins gratuitement. Toujours sous l'influence de la pharaonne, Aménophis (qui régna sous le nom d'Akhenaton) [a] conseillé aux femmes de ne pas avoir plus de deux enfants, au lieu d'une douzaine.»

Aux portes-fenêtres, de grands rideaux rouges en taffetas, rapportés de la rue Raynouard, constituent la seule note de couleur rutilante dans cet appartement gris et blanc. Un paravent de Beaurepaire, représentant la plage de Donnant et ses rochers brise-lames, coupe la pièce en deux. Derrière, une table de bridge, deux coffres et un cartonnier acajou XIXᵉ à casiers, enfouis sous les livres, rendent exigu un dégagement aménagé de penderies. Sur chacun des meubles, des lampes, nombreuses dans l'appartement. Dès le déclin de la lumière du jour ou lorsque par temps de grisaille son décor se fond dans le brouillard, Arletty allume.

« J'ai appris à me diriger seule dans l'appartement, à compter mes pas. »

Dans la chambre étroite donnant sur la rue, le lit, blanc et rose, est rencogné à gauche en entrant. Aux murs gris beige, une gravure de Braque représentant un vase de fleurs et, surplombant la coiffeuse Louis XV estampillée, l'huile de Dufy, représentant l'arrière d'un bateau reliant Le Havre à Deauville. Sur le plateau, deux photos émergent d'une forêt odorante de flacons de parfum plus ou moins vides. L'une est de Jean-Pierre Dubost enfant dans son tilbury, l'autre de son frère Pierrot, en casquette bleu marine à visière, devant le buisson de lys blancs à Belle-Île.

Pierre Bathiat a pris sa retraite de tourneur-outilleur en octobre 1963, à soixante-sept ans. Depuis, la pêche à la ligne l'occupe à plein temps. Il n'aura pas accompli la carrière de dompteur de hannetons dont il rêvait, enfant, à Courbevoie. Même à la campagne, il conserve l'élégance sans recherche qu'il avait à vingt ans, ce côté endimanché. Le visage est tout naturellement un peu plus empâté qu'alors, mais le regard, franc et doux, a gardé sa petite lueur ironique d'antan et sa placidité. Pierrot est un être bon qui a vécu dans l'ombre de sa sœur. Elle ne l'a peut-être pas traité avec toute la considération qu'il aurait fallu, ce qu'elle se reprochera plus tard, quand il sera mort. On le dit timide, discret, laconique, monosyllabique. De tous ceux qui l'ont croisé chez elle, peu se souviennent l'avoir vu conduire une discussion. Arletty lui en a-t-elle laissé le temps ? Elle qui cloisonne ses amitiés, évitant soigneusement de favoriser les rencontres, n'hésite pas à envoyer Pierrot dans sa chambre à l'arrivée d'un visiteur. Non qu'elle ait honte de lui, elle n'a pas cette vanité stupide de se flatter de recevoir une personne plutôt qu'une autre, non, simplement ce goût manifeste pour le tête-à-tête qui permet une conversation plus intime, plus libre.

Certes, elle a offert à Pierrot une maison de campagne en Normandie, lui prête de bon cœur les clés de Belle-Île où il va avec ses copains – chauffeurs aux chemins de fer et mécaniciens –, lui dépose volontiers dix mille francs en coupures sur sa toile cirée chaque fois qu'elle lui rend visite dans son HLM de Courbevoie. Et ne reste jamais longtemps sans aller le voir. Dans la bataille qu'il mènera sa vie durant contre l'administration pour obtenir que son patronyme soit orthographié Bathiat avec un « T » et non avec un « S », elle donnera le coup de pouce salutaire. S'il n'a pas le téléphone, ce n'est pas faute qu'elle soit intervenue auprès du ministère des Postes alors que Pierrot est déjà gravement malade. Il souffre des jambes. Artérite et ulcères gênent sa marche. Une parésie lui a immobilisé la moitié du visage, il peine à bouger son bras droit.

Belle-Île, ses embruns et son air iodé auraient pu être la panacée. Mais, salubrité du climat ou pas, sa santé décline. À son retour de trois semaines de vacances à Donnant fin août 1972, il se traîne comme un supplicié. Sous le chapeau de paille et le léger hâle, on devine, à la voix fatiguée, un homme épuisé, usé.

Le 27 septembre à 9 h 30, Pierrot, veuf de Noémie depuis près de quatre ans, meurt dans son sommeil, seul chez lui. Une attaque l'a foudroyé en pleine nuit. Une belle mort, disent les voisins. Arletty, qui veut en avoir le cœur net, exige de le voir dans son linceul. Le visage est reposé. Elle est soulagée.

« C'était une âme gentiment philosophique, mon frère. Il était beaucoup plus intelligent que moi. Beaucoup plus de sagesse. Pas de cabotinage. Il laissait tomber une petite phrase de temps en temps. C'est tout. Il n'avait pas d'enfant. Un jour à Belle-Île, je lui ai demandé pourquoi il en avait pas eu. Il m'a répondu : "Un nouveau-né, c'est toujours un futur mort." Il avait d'ces bobards !... Là, il a été aussi fort que Voltaire. En 1944, il a pas avalé la façon dont je me suis conduite. Mais j'lui en veux pas... non, j'lui en veux pas... Au fond, je regrette de n'avoir pas donné autant que j'aurais dû à ma famille et à mon frère. »

Peu de monde s'est déplacé pour suivre le cercueil de Pierrot à l'église puis au nouveau cimetière de Courbevoie. Le caveau de famille a été ouvert pour qu'il repose auprès de ses parents et de son épouse. Arletty est au premier rang, enveloppée dans un superbe manteau noir en pattes de breitschwanz, avec à ses côtés son « petit oncle », Paul Bathiat, le plus jeune frère de son père venu spécialement d'Auvergne, et quelques proches. La cérémonie terminée, dans l'automobile qui la ramène rue de Rémusat, elle éclate d'un rire nerveux : «Maintenant, champagne pour tout l'monde!» La voiture se gare. On s'exécute sans attendre.

Pierrot ne laisse rien. Sa retraite était si maigre qu'il n'était pas même imposable. Une fois liquidée sa poignée d'actions, son seul patrimoine, et acquittés les droits de succession, l'héritage excède tout juste 400 francs. Arletty disperse les meubles de série, style années cinquante, récupérant en tout et pour tout deux choses : d'abord la bourriche pour la générale Nicolle, sa vieille camarade férue de pêche au gros, ensuite son portrait encadré de «Madame Sans-Gêne», qui trônait dans la salle de séjour. Au cours du déménagement, elle réalise l'admiration silencieuse que lui vouait son frère, peu avide d'assister à ses pièces de théâtre, mais qui, outre ses grands films, a suivi sa carrière en lisant tout ou à peu près tout de ce qui s'écrivait sur elle : un trésor de coupures de presse à sa gloire dormait dans ses placards.

«Il m'aimait bien, mon frère. S'il avait vécu, j'aurais pas vendu Belle-Île.»

Si Arletty se résigne à vendre sa petite maison de pêcheur, les raisons qu'elle invoque diffèrent de celles de Sarah Bernhardt, qui avait imputé ses rhumatismes à l'humidité pour quitter son manoir de Penhoet, à la pointe des Poulains. Arletty, elle, se joue des caprices du temps. Les ondées ne sauraient contrarier ses longues marches quotidiennes. Quand il fait soleil, elle coiffe son «Gauguin» ou sa capeline en taffetas blanc; quand il pleut à verse, elle tend son visage vers le ciel : «L'eau de pluie, c'est bon pour la peau!» Sous la gouttière, un baquet la recueille pour la toilette.

Les jours de tempête, lorsque les poutres grincent, que les volets claquent, que la maison vibre, elle se sent bien, seule à l'intérieur, la porte bloquée par le vent. Mais, au tout début des années soixante-dix, il lui faut se rendre à l'évidence, vivre seule isolée, quasi aveugle, est devenu intenable. Une présence à demeure se révèle indispensable. La nuit, un voisin ou un ami dort sous son toit. Mais, passé la belle saison, la situation se complique. Donnant se dépeuple. La dépendance se fait plus pressante. La vente inéluctable de sa maison en 1973 ne constitue cependant qu'un épiphénomène au regard des funèbres bouleversements de sa vie. Car, même si Arletty a toujours compté beaucoup plus de relations que d'amis, son cercle d'intimes se restreint douloureusement à mesure que s'allonge la liste des morts. Après Lélette Bellanger, Antoinette d'Harcourt, Soehring, Céline, Jean-Pierre Dubost, Rosemonde Pissarro, Jacques Bellanger, Pierrot, deux témoins précieux de son enfance et de son adolescence disparaissent. L'abbé Puyau, curé de Châtelguyon, meurt en 1975, deux ans après Edelweiss, le bienfaiteur de ses vingt ans.

«C'est au cimetière que j'ai conscience du temps écoulé. »

Le Vigan, son vieux camarade des revues, a lui aussi rendu l'âme dans d'atroces souffrances en Argentine. Arletty, sa «Ty chérie» qui, avec Pierre Fresnay et Maurice Ronet, lui a quelquefois apporté une aide financière en exil, assiste à la messe célébrée à sa mémoire le 14 décembre 1972 en l'église Notre-Dame-des-Victoires à Paris. Près de sa silhouette blanche au regard brouillé par des lunettes aux verres aussi gros que des loupes, on note la présence de Madeleine Renaud et de Maurice Ronet. Prévert, lui, s'éteint le 11 avril 1977, à soixante-dix-sept ans, dans sa maison d'Omonville-la-Petite, près de Cherbourg. Non sans lui laisser ce poème, écrit au printemps 1962 :

> « L'amitié, comme toute autre chose,
> l'amitié, c'est affaire de vocabulaire.
> Y a les amis qu'on connaît, les amis qu'on aime,
> Moi qui préfère les femmes aux hommes,
> J'aime mieux l'amour que l'amitié.
> J'aime la Bretagne,
> Belle-Île ou Douarnenez,
> J'aime la mer de ce côté-là !
> Et Arletty,
> Je l'aime comme ça.
> Oh, bien sûr, Arletty,
> Si je l'avais rencontrée en 16 ou 17,
> Pendant la grande première conflagration mondiale !
> Elle tournait des obus,
> Moi, je traînais les rues !
> Peut-être alors qu'en même temps que les obus,
> Elle m'aurait fait tourner la tête !?
> Et, bien sûr, j'aurais bien aimé qu'on dise d'elle
> Qu'elle était ma bonne amie,
> Et Arletty, sa maison de pierres, à Belle-Île,
> Avec l'île, tout autour de sa maison
> Et la maison tout autour de la mer !

C'est pareil!
Elle aime sûrement la mer, la terre,
Et l'amitié qu'elle a pour ces choses,
C'est un surnom qu'elle leur donne.
Dans le fond, elle les aime.
Elle est d'ailleurs, comme la mer Arlette,
Ou comme une ville, calme, mouvementée,
Lucide, ingénue, marrante...
Le talent, ça s'apprend,
Ça a besoin de leçon, de marchepied, d'escabeau ;
Le génie, lui, court les rues...
Arletty courait et court encore avec lui.
Elle est actrice de son métier.
Si on lui demande d'être une reine, elle est une reine.
Si on lui demande d'être une cloche, elle est une cloche.
Mais, faut lui demander poliment!
Les critiques peuvent penser parfois que tout de même,
Pour une reine,
Elle a peut-être un léger accent faubourien...
Qu'ils demandent donc à la reine des Belges,
Ou à une autre,
De réciter du Villon,
Ou n'importe qui, ou n'importe quoi,
Même Shakespeare.
Si vous lui demandiez de jouer Shakespeare,
Elle le jouerait exactement, comme n'importe quel acteur anglais,
En français,
Dans son texte à elle,
Avec sa voix à elle,
Aussi shakespearienne que faubourienne...
Arletty,
Elle est merveilleuse. »

Année après année, des pans entiers de sa vie se détachent, la laissant seule avec ses souvenirs épars, ses chansons gaillardes, sa radio nasillarde, ses rires perlés, des morceaux d'anthologie de théâtre qu'elle se récite pour entretenir sa mémoire et ne pas sombrer. Ses préférés : le monologue de Figaro dans *Le Mariage de Figaro* de Beaumarchais : « *Ô femme! femme! femme! créature faible et décevante!... nul animal ne peut manquer à ton instinct, le tien est-il donc*

de tromper?... » et l'apostrophe d'Agrippine dans *Britannicus* de
Racine :

> *« Approchez-vous, Néron, et prenez votre place*
> *On veut sur vos soupçons que je vous satisfasse.*
> *J'ignore de quel crime on a pu me noircir;*
> *De tous ceux que j'ai faits je vais vous éclaircir. »*

Ses jours alors auraient pu devenir insipides comme il arrive parfois aux personnes soudain privées d'un rôle ardent à jouer. Mais,
bien que quasi aveugle, Arletty conserve entrain et jeunesse. Son
allant, son humour, sa lucidité, son courage, ses reparties, son indépendance, forcent l'admiration. Sa curiosité, jamais feinte, subsiste
intacte.

Comme son numéro de téléphone figure dans l'annuaire, il suffit
de le composer pour l'avoir en ligne, d'insister gentiment pour peu
que le premier échange ait été dissuasif, le ton faussement revêche.
L'invitation à venir la voir ne tarde guère.

« On ne risque pas plus à avoir sa porte ouverte. C'est ma nature.
Ma mère était pareille. J'm'analyse pas. J'suis comme ça. Les gens qui
prennent le plus de précautions se font tuer. »

Chez elle, c'est un défilé permanent, constamment renouvelé, de
visages inconnus, de nouvelles connaissances, de fidèles. Assise sur
son divan, le buste rejeté en arrière, une position qu'elle tient de sa
grand-mère Mariette, Arletty reçoit un monde bigarré. Des gens de
tous âges, de toutes conditions, nobles ou roturiers, anonymes ou
célèbres, riches ou pauvres, pourvu qu'ils soient entreprenants, origi-
naux, bizarres, drôles, quand bien même inquiétants. « Folingues » et
« toqués » peuplent son univers. Hors normes, Arletty aime s'entou-
rer de ceux de son espèce, surtout s'ils sont décalés, fantasques,
vivants. À tous, elle donne un surnom que la plupart gardent *ad
vitam.*

Il y a Mao, une petite femme sans âge de Courbevoie aux traits
asiatiques, qu'elle pousse à usurper le titre de diplomate pour se faire
bien voir des commerçants de quartier. Aux grandes ventes aux
enchères, cette simple employée de bureau, menue et diligente, lui
sert d'éclaireur, comme aux obsèques des célébrités où, du nom
d'Arletty, elle paraphe les livres de condoléances.

« J'suis son conseiller en enterrements. J'lui dis quand ça vaut le
coup. »

Il y a Miroir, un garçon volubile de vingt-cinq ans, affecté d'un boitement. Sa façon unique de se poster devant la glace dès qu'il franchit en trombe le seuil de son appartement lui vaut ce surnom. Tout en replaçant ses rares cheveux filasse, il la salue avec effusions et lui suggère des remèdes pour vivre centenaire. « Donner des conseils diététiques à une poule de quatre-vingts berges !... s'exclame-t-elle alors. Tâchez d'en faire autant ! » (sous-entendu de vivre jusque-là). Fou de littérature, Miroir connaît par cœur Villon, Rabelais, Céline. Nerveux, brouillon, sans travail, il vit on ne sait comment, dort on ne sait où, passe des journées entières sur les bancs publics. À la table d'Arletty, il déguste caviar et champagne. Puis, une fois reparti, disparaît des semaines entières, jusqu'à la prochaine.

Il y a Liliane, les bras chargés de babioles et de colifichets, qui lui déclame ses poèmes en prose, aussi plaintifs et baroques qu'éperdus. La guerre a brisé sa vie. Un matin, son père est descendu acheter le journal. Pris en otage par une patrouille, il a été fusillé à quarante-deux ans. Ni sa mère ni ses grands-parents n'ont survécu à l'épreuve. « Juive française d'origine russe », elle s'est retrouvée orpheline à dix ans : « Le chagrin, ça tue bien. » Sa seule bouée de sauvetage est Arletty, à qui elle dit : « On a souffert de la méchanceté et de l'injustice des hommes. »

Il y a Figaro, baptisé ainsi pour s'être payé des cours de coiffure avec un billet de loterie gagnant. Originaire de Romorantin, il est aussi incollable sur les dates et distributions des films d'Arletty que sur la qualité des différentes marques de préservatifs dont il l'informe rigoureusement.

À ces visiteurs pittoresques et pour certains assidus, s'ajoutent ceux qui passent comme des météores, sur un simple coup de fil, le temps d'une dédicace, d'un hommage admiratif ou d'un message cosmoplanétaire. Voici Vautrin qui, malgré un nom emprunté à l'ancien forçat du *Père Goriot*, a enfilé la bure du héros balzacien, l'abbé Carlos Herrera des *Illusions perdues*. Tonsuré, cet ancien polytechnicien affirme avoir tout plaqué pour une mystérieuse « Union des Chœurs ». Au garde-à-vous, il entonne, martial, sa version revue et corrigée de *La Marseillaise*, puis repart aussi sec. À peine la porte refermée, Arletty constate dans un éclat de rire :

« Il est braque. »

Voici Jean L. Raymond, un exploitant forestier retraité, qui revendique la fondation d'Arlettyville, le 11 novembre 1948 au Gabon.

Dépliant une carte touristique avec les gestes mesurés d'un explorateur, il entoure d'un trait de crayon une zone de brousse africaine, située à quelque soixante kilomètres à l'ouest de Ndouaniang, sur la route de la capitale Libreville.

Au milieu de cette procession disparate, les vieilles camarades de théâtre des débuts, assagies et embourgeoisées, prennent place sur un coin du divan. Entrent Yvonne Vallée, l'ex-épouse de Maurice Chevalier, Gaby Basset, la première femme de Gabin qu'Arletty a connue chez Fyscher, le cabaret de la rue d'Antin où elles chantaient accompagnées au piano par Georges Van Parys, ou encore Édith Follet, ancienne épouse de Céline et mère de la fille unique de l'écrivain. L'âge exact de ces dames ?

« Quand l'une mourra de vieillesse, les autres pourront faire leurs valises. On a bu l'même lait. »

À la moindre émission de radio ou lors de la rediffusion d'un film à la télévision, des revenants surgissent, telle Suzanne Jardin, sa professeur de piano à Garches, pensionnaire esseulée d'une maison de retraite à Corbeil ou Jeanine Varennes, la domestique des Bellanger au château de La Houssaye. Un jour, c'est le fils de Rip qui se manifeste, un autre celui du grand Agha Khan, Sadruddin Agha Khan, qui témoigne de l'admiration du père pour la « petite cousine », un troisième le petit-fils de Céline, Jean-Marie Turpin, enflammé et brouillon. Tantôt un figurant de *L'Île des enfants perdus*, le film de Carné inachevé, vient lui rappeler comme elle aimait sa chanson *Hoe Ana* [371] qu'il jouait à la guitare à Belle-Île, tantôt une vieille connaissance de Soehring, de passage à Paris, vient raviver des souvenirs ardents.

Ces années-là, nombreux sont les parents, proches ou éloignés, vrais ou supposés, à sonner à sa porte, qu'ils s'appellent Dautreix comme sa mère, Bathiat comme son père, Anciaux ou Viple comme ses cousins. Prononcés, ces noms sont autant de sésames, mais ne suffisent pas toujours à gagner sa confiance. Comme ce jour où, arguant de leur lointain lien de parenté, un couple d'employés d'un grand hôtel parisien s'incruste deux bonnes heures sans la laisser placer un mot. Une fois repartis, Arletty se ressaisit dans un soupir.

« J'voyais qu'la gonzesse avec ses crocs en chasse-neige. J'ai failli mourir... Ils m'ont vue pour un bout de temps, j'aime autant vous dire. Je préfère leur envoyer des cadeaux ! »

En revanche, recevoir des nouvelles du pionnier de l'aviation

Léon Bathiat, premier à survoler la France du nord au sud, entre le lever et le coucher du soleil en 1912, et fondateur de l'Association amicale des aviateurs, «Les Vieilles Tiges», en 1920, lui procure un réel plaisir. Son attachement cependant va d'abord à tante Louise, la sœur de son père, demeurant dans la maison familiale de brique rouge que celui-ci a construite de ses mains sur les collines de Saint-Éloy-les-Mines. Arletty veille à lui expédier des colis, mouchoirs et châle à l'approche des frimas. Tante Louise est la seule à l'appeler «Léo». Elles ont en commun d'avoir du caractère, la même démarche traînante et le même patronyme. «Bathiat, ça claque comme un coup de fouet», lâche Arletty crânement.

Et d'être, l'une et l'autre, d'éternelles célibataires :

«C'est toujours mieux que d'être veuve.»

Après la disparition de tante Louise en 1974, son affection se reporte sur son «petit oncle Paul», alors le plus jeune et le seul survivant des sept enfants Bathiat, domicilié à Chamalières. À chacune de ses visites à Paris, il l'invite à déjeuner au champagne et lui téléphonera encore deux jours avant de succomber à l'arrêt de son pacemaker.

«Il appelait ça sa pendule électronique. Il voyait plus clair, mais à quatre-vingt-cinq ans aux prunes, y voulait profiter des nouvelles découvertes pour s'faire opérer des yeux. Pensez, il était né myope ! Il était deux mois plus jeune que moi.»

Côté cousinage, Arletty s'émoustille qu'un historien de Gimeaux avance l'hypothèse d'une parenté avec le conventionnel Gilbert Romme [372] parce que la sœur du révolutionnaire avait épousé un Bathiat, médecin à Ayat, village natal du père d'Arletty. «Un seul maillon reste à découvrir [373]», affirme René Bouscayrol.

Avec les cousins germains, futurs héritiers – octogénaires pour la plupart –, les relations sont distendues, à l'exception notable d'Alexandrine Charbonnier, épouse Besse, dite Zette. On ne rencontrait jamais Arletty «en raison de la différence de [nos] modes de vie», soulignera Marius Rougier, ouvrier Michelin retraité [374].

Que ce soit ou non en famille, aucune nostalgie ne préside à l'évocation du passé, ravivé dans la gaieté, car Arletty vit au présent. Bernadette Laffont, égérie de la nouvelle vague, lui fait le récit de son séjour en Chine où, à un festival du cinéma à Pékin, la cote de Garance a pu être appréciée. Annie Girardot lui rend visite avant la reprise d'un spectacle à Paris. Un après-midi, débarque Jacques

Higelin, hirsute, vaseux, l'œil allumé, les bras chargés de cassettes de ses chansons. Arletty, curieuse, se poste sur le bord de son divan en alerte maximum.

«Il m'a demandé du café je ne sais combien de fois. J'avais que du rouge et du champ à lui offrir. J'lui en ai proposé. Rien à faire, il voulait son café. À un moment, il s'est quand même décidé à aller sur le balcon chercher du champ. Il a sifflé la bouteille en un quart d'heure, lui qui faisait la fine bouche!»

Quelques jours plus tard, le rocker revient avec un poste radio-cassette stéréo flambant neuf, qui la reliera au monde extérieur jusqu'à sa mort.

Faute d'avoir pu tenir une chronique sur une radio pirate comme elle en rêvait, Arletty suit et commente l'actualité. Que ce soit en 1979 l'élection à l'Académie française de la première femme de lettres, Marguerite Yourcenar, née à Bruxelles:

«D'elle, j'ai lu *Les Mémoires d'Adrien*. Elle a pas inventé de personnage, c'est une biographie. Pas mal... Bien écrit, mais j'étais pas en deux. On voit qu'elle a fait latin grec, mais elle a pas oublié son belge!»

Ou, en 1980, le premier voyage du pape Jean-Paul II à Paris, qui, au terme d'une visite de quatre jours d'un coût estimé à six millions de francs, remercie les Français pour leur «générosité».

«Ah ben j'comprends, c'est notre fric! Un fortiche c'type là, il parle toutes les langues. Déjà saint Pierre parlait javanais.»

Réflexion sur les évolutions dans l'espace de la sonde spatiale américaine Voyager 2:

«Ça m'intéresse beaucoup leur truc, c'est du Jules Verne. C'est même dépassé. Y z'ont pas encore réussi à soigner le rhume des foins, mais c'est bien.»

Ironie en 1985 quand Mikhaïl Gorbatchev, premier secrétaire du Parti communiste de l'Union soviétique, lance sa politique de réformes qui sonnera le glas du bloc soviétique:

«Là-bas, la femme de ménage est habillée par Cardin! Bientôt, il va nous apprendre la démocratie [375].»

Retirée de la scène, Arletty conserve l'amour du théâtre et, chaque saison, même lorsqu'elle aura renoncé à aller aux premières, elle suit les créations, la nuit à la radio ou à la lecture des journaux qu'on lui fait, interrogeant ses visiteurs sur l'accueil réservé à telle ou telle pièce et à tel ou tel acteur.

Un jeune gandin, se faisant passer pour son secrétaire particulier, organise des déjeuners avec Jean-Paul Belmondo, Isabelle Adjani, Christophe Malavoy, Inès de La Fressange, alors mannequin vedette de Chanel, etc., dans un restaurant proche de chez elle. Jusqu'au jour où l'ardoise lui est présentée... Réglant l'addition, elle trouve la plaisanterie saumâtre, et finalement conclut :

« C'est pas la mort d'un homme. »

Ni fourmi, car elle sait être prêteuse, ni cigale, car elle garde toujours une poire pour la soif, Arletty a de quoi vivre. Pendant des années, la rente mensuelle que lui assurent quelques admirateurs lui permet de préserver le plus gros de son capital constitué de titres, tout en maintenant son modeste train de vie. Si la vente de son dernier lingot en 1979 se solde par un manque à gagner important, son portefeuille d'actions connaît un boom spectaculaire au début des années quatre-vingt, à la suite du tournant de la rigueur pris par le gouvernement socialiste. Euphorique, la Bourse flambe. En quelques semaines, grâce aux placements judicieux de son fondé de pouvoir, le cours de ses valeurs s'envole, les zéros s'ajoutent aux zéros. Soumise à l'impôt sur la grande fortune instauré par la gauche [376], Arletty mélange anciens et nouveaux francs, ne réalisant pas vraiment l'étendue de ses avoirs. Commentaire et recommandations à la lecture des relevés bancaires :

« Tant qu'y a de quoi acheter caviar et champagne, faut s'en foutre. Achetez des alimentaires, la croûte, ça marchera toujours. »

À sa mort, elle laisse un joli capital, supérieur à 6 millions de francs, non compris les meubles et les tableaux.

Rue de Rémusat, la jeunesse est souvent représentée par des comédiens et des comédiennes en herbe qui sollicitent ses conseils. Deux adolescentes, ambitieuses et gauches, lui présentent un spectacle qu'elles voudraient monter au théâtre.

« Il est plus facile de lancer un nom que d'en laisser un », dit-elle après leur départ.

Lors de la reprise annoncée de *Fric-Frac* en juin 1988 au théâtre de la Potinière, Souad Amidou, « l'étoile montante des feuilletons télé [377] », reprend le rôle de Loulou créé sur scène et à l'écran par Arletty.

« Elle fera signe quand elle jouera *Un tramway* [*nommé Désir*] ou *Les Enfants* [*du paradis*]. »

La jeune femme téléphone :

«Vous m'appellerez à la 50ᵉ, on déjeunera.»

Inutile de réserver une table, la pièce de Bourdet fait un four.

La rosserie occasionnelle d'Arletty, prétexte à rire, ne saurait occulter sa bienveillance habituelle envers les élèves du metteur en scène Jean-Laurent Cochet au Conservatoire, et ceux, nombreux, qui l'appellent à longueur d'année.

«D'abord, ayez la santé, voilà c'que j'leur dis. Quand on veut jouer *La Dame aux camélias* pendant trente ans, il faut la santé. Deuxièmement, de la simplicité, et puis de la tenue. Ayez de la tenue! Montez sur les planches, travaillez, apprenez votre métier. Quand on commence figurante, il faut dix ans pour se faire connaître à Paris. J'ai commencé en octobre 1919, une carrière faite proprement, pas par des moyens de putain. Pour être consacré, il faut vingt ans. Moi, j'ai appris le métier sur les planches, par les pieds.»

Sa ligne de téléphone étant ouverte, à toute heure du jour et de la nuit, on consulte Arletty. Pour connaître le secret de sa vitalité, chercher réconfort et compréhension, ou plus simplement lui faire partager les mille et un petits travers de l'existence.

«Ce sont mes B. A. [bonnes actions].»

Outre des aveugles, des femmes éplorées, prises de compassion subite après l'exposé exhaustif des chagrins de leur maisonnée, plaignent son destin tragique.

«On ne sait pas pour qui c'est le plus cruel, pour ceux qui ont vu ou n'ont jamais vu.»

En quête d'un spécialiste des yeux, Simone Berriau, Marie Bell, Patrick Dupond, danseur étoile à l'Opéra de Paris, tour à tour la contactent pour qu'elle leur recommande l'ophtalmologiste le plus qualifié de la place.

Hormis la publication de *La Défense* en 1971, Arletty, qui se tient éloignée du public et des projecteurs de la fin des années soixante à la fin des années soixante-dix, sort véritablement de sa retraite au printemps 1978, année de ses quatre-vingts ans. Son vœu d'anniversaire?

«Que l'esprit vive et la connerie meure.»

Le président de la République, Valéry Giscard d'Estaing, aurait-il entendu le message? Il lui adresse aussitôt ses hommages admiratifs et un croton en pot.

«J'l'ai pas remercié, j'fais pas d'politique.»

L'affublant d'un aimable sobriquet – «le fleuriste» –, elle se délecte des fredaines qu'on prête au chef de l'État et s'amuse du claquement sec qu'il produit en s'exprimant.

«Il a dû téter très tard.»

Giscard ne lui tient aucunement rigueur d'avoir boudé le déjeuner organisé à l'Élysée, au début de son septennat, en l'honneur de Marcel Carné. Après une diffusion du *Jour se lève* à la télévision, il avait souhaité réunir à sa table les principaux acteurs des films du réalisateur. Jean Gabin, Michèle Morgan, Jean-Louis Barrault, Bernard Blier, François Périer avaient accepté l'invitation, repoussée incontinent par Simone Signoret et Arletty.

«J'ai dit à Carné qu'j'étais vierge de toute présidence et qu'j'entendais le rester. Quand j'en ai parlé à Prévert, il m'a répondu : "Si on m'invite, j'tirerai la nappe." J'lui ai dit : "C'est des tables en marbre." Michel [Simon] m'a raconté qu'au moment où il faisait un tour de pelouse avec le président, il lui a lâché avec sa gueule de prognathe : "C'est bien chez vous, c'est central!"»

Des années plus tard, auditrice assidue de l'émission *L'Oreille en coin* sur France Inter, Arletty est emballée le 15 juin 1986 par la prestation gaillarde de Giscard : «Monsieur le Président, vingt sur vingt. Plus l'infini. Bravo. Déformation professionnelle», lui écrit-elle.

«Après tout, je peux me permettre ça, il m'a bien souhaité mes quatre-vingts ans!»

À la traditionnelle question : «"Quel film emporteriez-vous sur une île déserte?", posée lors du déjeuner à l'Élysée, Giscard répondit sans hésitation : "*Les Enfants du paradis*[378]"», rapporte Carné dans ses mémoires. D'où l'admiration réitérée de l'ancien chef de l'État à l'interprète de Garance pour ses quatre-vingt-dix ans : «Avec mes vœux les plus affectueux d'heureux anniversaire, mais il est vrai qu'un talent comme le vôtre n'a pas d'âge.»

En revanche, son successeur à l'Élysée, François Mitterrand, s'abstient du moindre télégramme, de même que le Premier ministre Jacques Chirac qui, chaque année à Noël, lui fait envoyer la traditionnelle boîte de chocolats industriels des services de la mairie de Paris, comme à toutes les personnes âgées.

«Honni soit qui mal y pense... P'loter les mecs, c'est pas mon genre. On n'm'aime pas, j'fais pas la conquête, aucun charme, rien. François les-bas-roses ou un autre. Chirac, y a du pied dans la chaussette. Les grands panards, c'est très recherché par les dames, très prometteur. »

Cette année-là, Arletty est néanmoins fêtée. Dans la rue, où, sous ses fenêtres, un joueur d'orgue de Barbarie donne la sérénade, à la radio et à la télévision qui lui consacrent des émissions. Le couturier Alaïa lui dédie sa collection sur le thème *Hôtel du Nord*. Elle déjeune avec l'ex-empereur d'Indochine Bao Dai, déposé en 1955, lors de la proclamation de la République.

« Il était élève officier à l'école du Cadre noir de Saumur pendant la guerre. J'l'ai connu lors du démembrement de son régiment. Pas très grand, anonyme, à part les yeux un peu bridés. Moins crâneur que Ioussoupoff. Il aimait beaucoup Jouvet... Très intelligent, s'foutant du protocole, parlant un français châtié, comme vous et moi. Seulement, il emploie les passés du subjonctif, pas moi. »

Courbevoie, sa ville natale, la célèbre dignement, près d'un mois avant l'heure, afin d'éviter le télescopage de l'anniversaire avec les échéances électorales. Une rétrospective de sa carrière est organisée, des films exhumés des cinémathèques et la rue des Anciens-Combattants rebaptisée à son nom. Cohue monstre le 19 avril 1988, deux mille invités l'applaudissent en chantant « Bon anniversaire ». À Puteaux, une plaque commémorative est dévoilée au numéro 5 de la rue Jean-Jaurès, où elle habitait enfant. « À cet endroit a vécu Léonie Bathiat, dite Arletty, de 1902 à 1913. »

« De sa fenêtre, ma mère apercevait les villas des bourgeois de Neuilly. Mon père disait que leur pénitence, c'était d'avoir les cheminées d'usine comme panorama. »

Ses impressions à l'heure de souffler ses quatre-vingt-dix bougies ?

« J'ai bien vu la vie. J'ai observé. À présent, c'est d'un ennui mortel. J'ai hâte de partir. Je partirai avec le sourire. Quand on quitte le monde et qu'on n'a pas fait d'enfant, on n'a pas commis de crime. Mais je ne pense pas me supprimer, j'ai encore de la curiosité pour le temps qui me reste à vivre. »

Un peu plus de quatre années, en tout et pour tout. Une éternité. Certains jours un calvaire, en particulier à partir de l'automne de 1990. Au mal de vivre déjà ancien, la lassitude extrême l'envahit par bouffées. Suffocante. Au constat du 21 janvier 1981 : « J'ai une très grande fatigue intérieure », s'ajoute l'amertume passagère de voir les derniers témoins de sa vie active, retenus ailleurs, l'abandonner peu à peu. Un coup de téléphone épisodique ne parvient pas à combler le vide de ses jours.

« Mes relations ont eu l'ablation du cœur. »

Car, une fois retombée la frénésie des festivités de son 90e anniversaire, les demandes d'entretien, les invitations à déjeuner se raréfient. Pendant des jours entiers, la sonnerie du téléphone reste muette, et elle, seule, face à son destin, réduite à trouver suffisamment de force pour le lendemain. À aucun moment, pourtant, Arletty ne renonce aux gestes quotidiens que sont la préparation du café vers deux ou trois heures du matin et la toilette, dès le lever du jour. Plantée debout devant sa glace, elle s'organise, rehausse ses cils d'une touche de mascara, souligne ses lèvres d'un trait de rouge vif. Ainsi, par habitude, elle modèle son ombre confuse en fredonnant, la radio allumée. Puis, recroquevillée sur son divan, le téléphone à portée de main, la journée peut commencer.

« J'me mets en lapin, pour bondir sur le premier venu. »

Les jappements du chien de sa voisine de palier lui sont un écho familier. Ils lui suffisent à s'inventer une « planète » qu'elle imagine peuplée de quelques êtres chers, son père, précisément avec Diogène ou Dick, le chien de son enfance, sa mère en danseuse espagnole, son frère en costume de dompteur, son oncle prêtre en bras de chemise.

« Tous dorment les yeux ouverts. Attention, les places s'ront chères, je n'inviterai pas tout le monde. »

À ces journées d'attente, qu'interrompt parfois l'imprévu d'une visite ou d'un appel, succèdent d'autres journées d'attente. Interminablement.

« La vie a des hauts et des bas, j'préfère les hauts. »

Mais, dès novembre 1990, les « bas » prennent le dessus. Arletty, qui avait jusqu'alors toujours refusé la société de quelqu'un à demeure, se laisse convaincre du bienfait d'une telle mesure. L'association de service d'aide à domicile « Atmosphère » lui envoie quatre jeunes femmes, inexpérimentées pour la plupart, qui, au lieu de lui être d'un quelconque réconfort, tiennent salon. Le brouhaha autant que l'inanité des conversations accentuent sa fatigue. Arletty perd pied et, par moments, la notion du temps.

« Quand j'suis sortie du ventre de ma mère, on m'aurait fait faire un panoramique de ma vie, j'aurais dit non tout de suite. Pas d'cette vie-là. Je retourne d'où je viens… Jusqu'à seize ans, j'ai eu une très jolie existence. À présent, je suis lasse. Je sais même pas l'jour, ni la date. J'attends tout de la journée», dit-elle le 19 février 1991.

Trois jours plus tard, alors qu'elle a été laissée seule dans son lit l'espace d'un instant, Arletty fait une chute en tentant de se lever. Une double fracture du poignet gauche est diagnostiquée et son hospitalisation à la clinique Jouvenet, dans le XVIe arrondissement, ordonnée. Début d'un long supplice, perceptible uniquement au poids du silence, à la contracture des muscles du visage sous la peau diaphane, et à ses questions.

«J'vais rester longtemps dans cette léthargie? interroge-t-elle sous le coup de l'anesthésie. Je veux rejoindre ma mère. Je veux disparaître. Mais tuez-moi, mais tuez-moi donc! Plus rien ne fonctionne.

— Si, la tête.

— "Ça tourne rond dans ma p'tite tête"», fredonne-t-elle en écho.

Un mot d'esprit ne saurait être trompeur. Allongée immobile sur son lit, souffrant le martyre, elle s'assoupit, rêve, s'évade.

«J'ai quel âge?

— Bientôt quatre-vingt-treize ans.

— Bonne année!»

Le 6 mars 1991, après douze jours de clinique, Arletty, l'avant-bras gauche plâtré, signe son bon de sortie, en bonne forme apparente. Chez elle, désormais, quatre infirmières la veillent en permanence et à tour de rôle. Quelque chose est définitivement brisé, même si parfois son visage s'illumine encore d'un sourire, teintant sa peau amaigrie d'une fraîcheur de jeune fille. Arletty n'a plus goût à la vie. Ni le caviar ni le champagne ne réussissent à lui ouvrir l'appétit. Sortir relève de l'expédition tant ses jambes peinent à la porter au-delà du seuil de sa porte. Sa clairvoyance est à peu près égale à sa détresse.

«Le robot commence sa journée», lâche-t-elle le 18 mars 1991 au réveil.

Arletty s'enfonce dans une lente agonie, irréversible, atroce et stoïque. Son entourage s'inquiète fin mars de l'apparition d'un bouton inflammatoire rouge et jaune au milieu, à la pliure du genou droit. Deux, trois, quatre fois par semaine, le docteur Bâton, son médecin traitant, surveille sa tension, sa température, sa vitesse de sédimentation. À chaque séance, son kinésithérapeute, spécialisé dans le massage des célébrités, la distrait par le récit des visites à ses patients. La lecture lui est une diversion.

« Je suis dans le noir » ou « La journée a été noire », dit-elle dans les moments de lassitude extrême.

Le discours d'Édith Cresson, première femme Premier ministre, à l'Assemblée nationale le 13 juin lui inspire un mot :

« C'est une femme de chambre. »

Le répit est de courte durée au cours de ces journées sans fin où chaque heure est une souffrance.

« J'voudrais mourir aujourd'hui [379]. »

Le ton est calme.

« Dans quelques jours, on va nous séparer. C'est notre destin [380]. »

Le 10 octobre, trois hommes se présentent à sa porte, un notaire de Deuil-la-Barre accompagné de son clerc, amené là par une vague connaissance d'Arletty. Il s'agit de lui faire signer un contrat d'exclusivité pour l'exploitation commerciale illimitée de son nom.

« C'est pas ma condamnation à mort ? interroge Arletty.

— C'est pour faire du pognon, ça fait pas de mal », lâche le contractant, l'haleine chargée de nicotine, le rire enroué, le cheveu ras et grisonnant. L'affaire ne se fera pas après lecture dûment explicitée du document par son ami magistrat Alain Bourla.

Pour significative qu'elle soit, l'anecdote importe au fond assez peu en regard de la détérioration de l'état de santé d'Arletty en ce même mois. Une infection au pied gauche vire en quelques jours à la torture, malgré les soins prodigués. La tête froide, elle, qui a toujours eu le moral solide par raison, se désespère :

« J'méritais pas ça, vivre encore à mon âge. J'aurais voulu mourir brutalement. C'est pas digne de moi. Quelle médiocrité… J'ai l'cœur pas malade, l'foie pas malade… Mon père est mort à quarante-quatre ans, ma mère à cinquante. Ils n'ont pas connu la décrépitude. C'est un privilège [381]. »

À la douleur physique se greffe la conscience d'être condamnée à endurer, héroïque, une situation de dépendance comme elle n'en a jamais connu. Arletty s'exaspère et, à partir du printemps 1992, s'enferme dans un mutisme qu'elle ne rompt qu'épisodiquement.

Une seule chose parvient à lui redonner de l'entrain : écouter les chansons qu'elle a enregistrées il y a longtemps. Son passé alors ressurgit. Son visage s'illumine, les paroles des couplets lui reviennent. De temps à autre, elle demande des nouvelles de ceux qui lui étaient chers, comme s'ils vivaient encore. «Et Sacha? Et ce cher Tristan? Est-ce que Jean-Pierre est déjà passé? Et Pierrot?» À d'autres moments, parfaitement lucide et consciente, elle s'écrie : «Mais jetez-moi par la fenêtre!»

«Et la vie continue!» déplore-t-elle le 16 juillet alors que depuis une semaine elle ne quitte plus son lit.

Deux jours plus tard, en proie à des divagations, elle appelle :
«Maman, maman.»

Annick, l'infirmière, s'approche de son lit, lui prend la main. Arletty caresse la sienne :

«Tiens, t'as des bagues maintenant. Qui t'les a données? C'est papa?»

Annick lui passe et repasse délicatement la main sur le front et les cheveux, comme on ferait à un enfant malade. Arletty :

«On fait comme les mecs!»

«Maman, maman.» Plusieurs fois par jour, elle martèle cet appel au secours déchirant, d'une voix posée.

Le 23 juillet, à son réveil, après une nuit ni plus ni moins agitée que les précédentes, Arletty refuse de prendre son café noir fumant. La tête sur l'oreiller, elle repose tranquille, silencieuse et absente. Elle attend. Vers 16 heures, elle sombre dans le coma. Son pied gauche se cyanose progressivement, puis la jambe, puis le pied droit, tandis que son cœur bat, bat, bat. À 17 h 15, il s'arrête brutalement et, dans un dernier râle se désagrégeant en un souffle d'expiration comme après un long et terrible effort, Arletty s'éteint, souriante, apaisée et délivrée.

Bibliographie

ARIOTTI, Philippe, et COMES, Philippe (de), *Arletty*, Éditions Henri Veyrier, 1978.

ARLETTY, *La Défense*, Ramsay, coll. «Poche cinéma», 1990.

ARLETTY, *Je suis comme je suis...*, Carrère, 1987.

ARON, Robert, *Histoire de l'épuration*, t. II : *Le Monde de la presse, des arts, des lettres... (1944-1953)*, Fayard, 1945.

ASSOULINE, Pierre, *Gaston Gallimard*, Balland, 1984.

ASSOULINE, Pierre, *Une éminence grise, Jean Jardin 1904-1976*, Balland, 1986.

BARADUC, Jacques, *Dans la cellule de Pierre Laval*, Éditions Self, 1948.

BECKER, Jean-Jacques, et BERSTEIN, Serge, *Victoire et frustrations (1914-1929)*, Le Seuil, 1990.

BERNSTEIN-GRUBER, Georges, et MAURIN, Gilbert, *Henry Bernstein le Magnifique*, Éditions Jean-Claude Lattès, 1988.

BERTIN-MAGHIT, Jean-Pierre, *Le Cinéma français sous l'Occupation*, Presses universitaires de France, coll. «Que sais-je?», 1994.

BOLLORÉ, Gwenn-aël, dit Bollinger, *Commando de la France libre, Normandie 6 juin 1944*, Éditions France-Empire, 1983.

BORNE, Dominique, DUBIEF, Henri, *La Crise des années 30 (1929-1938)*, Le Seuil, 1976.

BRUNELIN, André, *Jean Gabin*, Éditions Robert Laffont, 1987.

BUTLER, Ewan, et YOUNG, Gordon, *Göring tel qu'il fut*, Éditions J'ai lu, 1965.

CAPOTE, Truman, *Morceaux choisis*, Gallimard, 1964.

CARNÉ, Marcel, et PRÉVERT, Jacques, *Les Enfants du paradis*, Balland, 1974.

CARNÉ, Marcel, *La Vie à belles dents*, Belfond, 1989.

CÉLINE, Louis-Ferdinand, *Voyage au bout de la nuit*, Gallimard, 1952.

CÉLINE, Louis-Ferdinand, *Cahiers* 2, *L'Actualité littéraire 1957-1961*, Gallimard, 1976.

CÉLINE, Louis-Ferdinand, *Cahiers* 6, *Lettres à Albert Paraz 1947-1957*, Gallimard, 1980.

CÉLINE, Louis-Ferdinand, *Arletty jeune fille dauphinoise*, La Flûte de Pan, 1983.

CÉLINE, Louis-Ferdinand, *Lettres à la NRF 1931-1961*, Gallimard, 1991.

CHAMBRUN, René de, *Pierre Laval devant l'Histoire*, Éditions France-Empire, 1983.

CHAMBRUN, René de, *Ma Croisade pour l'Angleterre, juin 1940*, Perrin, 1992.

CHIZERAY-CUNY, Henriette de, *Marie de Régnier (Gérard d'Houville)*, 1969.

COCTEAU, Jean, *Portraits souvenir*, Grasset, 1935.

COCTEAU, Jean, *Foyer des artistes*, Plon, 1947.

COLETTE, *La Jumelle noire (IVe année)*, Ferenczi, 1938.

COURRIÈRE, Yves, *La Guerre d'Algérie*, 2 volumes, Éditions Robert Laffont, coll « Bouquins », 1990.

DESANTI, Dominique, *Sacha Guitry, cinquante ans de spectacle*, Grasset, 1982.

DUBEUX, Albert, *Acteurs...*, Librairie théâtrale, 1929.

FABRE, Saturnin, *Douche écossaise*, Ramsay, « Poche cinéma », 1987.

GALTIER-BOISSIÈRE, Jean, *Journal 1940-1950*, Quai Voltaire, 1992.

GOLD, Arthur, et FIZDALE, Robert, *Misia*, Gallimard, 1981.

GROULT, Flora, *Marie Laurencin*, Mercure de France, 1987.

GUILLEMINAULT, Gilbert, *Le Roman vrai de la IIIe et de la IVe République 1870-1958*, Robert Laffont, coll. « Bouquins », 1991.

GUITRY, Sacha, *Quatre Ans d'occupations*, L'Élan, 1947.

GUITRY, Sacha, *Soixante Jours de prison*, L'Élan, 1949.

GUITRY, Sacha, *Le Cinéma et moi*, Ramsay, 1977.

HORRIE, Louis Marie, *La Houssaye-en-Brie, village de France*, Édition du Centre culturel de la Brie, 1973.

JAMET, Fabienne, *One Two Two*, Olivier Orban, 1975.

JOYEUX, Odette, *Entrée d'une artiste*, Éditions Payot et Rivages, 1994.

LASKE, Karl, *Le Banquier noir, François Genoud*, Le Seuil, 1996.

LE BOTERF, Hervé, *Robert Le Vigan, le mal-aimé du cinéma*, Éditions France-Empire, 1986.

LEDUC, Saint-Germain, *Les Campagnes de Thérèse Figueur*, Dauvin et Fontaine, 1842.

LOTTMAN, Herbert, *L'Épuration (1943-1953)*, Fayard, 1986.

MARC, Henri, *Jules Berry le joueur*, Éditions France-Empire, 1988.

MAUPASSANT, Guy de, *Mont-Oriol*, Albin Michel, 1941.

MILLIEZ, Paul, *Ce que j'espère*, Éditions Odile Jacob, 1989.

MILZA, Pierre, BERSTEIN, Serge, *Le Fascisme italien (1919-1945)*, Le Seuil, 1980.

MITRY, Jean, *Tout Chaplin*, Seghers, 1972.

NIETZSCHE, Friedrich, *Ainsi parlait Zarathoustra*, Le Livre de poche, 1983.

NOVICK, Peter, *L'Épuration française (1944-1949)*, Balland, 1985.

ORY, Pascal, *Les Collaborateurs (1940-1945)*, Le Seuil, 1976.

PALMER, Jack White, *Poiret le magnifique, le destin d'un grand couturier*, Payot, 1986.

PARAZ, Albert, *Le Gala des vaches*, Balland, 1974.

PAXTON, Robert O., *La France de Vichy (1940-1944)*, Le Seuil, 1973.

PERRIN, Michel, *Arletty*, Calmann-Lévy, 1952.

PETIT, Edmond, *Histoire de l'aviation*, Presses universitaires de France, coll «Que sais-je?», 1966.

PETIT, Roland, *J'ai dansé sur les flots*, Grasset, 1993.

RAGACHE, Gilles et Jean-Robert, *La Vie quotidienne des écrivains et des artistes sous l'Occupation 1940-1944*, Hachette, 1988.

REBÉRIOUX, Madeleine, *La République radicale? (1898-1914)*, Le Seuil, 1975.

RICHEBÉ, Roger, *Au-delà de l'écran*, Éditions Pastorelly, 1977.

ROBERT, Pierre-Edmond, *D'un Hôtel du Nord l'autre, Eugène Dabit 1898-1936*, Bibliothèque de Littérature française contemporaine de l'Université Paris VII, 1986.

ROBERT, Yves, *Un homme de joie*, Flammarion, 1996.

SACHS, Maurice, *Au temps du Bœuf sur le Toit*, Grasset, 1987.

SADOUL, Georges, *Histoire du cinéma mondial*, Flammarion, 1949.

Siclier, Jacques, *La France de Pétain et son cinéma*, Éditions Henri Veyrier, 1981.

Signoret, Simone, *La nostalgie n'est plus ce qu'elle était*, Le Seuil, 1978.

Veillon, Dominique, *La Mode sous l'Occupation*, Éditions Payot, 1990.

Vitoux, Frédéric, *La Vie de Céline*, Grasset, 1988.

Vlaminck, Maurice de, *Fausse couleur*, Flammarion, 1957.

Filmographie

1930

La Douceur d'aimer, de René Hervil.

1931

Un chien qui rapporte, de Jean Choux.

1932

La Belle Aventure, de Reinhold Schünzel.
Enlevez-moi, de Léonce Perret.
Une idée folle, de Max de Vaucorbeil.

1933

Un soir de réveillon, de Charles Anton.
Je te confie ma femme, de René Guissart.
La Guerre des valses, de Ludwig Berger.
Le Voyage de Monsieur Perrichon, de Jean Tarride.

1934

Pension Mimosas, de Jacques Feyder.
Le Vertige, de Paul Schiller.

1935

La Fille de Madame Angot, de Jean Bernard-Derosne.
Amants et Voleurs, de Raymond Bernard.
La Garçonne, de Jean de Limur.

1936

Aventure à Paris, de Marc Allégret.
Le Mari rêvé, de Roger Capellani.
Faisons un rêve, de Sacha Guitry.
Messieurs les ronds-de-cuir, d'Yves Mirande.

1937

Les Perles de la Couronne, de Sacha Guitry.
Si tu m'aimes/Mirages, d'Alexandre Ryder.
Aloha ou le Chant des îles, de Léon Mathot.
Désiré, de Sacha Guitry.

1938

Le Petit Chose, de Maurice Cloche.
La Chaleur du sein, de Jean Boyer.
Hôtel du Nord, de Marcel Carné.

1939

Le jour se lève, de Marcel Carné.
Fric-Frac, de Maurice Lehmann (et Claude Autant-Lara).
Circonstances atténuantes, de Jean Boyer.
Tempête, de Bernard-Deschamps.

1941

Madame Sans-Gêne, de Roger Richebé.
Boléro, de Jean Boyer.

1942

La Femme que j'ai le plus aimée, de Robert Vernay.
L'Amant de Bornéo, de Jean-Pierre Feydeau.
Les Visiteurs du soir, de Marcel Carné.

1943/1944

Les Enfants du paradis, de Marcel Carné.

1949

Portrait d'un assassin, de Bernard Roland.

1951

Gibier de potence, de Roger Richebé.
L'Amour, Madame, de Gilles Grangier.

1953

Le Père de Mademoiselle, de Marcel L'Herbier.
Le Grand Jeu, de Robert Siodmak.

1954

L'Air de Paris, de Marcel Carné.
Huis clos, de Jacqueline Audry.

1956

Mon curé chez les pauvres, de Henri Diamant-Berger.
Vacances explosives, de Christian Stengel.

1957

Le Passager clandestin, de Ralph Habib.

1958

Et ta sœur, de Maurice Delbez.
Maxime, de Henri Verneuil.
Un drôle de dimanche, de Marc Allégret.

1961

La Gamberge, de Norbert Carbonnaux.
Les Petits Matins, de Jacqueline Audry.

1962

Le Jour le plus long, de Ken Annakin, Andrew Marton, Bernhard
Wicki, Gerd Oswald et Elmo Williams.
La Loi des hommes, de Charles Gérard.
Tempo di Roma, de Denys de La Patellière.
Le Voyage à Biarritz, de Gilles Grangier.

Courts-métrages

1936

Feu la Mère de Madame, de Germain Fried,
d'après la pièce de Georges Feydeau.
Mais n'te promène donc pas toute nue, de Léo Joannon,
d'après la pièce de Feydeau.

1942

La Loi du 21 juin 1907, de Sacha Guitry.

Documentaires

1950

Georges Braque, d'André Bureau.

1959

Paris la belle, de Pierre Prévert. Film commencé en 1928. Arletty dit des textes de Jacques Prévert.

1960

Les Primitifs du XIIIe, de Pierre Guilbaud, sur un texte de Prévert.

1967

Dina chez les rois, de Dominique Delouche.

Théâtrographie

1919

C.G.T. Roi, revue d'André Barde et Michel Carré.

1920

Mazout alors, revue de Saint-Granier et Briquet.
Le Danseur de Madame, comédie de Paul Armont
et Jacques Bousquet.
La Course à l'amour, revue donnée à La Cigale
L'École des cocottes, comédie de P. Armont et Marcel Gerbidon.
Le Scandale de Deauville, comédie de Rip et Gignoux.

1921

Si que je s'rais roi, de Rip et Gignoux.
Bo Ko Mo Fo Li, revue de C.A. Carpentier et Fernand Rouvray.
Y a du feu, revue de Maurice Rumac.

1922

Nonnette, opérette d'André Barde, musique de Charles Cuvillier.
La Revue de Vingt Scènes, de C.A. Carpentier et Robert Dieudonné.
Ce que l'on dit aux femmes, comédie de Tristan Bernard.
L'Homme du soir, comédie de Rip.
Simone est comme ça, comédie d'Yves Mirande et Alex Madis.
Pourquoi m'as-tu fait ça ?, comédie d'Yves Mirande, Alex Madis,
Gustave Quinson.

1923

Je ne trompe pas mon mari, comédie de Georges Feydeau
et René Péter.

1924

L'Oiseau vert, féerie-folie de Paul Colline et René Ferréol.
Bob et Moi, fantaisie de Barde. Musique de Cuvillier.
La Danseuse éperdue, comédie de René Fauchois.
Hé ris haut!, revue de P. Colline et Georges Merry.

1925

Où allons-nous?, revue de Rip et Briquet.
Polo, comédie de René Peter.
Le Péché capiteux, opérette de Pierre Veber. Musique
de René Mercier.
Mon gosse de père, comédie de Léopold Marchand.
Voulez-vous être ma femme?, comédie de Jacques Richepin.

1926

Le Mage du Carlton, comédie de L. Marchand et Georges Dolley.
No No ta dette, revue de Pierre Veber et André Dahl.
La Revue de Montmartre, revue de G. Merry et Géo Charley.

1927

Knock Out, comédie de Jacques Natanson et Jacques Théry.
Humourican Legion, revue d'André Dahl.

1928

Yes, opérette de Pierre Soulaine, Albert Willemetz, Robert
Bousquet. Musique de Maurice Yvain.
Le Cochon qui sommeille ou le Coq d'Inde, de Rip et R. Dieudonné.

1929

Jean V, opérette de Jacques Bousquet et Henri Falk. Musique
de Maurice Yvain.
Vive Leroy, opérette de Henri Géroule et René Pujol. Musique
de Fred Pearly et Pierre Chagnon.
Plus ça change, féerie de Rip.

1930

Par le temps qui court, revue de Rip.
Mistigri, comédie de Marcel Achard.

1931

La Viscosa, comédie de Rip.

1932

Xantho chez les courtisanes, opérette de J. Richepin. Musique
de Marcel Lattès.
Azor, opérette de Raoul Praxy. Musique de Gabaroche.
Un soir de réveillon, opérette d'Armont et Gerbidon. Musique
de Raoul Moretti.

1933

Ô mon bel inconnu, opérette de Sacha Guitry. Musique
de Reynaldo Hahn.

1934

Le Bonheur Mesdames, opérette de Francis de Croisset
et A. Willemetz. Musique de Christiné.
La Revue des Variétés, revue de Rip.

1935

Les Joies du Capitole, opérette de Jacques Bousquet. Musique
de Raoul Moretti.
La Revue des Nouveautés, revue de Rip.

1936

L'École des veuves, sketch de Jean Cocteau.
Fric-Frac, comédie d'Édouard Bourdet.

1937

Crions-le sur les toits, revue publicitaire de Sacha Guitry, Tristan
Bernard… Musique d'Arthur Honneger, Adolphe Borchard
et Guy Lafarge.

1938

Cavalier seul, comédie de Jean Nohain et Maurice Diamant-Berger.

1943

Voulez-vous jouer avec moâ?, comédie de M. Achard.

1949

Un tramway nommé Désir, pièce de Tennessee Williams.

1950

La Revue de l'Empire, de Willemetz, Ded Rysel, André Roussin.

1952

Les Compagnons de la Marjolaine, de M. Achard.

1954/55

Gigi, du roman de Colette, adapté par l'auteur et Anita Loos.

1959

La Descente d'Orphée, pièce de Tennessee Williams.

1960

L'Étouffe-Chrétien, comédie de Félicien Marceau.

1962

Un otage, comédie dramatique de Brendan Behan.

1966

Les Monstres sacrés, pièce de Jean Cocteau.

Notes

1. Madeleine Rebérioux, *La République radicale ?*, p. 7.
2. *La Défense*, p. 11.
3. Madeleine Rebérioux, *op. cit.*, p. 28.
4. Céline, *Voyage au bout de la nuit*, p. 578.
5. *La Défense*, p. 19.
6. *Ibid.*, p. 22.
7. Aide-mémoire collés dans le décor du théâtre.
8. *La Défense*, p. 28
9. *Douche écossaise*, p. 35.
10. *La Défense*, p. 31.
11. *Ibid.*, p. 25.
12. *Ibid.*, p. 33.
13. *Ibid.*, p. 36.
14. *Ibid.*, p. 38.
15. *Ibid.*, p. 41.
16. *Ibid.*, p. 43.
17. *Ibid.*, p. 44.
18. *Ibid.*, p. 46.
19. *Ibid.*, p. 46.
20. *Ibid.*, p. 47.
21. *Ibid.*, p. 49.
22. *Ibid.*, p. 50.
23. *Ibid.*, p. 52.
24. *Ibid.*, p. 52.
25. *Ibid.*, p. 12.
26. Becker, J.-J. et Bernstein, S., *Victoire et frustrations (1914-1929)*,

p. 175.

27. *La Défense*, p. 52.

28. Entretien du 10 juillet 1993.

29. *La Défense*, p. 18.

30. Après la mort d'Arletty, le tableau sera légué à la bibliothèque de l'Arsenal, conformément à ses vœux.

31. *La Défense*, p. 53.

32. Entretien du 1er mai 1993.

33. *La Défense*, p. 55.

34. Confédération générale du travail (CGT).

35. *La Défense*, p. 61.

36. Gabriel Voisin, ingénieur et industriel (1880-1973).

37. *La Défense*, p. 61.

38. *Ibid.*, p. 65.

39. Un million de centimes (note de l'auteur).

40. *La Défense*, p. 72.

41. *Ibid.*, p. 69.

42. Entretien du 1er mai 1993.

43. In *Arletty*, Philippe Ariotti et Philippe de Comes, p. 38.

44. La grande tragédienne morte en 1920.

45. In *Arletty* par Michel Perrin, p. 52.

46. Argot de métier.

47. Entretien du 29 avril 1993.

48. *La Défense*, p. 81.

49. In *Arletty* par Michel Perrin, p. 53.

50. *D'un château à l'autre, Nord, Rigodon.*

51. Entretien du 26 mai 1994.

52. *La Défense*, p. 90.

53. Entretien du 20 mai 1994.

54. Auteur à succès de comédies-vaudevilles au début du siècle. Élu à l'Académie en 1920, il a coécrit *L'Âne de Buridan* avec Gaston de Caillavet.

55. *Sacha Guitry, cinquante ans de spectacle*, Dominique Desanti, p. 124.

56. Entretien du 26 avril 1993.

57. *Voyage au bout de la nuit*, p. 88.

58. *Ibid.*, p. 94.

59. Section française de l'Internationale ouvrière.

60. *Voyage au bout de la nuit*, p. 256.

61. Les propos de Genet, parus dans *Le Monde* des 20 et 21 avril 1986, peu après sa mort, sont extraits d'un document réalisé par Témoins, la société de production de Danièle Delorme.

62. Commentaires au terme d'une relecture en novembre 1986.

63. *La Défense*, p. 100.

64. *Ibid.*, p. 90.

65. *Ibid.*, p. 108.

66. Un hôtel de luxe à Paris.

67. In *La Jumelle noire* (Ferenczi). Troisième année de critique dramatique (p. 54-55).

68. Entretien du 28 avril 1993.

69. Entretien du 20 mai 1994.

70. Extrait de *Fric-Frac*, pièce en cinq actes d'Édouard Bourdet parue dans *La Petite Illustration*, le 12 juin 1937.

71. Entretien du 14 octobre 1992.

72. *Le Figaro*, 18 octobre 1936.

73. *L'Œuvre*, le 23 octobre 1936.

74. *Comoedia*, le 23 octobre 1936.

75. *L'Homme libre*, le 16 août 1936.

76. *L'Indépendance belge*, le 17 octobre 1936.

77. *Les Nouvelles de l'Exposition*, le 1er novembre 1936.

78. *L'Écho des Sports*, le 4 novembre 1936.

79. *Marianne*, le 21 octobre 1936.

80. *Le Journal*, le 25 octobre 1936.

81. *La Défense*, p. 98.

82. *Ibid.*, p. 115.

83. Entretien du 3 janvier 1994.

84. Un des fils Kapurthala, qui fait surtout profession de danseur de charleston.

85. Directrice du théâtre Daunou.

86. *La Défense*, p. 115.

87. Sir Arthur Conan Doyle, célèbre auteur de romans policiers anglais ayant créé le non moins célèbre détective Sherlock Holmes.

88. *La Défense*, p. 122.

89. «Vienne, Vienne, toi seule, tu es la ville de mes rêves…»

90. «Et pourtant, elle tourne!»

91. *Sacha Guitry, cinquante ans de spectacle*, p. 196.

92. *La Défense*, p. 123.

93. *La Jumelle noire*, cinquième année chez Ferenczi.

94. In *Arletty* par Philippe Ariotti et Philippe de Comes, p. 59.

95. In *Cahiers Céline n° 2*, chez Gallimard, p. 148.

96. Marcel Carné : *La Vie à belles dents*, p. 95.

97. Entretien avec l'auteur.

98. *Je suis partout*, 23 décembre 1938. Rebatet publiera, en 1942, *Les*

Mémoires d'un fasciste – Les Décombres.

99. *La Vie à belles dents*, p. 100.

100. C'était dans *Le Crime de Monsieur Lange*, de Jean Renoir, 1935.

101. Extrait d'un entretien avec Hubert Arnault et Philippe Haudiquet, « Image et son », 1965.

102. André Brunelin, *Jean Gabin*, Éditions Robert Laffont, 1987.

103. *Ibid.*, p. 260.

104. *La Défense*, p. 129.

105. Ensemble, ils ont fait *Fric-Frac*, *Circonstances atténuantes* et *Tempête*.

106. Roger Corbeau, entretien du 19 août 1995.

107. *La Défense*, p. 128.

108. Dita Parlo, la blonde paysanne allemande de *La Grande Illusion*.

109. Entretien du 27 juin 1993.

110. Oncle de Michel Poniatowski, ministre de l'Intérieur de Valéry Giscard d'Estaing de 1974 à 1977.

111. *Intrigue et amour.*

112. Gaston Doumergue, président de la République de 1924 à 1931, et éphémère président du Conseil radical-socialiste, au lendemain des événements du 6 février 1934.

113. Muse de la Tragédie dans la mythologie grecque.

114. Service de renseignement de l'état-major du général de Gaulle à Londres, qui envoyait certains de ses agents secrets en territoire occupé pour des missions.

115. *La Défense*, p. 140.

116. Jean Cocteau, *Le Foyer des artistes*, p. 65.

117. Les exigences de Gravey sont racontées par Odette Joyeux dans *Entrée d'une artiste*, p. 297.

118. Environ 3,6 millions de francs en 1996.

119. Entretien du 6 septembre 1994.

120. *La Défense*, p. 156.

121. Entretien du 16 décembre 1984.

122. *La Vie à belles dents*, p. 141.

123. *La Défense*, p. 144.

124. *Ibid.*, p. 148.

125. *La nostalgie n'est plus ce qu'elle était*, p. 67.

126. Entretien du 3 septembre 1994.

127. Entretien du 1er mai 1993.

128. Archives nationales, n° SN RG 2° S.

129. *Bundesarchiv*, Archives nationales allemandes de Berlin.

130. NSPDA – Parti national-socialiste des travailleurs allemands.

131. *Bundesarchiv.*

132. Aujourd'hui Luanda, capitale de l'Angola.

133. Galtier Jean Boissière, *Mon journal dans la drôle de paix*, p. 104.

134. Père de l'acteur Jean-Paul Belmondo.

135. Doriot, chef du Parti populaire français, mouvement pronazi.

136. Entretien avec Nane Trauner, le 10 septembre 1995.

137. Sacha Guitry, *Le Cinéma et moi*, p. 84.

138. Entretien du 28 avril 1995.

139. Contraction des mots «goulu» et «bâfrer».

140. Princesse de Lucques et de Piombino (1805-1813).

141. Autre pièce d'Achard montée en décembre 1930 au théâtre Daunou, et dans laquelle Arletty tient le rôle de Fanny.

142. *La Défense*, p. 151.

143. Entretien du 25 mai 1994.

144. *La Vie à belles dents*, p. 141.

145. *Ibid.*, p. 164.

146. Entretien du 17 décembre 1995.

147. Entretien du 21 avril 1993.

148. Contraction des mots anglais *forth* : en avant, et *there* : là ; *we* signifiant : nous.

149. *La Défense*, p. 152.

150. Archives nationales Z 6 NL n° 206.

151. Il est détenu depuis le 23 août 1944.

152. Détenu par les troupes américaines stationnées en Allemagne, Schleier a été remis en liberté le 24 décembre 1947 après trente-deux mois et douze jours de prison, une fois lavé du soupçon de crimes de guerre.

153. Boni de Castellane, un milliardaire, le plus célèbre dandy de son temps. Il avait épousé Anna Gould, l'héritière des chemins de fer américains.

154. Entretien du 4 janvier 1996.

155. C'est-à-dire avec le Tout-Paris politique et artistique, comme aux grandes premières d'avant guerre.

156. Surnom dont elle affuble Fernand de Brinon en raison de son nez bosselé et pointu comme un plantoir de jardinier.

157. Couple non identifié.

158. Non identifiés.

159. À titre indicatif, un postier débutant touche à l'époque 35 000 francs par an, un juge de paix 100 000 et un professeur de faculté moins de 200 000.

160. *La Vie à belles dents*, p. 165.

161. Entretiens des 8 octobre et 27 novembre 1994.

162. René Massigli, commissaire aux Affaires étrangères du Comité français de libération nationale.

163. Rapport Chavin rédigé en juillet 1941 pour l'amiral Darlan alors ministre secrétaire d'État à l'Intérieur. Archives nationales 468 AP 32 et fonds Jean Coutrot AP 33.

164. Entretien du 2 juin 1995.

165. Carol II de Roumanie (1893-1953), dernier roi de Roumanie, qui a abdiqué en septembre 1940 après s'être rapproché de l'Allemagne hitlérienne.

166. Entretiens des 8 octobre et 27 novembre 1994.

167. « Le printemps arrive. »

168. Renée de son prénom.

169. Staline.

170. Revue américaine en noir et blanc des années cinquante où s'étalaient les jolies femmes du monde.

171. Des louis d'or.

172. Suzanne de Bronckire.

173. Archives nationales SN RG 2° S.

174. *La Défense*, p. 157.

175. Sa secrétaire.

176. *Soixante Jours de prison*, p. 113.

177. Archives nationales, SN RG 2° S.

178. Entretien du 16 décembre 1984.

179. *La Défense*, p. 158.

180. Prison de femmes située dans la rue du même nom, à Paris, et détruite en 1974 pour faire place à un square.

181. Entretien du 2 juin 1995.

182. *La Défense*, p. 160.

183. Albert Londres (1884-1932). Son reportage à Cayenne en 1923 sur les conditions de vie déplorables des détenus a entraîné la fermeture définitive du bagne.

184. *La Défense*, p. 164.

185. In *L'Épuration*, Herbert Lottman, Fayard, 1986, p. 104.

186. Sacha Guitry, *Soixante Jours de prison*, p. 534-538.

187. *La Défense*, p. 164.

188. *Ibid.*, p. 164.

189. *Ibid.*, p. 165.

190. Jean Jardin (1904-1976), *Une éminence grise*, par Pierre Assouline, p. 80.

191. Entretien du 15 juillet 1994.

192. La Légion des volontaires français contre le bolchévisme est un des

mouvements les plus activement collaborationnistes puisque ses membres iront combattre sur le front de l'Est.

193. Archives nationales, F21 8112.

194. Fabienne Jamet, *One Two Two*, p. 113.

195. *La Défense*, p. 168.

196. *Ibid.*, p. 169.

197. Le commissaire de police qui vient arrêter Garance.

198. *La Défense*, p. 171.

199. Archives nationales, F 21 8103.

200. Archives nationales, cote F 21, Épuration carton 4.

201. Cote F 351 818.

202. Archives nationales, cote F 21, Épuration carton 4.

203. Entretien du 16 décembre 1984.

204. Prononcer *Qle*.

205. René Héron de Villefosse.

206. L'écrivain Emmanuel Berl.

207. Archives nationales, Z6 NL n° 31 et Centre d'histoire de l'Europe du XXᵉ Siècle, fonds Georges Valois.

208. *La Défense*, p. 173.

209. Entretien du 6 mai 1994.

210. Les femmes des SSA.

211. Entretien du 2 juin 1995.

212. Carné, *La Vie à belles dents*, p. 169.

213. Document Pathé, exposé au Centre Beaubourg en mars 1995.

214. *Douche écossaise*, p. 259.

215. *La Défense*, p. 174.

216. Entretien du 8 janvier 1996.

217. Heinrich Brüning (1885-1970), chancelier de la République de Weimar de 1930 à 1932. Il tenta de faire barrage à Hitler en soutenant la candidature d'Hindenburg à la présidence de la République en 1932. Une fois élu, ce dernier l'écarta pour appeler Hitler à la Chancellerie.

218. Délégué personnel de Pétain à Paris sous l'Occupation.

219. Né en 1915, Jacques Chaban-Delmas, secrétaire général au ministère de l'Information en 1945, donne son feu vert à la publication des quatre premiers journaux à reparaître à la Libération. Parmi eux, l'hebdomadaire *La Vie française*, détenu à 50 % par ses amis dont Didier Lambert, à qui il donne des facilités d'approvisionnement en papier. Adjoint à l'Inspection générale des Finances sous Vichy, puis général des Forces françaises de l'Intérieur en 1944, il sera Premier ministre de 1969 à 1972.

220. Entretien du 8 janvier 1996.

221. Archives nationales, SN RG 2° S.

222. *In* Jacques Baraduc, *Dans la cellule de Pierre Laval,* p. 193.

223. *La Défense,* p. 170.

224. Adrien Texier.

225. *La Défense,* p. 175.

226. *Ibid.,* p. 175.

227. Archives nationales, F 21 C4.

228. Confédération française des Travailleurs chrétiens.

229. Archives nationales, AN F 21 8105/1.

230. Archives nationales, SN F 21 8108.

231. Archives nationales, SN RG 2° S.

232. Archives nationales, F 21 8112.

233. Herbert Lottman, *L'Épuration,* p. 491.

234. Archives nationales, F 21 8113.

235. Archives nationales, SN RO 2° S.

236. *La Défense,* p. 171.

237. Archives nationales, F 21 8106.

238. *La Défense,* p. 176.

239. Archives nationales, F 21 carton 4.

240. Archives nationales, SN RG 2° S.

241. *Mon combat.*

242. Éditions Henry Veyrier, p. 20.

243. Archives du Centre de documentation juive contemporaine.

244. *La Défense,* p. 208.

245. SN RG 2° S.

246. *In* Jacques Siclier, *La France de Pétain et son cinéma,* p. 459.

247. Entretien du 26 mai 1994.

248. Édouard Daladier (1884-1970).

249. Archives nationales, F 21 8108.

250. Entretien du 13 avril 1996.

251. Le capitaine Dreyfus a été réhabilité, et fait chevalier de la Légion d'honneur le 22 juillet 1906 par le président de la République dans la cour de l'École militaire, où avait eu lieu sa dégradation onze ans plus tôt. Arletty avait huit ans.

252. Entretien du 22 avril 1993.

253. *Mon journal depuis la Libération,* Éditions Quai Voltaire, 1992, p. 229.

254. *Ibid.,* p. 234.

255. Entretien du 26 avril 1993.

256. Aujourd'hui occupé par la Maison des Écrivains.

257. Entretien du 8 octobre 1994.

258. *La Défense*, p. 188.

259. Entretien du 26 avril 1993.

260. Entretien du 24 avril 1993.

261. *La Défense*, p. 177.

262. *Ibid.*, p. 178.

263. *La Vie à belles dents*, p. 201.

264. Grisé par sa présentation de deux émissions de télévision sur la crise expliquée aux Français, au début des années quatre-vingt, Yves Montand se voit déjà favori dans la course aux élections présidentielles de 1988.

265. Gilbert Renault, dont le nom dans la clandestinité est Colonel Rémy, est un héros de la Résistance. Dès novembre 1940, il fonde le réseau de renseignements «Notre-Dame», puis devient membre du comité directeur du Rassemblement du peuple français (RPF). Célèbre agent secret de la France libre, c'est un ami de De Gaulle, qui ne renie pas ses convictions monarchistes. Il a connu Guitry et Arletty sur le tournage des *Perles de la couronne* en 1937.

266. État-Major supérieur des forces expéditionnaires alliées, en charge des opérations de débarquement sur les plages de Normandie le 6 juin 1944.

267. Entretien du 10 février 1994.

268. Entretien du 21 mars 1994.

269. Entretien de janvier 1995.

270. *Ibid.*

271. Entretien du 21 mars 1994.

272. *In* Roland Petit, *J'ai dansé sur les flots*, p. 34.

273. *Ibid.*, p. 40.

274. «C'est uniquement une question d'argent.»

275. À propos des démarches envisagées pour l'installation de Soehring comme jardinier.

276. Station balnéaire sur la mer Noire où se tint du 4 au 11 février 1945 une conférence réunissant Churchill, Roosevelt, Staline, en vue de définir les futures zones d'influence des super-puissances en Europe et dans le reste du monde, après la capitulation de l'Allemagne et du Japon.

277. Arletty se réfère à la pierre rouge qu'elle lui a offert, à Paris et que Soehring a toujours portée comme porte-bonheur, en particulier lors de son baptême du feu sur le front italien en 1943.

278. *Les Mains sales*.

279. Helena Bossis.

280. Christiane Néré, comédienne abonnée aux rôles de coquette.

281. *France-Observateur*, ancêtre du *Nouvel Observateur*, du 30 décembre 1954.

282. Le film a été projeté pour la première fois en 1987 au festival de Porto-Vecchio, sous le titre *Madame et ses Peaux-Rouges*.

283. Son compagnon du moment, Lucien Sénémaud. *Cf.* «La chronologie d'Albert Dich» parue dans le *Magazine littéraire* de septembre 1993, un numéro entièrement consacré à Jean Genet.

284. *Cahiers Céline 6, Lettres à Albert Paraz 1947-1957*, p. 112.

285. En fait, en novembre 1946.

286. C'est Arletty qui souligne...

287. Archives nationales, F 21 8105 et 8107.

288. Entretien du 29 mai 1996.

289. *Ibid.*

290. Entretien du 30 janvier 1993.

291. Pièce de théâtre de Jacques Constant, *Frédéric Général* fut créée à la radio en 1949 avec notamment Denise Grey, Maurice Chevit, Marcel Herrand, François Périer. Publiée dans le numéro 13 de la revue *Opéra*, l'ancêtre de l'*Avant-Scène*, elle reçut le prix Italia 1949 à Venise, en octobre de la même année. Soehring entreprit d'en faire la traduction allemande.

292. Entretien du 30 janvier 1993.

293. Entretien du 21 mars 1994.

294. Entretien du 29 janvier 1993.

295. Entretien du 28 mars 1996.

296. *J'ai dansé sur les flots*, p. 100.

297. In *Arletty*, Philippe Ariotti, Philippe de Comes, p. 166.

298. *La Défense*, p. 186.

299. Entretien du 24 avril 1993.

300. Truman Capote, *Morceaux choisis*, Gallimard, 1964, p. 490. (C'est Brando qui souligne.)

301. In *Arletty* par Michel Perrin, p. 20.

302. *Golgotha* en 1935.

303. *La Défense*, p. 188.

304. *Ibid.*, p. 190.

305. Entretien du 3 septembre 1994.

306. Henri Mondor (1885-1962). Professeur de clinique chirurgicale, auteur de traités de chirurgie et de livres d'histoire de la médecine, membre de l'Académie française.

307. Poignée de main.

308. Dans ses mémoires *Les défendre tous*, parus aux Éditions Robert Laffont, 1973, Albert Naud relève que «J'ai du bon tabac dans ma taba-

tière; j'ai du bon tabac, tu n'en auras pas» était le mot de passe que les rares amis de Céline tambourinaient sur sa porte sous l'Occupation.

309. Né en 1883, et déposé en 1945, Vargas est réélu président de la République en 1950. Il se suicide quatre ans plus tard.

310. Entretien du 12 avril 1996.

311. Au théâtre, terme qui signifie courir le cachet.

312. Regard avide.

313. Entretien du 26 février 1996.

314. En 1974, à Paris.

315. *Un homme de joie*, p. 177.

316. Entretien du 26 février 1996.

317. *La Défense*, p. 191.

318. Jean-Baptiste Delaunay, maître ébéniste, mort en avril 1798.

319. *La Défense*, p. 191.

320. En 1941 pour son livre *Vent de mars*.

321. Entretien du 16 décembre 1984.

322. Entretien du 26 mai 1994.

323. *La Défense*, p. 179.

324. *Ibid.*, p. 179.

325. Entretien du 29 avril 1995.

326. *La Défense*, p. 203.

327. In *Arletty*, Philippe Ariotti, Philippe de Comes, p. 182.

328. *La Défense*, p. 207.

329. In *Arletty*, Philippe Ariotti, Philippe de Comes, p. 186.

330. *La Défense*, p. 201.

331. L'information a été recueillie la veille, soit le 10 octobre.

332. Entretien du 7 juin 1996.

333. Entretien du 30 mai 1996.

334. Entretien du 7 juin 1996.

335. *Voyage au bout de la nuit*, p. 256.

336. Entretien du 30 janvier 1993.

337. Le théâtre de l'Odéon, aujourd'hui théâtre de l'Europe.

338. *La Défense*, p. 206.

339. *Le Monde*, 18 février 1962.

340. *La Défense*, p. 208.

341. *Ibid.*, p. 192.

342. *Ibid.*, p. 208.

343. L'écrivain-diplomate, qui a toujours loyalement servi Vichy, est nommé ambassadeur de France en Roumanie en août 1943, puis en Suisse. À la Libération, bénéficiant de puissants soutiens politiques, il s'exile sur les bords du Léman, dans le château de l'Aile au décor

gothico-hollywoodien. En 1968, l'année des barricades, il est élu à l'Académie française, après un échec dix ans plus tôt.

344. *Le Banquier noir, François Genoud,* Le Seuil, p. 97.

345. *La Défense,* p. 209.

346. *Ibid.,* p. 210.

347. *Ève.*

348. L'actuel Espace Cardin sur les Champs-Élysées.

349. *La Défense,* p. 211.

350. *Le Figaro,* 16 septembre 1966.

351. Charles Munch, 1891-1968, a dirigé l'orchestre de la Société des concerts du Conservatoire, qui a interprété la musique du film *Les Visiteurs du soir,* puis ceux de Boston et de Paris.

352. Fondateur et ancien président du Festival de Cannes.

353. *La Défense,* p. 92.

354. Inflammation généralisée du globe oculaire.

355. Entretien du 31 mai 1996.

356. *La Défense,* p. 212.

357. Son court métrage : *Strangulation Blues.*

358. Ex-théâtre des Ambassadeurs où elle a joué sa dernière pièce *Les Monstres sacrés.*

359. Entretien du 3 septembre 1994.

360. Entretien du 29 décembre 1993.

361. Ancien directeur du Casino de Paris et du théâtre Marigny.

362. *La Défense,* p. 214.

363. *Ibid.,* p. 214.

364. *Ibid.,* p. 215.

365. «Il est battu par les flots, mais ne sombre pas.»

366. Une radio.

367. Entretien du 14 mai 1996.

368. Entretien du 14 octobre 1992.

369. *Ibid.*

370. *La Défense,* p. 13.

371. «Le chant des piroguiers.»

372. Né à Riom, Gilbert Romme prit part à la réforme du calendrier républicain. Condamné à mort pour avoir comploté contre la République, il se suicida le 16 juin 1795 à quarante-cinq ans afin d'échapper à la guillotine.

373. *Les Lettres de Miette Tailhand-Romme, 1787-1797,* Éd. Clermont-Reproduction, 1979, p. 163.

374. Le 6 avril 1995, la cour d'appel de Riom a condamné le cabinet généalogique parisien des frères Francis et Jean-Marie Andriveau à rem-

bourser 197 917 francs à Marius Rougier. Ce pour lui avoir fait signer un « contrat de révélation » de la succession de l'actrice, la veille même de ses obsèques. Des représentants d'Andriveau s'étaient rendus au domicile des héritiers, en Auvergne, pour leur annoncer qu'ils étaient parents d'Arletty et que la succession leur revenait. Mais la cour d'appel a jugé que ce contrat était « sans cause », les Rougier sachant depuis longtemps qu'ils étaient de la famille d'Arletty. Les trois autres héritiers, trop âgés et de santé fragile, ne saisiront pas la justice. Depuis lors, deux d'entre eux sont décédés.

375. Les radios annonçaient que le couturier Pierre Cardin venait d'ouvrir une boutique à Moscou et qu'il avait signé un contrat pour habiller les Soviétiques.

376. Après avoir été supprimé par le gouvernement Chirac en 1986, il a été reinstauré sous le nom d'impôt de solidarité sur la fortune.

377. *Libération*, 20 juin 1988.

378. *La Vie à belles dents*, p. 331.

379. 26 juin 1991.

380. 1er octobre 1991.

381. 10 décembre 1991.

Index

Belmondo, Jean-Paul 378, 425
Belmondo, Paul 226
Bénard, Adrien 103, 129
Bénard, Julie Amélie 129, 407
Benoist-Méchin, Jacques 203, 226, 256
Benoit, Pierre 203, 263
Bérard, Christian 134, 188, 235, 239, 393
Berger, Ludwig 110, 437, 439, 444
Bergman, Ingmar 377
Bergman, Ingrid 355
Berl, Emmanuel 289
Bernard, Paul 91, 162
Bernard, Raymond 124, 131, 437
Bernard, Tristan 91, 158, 195, 243-248, 284-286, 314, 323, 351, 372, 407, 437-438, 441, 443
Bernard-Deschamps 180, 194, 438
Bernhardt, Sarah 65, 73, 92, 155, 361, 386, 417
Bernheim, André 194, 351
Bernstein, Henry 94, 101, 112, 155, 162-165, 317, 320-321, 407, 433
Berriau, Simone 195, 336, 338, 351, 367, 426
Berry, Jules 111, 122, 136, 176-179, 221-222, 228-229, 241, 378, 401, 435
Berthez, Armand 70-73, 89
Berthier, Louis Alexandre 64-66, 72, 77, 81, 107, 211
Besse, Alexandrine Charbonnier, épouse 423
Bidault, Georges 249, 370

Blanchar, Pierre 101-102, 283, 386
Blanche, Francis 380
Blériot, Louis 33
Blier, Bernard 169, 367-368, 427
Blin, Roger 222
Bloch-Dassault, Marcel 116
Blum, Léon 135-136, 158, 164, 317
Bohse, William von 217
Boissac, Serge de 378
Boissière, Jean-Galtier 321-322, 434
Bolloré, René 330-332, 349, 371, 433
Bonaparte, Élisa 234
Bonaparte, François Napoléon 202
Bonaparte, prince Louis-Napoléon 250
Bonin, Louis *alias* Tchimoukow 166, 177
Bonnard, Abel 202
Bonnard, Pierre 217
Bonnot, Jules 35
Borchard, Adolphe 158, 443
Borodine, Aleksandr 234
Borotra, Jean 123, 256
Boucher, Victor 38, 112, 137, 143-144, 161, 180, 300
Bourdet, Denise 163, 204
Bourdet, Édouard 112, 137, 140-141, 143-144, 158, 163-164, 171, 173, 180, 204, 228, 254, 310-311, 313, 426, 443
Bourla, Alain 320, 431
Boursier, Léon Sulpice 20
Bourvil 378
Bouscayrol, René 423
Bousquet, Jacques 129, 202, 441-443

Renaud, Madeleine 241, 250, 254, 276, 386, 409, 418
Renault, Louis 221, 411
Renoir, Auguste 70, 127
Renoir, Jean 96, 102-103, 116, 127, 165, 176, 178, 194
Renoir, Pierre 243, 253-254
Renouardt, Jane 149, 235
Reynaud, Jeanne 232
Reynaud, Paul 149, 193, 196
Ribbentrop, Joachim von 263
Richard, Marthe 180
Richebé, Roger 184, 204, 211-212, 226, 357, 435, 438
Rimbaud, Arthur 389
Rimsky-Korsakov, Nicolaï 234
Rip 28, 51, 74, 83, 88-89, 92, 96, 98, 106, 111, 114, 132, 137, 204, 264, 317, 367, 422, 441-443
Robert, Yves 367-368
Robinson, Edward G. 165
Rochefort, Henri 22
Rogers, Ginger 332
Rollan, Henri 393
Romain, Claude 328
Romains, Jules 93, 333, 378
Romance, Viviane 195
Romme, Gilbert 423
Ronet, Maurice 418
Roosevelt, Franklin 304
Roquevert, Noël 214
Rosay, Françoise, épouse Feyder 126-127
Rosenthal, Philip 96, 343
Rossi, Tino 195, 280, 309, 334
Rostand, Edmond 73, 204
Rothschild, famille de 94, 116, 133
Rothschild, Lili de 39, 188-189, 216, 223, 245, 254

Rougier, Marius 423
Rouleau, Raymond 249, 352, 380
Rousseau, Jean-Jacques 300, 330, 349
Roussin, André 355, 444
Roussy de Sales, comtesse 232
Rubinstein, Arthur 116
Rubinstein, Helena 181
Rubirosa, Porfirio 320
Rueff, Jacques 256
Ruffier, Mme (fleuriste) 79
Ryan, Cornelius 358
Ryder, Alexander 160, 438
Ryeux, Gisèle de 75
Rysel, Ded 355, 444

Sablon, André 113, 363
Sablon, Jean 113
Sadoul, Georges 172-173, 295, 435
Sagan, Françoise 404
Saint-Cyr, Renée 259
Saint-Exupéry, Antoine de 124
Saint Laurent, Yves 148, 394
Salacrou, Armand 93
Salengro, Roger 141
Salmon, André 365
Salou, Louis 239, 329
Sand, George 52
Santos-Dumont, Alberto 33
Sardou, Victorien 211, 259
Sarment, Jean 388
Sartre, Jean-Paul 325, 335
Satie, Erik 50
Sauckel 263
Sauguet, Henri 180, 398
Sax, Guillaume de 220
Schiaparelli, Elsa 147, 155, 162-163, 169, 234-235
Schiller, Friedrich von 203, 437

Index des films

Remerciements

«Et vous, p'tit Denis, quand allez-vous l'écrire ce livre?» me demandait parfois Arletty. C'était dans les années quatre-vingt, plusieurs ouvrages venaient de lui être consacrés. L'un par une vieille connaissance, l'autre par une plus récente. «Le temps me manque, lui répondis-je. Si je m'y mets, je n'aurai plus un moment pour venir vous voir. Et ça, jamais! D'autant que vous méritez qu'on vous consacre une somme, comme on ferait pour Napoléon.» Le rapprochement avec l'Empereur la faisait rire.

Avec esprit, humour, naturel, une perspicacité cinglante, Arletty repartait de plus belle, évoquant les gens qu'elle avait croisés, connus, fréquentés, aimés, les scènes dont elle avait été le témoin. Nos échanges n'avaient pas le caractère solennel et bridé d'interview. C'étaient des conversations, tirant parfois à la confidence, libres, à bâtons rompus, interminables et toujours passionnantes. Pour ces instants privilégiés, qu'Arletty soit ici la première remerciée.

Que Mmes Renée Faure et Edmée Nicolle, que M. Alain Armengaud, René Bolloré, René de Chambrun, Jean d'Harcourt, Jean Nogrette le soient tout aussi chaleureusement pour l'aide capitale qu'ils m'ont apportée dans mes recherches, en faisant revivre leurs souvenirs et en m'ouvrant généreusement leurs albums de photos et leurs archives personnelles.

Aux amis qui m'ont soutenu, j'adresse ma sincère gratitude. D'abord à Alain Bourla, mémoire vivante d'Arletty, souvent mis à contribution durant la rédaction de cet ouvrage, pour sa lecture

479

attentive et rigoureuse du manuscrit. Ainsi qu'à Luc Baboulet, Claude Fournier, Pierre Martory, Charles Schiffmann, Jean-Pierre Tison, eux aussi lecteurs de la première heure, pour leurs commentaires éclairés et leurs précieux encouragements.

À tous ceux qui m'ont permis de recouper des informations, je leur sais gré de m'avoir ouvert des portes, en premier lieu la leur, et de m'avoir ainsi aidé à remonter le fil de la vie d'Arletty. Je veux citer par ordre alphabétique : Philippe Agostini, Azzedine Alaïa, Sabien Barué Aucher-Armengaud, Hugues Bachelot, Gaby Basset, André Beaurepaire, André Bénard, Jean-Pierre Bertin-Maghit, Antoine Besse, Héléna Bossis, Henri Calvet, Léos Carax, Marcel Carné, Marie-Berthe Colcombet, Roger Corbeau, Davia, Suzy Delair, Agnès Delomier, Amélie Dor, Max Douy, Michel Etcheverry, Simone Feissolle, Daniel Gélin, François Gibault, Olivier Giel, Marie-Josée Giocanti, Françoise Giroud, Claude Imbert, Daniel Ivernel, Yves-Frédéric Jaffré, Mme Claude Henri Jeanson, Odette Joyeux, Jean Kisling, Ursula Von Kardorff, Dominique Lambilliotte, Manuel Litran, James Lord, Renée de Mallet, Dominique Marcas, Marianne, Hélène Mouchard-Zay, Michel Moutet, Daphné Pacitti, Danièle Parola, le comte et la comtesse Pecci-Blunt, François Périer, Robert Petit, M. et Mme Bernard Pissaro, Joseph Pous, Gilberte Refoulé, Fernande Ricordeau, Dany Robin, Yves Robert, Madelon Rudel, Yvonne Sériès, Nane Trauner, Yvonne Vallée, Jean et Pierre Viple, Régnier de Wykerslooth.

Je suis redevable au directeur des Archives nationales, Alain Erlande-Brandenburg, et à son personnel, en particulier à Caroline Obert et Jean Pouessel, d'avoir facilité ma tâche. Je le suis tout autant à l'égard d'Odile Gaultier-Voituriez du Centre d'Histoire de l'Europe du Vingtième Siècle.

J'adresse également mes remerciements à la Bibliothèque de l'Arsenal, à la Bibliothèque nationale, au Centre de Documentation juive contemporaine, au Centre Georges-Pompidou et plus particulièrement au commissaire de l'exposition Pathé (26 octobre 1994/6 mars 1995), Jacques Gerber, au Conseil général d'Indre-et-Loire, aux Archives départementales de l'Allier, à la mairie de La Houssaye, à Rhône-Poulenc, à la *Bundesarchiv* de Berlin et au Centre culturel français à Milan.

Merci aussi à Jean-Marie Pontaut et à Muriel Beyer pour leur rôle déterminant à l'origine de ce livre.

La liste ne serait pas complète si je n'exprimais pas mon amicale reconnaissance à Brahim Naït Ben Daoud pour le confort matériel qu'il m'a apporté, et ma tendre affection à Amy et à Luc.

À tous, merci.

Crédits photographiques

Arletty
1. Photo : Roger Corbeau/© Ministère de la Culture-France.

Sa famille — son enfance
2-8. Photos : Collection particulière.

Portraits
9-11. Photos : Collection particulière.
12. Photo : Collection particulière.
13. Photo : Collection Max Douy.
14. Photo : Collection particulière.
15. Photo : Manuel Litran.
16. © CAR.

Ses grands films
17-18. © Collection *Cahiers du Cinéma*.
19. © Athos-Films.
20. © Collection *Cahiers du Cinéma*.
21-22. Photos : Collection particulière.
23. © Archives Pathé-Télévision/photo D. R.
24. Photo : Collection particulière.
25-26. © Collection *Cahiers du Cinéma*.
27-29. Photos : Collection particulière.

Amours-Amitiés

30-32. Photos : Collection particulière.
33. Photo : Fournol.
34. Photo : Collection particulière.
35. Photo : Michel Lidvac.
36. Photo : Collection particulière.
37. © Sygma.

Table

CET OUVRAGE A ÉTÉ COMPOSÉ
PAR LES ÉDITIONS FLAMMARION

Cet ouvrage a été imprimé par la
SOCIÉTÉ NOUVELLE FIRMIN-DIDOT
Mesnil-sur-l'Estrée
pour le compte des Éditions Flammarion
en septembre 1996

Imprimé en France
Dépôt légal : octobre 1996
N° d'édition : FF 694001 - N° d'impression : 36006